NUEVA CRÍTICA HISPANOAMERICANA

Colección dirigida por
Alberto Julián Pérez
María Fernanda Pampín

ALBERTO JULIÁN PÉREZ

Literatura, peronismo y liberación nacional

 CORREGIDOR

Alberto Julián Pérez
  Literatura, peronismo y liberación nacional. - 1a ed. - Ciudad
Autónoma de Buenos Aires : Corregidor, 2014.
    480 p. ; 20x14 cm. - (Nueva crítica hispanoamericana / Alberto
Julián Pérez)

    ISBN 978-950-05-2097-3

    1. Crítica Literaria.
    CDD 801.95

Diseño de tapa:
Departamento de Arte sobre diseño de colección de
Moyano/Villanueva Comunicación Visual

© Ediciones Corregidor, 2014
Rodríguez Peña 452 (C1020ADJ) Bs. As.
Web site: www.corregidor.com
e-mail: corregidor@corregidor.com
Hecho el depósito que marca la ley 11.723
ISBN 978-950-05-2097-3
Impreso en Buenos Aires - Argentina

PERONISMO, CULTURA
Y RAZÓN DE ESTADO

El Peronismo fue en su origen un movimiento nacional populista y policlasista que alteró la relación que mantenían hasta ese momento las clases sociales en Argentina y trajo una visión nueva de la política, transformando profundamente la vida cultural. La clase media liberal, principal productora de alta cultura, y la oligarquía, tuvieron que compartir el espacio social con el pueblo bajo, con el trabajador. El proletariado no había recibido los beneficios de la educación liberal y no tenía acceso a sus sofisticados productos culturales, que ambicionaban competir con los europeos. El trabajador, sin embargo, aportó su gusto propio, criticado y denostado por la clase media.

El primer gobierno peronista, de 1946 a 1955, alienó a la clase media liberal, y a los sectores radicales que apoyaban una revolución social marxista. Liberales y marxistas no entendían a un gobierno nacional y popular que promovía una revolución "desde arriba", desde el poder, y tomaba como interlocutora y protagonista a la clase obrera. La realidad que observaban les parecía despreciable. Los "cabecitas negras", los "descamisados" peronistas, no podían ser esos obreros iluminados y trascendentes de que hablaban los líderes marxistas. Un abismo separaba la sensibilidad de la clase media, educada en los ideales de la alta cultura europea y norteamericana, de la sensibilidad de la clase obrera y sus entretenimientos típicos de la cultura de masas. El pueblo pobre disfrutaba de la música popular: el tango, el folklore, los ritmos latinoamericanos bailables; gozaba de los espectáculos deportivos: el fútbol, el boxeo y el automovilismo; amaba los radioteatros y los programas radiofónicos. La pequeña burguesía educada mostró sus prejuicios de clase y sus limitaciones para interpretar el fenómeno peronista: era una situación real que no entraba en el plano de sus deseos y expectativas. Esperaban una revolución social de los "inteligentes", de los intelectuales, y no una rebelión de los "grasitas", sin una ideología clara.

El Peronismo, sin embargo, tenía su "doctrina", como la llamaba Perón. Sus tres principios eran: justicia social, igualdad económica y soberanía nacional. Tres ideas sencillas pero contundentes. El Peronismo no se formó como partido minoritario de oposición, ni fue un partido que ganó posiciones paulatinamente compitiendo con los otros partidos, sino que nació como una propuesta política auspiciada por Perón desde el estado. Perón fue ocupando espacios de poder e intercedió en las relaciones entre el gobierno y los trabajadores, organizándolos en una red sindical y creando una burocracia administrativa al servicio de las organizaciones obreras.[1] Esa organización administrativa fue el origen de lo que sería luego el partido. No pudo comprobar la legitimidad de que gozaba su propuesta y el grado de aceptación que su liderazgo tenía entre los trabajadores hasta que fue removido de su

---

[1]   Perón organizó su propuesta política como miembro del gobierno instituido por el golpe militar de 1943. La clase media y la alta burguesía resistieron las innovaciones de Perón. Esos sectores sociales interpretaron que se trataba de un movimiento totalitario, si bien Perón fue legitimado en el poder en elecciones libres presidenciales. Su tipo de liderazgo personal y grandilocuente hizo que lo asociaran con los líderes totalitarios fascistas europeos de la época: Mussolini, Hitler y Franco. Su influencia sobre las masas obreras ratificó esta imagen simplificadora, de lo que luego resultó ser un movimiento original latinoamericano de índole diversa.
El Peronismo fue un movimiento laborista, popular y nacional, que revalorizó la noción de pueblo y el sentido de lo nacional. Denunció el imperialismo y se opuso a la violencia. Su base política fueron las organizaciones sindicales. Perón eligió a los trabajadores más humildes como su base política. Uno de sus méritos históricos, y no el menor, fue el haber evitado en 1955, con su renuncia al gobierno, una guerra civil, que hubiera ensangrentado la patria. Triunfó en el tiempo con su verdad y demostró a los golpistas que lo expulsaron del poder que su causa era justa y necesaria.

cargo por el Presidente y puesto en prisión. El 17 de octubre de 1945 Perón demostró que había logrado establecer una relación política con las masas, que lo reclamaban a él como su líder.

La política de Perón, planteada desde el gobierno, tuvo un destinatario específico: la clase obrera. Los trabajadores organizados en los sindicatos se transformaron en su base política más firme. Se encontró tempranamente con el apoyo de un sector masivo y estratégico. Quedaron fuera de la alianza sectores políticos movilizados por otros partidos: la oligarquía, gran parte del empresariado que no creía en la posibilidad de un desarrollo nacional independiente, la clase media profesional.

Perón ejerció un poder personal único e irrevocable. Era un líder carismático irreemplazable. La revolución peronista que él planteó, o las reformas políticas, económicas y administrativas que implementó, las impuso desde el estado. El Peronismo siempre fue expresión de una política de estado fuerte, dado su amplio apoyo popular. Perón concibió su partido como un "movimiento". A diferencia de los partidos tradicionales, que elegían representantes durante los períodos de elecciones y luego perdían contacto con sus bases, el Peronismo movilizaba constantemente a sus seguidores, buscando a cada paso legitimar su política y lograr el apoyo de la población. Mantenía una situación permanente de plebiscito popular.

Perón consideraba esa disponibilidad para la movilización un elemento indispensable de su política. Las masas y el proletariado se transformaron en actores de la vida política, pero lo hicieron en un partido organizado por Perón desde el gobierno, y no como militantes de partidos independientes. Surgió un gran antagonismo entre el Peronismo y los partidos que planteaban una política de lucha de clases, como los distintos sectores del comunismo y el socialismo. El Peronismo se enfrentó también con grupos conservadores, que rechazaban la injerencia del estado en la economía, y los partidos de clase media, como el Radical y el Demócrata Progresista. Los sectores políticos herederos de las ideas liberales anti-estatistas rechazaron al Peronismo y lo consideraron un movimiento totalitario.

Peronismo y razón de estado se confunden o son uno solo: es un movimiento propuesto desde el estado, por uno de los miembros del gobierno, en momentos en que dirige el país un gobierno militar llegado al poder mediante un golpe. El surgimiento de Perón demostró que el sector militar albergaba tendencias distintas, y dentro de ese grupo el Peronismo resultó ser un sector ideológicamente progresista. Perón y los oficiales del GOU que lo apoyaban tenían una propuesta política renovadora, revolucionaria.

Perón habló siempre del Justicialismo como de un movimiento revolucionario. Su situación política cambió radicalmente luego de su derrocamiento en 1955 por el Ejército: mediante un golpe, controlado finalmente por el ala liberal representada por Aramburu y Rojas, los militares se adueñaron del poder, respaldados por el empresariado, la iglesia y la clase media. Durante los años siguientes, el proletariado tomó la iniciativa y estando Perón en el exilio se organizó y luchó por recuperar el poder político que le había sido arrebatado en el golpe. Los sindicatos se transformaron en las organizaciones de base de la Resistencia, y la huelga y la toma de fábricas fue el arma favorita de los trabajadores, que lucharon durante años para hacer retornar a Perón al país y legalizar su movimiento, proscripto por los militares. El Peronismo, que comenzó como un movimiento organizado desde el estado, fue expulsado del estado y tuvo que resistir y luchar desde abajo, con las bases, para recuperar su espacio político y reconquistar el poder. En ese momento el Peronismo alcanzó un sentido revolucionario.

Dado que el Peronismo surgió desde el estado y se confundió con él, el militante del Peronismo en un principio no tuvo la necesidad de conquistar el poder luchando contra un estado opresor. En 1945 Perón organizó el Partido Laborista, base del Partido Justicialista, para luchar por las elecciones presidenciales, que los peronistas ganaron fácilmente, contra un amplio espectro opositor, integrado por una coalición formada por conservadores, liberales e izquierdistas.

Los peronistas llegaron al poder siguiendo a Perón, encolumnándose tras él. La lealtad definía a los primeros militantes peronistas. Si eran leales a Perón seguiría creciendo el Movimiento y su líder llevaría adelante sus promesas políticas y su plan de gobierno. La idea de libertad y liberación apareció en relación a la política argentina con el exterior. Perón denunció la existencia de una verdadera confabulación imperialista que limitaba la soberanía nacional. Había que liberar al país de las amenazas externas e internas, porque el imperialismo tenía aliados dentro del territorio nacional. Pero el trabajador ya era libre, lo había liberado Perón. Era una libertad condicionada, porque los peronistas estaban rodeados de antiperonistas, de aquellos que no se habían plegado a la política de Perón. Estos eran los enemigos que conspiraban contra el Movimiento.

Luego de la caída de Perón y durante la Resistencia esto cambió: los enemigos internos triunfaron y dejaron al país sometido a los enemigos externos. La lucha por la libertad se transformó en un valor fundamental para el Movimiento: era necesario liberar al país de la ocupación ilegítima de un poder antipopular, que lo traicionaba y lo entregaba a intereses extranjeros. Durante la Resistencia la lógica del Peronismo se adecuó a la lógica de la liberación de otros movimientos no peronistas: allí descubrieron muchos sectores peronistas su afinidad con los movimientos cristianos tercermundistas, con los socialistas, con los comunistas, y con los diferentes movimientos anti-imperialistas. Nació así otra vertiente del Peronismo que, al estar fuera del poder y transformarse en oposición, evolucionó hacia una posición más revolucionaria. Para recuperar el poder había que luchar, valiéndose tanto de la resistencia sindical como del terror. El nacionalismo original se fue ampliando a un panamericanismo. La revolución cubana y el guevarismo inspiraron una nueva gesta de liberación contra el imperialismo.

El Peronismo trajo a la vida social y cultural nuevos actores. La irrupción del trabajador en la vida social fue inmediata. El Peronismo desarrolló una política cultural para educar y satisfacer los intereses de este trabajador y mejorar sus condiciones de vida. Además de fundar escuelas y hospitales, implementó una política de protección y seguridad social, reflejada en la constitución de 1949 y en las actividades políticas de Evita. Evita dirigió la rama femenina del Partido Justicialista, y coordinó un movimiento social que culminó en la conquista del voto de la mujer, apoyado por Perón y dirigió la Fundación que dio ayuda a los pobres y necesitados, a los que quedaban excluidos de la red social planteada por el Peronismo desde los sindicatos y el Ministerio de Bienestar Social. El Peronismo promovió actividades y competencias deportivas, y creó numerosas instalaciones, apoyando el deporte en todo el territorio y a todos los niveles.

La llegada al poder del Peronismo cambió la visión cultural dominante hasta ese momento: la de la pequeña y gran burguesía. Para la burguesía solo el arte elevado y culto valía; el arte popular estaba en un nivel inferior y era para un público de menor nivel y educación. Las expresiones festivas populares, los juegos y competencias deportivas eran distracciones colectivas escapistas que la pequeña burguesía despreciaba. El gran arte solo podía ser para una élite. Para los sensibles e hipercultos. Para los elegidos.

El Peronismo dejó expuesto el carácter clasista de la cultura y la literatura. El pretendido universalismo de la literatura burguesa era una aspiración hegemónica de clase y no una verdad irrefutable.[2] Se discutió cuál era el carácter de la cultura liberal, ¿era nacional o antinacional, contribuía al desarrollo de la cultura nacional o la distorsionaba y la falsificaba? Los historiadores revisionistas estudiaron el papel que habían tenido los prohombres liberales, como Sarmiento y Mitre, y los condenados por los liberales, como Rosas y los otros caudillos, censurando a los historiadores liberales. Su sentido crítico se extendió a otras disciplinas. Los ensayistas y críticos literarios nucleados en la revista *Contorno* enjuiciaron el papel de los escritores liberales, atacando particularmente a los que consideraban representantes del grupo

---

[2] La cultura literaria argentina, desde la etapa de las luchas por la Independencia, fue una cultura eurocéntrica, hegemonizada por los sectores libertarios liberales, que buscaban su propia identidad y razón de ser. Esta dialéctica entre su pertenencia a la tradición occidental europea, como ex-colonia española, y su búsqueda de un lugar propio dentro de esa cultura occidental, sopesando y considerando los modelos madre de esa cultura, alimentó la historia cultural argentina.

Los ideales de la Ilustración, que ayudaron a impulsar las luchas revolucionarias de los padres de la patria, Moreno, Belgrano, San Martín, formaron la base de nuestra cultura nacional liberal independiente. Los intelectuales y escritores de la Generación del 37 tuvieron una visión dicotómica de la historia nacional: liberalismo contra tiranía, iluminismo contra populismo, república vs colonia. Sarmiento argumentó a favor del concepto universal de civilización y lo opuso al de barbarie, sinónimo para él de atraso y primitivismo. Podríamos ver la historia argentina como una contienda entre esas dos posiciones: Rosas enemigo de Rivadavia, Yrigoyen enfrentado a la oligarquía porteña, y Perón opuesto a la oligarquía conservadora. Los argentinos meditaron mucho sobre esa visión de la historia, punto de partida de nuestro pensamiento.

de la revista *Sur*. La polémica fue violenta y agresiva, y mostró que la cultura liberal dominante representaba sólo los intereses de un sector de la población y no a toda la sociedad. Se había impuesto por la fuerza y marginado otros intereses culturales. Los diferentes sectores sociales tenían intereses culturales y necesidades educativas distintas. El arte culto y la literatura eran el modo favorito de expresión de los sectores que habían tenido buena educación escolar, casi todos pertenecientes a la oligarquía y a la burguesía. Los sectores proletarios disfrutaban del arte popular y los deportes.[3] Los deportes, despreciados por los intelectuales, eran un medio democrático fundamental de entretenimiento y socialización para las masas. El gobierno pasó a organizar los deportes, sacando del anonimato al proletario y a la gente del interior, que pudo viajar a Buenos Aires a participar en los campeonatos promovidos por la Secretaría de Deportes.

En esta sociedad de arraigo popular, el entretenimiento de masas y las expresiones de su cultura alcanzaron mayor representatividad. El pueblo tuvo gran protagonismo, participaba activamente en las manifestaciones políticas masivas y militaba en los sindicatos de trabajadores. La pequeña burguesía culta, orgullosa de su educación y sus méritos artísticos, se sintió profundamente desplazada e ignorada, y se llenó de odio y resentimiento ante este protagonismo de las masas. Así lo evidenció la actitud de sus artistas, como Borges y Martínez Estrada, que reaccionaron con gran odio y desprecio ante el pueblo peronista y su líder.

Esta situación puso en evidencia el carácter clasista de la cultura letrada. Autores como Jauretche denunciaron desde el periodismo, uno de los géneros más militantes, a los sectores liberales, que falsificaban la historia, la literatura y la cultura.

---

[3]   Esto expuso el enfrentamiento entre arte burgués y arte popular, entre una cultura al servicio de las grandes expresiones artísticas, casi todas de origen europeo, y una cultura al servicio de las necesidades de expresión del pueblo bajo. Esta oposición se materializó en el enfrentamiento, por ejemplo, entre la música clásica y el tango, entre los ritmos europeos y los latinoamericanos, entre la literatura elevada y las expresiones de la cultura popular, como el teatro de revistas o los programas cómicos radiales, y entre el cine de imitación de Hollywood y las comedias cinematográficas populares melodramáticas con héroes de los sectores pobres, como Catita y Luis Sandrini.

Las experiencias del Peronismo durante los años del gobierno de Perón y en los años de la Resistencia tuvieron un gran impacto en la cultura argentina. En el siglo XXI interpretamos al Peronismo con un sentido de referencia distinto. Para los individuos cultos contemporáneos al gobierno de Perón, como Borges y Martínez Estrada, el Peronismo era sinónimo de incultura, de barbarie. Las ideas sobre el Peronismo cambiaron durante la Resistencia, cuando se transformó en un movimiento perseguido y proscripto. Lo persiguieron las dictaduras militares y los gobiernos sumisos que los militares promovieron y alentaron, en alianza con partidos cómplices, como el Radical. Estos partidos se beneficiaron de la proscripción del Peronismo y, haciendo concesiones a la oligarquía conservadora y al imperialismo internacional, lograron llegar al poder para implementar una política servil.

Si bien fueron movimientos de fuerza, las dictaduras militares no fueron fuertes, porque carecieron de apoyo popular y legitimidad política. Las masas populares siguieron siendo peronistas y jamás aceptaron la proscripción ilegítima de su partido. Su ambición fue reconquistar ese lugar de privilegio que habían tenido, cuando Perón gobernaba y ellas eran protagonistas, y había una política de estado al servicio de sus intereses. Todos conocemos la historia posterior, en que el partido habría de recuperar el poder para transformarse en el movimiento político más representativo de la historia argentina y de mayor duración en el gobierno.

El Peronismo ha dejado documentos importantes a nuestra cultura, en particular los escritos de Perón, que fue un escritor prolífico. Perón escribió antes, durante y después de su primera y su segunda presidencia. Escribió libros de historia militar cuando fue profesor universitario de la Escuela de Guerra, escribió discursos y columnas periodísticas utilizando seudónimo (Descartes) durante la presidencia, y escribió extensos comunicados y numerosos libros de ensayo durante los años de la proscripción. Su obra completa abarca más de 35 volúmenes.

Además de haber dejado importantes testimonios escritos, el Peronismo enriqueció el mundo político introduciendo actores sociales polémicos e inesperados, que fueron aceptados por muchos y cuestionados por otros en la época: actores individuales, como la actriz de radioteatro Eva Duarte, esposa de Perón, que se transformó en Evita y lideró el movimiento femenino que concluyó dándole el voto a la mujer, y actores colectivos, los trabajadores movilizados en grandes contingentes, que ocupaban las calles con sus manifestaciones, reclamando mejoras laborales y respeto de sus derechos, y expresaban su apoyo o su crítica a la política del gobierno.

Los escritores liberales, como Borges y Sábato, que rechazaron políticamente al Peronismo, no dejaron a su modo de testimoniarlo, en forma directa e indirecta, en su obra. No fueron escritores indiferentes a los cambios sociales. Borges introdujo tempranamente en los estudios literarios el análisis cultural de la literatura popular contemporánea urbana, en su libro de ensayos sobre la poesía de *Evaristo Carriego*, de 1930. En su juventud Borges fue populista e yrigoyenista. En la década del cuarenta, influenciado por la personalidad de Victoria Ocampo y otros escritores liberales del grupo *Sur*, se volvió contra el nacionalismo cultural. Sábato, que había sido en su juventud anarquista y destacado dirigente de la juventud comunista, rechazó después la militancia política para abrazar la duda sistemática del Existencialismo y hacerse un agudo observador del ser humano. Su novela *Sobre héroes y tumbas* es uno de los mejores documentos sobre la situación especial de la pequeña burguesía culta y sus problemas materiales y espirituales durante la época del primer Peronismo.

Durante la primera y segunda presidencia de Perón, muy pocos escritores apoyaron directamente al Peronismo. Se destacó entre ellos Leopoldo Marechal, que fue funcionario de cultura, y publicó en 1970 su novela sobre la Resistencia, *Megafón, o la guerra*. Muchos artistas que cultivaban las artes populares y las artes audiovisuales simpatizaron con el Justicialismo, entre ellos músicos y compositores de tango, como Enrique S. Discépolo, y actores y directores de cine, como Hugo del Carril. También recibió apoyo de diversas personalidades del periodismo, el ambiente radial y el mundo del deporte.

El Peronismo influyó directa o indirectamente en los proyectos personales e intelectuales de muchos jóvenes de la alta y mediana burguesía, como Ernesto Guevara y Fernando Solanas, que sintieron ansias de justicia social y buscaron la participación política, transformándose en militantes de causas justas. La proscripción y la lucha clandestina durante la Resistencia cambiaron el sentido de la militancia peronista, que se hizo más sacrificada y combativa. Muchos jóvenes se sintieron atraídos a sus filas, como lo testimonia Solanas en el documental *La hora de los hornos*. Aparecieron nuevos pensadores, como Rodolfo Kusch que, formado en la filosofía, se transformó en esos años en etnólogo y antropólogo cultural, haciendo trabajo de campo en el Noroeste argentino y en Bolivia, interpretando con justeza los conflictos raciales de nuestro continente. Se consagraron como escritores militantes políticos surgidos de otras tendencias que acompañaron la gestión peronista, particularmente Arturo Jauretche y Raúl Scalabrini Ortiz, miembros de FORJA, ala juvenil de izquierda del Partido Radical que se había escindido del mismo. Scalabrini fue uno de los principales referentes ideológicos de la política antiimperialista de Perón, y Jauretche se convirtió durante la Resistencia en uno de los polemistas políticos y ensayistas mejores que ha dado el país. Poetas como Leónidas Lamborghini y Juan Gelman crearon un nuevo lenguaje poético y desarrollaron una temática que reflejaba la experiencia peronista.

Rodolfo Walsh logró una intensidad notable en sus relatos periodísticos, trayendo al lector el drama que vivía el pueblo peronista. El gran director Fernando "Pino" Solanas y el Grupo Cine Liberación produjeron en la clandestinidad la película documental *La hora de los hornos*, analizando el papel del Peronismo y la Resistencia en la historia política argentina, desde la perspectiva de los jóvenes revolucionarios. Los dramaturgos que integraban el Grupo de Autores describieron en *El avión negro* los temores de la oligarquía y la clase media ante un posible retorno de Perón al país.

Seleccioné los textos que analizo pensando en la representatividad de los autores y en su valor como actores de un proceso histórico.[4] No

---

[4] Varios de los capítulos de este libro aparecieron primero como artículos, y fueron revisados y corregidos para esta publicación. Son los siguientes: Alberto Julián Pérez, "Las letras de los tangos de E. S. Discépolo", *Hispanic Poetry Review*, 9 (18) (2011): 28-62; Alberto Julián Pérez, "Jauretche, el ensayo nacional y la colonización pedagógica", N. Flawiá de Fernández, compiladora, *Argentina en su literatura*, Buenos Aires: Corregidor, 2009: 235-63; Alberto Julián Pérez, "La palabra viva de Eva Perón", *Hofstra Hispanic Review* 8/9 (Verano/Otoño 2008): 66-92; Alberto Julián Pérez, "Perón ensayista: *La hora de los pueblos*", *Alba de América* 49-50 (2007): 329-51; Alberto Julián Pérez, "*Operación masacre*: periodismo, sociedad de masas y literatura", *Revista de*

todos son autores literarios, lo cual no implica que no formen parte de nuestra literatura. La literatura hispanoamericana se formó con los escritos de autores no literarios. Los aventureros españoles que vinieron a colonizar América dejaron un corpus de cartas, memorias y documentos que se convirtieron en nuestra primera literatura hispanoamericana. Y los periodistas argentinos del siglo XIX, como Sarmiento y Mansilla, son nuestros prosistas más talentosos y fundaron nuestra literatura nacional. Cada cultura propone su propia literatura o lo que debe formar parte de ella. Los protagonistas de cada época histórica revisan el corpus de su literatura y lo refundan. El Peronismo transformó la vida espiritual de la nación: el primer gobierno peronista, la Resistencia y la insurrección de los jóvenes revolucionarios del sesenta y del setenta, que son las etapas que abarco en este libro, cambiaron nuestra conciencia histórica. Lo que han dicho y escrito actores y autores como Perón, Evita, Jauretche, Walsh y Guevara es fundamental para entender la argentina del siglo XX. Borges, Marechal, Sábato, Puig y Piglia convivieron con ellos y reflejaron su problemática, y sin la perspectiva que aportan sus obras, entendidas en su justo contexto, nuestra literatura de ficción parecería existir en un vacío estético fuera del tiempo.

Estudio libros específicos de los autores escogidos. He evitado hacer un recuento general de ideas. Muchos de estos textos no han sido lo suficientemente bien leídos, o no se los ha leído como parte de un mismo contexto. La literatura siempre está buscando su lugar propio y la política también, para legitimar sus ideas y sus derechos. Es una lucha viva en la que se juega todo. La literatura puede ser tan peligrosa como la política, siempre se vive al borde y se sufre el destino de haber sido encargado de ser el escriba de la tribu y el mensajero de los dioses.

Para aceptar muchos de estos textos como parte de nuestra literatura tenemos que ampliar entonces nuestro concepto de lo literario, desestetizarlo. Llamar literatura a ese corpus de textos que modelan la

---

Crítica Literaria Latinoamericana 63-64 (2006): 131-147; Alberto Julián Pérez, "El testamento político de Perón", *Historia* 103 (September 2006): 28-43; Alberto Julián Pérez, "Rodolfo Kusch y lo americano", *Mitológicas* No. 18 (2003): 59-66.

conciencia de una cultura y le dan un lugar en el mundo. Entender la literatura como una expresión histórica de valor particular, en lugar de considerarla una expresión universal de valor general. La literatura se inserta en el mundo de los valores de su época y contribuye a cambiarlos. Es un elemento dinámico indispensable de la conciencia individual y social sin el cual sería imposible representarnos el mundo y asumirnos colectivamente como sociedad.

Este tipo de propuesta abierta y multicultural responde al espíritu de nuestro tiempo y espero sugiera nuevas direcciones de lectura de nuestros textos, que son nuestra herencia intelectual y artística que necesitamos valorar y discutir. Soy un crítico literario, pero mi análisis va más allá de lo que normalmente discuten los críticos en los libros, porque la literatura argentina es un compendio del criterio literario que heredamos de nuestra formación europea, de nuestras ideas originales sobre nosotros mismos y el mundo, de nuestras meditaciones sobre nuestra historia y nuestras reflexiones sobre nuestro mundo político. En ella planteamos nuestro destino y el sentido de nuestra libertad, y allí reside su más alto valor y originalidad.

Un buen crítico argentino no puede limitarse a una perspectiva enteramente académica, sobre todo si el formato académico es importado y responde a las imposiciones hegemónicas culturales de los países europeos y de Estados Unidos. De la misma manera que nuestros escritores buscan hacer su propia literatura, nosotros necesitamos crear y hacer nuestra propia crítica, que responda a los desafíos y necesidades de esa literatura. Tenemos que ser lectores flexibles y adaptar lo que nos conviene, rechazar lo que no corresponde y proponer criterios nuevos de interpretación acorde con la originalidad de nuestros textos. El crítico tiene que estar a la altura de su literatura. Después de todo, el crítico no es más que el lector especializado, el profesor de literatura, el hiperlector, el lector compulsivo y obsesivo de nuestro tiempo que ha abrazado la lectura como forma de vida. Los cambios tecnológicos y el acceso a computadoras personales no han hecho más que ampliar nuestro campo de lectura, aumentar nuestro apetito como lectores, ampliar indefinidamente el corpus de textos disponibles, estimular la escritura y comunicación con otros lectores de la autopista electrónica, crear una revolución de la lectura y la escritura, renovar el mundo de los signos, hacernos menos reales y más virtuales, transformarnos en criaturas simbólicas mediadas aún más que antes por un universo de palabras. Esto sólo puede contribuir al florecimiento de la literatura, a la ampliación de sus fronteras, a su multiplicación y enriquecimiento.

Traigo una propuesta de literatura y de lectura que espero puedan continuar otros lectores e intérpretes de nuestros textos. Estudio en los actores de los procesos culturales su obra escrita, no siempre literaria, desde la perspectiva de la literatura. Y en los autores literarios analizo aspectos específicos de su obra desde una perspectiva tanto estética como ética y política. Procuro leer la literatura con un criterio amplio, que abarque tanto lo literario como lo extraliterario, porque así se ha formado el corpus literario del pasado nuestro, como síntesis de textos literarios y extraliterarios, a través de los cuales propusimos nuestra propia idea de literatura. Lo hemos hecho en el siglo XIX, como he podido comprobarlo al escribir mi libro *Los dilemas políticos de la cultura letrada*. En este otro libro continúo indagando dentro de ese espíritu amplio lo que es nuestra cultura, nuestra literatura y nuestra identidad en el siglo veinte, en el período que abarca desde el primer Peronismo hasta 1980, fecha de la publicación de *Respiración artificial* de Piglia, el texto más reciente del corpus que analizo.

En estos estudios cada capítulo es independiente del otro y, si bien el libro tiene una perspectiva y propuesta de conjunto, el lector puede escoger el orden de su lectura o seleccionar sólo aquellos capítulos que le interesen. Cada capítulo es una unidad en sí. Este libro es producto de investigaciones, lecturas y reflexiones llevadas a cabo a lo largo de más de diez años y su propuesta es crítica pero también pedagógica. He procurado comunicar al lector ciertos hallazgos, que creo resultan útiles y necesarios para entender nuestra cultura de aquella época desde el siglo XXI. Mi perspectiva es dinámica, tiene en cuenta la movilidad del universo de lecturas, y responde a los cambios que el tiempo presente introduce en nuestra comprensión del pasado literario.

ALBERTO JULIÁN PÉREZ

Buenos Aires, 1º de julio del 2013

PRIMERA PARTE

Lucha política y ensayo nacional

CAPÍTULO 1

PERÓN ENSAYISTA:
LA HORA DE LOS PUEBLOS

L as *Obras Completas* de Juan Domingo Perón (1895-1974), reco- piladas en 1997 por Eugenio Gómez de Mier, suman 25 tomos editados en 35 volúmenes. La extensa lista de publicaciones, que reúne tomos de historia militar europea, estudios de etimología arau- cana, informes militares, tratados políticos, artículos periodísticos, documentos partidarios, discursos, ensayos, testimonian la diversidad de intereses intelectuales de la multifacética personalidad del General Juan Domingo Perón.

Perón desarrolló en su juventud una meritoria carrera docente en el Ejército (Page 27-34). Sobresalió entre sus pares por su vocación al estudio, y sus superiores lo nombraron instructor de la Escuela de Suboficiales y profesor de la Escuela Superior de Guerra, la universi- dad de las Fuerzas Armadas, donde enseñó Historia Militar y publicó tres libros: *El frente oriental de la Guerra Mundial en 1914*, 1931; *Apuntes de Historia Militar*, 1933; *La Guerra Ruso-Japonesa*, en dos volúmenes, 1933-34.

Al ingresar en la vida política perfeccionó sus dotes de orador. Sus discursos ocupan diez tomos de sus obras completas. Luego del golpe de estado que lo derribara de la presidencia en 1955, inició una nueva etapa en su vida política e intelectual y dirigió el Movimiento Justicia- lista desde el exterior. Vivió en Paraguay, Paraná, Venezuela y la Repú- blica Dominicana, y se estableció en Madrid en 1960. Residió allí hasta 1973, en que regresó a Argentina y fue elegido Presidente por tercera vez.

Durante su exilio escribió libros de ensayo en los que enjuició a la Revolución Libertadora que lo había derrocado, y a los gobiernos ilegítimos que prohijó. Estos son: *La fuerza es el derecho de las bestias*, 1956, *Los vendepatria*, 1957, *América Latina, ahora o nunca*, 1965 y *La hora de los pueblos*, 1968. En ellos demostró su talento como estadista, como pensador político e intérprete original de la sociedad de su tiempo.

Perón publicó *La hora de los pueblos* en un año crucial de la historia latinoamericana, norteamericana y europea: 1968. Los jóvenes norteamericanos se rebelaban contra las atrocidades de la guerra de Vietnam y emergía una vital contracultura en el centro del imperio capitalista. Durante el Mayo francés, los estudiantes de París se aliaron con los trabajadores, apoyaron su huelga y se opusieron al gobierno. Esas olas de rebeldía se extendieron a las grandes ciudades de Europa, de Estados Unidos y de Latinoamérica (Monsiváis 273). Los trabajadores y los estudiantes argentinos iniciaron al año siguiente jornadas de huelga en Rosario, Córdoba y Buenos Aires, contra el gobierno militar. El Che Guevara había sido asesinado un año antes en Bolivia, cuando trataba de llevar la revolución socialista a otros países de América Latina.

Este libro tiene a los jóvenes como destinatarios principales de su mensaje. En ese momento Perón era un hombre de 73 años. Su singular experiencia política como Presidente de Argentina durante nueve años, y los cambios radicales que trajo a la vida del país, hacían de él un interlocutor de enorme complejidad para las nuevas generaciones.[1]

Perón cambió la escena política al introducir a las masas de trabajadores como partícipes directas en las decisiones nacionales. La oligarquía y gran parte de la clase media argentina se sintieron agredidas por su activismo, sus movilizaciones partidarias y su retórica antiliberal.[2]

---

[1] Perón consideraba que la estrategia y la conducción eran disciplinas fundamentales para la política y la vida. La conducción no era una técnica, sino un arte (*Conducción política* 17). Había que nacer destinado a la conducción, y él había demostrado en su momento que era el hombre del destino.

[2] Su política tuvo el efecto de marginar a influyentes sectores conservadores y de la oligarquía del espacio político, de dividir a la clase media y de incluir a sectores laborales que habían sido mayorías silenciosas y sin identidad en el pasado.

Ferviente nacionalista, aceptó para el Movimiento que dirigió el título de "Justicialista", un adjetivo feliz. Este nombre se justificaba, porque en Argentina faltaba justicia social.[3] El Tercer Mundo, cuya idea Perón promovió, estaba sediento de libertad y de justicia. En *La hora de los pueblos* Perón, el conductor, el líder de masas, se dirige al pueblo argentino, su pueblo, al que le dice "la verdad".

Perón creía en la Argentina criolla. Usaba en sus discursos un lenguaje cargado de expresiones y giros costumbristas. Ridiculizaba a sus enemigos políticos, llamándolos "cipayos", "vendepatrias", "gorilas". Su humor criollo y su personalidad carismática le ganaron la adhesión y la simpatía de las masas urbanas (Arzadun 31).

Perón y Evita mantuvieron una relación simbiótica con su pueblo. El Peronismo, en conflicto con la alta cultura de la burguesía, conformó una nueva cultura popular. Perón, el descamisado, representaba los intereses y la sensibilidad del pueblo bajo. Su persona dramatizó la fragmentación política y cultural de la sociedad argentina. Perón legitimó los derechos del pueblo vituperado y marginado. La alta sociedad y la clase media le negaron legitimidad política, y lo acusaron de demagogia y perversión. Julio Mafud, el intuitivo ensayista, habló de la "virginidad" política del peronismo: era un fenómeno nuevo e inédito, original (*Sociología del peronismo* 43-8).

La hora de los pueblos es un libro crítico e idealista (como lo fueron antes *Ariel* de Rodó, 1900 y *El hombre mediocre* de José Ingenieros, 1913). Perón deseaba denunciar injusticias políticas y estimular a los jóvenes para que creyeran en sus ideas sociales. En su ensayo demuestra una gran capacidad de análisis para entender e interpretar la situación nacional e internacional en esos momentos, desde la perspectiva de sus propias ideas. Perón en este libro no sólo es un gran esta-

---

[3]   Eso explica por qué el *Facundo* de Sarmiento y el *Martín Fierro* de Hernández, que denuncian, el primero el abuso de poder de los caudillos durante la anarquía y la dictadura rosista, y el segundo la inhabilidad de los gobiernos liberales de Sarmiento y Avellaneda para crear una política de desarrollo en las campañas, capaz de reconocer y respetar los derechos de los paisanos, son obras tan representativas en nuestra literatura; por la misma razón *Operación masacre*, la investigación de Rodolfo Walsh sobre el fusilamiento de supuestos militantes peronistas organizada por el gobierno dictatorial del General Aramburu, se transformaría en un clásico contemporáneo de la literatura nacional.

dista, sino también un original pensador político. Este ensayo resulta indispensable para entender al Peronismo y el papel que le tocó desempeñar en la historia argentina.

Perón realiza desde el exilio una defensa incondicional del país contra el imperialismo, denunciando sus propósitos de dominación y demostrando cómo traicionan a su país la Junta Militar en el gobierno y los sectores políticos cómplices. Siempre teniendo en cuenta las posibilidades futuras, Perón propone salidas políticas concretas a la crisis latinoamericana. Dividió el libro, que aspiraba a resumir el sentido de sus luchas y la razón de ser del Peronismo, en siete capítulos: "El concepto justicialista", "La penetración imperialista y la tragedia del dólar", "La penetración imperialista en Iberoamérica", "La integración latinoamericana", "El mercado común latinoamericano y la Alianza para el Progreso", "El problema político argentino" y "Los deberes de la juventud".

Advierte en su "Prólogo", fechado en agosto de 1968, que "ya soplan vientos de fronda", se avecina una nueva etapa para la humanidad, que caracteriza como "la hora de los pueblos" (7). Ha llegado el momento histórico que pone en el centro de la vida política a los trabajadores, sobre cuyas espaldas había descansado siempre el esfuerzo material, que había permitido a la sociedad capitalista evolucionar durante los últimos doscientos años.

La etapa postindustrial que se avecinaba requería una nueva sociedad, en la que los imperialismos no pudieran oprimir impunemente a los pueblos, que se liberarían de su yugo (7). La hora de los pueblos es la hora de la liberación de los pueblos del imperialismo opresor. El pensamiento anti-imperialista que recorre este libro ha vertebrado la vida política de Juan D. Perón. Afirma que los imperialismos, a lo largo de la historia, han fracasado, porque los pueblos necesitan ser libres (8). Aún el imperio más poderoso de la historia, el Romano, decayó, y con mucha más razón caerían los imperios contemporáneos que, para Perón, eran dos, claramente identificados: el norteamericano y el soviético. Ambos oprimían a las naciones que dependían políticamente de su influencia y de su ayuda.

El capitalismo yanqui ignoraba a los pueblos y despreciaba al trabajador: su finalidad era la explotación del hombre por el hombre.

Perón, con su "Justicialismo cristiano", como él denominaba a su doctrina, quería implantar un régimen de justicia social, donde el hombre fuera el objetivo moral de la política. El problema de su patria, creía, no era meramente económico, era político, y la política era una disciplina fundamentalmente ética. Perón cierra su "Prólogo" afirmando que no siente ninguna animosidad hacia el pueblo norteamericano, a pesar que ese gobierno había enjuiciado y condenado a su gobierno, y concluye con una frase apropiada del *Martín Fierro*, el clásico de la literatura nacional argentina de denuncia política, diciendo que si canta de este modo "...no es para mal de ninguno/ sino para bien de todos" (9). La finalidad de su crítica y su denuncia es constructiva, guiada por sus ideales.

En la "Introducción" analiza la crisis que sufre la sociedad contemporánea. Observa la situación desde una perspectiva global y realista, mirando hacia un futuro que no esté signado por la utopía. Ese futuro depende mayormente de la acción humana, son los seres humanos a través de la política los que tienen que asegurar la felicidad de la humanidad. Para Perón, la política es la disciplina madre, es el saber más importante, porque de ella depende la viabilidad de la humanidad, que, sin una programación política racional, puede marchar hacia su destrucción.[4]

Interpreta, desde su perspectiva, nuestra historia nacional. Argentina ha sido víctima de la voracidad colonial y, a partir de su independencia de España, ha seguido acumulando amos, que han coartado su libertad política: primero Inglaterra, y luego Estados Unidos (*La hora de los pueblos* 11-12). En lo interno, la oligarquía terrateniente se ha aliado con los imperialismos, luchando contra su pueblo. La línea nacional debe luchar contra los enemigos de la patria: el futuro depende de la acción nacionalista de los que quieran salvarla de sus enemigos internos y externos. Ve a Argentina como un caso que se repite en otras partes del mundo: en esos momentos, muchos países luchan contra los imperialismos por su liberación. Esos países constituyen de hecho un bloque, que debe tratar de integrarse para formar el "Tercer Mundo".

---

4   Sobre esto nos advertirá en el ensayo considerado su testamento político, unos pocos años después, al referirse al peligro ecológico que amenaza a la humanidad, insistiendo en la necesidad de racionalizar el uso de los recursos naturales (*El Modelo Argentino* 61-67).

El nacionalismo, creía Perón, no había perdido su vigencia, a pesar del desprestigio en que cayó, después de la derrota que sufrieron Alemania, Italia y Japón en la Segunda Guerra Mundial (13). En lugar de intentar el cambio social mediante la agresión militar, como lo hiciera Alemania, provocando una catástrofe europea, debía confiarse en la evolución social pacífica. El conductor no debía ser líder militar de un estado totalitario, sino líder político de una sociedad civil y democrática, de una democracia social. Distingue entre el concepto demoliberal de "democracia", que considera históricamente perimido, como resultado de la evolución, y un nuevo concepto de "democracia representativa", al servicio de ese hombre que hace posible la riqueza de los pueblos: el trabajador, finalidad de su política.

La mayor parte de la humanidad, considera, buscaba la democracia fuera de los moldes del liberalismo (15). Desde el siglo XIX, momento cumbre de los gobiernos liberales, el mundo había cambiado, como resultado del desarrollo industrial y el crecimiento demográfico (16). Un nuevo sujeto emergió en la sociedad del siglo XX: el hombre-masa. Ya no era posible defender una actitud social enteramente individualista. Este nuevo actor había hecho cambiar la sociedad contemporánea y envejecer el liberalismo burgués. Los partidos políticos de la primera época del estado burgués habían decaído, ya no representaban los intereses de la mayoría, carecían de vitalidad. La nueva política requería organismos dinámicos, como su Movimiento Justicialista, que era una organización política del presente y del futuro. Su Movimiento privilegiaba el criterio de "comunidad". A diferencia de los partidos burgueses, ofrecía a las masas "una democracia directa y expeditiva" (16). Sin embargo, la reacción trataba de destruirlo. Las fuerzas internas "cipayas" y el imperialismo norteamericano lideraban las fuerzas de la reacción. El imperialismo, valiéndose del "State Department" o del "Pentágono", trataba de sabotear la lucha de los pueblos que buscaban liberarse de su opresión. Estos lo difamaban, acusándolo de demagogo y aún de nazifascista (17).

Perón describe el proceso de la evolución política europea, de la época medieval a la Revolución Francesa. Las corporaciones medievales pasaron su poder a varios agentes. La burguesía despojó del poder político a las corporaciones y lo transfirió a las organizaciones creadas por ella exprofeso: los partidos políticos, a través de los cuales pudo impulsar las leyes para sostener su gobierno. Los sindicatos de trabajadores, desprovistos de verdadero poder, han reemplazado a las corporaciones pre-burguesas, y su lucha se centra en el crecimiento del salario y otros beneficios laborales. Al haber retenido el poder de decisión política para sí, expropiándolo de las corporaciones, la burguesía pudo explotar durante el siglo XIX a las masas de trabajadores urbanos y rurales. Pero a fines de ese siglo este proceso entró en crisis, imponiendo la necesidad de transformar el sistema, ya sea por evolución o revolución (17-8).

El siglo XX se inició con "el signo de las grandes luchas", que impulsaron tanto la revolución científica, como, por evolución social, "la hora de los pueblos" (19). Los distintos pueblos que luchan y quieren evolucionar, tratan, a su modo, de destruir el liberalismo demoburgués: así lo hicieron los países comunistas y los fascistas, buscando diferentes arreglos y soluciones políticas. La burguesía liberal norteamericana y la inglesa dividieron la política en dos grandes partidos contrincantes, los dos de derecha casi siempre, manteniendo la simulación democrática (20). Dada esta situación, el mundo se debate entre las democracias pseudo-liberales y los regímenes comunistas. Los nacionalismos tienen un papel especial en la evolución política: necesitan rescatar al mundo de esa lucha imperialista, "liberarlo". La nueva "democracia" tiene que conciliar la "planificación colectiva" con la garantía de la libertad individual. Su gobierno procuró defender el poder popular y luchar contra los imperialismos.

A diferencia del Peronismo, que impulsó la reforma y la evolución política de manera racional y en forma incruenta, el imperialismo norteamericano durante varias décadas recurrió a la violencia, alentando golpes de estado. El Tercer Mundo tiene que resistir, luchar y recuperar su protagonismo en la historia. Durante los diez años de gobierno justicialista, Argentina fue un país libre y soberano, pero la oligarquía, aliada al Ejército "cipayo", acabó por doblegar al pueblo e imponer gobiernos títeres. La cuestión ideológica entre los imperialismos ha pasado a segundo plano: de la misma manera que no hicieron cuestión de ideas al repartirse el mundo al final de la Segunda Guerra Mundial, no hacen cuestión de ideas en ese momento para dominar y explotar a los países más débiles (23).

El Peronismo ha demostrado que es una organización política superior a los partidos demoliberales burgueses: es un gran Movimiento nacional y popular moderno, "una idea transformada en doctrina y hecha ideología..." (24). El pueblo lo ha asimilado y le ha comunicado su mística, y el pueblo es el único "caudillo" que puede vencer al tiempo. Perón creía que el Peronismo era el único Movimiento político contemporáneo capaz de responder a las necesidades del pueblo (25). Su influencia había elevado la cultura política del país, y los numerosos minipartidos que antes operaban habían perdido representatividad. Después del Peronismo, sólo cabían dos tendencias: Peronismo y antiperonismo. Estas dos tendencias monopolizaban la vida política argentina.

Explica cómo su Movimiento rescató la economía de una profunda crisis durante su primera presidencia, capitalizando al país. Nacionalizó los servicios financieros que estaban en manos extranjeras y creó un control para impedir la evasión de capitales (27). La capitalización se logró mediante el trabajo, que es la única fuente legítima de riqueza para Perón. No tienen que permitir que los imperialismos los "subdesarrollen", llevándose el capital mediante servicios financieros abusivos. La Argentina, afirma, tuvo bajo su presidencia una economía de abundancia que, los que tomaron el poder después del 55, arruinaron (27-8).

Si él regresara al gobierno, sostiene Perón, volvería a empezar y levantaría la economía popular, deteniendo la anarquía que han provocado los gobiernos ilegítimos que lo sucedieron (29). La cuestión política incide tanto en la vida social, que los trabajadores se negarán a colaborar con el gobierno hasta que la situación institucional no se regularice "...porque entienden que mientras subsista este estado de cosas, no trabajan para ellos ni para el país sino para los explotadores foráneos y los especuladores vernáculos, y tienen razón" (29). Este problema, insiste, no se soluciona con la fuerza, sino con la razón y la habilidad del gobernante, del conductor. Los ministros y los técnicos especializados son los administradores, pero el conductor es el que gobierna. El gobierno no es una técnica, sino un arte que requiere del talento y la genialidad del artista. El hombre de gobierno debe ser humanitario, tener imaginación y sensibilidad. Un gobernante con estas condiciones se diferenciará del político común, simulador e hipócrita.

Para vencer a los imperialismos decadentes los países del Tercer Mundo tienen que unirse: el planeta se ha empequeñecido, contrayendo todo en relación al tiempo y al espacio (32). Por eso se han creado "las grandes internacionales", entre las que se cuentan el comunismo y el capitalismo, en que los países forman bloques de intereses, y lo mismo deben hacer los países del Tercer Mundo. La rebelión nacionalista china de Mao contra la URSS, imponiendo su versión nacionalista del comunismo, ha beneficiado, en su concepto, a los países del Tercer Mundo, demostrando que se puede ser nacionalista y socialista a la vez (33). Los europeos ven con disgusto cómo los imperialismos se adueñan de sus ex-colonias de Africa y Asia, que les obligaron a liberar. Se apoderaron de ellas con métodos neocoloniales, en nombre de la "libertad" y la "democracia". La Argentina, en lo internacional es, desde 1955, un satélite del imperialismo yanqui; la encabeza en esos momentos, 1968, un gobierno militar opresivo y cipayo, sin representatividad popular, y sus Fuerzas Armadas se someten a la política del Pentágono. El pueblo, mientras tanto, lucha por la liberación de su patria y, a la larga, habrá de vencer, porque, considera Perón, el pueblo permanece, mientras las tiranías pasan (34).

La nueva generación justicialista, capacitada en las escuelas peronistas de formación política, dirigirá la lucha por la liberación, para traer a la Argentina la justicia social, defendiendo la independencia económica y la soberanía nacional. Perón pasa el poder de su Movimiento a esta juventud, que siempre fue una de las principales destinatarias de su política. Transcribe un mensaje que en 1950 enterrara en una cápsula en Plaza de Mayo, frente a la casa de gobierno, dirigido a los argentinos del año 2000, y que habían destruido los que dieron el golpe militar que lo derrocó en 1955. Advierte a la juventud argentina del futuro que los pueblos han hecho grandes avances materiales, pero no morales, corroídos por el egoísmo y la falta de amor al prójimo (38). El Justicialismo ha cumplido con su parte, dejando una doctrina justa y un programa de acción. A pesar de los problemas morales del mundo, Perón es un luchador optimista, su espíritu no decae. Por defender la libertad su gobierno ha sufrido persecuciones, pero la juventud debe continuar la lucha, puesto que se juega la suerte de todos los pueblos en esa resistencia del Tercer Mundo contra los imperialismos. Dice: "Liberarse es la palabra de orden en la lucha actual. Nosotros debemos liberarnos de las fuerzas de ocupación que hacen posible la explotación y dominación imperialista. Unirnos al mundo naciente que en cada uno de los países aspira a esa liberación, porque la historia prueba que los grandes movimientos libertarios sólo pueden realizarse por la unión y solidaridad de todos los pueblos que aspiran a ella. El devenir histórico de los pueblos ha sido siempre de lucha por liberarse de los imperialismos..." (41).

En la hora de peligro que vive la patria, cree Perón, hay que darle prioridad al país por encima de las banderías políticas, pacificar la nación, desgarrada por los conflictos, y buscar el bien común (42). Espera también que la acción internacional de otros países ayude a coordinar un Frente de Liberación del Tercer Mundo. La sobrevivencia de los países del Tercer Mundo, particularmente los latinoamericanos, está en juego: el imperio yanqui invierte fortunas en su política de ocupación y dominio, y las oligarquías cipayas vendidas se entregan a sus designios. No es tan difícil escapar a la máquina imperialista si el gobierno tiene voluntad y se opone a la infamia: su gobierno, en 1946, encontró la solución, prescindiendo de los empréstitos extranjeros y nacionalizando los servicios públicos y, por sobre todo, respaldándose en el trabajo del pueblo, que es la fuente de la riqueza. En 1955, cuando cayó su gobierno, Argentina no tenía deuda externa, poseía una balanza de pagos favorable y contaba con una economía de abundancia y plena ocupación (47). Luego, la dictadura del General Aramburu descapitalizó al país y lo endeudó, entregándolo al imperialismo. Dice Perón: "No somos como algunos nos califican países subdesarrollados, somos países esquilmados desde afuera y destrozados desde los centros vernáculos de la oligarquía..." (48). La que paga el precio es la patria.

Estados Unidos, después de la Segunda Guerra Mundial, en que emerge vencedor, crea el instrumento económico para sostener su dominio, apoyándose en su moneda: el Fondo Monetario Internacional, al que se opuso el gobierno peronista (49). Pero no sólo la Argentina es víctima del imperialismo, también Europa, como lo dijo el Presidente de Francia, el General de Gaulle, denunciando las falsas inversiones norteamericanas, cuyo objetivo era descapitalizar a los países, radicando industrias yanquis y enviando las enormes ganancias a Estados Unidos, impidiendo el desarrollo de industrias autónomas europeas de avanzada (55). Estados Unidos se apoya, para lograr el desarrollo de su tecnología, en la superioridad de su sistema de educación universitaria, más democrático y masivo que el europeo. La investigación avanza en todos los campos, generando como resultado una gran fuga de cerebros de todo el mundo hacia Estados Unidos.

Los países de Europa han reaccionado inteligentemente a este desafío, organizándose en una unión entre naciones: la Comunidad Económica Europea, que si bien es sólo una alianza comercial en un principio, tiene por objetivo solidificar la unión política y crear los Estados Unidos de Europa. En respuesta a esto, el Presidente de Estados Unidos procedió a castigar a Europa, dada la negativa de Francia a colaborar con los norteamericanos en Vietnam, cerrando el ciclo expansionista del dólar y retirando sus fuerzas militares, lo cual a la larga beneficiará a los otros países (56). Para los países latinoamericanos, este relativo distanciamiento entre el imperialismo yanqui y los países de Europa crea una amenaza anexa: libres las manos de algunos compromisos europeos, ahora el imperialismo puede concentrarse mejor en su dominio latinoamericano, donde no necesita hacer grandes gastos militares, puesto que las Fuerzas Armadas de estos países, en lugar de actuar como ejércitos de defensa de los intereses nacionales, actúan como fuerza de ocupación de sus propios pueblos (57).

Los territorios latinoamericanos representan una de las mayores reservas de materias primas de la humanidad, y los pueblos tienen el deber de defender estas riquezas. En un mundo superpoblado y superindustrializado, las carencias de materias primas llevarán a muchas luchas en el futuro. El imperialismo, desde 1955, ha tratado de destruir la incipiente industria argentina, para reducir el país a un pueblo de agricultores y pastores y así poder dominarlo mejor, argumenta Perón (58). Esto ha llevado a que se definan los bandos enfrentados en Argentina: los que ayudan al imperialismo a cumplir su objetivo son unos traidores a la patria. Esta es la verdadera guerra de ese momento: la lucha contra el imperialismo y los gobiernos entreguistas, para poder liberar a los países del Tercer Mundo de su yugo neocolonial. Ese Tercer Mundo no es más que la materialización de la Tercera Posición que el Peronismo ya había anunciado en la década del cuarenta (59).

El deseo de desindustrializar al país tiene como objetivo el poder venderle los productos industrializados importados con un valor agregado y llevarse las materias primas a un precio mínimo. Si Argentina no desarrolla su industria no habrá empleo y el pueblo se volverá un parásito del campo, con la consiguiente desmoralización de la clase trabajadora (60). El desarrollo demográfico exige la industrialización. Los países industrializados marchan hacia la era posindustrial, y la Argentina no ha logrado aún cumplir su etapa de industrialización. Perón cita un estudio del "Hudson Institute" sobre cómo será en treinta años, o sea para el año 2000, la sociedad industrial, y demuestra la necesidad de asumir una modernización forzada de la sociedad nacional. En el año 2000, dice el informe (tal como lo hemos comprobado), la brecha del ingreso que separa a las sociedades posindustriales de las otras será mayor; la actividad económica más intensa habrá pasado del sector productor agropecuario e industrial al de servicios; las leyes del mercado se verán moderadas por la actividad del sector público; la cibernética planificará la totalidad de la actividad industrial; el progreso dependerá de la educación técnica y la investigación; el factor tiempo y espacio habrá perdido relevancia para las comunicaciones (61-2). Dada esta situación, dice Perón, la modernización no es sólo una cuestión económica, es por sobre todo una cuestión moral, porque el destino de la patria depende de ella. Todos los dirigentes deben luchar por modernizar el país, porque... "nadie ha de realizarse en una Argentina que no se realice" (63).

El imperialismo, afirma Perón, no se conforma con el poder logrado frente a los países más débiles: tiene un verdadero plan de dominación (64). Latinoamérica ha sido víctima, a lo largo de su historia, del proceso de expansión territorial y económica norteamericana. Sus países sufren un grado extremo de dependencia y entregan sus riquezas al imperialismo. Ese plan imperial busca y consigue "copar" los gobiernos, las fuerzas armadas, la economía, las organizaciones sindicales y la opinión pública, dejando a las sociedades prácticamente inermes para defenderse.

A los gobiernos los van copando al aliarse a las oligarquías vernáculas, prometiéndoles estabilidad a cambio de la entrega; aquellos que se han rebelado lo han pagado caro, porque el imperialismo en ese caso abandona la persuasión y recurre a la violencia, como sucedió con Sandino en Nicaragua y con el Che Guevara en Bolivia (67). A los que defienden su patria los tildan de comunistas, difamándolos; a los jefes los van comprando, y a los que no se dejan comprar los derrocan por medio de conspiraciones fraguadas en el Pentágono, y de golpes de estado, como ocurrió con Getulio Vargas en el Brasil y con su gobierno en Argentina. Si aún así no tienen el éxito deseado recurren al asesinato, como hicieron con el General Valle en Argentina y trataron de hacer con él, al que sometieron a diversos atentados (70). Para copar el Ejército recurren a "cursos", a "misiones militares" que se instalan en el país, donde lavan el cerebro de los soldados probos y compran a los corruptos. Dominar los sectores económicos no les resulta difícil, porque "el embajador de EE. UU. es más bien una suerte de Virrey" en Argentina (72). La presión económica es el medio más efectivo que posee el imperialismo para dominar a los países colonizados y castigar a los rebeldes, como lo hicieron con Cuba.

Para copar a las organizaciones sindicales recurren a la creación de asociaciones sindicales "internacionales", manejadas desde el centro imperial y sobornan a los dirigentes venales; no pueden, sin embargo, contra la masa adoctrinada de los trabajadores, porque el imperialismo, cree Perón, no podrá copar jamás al pueblo (74). El imperialismo es "el antipueblo", que trata de lograr sus objetivos espurios utilizando a los partidos políticos demoliberales. Pero al Justicialismo no han logrado vencerlo, porque nadie puede gobernar sin tener al pueblo de su lado, y el pueblo argentino es justicialista.

La única manera de combatir al imperialismo es a través de la unión y de la integración de los países de Latinoamérica, algo en lo que se considera pionero, y para demostrarlo transcribe un discurso del año 1953, en que esbozó su política exterior latinoamericanista, buscando un acercamiento con Brasil y Chile. Perón explica en ese discurso que, desde 1810, los países de Latinoamérica han hecho distintos intentos para integrarse, casi siempre frustrados por los gobiernos centralistas que ambicionaban monopolizar el poder, como hizo Buenos Aires e, insiste, "…el año 2000 nos va a sorprender o unidos o dominados…" (83). Dice que esa integración tiene que comenzar por los países, luego abarcar el continente, y luego todo el mundo (85). En aquel momento la unión no se concretó, pero Perón es optimista de que se logrará en el futuro, pasando por encima de la Alianza para el Progreso, digitada por Estados Unidos en beneficio propio. Estados Unidos busca formar un bloque continental para imponer su dominación política y económica, fingiendo una confraternidad inexistente. Cuando da "ayuda económica", presta a altos intereses sus capitales sobrantes, mientras los países pobres quedan cada vez más hipotecados.

Perón hace una revisión de las alianzas entre Estados Unidos y Latinoamérica, desde la reunión del Primer Congreso Panamericano en 1889, hasta la conferencia de la OEA de 1967, y demuestra que todas estas alianzas persiguieron el mismo fin: establecer la dominación yanqui, impidiendo el desarrollo de asociaciones lideradas por Latinoamérica en beneficio de la liberación y desarrollo autónomo de sus pueblos (94-6). Las Fuerzas Armadas latinoamericanas han estado entre los mejores aliados con los que ha contado el Imperio. Estados Unidos ha dejado en pie la posibilidad de una intervención armada cuando lo considere necesario, ignorando el derecho de los países a mantener su soberanía (100). Dada esta situación, el Justicialismo siempre vio como una prioridad alcanzar la integración de Latinoamérica, liderada por latinoamericanos, y buscó avanzar hacia nuevas estructuras de integración continental, a partir de su ideología socialista nacional y cristiana, privilegiando primero la patria, después el continente y por último el mundo.

Perón reconoce que la idea de una comunidad hispanoamericana nace con los movimientos de independencia en Hispanoamérica, por inspiración de Bolívar. Esta comunidad debemos lograrla algún día, para mejorar el nivel de vida de los pueblos, evitar divisiones, ayudar al progreso técnico y económico y crear las bases de los Estados Unidos de Sudamérica (103-6). Norteamérica, al ver este deseo de integración continental autónoma, creó, con la intención de abortar esa posibilidad, su propia Asociación Latinoamericana de Libre Comercio (ALALC), supuestamente con el fin de promover el comercio sin barreras aduaneras entre los países del área latinoamericana. Perón considera necesaria la creación del Mercado Común Latinoamericano (106). Los países involucrados deben empezar por formar comisiones para resolver todas las diferencias económicas regionales.

La lucha por la libertad e independencia económica es necesaria para no ser víctimas de la explotación, porque... "los pueblos que no quieren luchar por su libertad, merecen la esclavitud" (111). Los empréstitos norteamericanos no han hecho más que arruinar a los pueblos que los han recibido, por eso su gobierno no tomó ningún empréstito. El gran problema de estos países es lo elevado de su deuda externa, que los descapitaliza y los somete. Los condena a un ciclo nocivo, que tiene que pagar el pueblo. Este ve el descenso constante de su nivel de vida, mientras el esfuerzo de su trabajo va a incrementar las arcas de los bancos norteamericanos. Cuando Estados Unidos comprobó el bienestar que su gobierno justicialista estaba trayendo al pueblo, al construir gran cantidad de obras públicas y aumentar su nivel de vida, comenzaron a tildarlo de "dictador" y a conspirar contra él, a pesar que las elecciones que lo llevaron al poder fueron de las más limpias de la historia del país y siempre respetó la Constitución Nacional (114). Es que Estados Unidos no acepta nada que no sea la entrega del patrimonio nacional y la sumisión incondicional de los gobiernos a sus propios fines.

El problema político argentino no es meramente interno, porque en el mundo actual la política interna ya casi no existe, dado el empequeñecimiento del planeta, gracias al desarrollo de las comunicaciones y a la labor de los imperialismos que, con sus bloques, han internacionalizado la política (116). También se ha internacionalizado la resistencia contra los imperialismos, al formarse el bloque de países del Tercer Mundo que busca su liberación. El pueblo argentino lucha "contra las fuerzas reaccionarias interiores apoyadas por los imperialismos foráneos" (117). Después del 55 los gobiernos sólo han tomado medidas para defender intereses sectoriales, alterando la paz social. Dice que en el país falta "paz, confianza y trabajo", sin lo cual resulta imposible gobernar (118). El pueblo sabe en esos momentos, 1968, que el gobierno militar es incapaz de resolver sus problemas y encontrar una solución política justa. Los argentinos sufren una gran crisis moral, provocada desde el poder. Perón insiste, con idealismo, de que sólo la clase trabajadora puede salvar a la comunidad argentina de esa crisis, que afecta el alma nacional y amenaza la nacionalidad (120). Pide patriotismo a los trabajadores. Los gobiernos que siguieron al suyo han dañado las fuentes de riqueza y atacado la economía popular, afectando el consumo. En el pueblo argentino está la clave para superar esa situación. Dice Perón: "Si el pueblo está en paz y trabaja con empeño y retribución justa, no puede existir problema económico en la Argentina, donde la riqueza está brotando sola de la tierra" (122).

La evolución política de las sociedades contemporáneas, considera, impulsa al mundo a vivir en comunidad; el individualismo del capitalismo liberal burgués es un lujo que el mundo no puede pagar; las nuevas formas políticas emergentes conducen al socialismo nacional, con el apoyo de grandes movimientos nacionales, como se ha podido observar en la década del sesenta en diversas partes del mundo, en Asia, Africa y Europa (123). El subdesarrollo latinoamericano, dice, no sólo nos afecta en lo económico, sino en el plano moral: "somos subdesarrollados mental y espiritualmente" (123). La solución está en la política: hacen falta grandes políticos altruistas que conozcan el arte de gobernar a los pueblos. Los dirigentes tienen que poseer grandeza y desprendimiento para ser buenos dirigentes. La masa, que necesita ser encuadrada, prueba a sus dirigentes, y sus mecanismos de defensa le permiten resistir a los malos. Perón compara la masa popular a un organismo vivo, en el que los traidores crean los anticuerpos necesarios para fortalecer el organismo y ayudarlo a sobrevivir (126). Siempre la organización corre un riesgo de descomposición o disociación, y los miembros tienen que defenderla. Una organización disociada tiende a dividirse, amenazando al conjunto. El proceso de trasvasamiento generacional permitirá que la juventud llegue al poder y la organización sobreviva al tiempo. A grandes crisis hacen falta grandes cambios. La masa debe salvar a la organización, siguiendo a los dirigentes buenos que hayan quedado (127).

Para recomponer la nación se necesita trabajo, en la Argentina gobernar es crear trabajo (128). Durante su gobierno él capacitó a los trabajadores: fundó universidades obreras y escuelas de orientación profesional, todas de ingreso libre y gratuito. Los obreros están dispuestos al sacrificio, pero no lo harán con un gobierno que no sea legítimo. La desocupación que sufre el país, y la cantidad de argentinos que emigran, demuestran, en 1968, la incapacidad del gobierno militar para gobernar. Él había resuelto estos problemas durante su gobierno con planificación, haciendo planes quinquenales, que aumentaron enormemente el consumo popular, a diferencia de los gobiernos posteriores, que basaron su política económica en los planes de austeridad, que hambrean al pueblo y destruyen la economía popular (129-30). Dice que tanto la explosión demográfica del mundo, como la integración territorial y humana que se está llevando a cabo, exigen "mayores y más perfectas formas orgánicas en lo económico, en lo social y en lo político" (131). Las nacionalidades tienen que consolidarse como "comunidades organizadas".

Los gobiernos argentinos posteriores al 55 atacaron a la comunidad organizada argentina, llevando al país al borde de la disolución y la guerra civil, y provocando un "caos orgánico-funcional" en el movimiento sindical de los trabajadores (132). En lo político proscribieron a la mayoría del pueblo argentino, que es peronista, impidiéndole votar por su partido, y anarquizaron políticamente al país, dividiendo el espectro político en muchos partidos pequeños. Se debe llegar a la paz social impulsando la tolerancia política. La intolerancia del imperialismo crea una situación de guerra constante, llevando a enfrentamientos doctrinarios e ideológicos, tratando de forzar a los pueblos a aceptar su versión de la democracia liberal, manteniéndolos en el subdesarrollo permanente. Con el cuento del Comunismo, y del peligro comunista, han tiranizado a los pueblos de Latinoamérica; el Comunismo es una doctrina a la que no se puede destruir con la fuerza, hay que atacarla con otra doctrina (135). Los pueblos tienen derecho a usar la fuerza sólo cuando se atacan sus derechos.

Los gobiernos militares que han usurpado el poder han logrado corromper a muchos dirigentes, pero el pueblo se ha mantenido puro, cree Perón (136). La "democracia gorila" no puede burlar la voluntad popular. Los agentes del gobierno han terminado amparando el delito. Han atentado contra el poder sindical creando una nueva Confederación del Trabajo, demostrando que todos los hombres tienen precio. El tiene fe en que la masa de trabajadores sabrá defenderse de esa infamia.

La división "tripartita" del poder en el mundo (en los dos grandes imperialismos y los países que resisten) se originó en el año 1938. Muestra su simpatía por los nacionalismos europeos que lucharon contra los "imperialismos" norteamericano y soviético (138). El fascismo italiano y el nacionalsocialismo alemán se enfrentaron trágicamente a los imperialismos y perdieron. Cree que de esa manera los imperialismos destruyeron al "tercero en discordia" (139). Para Perón hay buenos y malos nacionalismos, y el caso alemán, que resultó catastrófico, y terminó en los peores excesos racistas y en el genocidio de los judíos, no es causa suficiente para descalificar la ideología del nacionalsocialismo, de la misma manera que las purgas stalinistas no descalifican al comunismo. Los bloques políticos en esos momentos luchan por su sobrevivencia, buscan mantener su poder, y las ideologías pasan a segundo plano. Los imperialismos desean dominar, y los países dominados liberarse. La división tripartita es en realidad bipartita: los pueblos que luchan por su liberación contra los imperialismos.

Para Perón ambos imperialismos son negativos, pero el norteamericano es el más nocivo para Argentina, ya que está bajo su poder. La lucha por la liberación en Argentina es la lucha contra el imperialismo yanqui y sus aliados internos: los miembros de la oligarquía "gorila", "cipaya" y reaccionaria. Perón encuentra los epítetos más adecuados para expresar su indignación y denunciar a sus enemigos, que son para él los enemigos del país, pues cree que el Justicialismo, que él lidera, es la única ideología capaz de defender a la patria y de representar el sentir de las masas (140). Advierte del peligro de una guerra civil latente, debido a los errores y abusos de los gobiernos militares en el poder.

Considera que tener una ideología es fundamental para cualquier gobierno. Dice: "...no concibo una revolución sin una ideología que le dé sustento filosófico. La ideología, origen de todas las transformaciones humanas, es imprescindible cuando...se intenta saber lo que se quiere" (141). Aclara que para él "ideología" significa un conjunto de ideas propias. El término toma así un sentido positivo y antirretórico. Explica que el Justicialismo fijó su ideología en el Primer Congreso de Filosofía de Mendoza en 1949, cuando él leyó su discurso titulado "Una comunidad organizada", que quedó como síntesis ideológica del Justicialismo, y que, junto al libro *Conducción política*, 1951, constituye la base de su pensamiento y de su saber como estadista (141).

Perón sostiene que la política no es sólo idea, sino también saber hacer, es decir conducción. La conducción es el aspecto aparentemente técnico (en realidad es artístico, puesto que considera a la conducción un arte) necesario para imponer las ideas de acuerdo a las circunstancias históricas. Para conducir hace falta alcanzar un alto grado de "coordinación" y "desenvolvimiento armónico" (141). Perón había desarrollado gran sentido práctico durante su educación y experiencia militar. Comprendió el valor de la conducción para la vida política nacional. Creyó que era necesario formar líderes carismáticos.[5] Ve el adoctrinamiento como un paso positivo en la formación política popular: adoctrinar, para él, es crear conciencia política, y probablemente éste sea el único tipo de formación al alcance de las masas. Asocia al concepto de conducción el de "centralización del mando". Este concepto presenta dos aspectos, que hay que considerar por separado: la concepción de la estrategia a seguir, que tiene que ser centralizada, y la ejecución, que necesita ser descentralizada (142). El líder deriva poder en los subalternos, particularmente en los estratos político-administrativos. La conducción general queda a cargo de los políticos, particularmente del presidente, el conductor que lleva toda la responsabilidad y concentra el poder de decisión.

En el mundo moderno cada vez adquiere más importancia la vida de relación. Se está dando un proceso de definición de nuevas articulaciones geopolíticas, que alcanza no sólo a Europa sino también a Medio Oriente y a Asia. En Latinoamérica, por descomposición de los sistemas institucionales, todo parece decidirse en luchas parciales, influidas por el imperialismo soviético. El mundo moderno está enfrentando, dice Perón, a una "sinarquía internacional", que es la suma de esos intereses internacionales que manejan el mundo (146). Para resistir a esta sinarquía, se está generando un proceso de integración entre los pueblos, de sentido inverso al de las sinarquías imperialistas, en que se forman bloques de oposición. Está integración, como en el caso de Europa, es en un primer momento económica, pero

---

5   Argentina tuvo una tradición de gobiernos militares fuertes prácticamente desde el inicio mismo de sus luchas por su independencia de España. La alianza entre la clase militar y la oligarquía terrateniente recorre la historia argentina. Perón consideró que la oligarquía era enemiga de los intereses populares y estaba alejada del espíritu del pueblo. Sólo las masas de trabajadores pobres poseían en esos momentos un sentido patriótico, el pueblo pobre era el heredero de los valores más altos de la nacionalidad.

aspira a ser política. Los imperialismos tratan de impedir esta integración, para poder "dividir y reinar" (147).

Un país no puede existir aislado, y la situación de Sudamérica es más difícil que la europea, porque no tiene la importancia económica y cultural del viejo mundo: es un continente debilitado por el colonialismo, el subdesarrollo y la entrega de su economía. El mundo está evolucionando hacia nuevas formas, y su impulso se nota tanto en lo científico, como en lo cultural y filosófico. La juventud se tiene que enfrentar a esta situación. El inició en su momento la Revolución Justicialista para buscar una solución a todos estos problemas y cambiar la fisonomía colonial que presentaba su patria; el Justicialismo buscaba "la transformación indispensable dentro de las formas incruentas hacia un socialismo nacional y humanista" (149). El Justicialismo había renunciado a la violencia, pero el Comunismo no, y la opción del futuro era, para él, Justicialismo o Comunismo. El Socialismo, dice, es sectario, mientras el Justicialismo es una doctrina nacional argentina (150). Los militares en el poder no lo han entendido, proscriben al Peronismo y lo persiguen, defendiendo el sistema liberal capitalista.

Esta crisis ha afectado al nivel directivo del Peronismo, por eso el Comando Superior Peronista propugna el trasvasamiento generacional. Desgraciadamente, la juventud está dividida en pequeños grupos, haciendo difícil el logro de la unidad buscada. Hay que juntar el entusiasmo y la energía de la juventud con la sabiduría y la prudencia de los viejos. Los jóvenes tienen que exhibir sus condiciones como dirigentes, demostrando sus aptitudes en la práctica (157). La juventud debe proceder a pacificar a los distintos sectores para lograr una unidad y solidaridad efectivas.

Para ser revolucionario hay que poseer los valores y la mística para luchar por sus ideales, cree Perón (158). Hacía veinticinco años que había iniciado su vida política, liderando el golpe de los Coroneles en 1943. Organizaron el golpe luego de analizar la crítica situación internacional europea durante la Guerra Mundial. Llegaron a la conclusión que el socialismo nacional ya no podía existir, el capitalismo liberal y el comunismo habían triunfado, pero podían surgir otros socialismos nacionales. Muchos estados republicanos de Europa prefirieron la evolución pacífica, logrando una simbiosis política entre democracia cristiana y marxismo. La revolución justicialista buscó los mismos fines: transformar la sociedad argentina "liberal, capitalista y burguesa" en un "socialismo nacional cristiano" (160).

Formaron el Consejo Nacional de Posguerra para estudiar las condiciones existentes al finalizar la Segunda Guerra y planificar la Revolución Justicialista. Querían impedir que los países triunfadores de la contienda forzaran a la Argentina a aceptar convenios contra sus intereses. Lograron llegar a un acuerdo político con conservadores, radicales y socialistas y se creó un "cuerpo de concepción" de la Revolución que trabajó durante tres años. La Revolución fue el resultado de una larga planificación y trabajo de concepción grupal (161). El joven Movimiento pudo superar la crisis del 17 de octubre de 1945, donde se vio el desarrollo que había alcanzado la tendencia popular que él lideraba. Su fracción pidió elecciones para tomar las riendas del poder dentro de los límites impuestos por la Constitución Nacional. Con el triunfo en las elecciones de 1946, el Movimiento recibió el mandato popular para introducir e institucionalizar los cambios que se habían propuesto.

La sinarquía internacional, aliada a la oligarquía demoliberal argentina, derrocó su gobierno, y en esa contrarrevolución se alinearon los grupos nacionalistas clericales, junto a los gorilas, la pequeña burguesía industrial, los agroexportadores, los monopolios foráneos, formando un grupo heterogéneo, que contó con el aval del Fondo Monetario Internacional (162). La juventud argentina tiene que luchar contra este grupo, unirse y formar un gran Movimiento nacional para "restituir al pueblo su soberanía perdida desde 1955" (165). Deben buscar la integración histórica con los otros países que tratan de liberarse del imperialismo y sus agentes vernáculos.

La Argentina debe unirse al Tercer Mundo que lucha por su liberación. Sólo la Comunidad Económica Latinoamericana y el Mercado Común Latinoamericano pueden superar las crisis que agobian a nuestros países. La integración tiene que ser obra propia, sin intervenciones extrañas de ninguna clase, para crear "las condiciones más favorables para la utilización del progreso técnico y la expansión económica", evitando divisiones artificiosas entre los países y sentando las bases para los futuros Estados Unidos Latinoamericanos (166). Los argentinos necesitan conformar un gran movimiento nacional para enfrentar a la dictadura militar. La conducción será la garantía del éxito, seguida por una masa bien encuadrada. Hace falta planificar la lucha, prepararla, para salvar a la patria (168).

Perón escribe este libro en un momento clave de la resistencia peronista, y cuando la situación política internacional favorecía las luchas revolucionarias de la juventud. A partir de 1968 el gobierno militar entra en crisis. Años más tarde tiene que dar elecciones. En esas elecciones se verán forzados a levantar la proscripción del Peronismo, permitiendo que participe en la campaña electoral, primero "sin Perón" y, cuando el Justicialismo gana las elecciones en marzo de1973 con casi el cincuenta por ciento de los votos, el electo presidente Cámpora llama a una segunda elección, esta vez con Perón, quien triunfa por amplia mayoría con el sesenta y uno por ciento de los votos. El anciano líder ocupa por tercera vez la Presidencia de la nación en 1973, y muere pocos meses después, en julio de 1974, en el ejercicio del poder (Sidicaro 112-3). Perón triunfó contra la oposición que le había arrebatado la Presidencia inconstitucionalmente dieciocho años antes. Sin haber derramado sangre argentina en una guerra civil, logró, desde el exilio, gracias a sus extraordinarias cualidades políticas, hacer triunfar su Movimiento, liderando la vida política nacional.[6]

A través de su argumentación ágil, Perón busca en su libro embanderar a los militantes tras sus ideas, demostrando su vigencia intelectual como líder, a pesar de su edad avanzada.[7] Hombre de acción y político, Perón escribe para "hacer": es el epítome del hombre que aspira a transformar el mundo.[8] El libro nos permite comprender los aspectos fundamentales de su doctrina:

---

[6]   A partir del 68 las rebeliones juveniles dieron lugar a la formación de diversos focos guerrilleros, aún dentro del peronismo mismo, agregando un matiz trágico a las luchas políticas argentinas (Page 414-8).

[7]   *La hora de los pueblos* es el último libro de ensayo publicado por Perón antes de su importante testamento político, *Modelo Argentino para el Proyecto Nacional*, dado a conocer póstumamente, pero anticipado en su discurso al Congreso del 1° de mayo de 1974, poco antes de su muerte (22).

[8]   *La hora de los pueblos*, 1968, forma parte de esa serie de obras políticas, escritas por periodistas, políticos, profesores, militares, desde el momento de la emancipación hasta nuestros días, que denominamos "ensayo de interpretación

—su profundo mensaje de unión: el Justicialismo no es un partido político tradicional, que busca competir con otros partidos; es un Movimiento nacional de unión de todas las tendencias políticas en un solo organismo. La unión empieza en la nación, pero aspira a extenderse al continente primero, y al mundo después.

—la base política del Justicialismo son los trabajadores: el trabajo es el núcleo espiritual de la nación.

—la justicia social: su ideal es vivir en una comunidad socialmente justa, evitando la competencia destructiva y fomentando la solidaridad.

—la distribución de la riqueza: la nación debe distribuir su riqueza (por medio del gobierno) de manera justa y equitativa para todos.

—el Justicialismo es una doctrina cristiana: el dinero, la riqueza debe estar al servicio del espíritu.

—la pacificación: el Justicialismo debe alcanzar su objetivo político de modo pacífico, por evolución.

La doctrina tiene un mensaje político inusual que ha calado hondo en el corazón de una mayoría del pueblo argentino. El Justicialismo quiere tener una nación unida, en que exista solidaridad entre pobres y ricos, en paz, con justicia social, donde el trabajo sea la fuente de la riqueza. Busca que la solidaridad se extienda al continente, para poder lograr la libertad política deseada.

El mensaje tiene un sentido ético original. El Justicialismo defiende la independencia del pensamiento nacional. El General exigía a los militantes lealtad, y la defensa del Movimiento contra los enemigos internos y externos. En su concepción, la idea de patria es tan central como la idea de dios. El trabajador es el hijo de la patria. Introduce dos sujetos: la patria y el trabajador argentino. Junto con Eva, que en un sentido simbólico era la madre-novia de la patria, la esposa-hija de Perón, conformaban la "familia peronista". Perón era el padre dinámi-

---

nacional", entre las que se destacan los discursos de Bolívar, el *Facundo* de Sarmiento, "Nuestra América" de Martí, *Ariel* de Rodó, *La nación latinoamericana* de Ugarte y *Las venas abiertas de América Latina* de Galeano.

co y fuerte: el líder, el conductor. Quería que los identificaran como la "familia nacional", la única familia posible, la "familia argentina". Su nacionalismo cristiano rezuma amor a la patria, un sentimiento quizá no demasiado apreciado en los tratados de política, pero ante el cual ningún político y ningún pueblo pueden ser indiferentes (Anderson 1-7).

La doctrina de Perón muestra una visión pragmática del objetivo del estado moderno y sus escritos pueden alentar a aquellos que buscan conocer la ciencia del buen gobierno. Interpretó el hecho político como un fenómeno dinámico, que depende de una relación humana frágil: la relación entre el gobernante y los gobernados, entre el líder y el pueblo. Político hábil, maestro en el "arte" de la conducción, Perón logró transformar a su patria, dándole al ciudadano común, a las masas, un lugar en el espacio de la nación, transformándolos en interlocutores de una política nacional que hasta ese momento los había eludido. El Peronismo actúa como una fuerza modernizadora de la política argentina. Este libro de ensayos de Perón enriquece nuestro patrimonio intelectual y debe ser reconocido como una obra clave en la definición de nuestra identidad como nación.

Bibliografía citada

Anderson, Benedict. *Imagined Communities Reflections on the Origin and Spread of Nationalism*. New York: Verso, 1991. Revised edition.

Arzadun, Daniel. *Perón: ¿proyecto nacional o pragmatismo puro? Análisis cualitativo de los contenidos doctrinarios del justicialismo temprano*. Buenos Aires: Ensayos AGEBE, 2004.

Mafud, Julio. *Sociología del peronismo*. Buenos Aires: Editorial Américalee, 1972.

Monsiváis, Carlos. *Días de guardar*. México: Ediciones Era, 1970.

Page, Joseph. *Perón A Biography*. New York: Random House, 1983.

Pavón Pereyra, Enrique. *Yo Perón*. Buenos Aires, Editorial MILSA, 1993. Segunda edición.

--------. *Perón Preparación de una vida para el mando (1895-1942)*. Buenos Aires: Ediciones Espino, 1953.

Perón, Juan Domingo. *El modelo argentino. Proyecto Nacional.* Rosario: Ediciones Pueblos del Sur, 2002.

--------. *Doctrina revolucionaria. Filosófica-Política-Social.* Buenos Aires: Editorial Freeland, 1973. Prólogo del Tte. Coronel Plácido J. Vilas López.

--------. *La comunidad organizada.* Buenos Aires: Ediciones realidad política, 1983.

--------. *La hora de los pueblos.* Buenos Aires: Editora Volver, 1987. 1era. edición, 1968.

--------. *Conducción política.* Buenos Aires: C.S. Ediciones, 1998.

--------. *Obras completas.* Buenos Aires: Editorial Docencia, 1999. Compilación de Eugenio Gómez de Mier. 25 tomos.

Sidicaro, Ricardo. *Los tres peronismos Estado y poder económico 1946-55/1973-76/1989-99.* Buenos Aires: Siglo XXI Editores, 2002.

CAPÍTULO 2

LA PALABRA VIVA DE EVA PERÓN

L a emergencia del populismo peronista, liderado por Juan Perón (1895-1974) y su esposa Eva Duarte de Perón (1919-1952), la carismática y joven actriz, dividió, a partir de 1945, el campo político y social en la Argentina.[1]

---

[1] Perón favoreció con sus decisiones a aquellos que habían sido más marginados de la vida política hasta ese momento: los trabajadores. Los hombres y mujeres del proletariado ingresaron en la lucha política, nucleados en organizaciones sindicales, protegidos por las leyes laborales del Peronismo. La elección de Perón a la presidencia en 1946 dio a las masas trabajadoras una representatividad inesperada en la vida de la nación. Diversos sectores sociales resistieron y se opusieron al populismo peronista: grupos conservadores, partidos de clase media y de izquierda, y muchos intelectuales y artistas, que creaban y producían cultura para las elites.

A la caída del General Perón, en 1955, los sectores educados de la población y los partidos liberales y de izquierda, prestaron amplio apoyo a los militares golpistas, y su autoproclamada "Revolución libertadora". El pueblo peronista, liderado por las organizaciones sindicales clandestinas, resistió con heroísmo la usurpación del poder popular. Muchos intelectuales, historiadores y artistas se replantearan el significado histórico del Peronismo (Neyret 3-6). Se destacaron en ese proceso los ensayistas "revisionistas" Fermín Chávez, José María Rosa y Arturo Jauretche; los intelectuales de izquierda Jorge Abelardo Ramos, Rodolfo Puiggrós y J. Hernández Arregui; el político peronista socialista John William Cooke; el periodista y militante Rodolfo Walsh (*Operación masacre*); el sociólogo y filósofo Juan José Sebrelli (*Eva Perón, aventurera o militante?*), y los directores de cine documental Fernando "Pino" Solanas y Octavio Getino (*La hora de los hornos*).

En mi trabajo me propongo estudiar la "palabra viva" de Eva
Perón, tal como ésta emerge de sus discursos y sus libros.[2] Estos, que
fueron escritos total o parcialmente por colaboradores letrados, con su
consentimiento y cooperación, pueden ser considerados una especie de
"guión" al servicio del papel político del personaje histórico. Los
libros y discursos buscaban difundir las ideas peronistas y dar cuenta
de la labor política de Eva dentro del Movimiento. Presentaban una
visión del Peronismo desde el campo popular de la mujer. Primero,
haré un breve resumen histórico e ideológico de la trayectoria de Eva
en el Peronismo, y luego comentaré algunas de sus ideas más destacadas, para tratar de entender mejor su significado histórico y sus aportes
al Movimiento durante su breve y brillante carrera política.[3]

---

[2]   La historiografía sobre Eva Perón refleja los vaivenes de las luchas partidarias. En 1980 los historiadores Marysa Navarro y Nicholas Fraser publicaron
una biografía basada en investigaciones cuidadosas y un meticuloso trabajo de
campo. El estudio histórico del personaje cambió la imagen que se tenía de Eva
Perón. En un artículo del año 2002 Marysa Navarro pasó revista a la polémica
y rica historiografía del Peronismo, demostrando hasta qué punto los intereses
sectoriales habían llevado a distorsionar la figura de Eva y su sentido histórico
en la cultura argentina ("La mujer maravilla ha sido siempre argentina y su
verdadero nombre es Evita" 11- 442).

[3]   Eva Perón expresó en su testamento político que deseaba ser recordada como
una mujer que había hecho todo por su pueblo, y quería quedar en su memoria,
"vivir eternamente" con su pueblo y con Perón (*Mi mensaje* 77). Juan Domingo Perón vio la historia de su patria como un drama en el que él tenía un
importante papel que realizar, aleccionando a su pueblo y movilizándolo, para
conducirlo a un nuevo destino. El objetivo era lograr la liberación nacional, luchando contra el colonialismo interno y el externo, representados por la oligarquía explotadora y el imperialismo internacional. El Peronismo procuró unir
a las masas y apoyó las organizaciones sindicales (Doz 8-16). Sus lemas eran
simples: soberanía política, independencia económica y justicia social. Trató
a los trabajadores como protagonistas, cuando antes habían sido participantes
marginados del juego de los intereses de los partidos políticos en pugna.
A partir de 1930 los sectores militares de la Argentina se habían manifestado
contra el sistema político democrático y se transformaron en árbitros de la
política nacional, apelando tanto a golpes de estado como a la organización de
elecciones condicionadas, respondiendo a intereses sectoriales. Perón surgió
a la política como el líder de un grupo de oficiales del Ejército, el GOU, que
planificó el golpe que derrocó en 1943 al gobierno de un presidente constitucional desprestigiado, Ramón Castillo. En esos momentos los conservadores

I. Eva Duarte era, a comienzos de la década del cuarenta, una joven actriz de radioteatro con una modesta carrera artística.[4] Al poco tiempo

preparaban un fraude y planeaban manipular los votos populares en las próximas elecciones (Page, *Perón* 41-53). El grupo de Coroneles reaccionó contra la política de los conservadores y buscó imponer su propio proyecto.

Perón, desde la Secretaría de Trabajo y Previsión, dio prioridad a la organización sindical y a la implementación de programas de asistencia social. Se definió a sí mismo como un líder y conductor, no se consideraba un político "profesional": había entrado a la política para salvar al país de los abusos de los malos políticos (Martínez, "Las memorias de Puerta de Hierro" 51). Tuvo que participar y competir en el sistema democrático para darle permanencia a sus reformas sociales y laborales. Como Secretario movilizó y unió a la clase trabajadora. La Confederación de trabajadores fue la columna vertebral de su Movimiento político. No se apoyó en los partidos políticos tradicionales. Después de la crisis militar de octubre de 1945 y de los acontecimientos del 17 de octubre, que demostraron su creciente influencia sobre el pueblo y pusieron en evidencia el efecto que su política social, organizada desde la Secretaría de Trabajo y Previsión a partir de 1943, había tenido en las masas trabajadoras, Perón logró que se llamara a elecciones presidenciales y se presentó a las mismas en 1946 con un partido formado al efecto, el Partido Laborista. El partido (disuelto poco tiempo después), compitió por el poder con los partidos opuestos a su política, que formaron una amplia coalición, que incluía a conservadores, radicales y comunistas. Estos fracasaron en las elecciones, que le dieron el mandato popular a Perón por amplia mayoría (Page, *Perón* 138-51). Desde el poder Perón organizó a sus seguidores en un Movimiento, que pasó a llamarse a partir de 1949 Justicialista, e incluía a tres sectores: el sindicalismo, el Partido Peronista Masculino, y el Partido Peronista Femenino, dirigido este último por Eva Perón.

4   Perón lideró en la Argentina un Movimiento que aspiraba a crear una democracia directa, dando amplia participación a las masas populares. En su concepción la asistencia social tomaba prioridad sobre la política partidaria. Los partidos políticos tradicionales perdieron poder y representatividad durante el decenio que estuvo Perón en el gobierno, resistieron su política populista y lo consideraron un Presidente autoritario. Tuvo amplia mayoría en el Congreso y promovió la reforma de la Constitución Nacional en 1949, incorporando en ella los derechos de los trabajadores y minorías, y haciendo posible la reelección presidencial, gracias a lo cual pudo llegar a ocupar la presidencia por segunda vez.

Perón, aprovechando su apoyo popular, trató de hacer una revolución desde el poder, iniciando vigorosas reformas sociales y económicas, guiado por su lema de defensa de la justicia social, la soberanía nacional y la igualdad económica (Martínez, "Las memorias de Puerta de Hierro" 44-9). Siguiendo este ideal de conocer a Perón, a principios de 1944, y de iniciar una relación romántica con el Coronel, Eva, que era artista de Radio Belgrano, emisora que apoyaba la política del régimen militar en el poder, trabajó en un ciclo radial de programas pedagógicos difundiendo las ideas del GOU.

Como recomendada de Perón, la carrera artística de Eva progresó rápidamente (Sarlo 60-74). Encabezaba su propia compañía de radio-

---

igualitario, que él definía como de inspiración cristiana, Perón buscó nivelar las clases sociales. Luego de organizar al proletariado, para darle un papel protagónico en la vida política nacional, Perón le quitó al rico para darle al pobre, sentando a capitalistas y empresarios en mesas paritarias frente a los líderes de los trabajadores, para negociar condiciones más justas de trabajo e ingresos. Apoyado en sus planes quinquenales, Perón quiso alcanzar una transformación económica duradera y permanente del país. El golpe militar reaccionario de 1955 interrumpió este proceso.

Dentro de esta nueva modalidad y era política que inauguró Perón en la Argentina adquirió protagonismo la nueva clase trabajadora urbana, formada por los campesinos pobres desplazados a las ciudades, y por los inmigrantes e hijos de inmigrantes llegados al país en los últimos 50 años. Perón agrupó y dio identidad a este sector que respondió activamente a sus consignas políticas, lo apoyó durante toda su gestión y se organizó contra el régimen militar que lo derrocó en 1955, participando en el movimiento de resistencia popular que acabó trayendo otra vez a Perón al poder en 1973, como Presidente de la República por tercera vez.

Durante la primera y segunda presidencia apoyaron a Perón los sindicatos de trabajadores, un sector del empresariado, grupos moderados nacionalistas de clase media e intelectuales disidentes, como los militantes de FORJA: Scalabrini Ortiz, Jauretche y Manzi, sectores importantes de la Iglesia, una gran parte del Ejército, y una mayoría de las mujeres que Evita organizó políticamente y aportaron un sesenta por ciento del voto femenino en las elecciones de 1952. El espectro político antiperonista era amplio: los conservadores, el Partido Radical, los socialistas y comunistas, los democristianos. La clase alta, la clase media, los profesionales e intelectuales liberales, los artistas, los estudiantes universitarios, en su mayor parte se opusieron al Peronismo, al que vieron como un movimiento dictatorial, demagógico, autoritario, de tendencia fascista (Buchrucker 3-16). Esto cambió luego del derrocamiento de Perón, en que se realinearon los campos sociales, después del fracaso de la política golpista, que proscribió al Peronismo, sus ideas y sus líderes. Los sectores de izquierda y el Radicalismo modificaron paulatinamente su posición sobre el sentido y el carácter del Peronismo, y su papel histórico. Fue dentro de este rico contexto histórico que surgió y actuó Evita.

teatro y contaba con la colaboración del joven libretista Muñoz Azpiri. Protagonizó un ciclo de famosas mujeres de la historia, que habían influido en la gestión de gobierno de sus esposos o ellas mismas habían tenido poder político, como Madame Lynch, esposa del caudillo paraguayo Solano López, la emperatriz Carlota de México, la última Zarina y la reina Isabel I de Inglaterra (Frazer y Navarro 31). Su hermano Juan Duarte, colaborador y amigo de Eva, era el representante de la compañía. Posteriormente, éste se convirtió en el secretario personal de Perón, posición en la que se mantuvo por varios años, hasta el escándalo de corrupción que lo implicó en graves estafas y lo llevó a cometer un cuestionado suicidio en 1953, ya desaparecida Evita. Durante 1944 y 1945 Eva fue una actriz popular, mimada de las revistas del espectáculo, y actuó en varias películas, entre ellas *La cabalgata del circo*, con Hugo del Carril.

La singular relación amorosa entre un militar miembro del gobierno, con creciente influencia (al puesto de Secretario de Trabajo y Previsión, sumó luego el de Ministro de Guerra y Vice-Presidente), y una actriz de radioteatro, en momentos en que la radio era un medio de difusión y comunicación popular privilegiado, atrajo el interés de los fotógrafos de la prensa. Perón aparecía en numerosas fotos junto a Eva y miembros del gobierno, en particular con su amigo y colaborador el Coronel Mercante. En esos años Perón apoyó a los trabajadores para que organizaran y consolidaran sus sindicatos, y Eva se convirtió en Presidente de la recientemente formada Asociación Radial Argentina (Fraser y Navarro 42).

Los hechos ocurridos el 17 de octubre de 1945 introdujeron en la escena política a un nuevo actor protagónico: el pueblo trabajador, los "descamisados". Los críticos momentos, luego de la detención de Perón, que llevaron a la espontánea poblada, demostraron el ascendiente que había logrado entre los trabajadores. Las masas ocuparon pacíficamente la plaza de Mayo frente a la casa de gobierno y pidieron por la liberación de su líder. Una vez liberado Perón apareció en el balcón de la casa de gobierno, habló a la multitud enfervorizada y anunció que habría elecciones próximas, tras lo cual las masas se desmovilizaron y regresaron a sus hogares y puestos de trabajo. Eva, en los momentos más difíciles de esas jornadas, temió por la vida del

Coronel (Frazer y Navarro 59). Perón pasó de ser un miembro líder del gobierno de facto, a ser el líder de los "descamisados". En abierto conflicto con sus colegas militares, y gracias al apoyo del pueblo, forzó al presidente a dar elecciones en unos pocos meses más: el 26 de febrero la ciudadanía votaría en los comicios de todo el país.

Ese hecho histórico insólito dio nacimiento a un nuevo movimiento de masas, liderado por Perón (el conductor, como él gustaba llamarse), apoyado por Eva, su compañera leal. Se casaron pocos días después y Eva se convirtió en la esposa del candidato a Presidente del Partido Laborista. Durante la contienda partidaria Perón formuló un atrayente programa social y económico. Si bien desconfiaba del sistema político partidario y las contiendas entre partidos, participó en esa competencia democrática y entró en el juego político de la sociedad civil. Su movimiento nacional nucleaba al espectro más amplio posible de los votantes. Eva, que había demostrado ser una mujer de iniciativa y no había aceptado quedarse al margen de muchas de las reuniones políticas de su pareja, apoyó activamente a su marido en su campaña, acompañándolo en sus discursos proselitistas y viajando con él al interior del país en tren (Fraser y Navarro 72-4).

Perón desarrolló tempranamente una relación de simpatía, siendo oficial del Ejército, con la gente sencilla del pueblo trabajador, a la que aprendió a tratar y respetar, reconociendo el estado de desprotección en que vivía. Esa experiencia tuvo que haber influido en el desarrollo de su política social, y en su deseo de dar protagonismo a ese pueblo en su política. Resulta singular su relación con Eva, la joven actriz, a la que Perón, un importante funcionario del gobierno, no tomó a la ligera. Eva era una joven de origen modesto, la hija menor de una relación ilegítima, entre un hacendado casado y una mujer sin recursos de un poblado vecino. Criada en un área rural de la provincia de Buenos Aires, recibió escasa educación (solo había concluido la escuela primaria). Mujer de férrea voluntad, Eva halló en Perón al mentor y al amante que le permitiría acercarse al mundo del poder y conquistar su propio lugar en la historia argentina. Fue el encuentro de dos personalidades afines y complementarias, en los que se unía gran sensibilidad y amor por lo popular y por el pueblo, capacidad de trabajo y tesón, ambición de poder y vocación de servicio social. Perón, al alcanzar el poder y triunfar en la puja presidencial, arrastró a Eva a la posición de Primera Dama de la República y esposa del Presidente.[5]

Evita, al iniciar Perón su presidencia, en un régimen que prometía introducir grandes cambios desde el poder (Perón había demostrado su voluntad reformista como Secretario de Trabajo y Previsión del gobierno anterior), y contaba con un amplio apoyo popular, evidenciado en el voto masivo que recibiera el Partido Laborista en las elecciones, tuvo la posibilidad de seleccionar para sí aquellas tareas que consideraba más trascendentes en relación a la política de su esposo. Perón, por su parte, dejó a su mujer amplia libertad para elegir sus ocupaciones y definir el que debería ser el papel de la mujer del Presidente dentro de su gobierno.[6]

Durante los años que siguieron a la inauguración presidencial en 1946 y hasta su muerte en 1952, Evita cumplió tres papeles fundamentales en el gobierno de Perón: primero, redefinió el sentido de la beneficencia y ayuda a los necesitados en el gobierno populista, creando la Fundación Eva Perón y poniéndose al frente de la misma; segundo, apoyó y promovió la aprobación de la ley a favor del voto de la mujer, organizando después el Partido Peronista Femenino, y, tercero, actuó como delegada de su esposo ante los sindicatos y comisiones obreras

---

5 Perón demostró ser un individuo independiente y osado. No era un militar al que le resultara fácil someterse a la voluntad de los demás. Su elección de Eva, a la que doblaba en edad y sobre la que pesaba el estigma social con que la alta sociedad mira a las actrices, fue un acto de desafío a la clase política nacional y al Ejército. También fue provocativa su política populista y su relación pública simbiótica con las masas populares, en fiestas cívicas que irritaban a los partidos políticos nacionales, y les recordaban los grandes actos públicos que habían tenido lugar hacía pocos años en Europa, bajo los regímenes autoritarios de Mussolini y Hitler. La oposición democrática que se enfrentó a Perón en la campaña presidencial aprovechó el fantasma del totalitarismo, vivo en el recuerdo local ante los eventos ocurridos en Europa, para acusarlo de filofascista (Page, *Perón* 139-42).

6 Dijo Perón a T. E. Martínez en 1970: "La acción de Eva fue ante todo social: ésa es la misión de la mujer. En lo político, se redujo a organizar la rama femenina del Partido Peronista. Dentro del movimiento, yo tuve la conducción del conjunto; ella, la de los sectores femenino y social. Le dejé absoluta libertad en ese terreno: era mi conducta con todos los dirigentes" ("Las memorias de Puerta de Hierro" 52).

que se acercaban al Ministerio de Trabajo y Previsión, donde Perón le dio una oficina para que trabajara diariamente. Fue en el ejercicio de estas tres tareas que Eva, que había desarrollado su personalidad profesional en el ámbito mediático, particularmente la radio, empezó a articular su discurso político, su palabra viva para llegar al pueblo argentino, ya no como actriz sino como esposa del Presidente, y representante ante Perón de los intereses y las demandas de los trabajadores.

Eva definió su personalidad pública en la política y articuló su palabra viva como representante privilegiada de los intereses del pueblo, abogada y protectora de los trabajadores y los humildes. Creó un personaje carismático y espectacular, mostrándose apasionada, fanática defensora de los intereses del pueblo y de Perón. Hablaba de su marido en sus discursos como de un líder único, inigualado, situado en las alturas. En su propuesta dramática la masa oficiaba de coro político al pie del líder, apoyándolo en su lucha revolucionaria por la liberación nacional. Eva era la "primera voz" del coro del pueblo, y el puente entre el poder de Perón y las virtudes de la masa peronista.[7] Este papel de mediadora e intercesora, entre una personalidad carismática y el pueblo, le permitió compartir el carisma de Perón y la fuerza mágica que lo animaba en su relación con las masas. Se transformó en una figura tutelar, un "hada buena", de un pueblo que la adoraba y la mitificó después de su muerte. Su agonía pareció un martirio, y el sepelio y el duelo popular forman parte de la memoria sagrada del Peronismo. En Eva el pueblo encontró a la madre joven y vehemente, a la mujer carismática y bella, cuya fe y fuerza religiosa prometían a las masas la regeneración del poder político en beneficio de ellos.

Perón dio a Eva gran independencia, y en lugar de colocarla, como consorte, en un espacio simbólico, a su lado, la situó frente a él, como interlocutora, junto al pueblo. De esta manera la transformó en una

---

7   Dice Perón: "Un conductor debe imitar a la naturaleza, o a Dios…Dios actúa a través de la Providencia. Ese fue el papel de Eva: el de la Providencia. Primero, el conductor se hace ver: es la base para que lo conozcan; luego se hace conocer: es la base para que lo obedezcan; finalmente se hace obedecer: es la base para que llegue a ser hasta infalible" (Martínez, "Las memorias de Puerta de Hierro" 51).

aliada que reflejaba su política desde las filas del proletariado. Permitió que Eva ocupara la misma oficina que él había utilizado en el edificio del Consejo Deliberante, donde funcionaba la Secretaría de Trabajo y Previsión, transformada en Ministerio, vecina a la oficina del Ministro, de extracción obrera, el compañero Freire.

Si seguimos la actuación pública de Eva, notamos que sus primeros discursos registrados, luego que Perón asumiera la presidencia en 1946, estaban dirigidos a asociaciones obreras, o vinculados a actos de la Secretaría de Trabajo y Previsión Social, o fueron discursos pronunciados por radio en celebración de fechas destacadas para la vida de la nación, como el 17 de octubre o las palabras de despedida del año. Muchos de estos discursos tomaban como destinatarias a las mujeres. El discurso del 25 de julio de 1946, por ejemplo, transmitido por radio en cadena por todo el país, fue parte de la campaña gubernamental contra la especulación y el alto costo de la vida, y Eva solicitó el apoyo de las amas de casa y les pidió que tuvieran una actitud consciente y vigilante, y evitaran pagar precios excesivos, obligando a los comerciantes a respetar el control de precios máximos determinados para los productos (Eva Perón, *Evita Mensajes y discursos* Tomo 1: 37-41).

En cada uno de esos discursos Eva fue creándose un espacio de enunciación desde el cual hablaba a su público: al principio lo hacía en nombre de Perón, o con el aval y la autorización de Perón, en muchos casos enviada por él a un evento, al que no había podido asistir porque tenía otros compromisos. Con el paso del tiempo notamos en sus discursos una gradual evolución en la manera que hablaba de Perón y de sí. Eva buscaba su lugar propio dentro del Peronismo. En el discurso del 27 de noviembre de 1946, en el aniversario de la creación de la Secretaría de Trabajo y Previsión, se definió como "...una descamisada más...que no cuenta con una gran elocuencia pero sí con un corazón grande..." (*Evita* T. I: 57). El día 30 de noviembre, en una concentración popular en Tucumán (Eva viajaba con frecuencia al interior), se dirigió en nombre de Perón a los trabajadores "descamisados", les anunció que se había aprobado el aguinaldo, y dijo que era "...una embajadora de la esperanza, el amor y la nueva conciencia" (*Evita* T 1: 59). Hablaba como "mujer del pueblo", ya que había salido "de sus filas" y se ponía al frente de las mujeres argentinas "...como un soldado más, para defender el futuro, para que se nos reconozcan nuestros derechos" (*Evita* T. I: 60).

Los discursos de Eva, en general, eran breves. Durante la primera época se los escribía quien fuera su libretista como primera actriz de radioteatro: Francisco Muñoz Azpiri (Fraser y Navarro 31). Muñoz Azpiri, que era abogado e historiador, había escrito los guiones teatrales del ciclo de mujeres de la historia que Eva había transmitido durante 1945 por Radio Belgrano. Había observado el potencial de Eva como actriz y no le debía resultar difícil encontrar las palabras adecuadas para su nuevo papel, en las situaciones concretas en que tenía que dirigir la palabra a su público. Posteriormente, la acompañaría a su viaje a Europa.

Perón instruyó a Eva mediante pacientes charlas, compartiendo con ella sus ideas políticas. La adoptó como discípula y le hizo leer bajo su guía unos pocos libros (*Evita* T. IV: 57-60). Había sido profesor de la Escuela Superior de Guerra durante diez años y mostraba una marcada actitud pedagógica en sus escritos y discursos, especialmente aquellos dirigidos a correligionarios y obreros. Supervisaba la línea política de los discursos de Eva, que eran, dadas las circunstancias, cuestión de Estado, ya que la opinión pública los juzgaba como parte de la estrategia política peronista.

Los discursos de Evita apoyaban la línea peronista sin cuestionamientos críticos, e iban estableciendo su propio lugar de enunciación y espacio político estratégico dentro del Movimiento. En el discurso que pronunció durante la primera Navidad en que Perón estuvo en la presidencia, transmitido por radio en cadena nacional, dirigido a las mujeres del país, Eva aseguró a su audiencia que los peronistas habían pasado de las promesas a las realizaciones, gracias a un Presidente que era como un descamisado más y se quitaba el saco para estar con el pueblo. El Presidente le había dado a ella misma la posibilidad "de ayudar al que sufre": en lugar de asumir un cómodo papel "oficial" de esposa, había dejado de lado "la postura", prefirió "el sentimiento" y se sentía "...una descamisada más de sus masas heroicas y sinceras" (*Evita* T. I: 66).

En ese discurso de la navidad de 1946 empleó el "vosotros" y utilizó un lenguaje relativamente distante para hablar a las masas. Eso habría de cambiar durante 1947, en que Eva trabajó activamente en la campaña para lograr el reconocimiento de los derechos civiles de las mujeres y el sufragio femenino. En esos discursos Eva pedía a las mujeres que lucharan por sus derechos, mostrando capacidad de convocatoria y poder persuasivo para dirigirse a las masas. En el discurso del 27 de enero de ese año, transmitido en cadena por radio, su lenguaje fue más enfático para definirse a sí misma, y ponerse como ejemplo ante las otras mujeres. Dijo: "Conozco a mis compañeras, sí. Yo misma soy pueblo. Los latidos de esa masa que sufre, trabaja y sueña, son los míos." (*Evita* T. I: 74). Cuenta cómo pasó por encima del protocolo para sumarse a la acción social del Peronismo, y asegura que su labor en esa área se irá ensanchando. Llama a las mujeres a unirse y movilizarse y, al hacerlo, colocarse "en un plano social nuevo", porque la mujer argentina "ha superado el período de las tutorías civiles" y posee "madurez social y política" (*Evita* T. I: 76).

El voto femenino se convertiría en el arma de las mujeres para demostrar que habían llegado a su mayoría de edad. La campaña a favor del voto femenino, promovida desde el poder por el Peronismo, le dio a Eva autoridad política frente a las masas. Esa independencia política se acrecentó cuando en junio de ese mismo año inició un viaje oficial por países de Europa durante varios meses sin su marido. La comitiva que la acompañaba incluía a su hermano, a su confesor y amigo, el padre Benítez, a su ex-libretista radial y encargado de sus discursos, Muñoz Azpiri, a su amiga y colaboradora en el Ministerio de Trabajo y Previsión, Lilian Guardo y al importante empresario peronista Alberto Dodero, que financió el viaje (Fraser y Navarro 89).

Eva publicó una serie de notas en el Diario *Democracia*, vocero peronista (Perón lo había comprado y puesto a nombre de Eva), pidiendo apoyo al sufragio femenino. En el discurso que dirigió a los obreros de la fábrica de Jabón Federal, en su mismo sitio de trabajo, el 21 de febrero de 1947, exaltó a Perón, que, como Presidente, había logrado humanizar el capital y el trabajo, y luchaba por la felicidad de la masa trabajadora. Se colocó a sí misma junto a los trabajadores, en las filas del pueblo, diciendo: "Nosotros, los que venimos del pueblo…sabemos valorar en toda su magnitud la obra de dignificación de la masa trabajadora" que, antes del Peronismo, "…era víctima de toda clase de explotaciones" (*Evita* T. I: 97). Aclaró que el General promovía el voto femenino, y ella era embajadora "de confraternidad, de amor y de esperanza" y servía de puente entre los trabajadores y Perón. Afirma su lealtad al Movimiento, insiste en su deseo de sacrificarse por la causa, y les avisa que deben cuidarse de los detractores y posibles "traidores" al Peronismo. También explica el compromiso del Peronismo con el pueblo trabajador, a cuyo servicio está el movimiento, y pide a los obreros que se sacrifiquen para aumentar la producción y la riqueza, en apoyo del Plan Quinquenal que es "...el plan de los descamisados, y como tal, tienen que defenderlo." (*Evita* T. I: 98).

En su discurso radial del 12 de marzo de 1947, dirigido a las mujeres, Eva dice que la revolución peronista había permitido "...el triunfo de las nuevas formas de la justicia social, y del derecho victorioso del más débil, del más olvidado en la escala de los seres humanos" y define al Peronismo como una "...fuerza espontánea que ha renovado el panorama político de nuestra Patria" (*Evita* T. I: 109). Argumenta que la legislación argentina se había olvidado de la mujer como sujeto político, y que lo acontecido el 17 de octubre de 1945 demostraba la madurez política de la mujer, que espontáneamente había participado en la movilización popular que permitió la liberación de Perón y el posterior triunfo de su política justicialista. Si bien está de acuerdo que es indispensable la guía formativa de la mujer en el hogar, en su papel de madre y esposa, afirma que la mujer "...no es solamente afección, o la sensibilidad. La mujer es la conducta, y la dinámica. La mujer es la voluntad" (*Evita* T. I: 110). Como militante y defensora de su lugar público y político, Eva es un ejemplo de esta nueva posición de la mujer en la sociedad. Quiere lograr que les reconozcan a las mujeres, entre otros derechos, dice, el de "...la expresión de su voluntad cívica, la expresión de su voluntad política, la negación del vasallaje tradicional al hombre..." (*Evita* T. I: 111).

Interrumpió este ciclo de participaciones públicas en defensa de los derechos civiles de la mujer durante su viaje de tres meses a Europa; lo continuó a su regreso, intensificando su militancia, hasta la sanción de la ley del voto femenino en septiembre de ese año. En ese proceso Eva Perón se estableció como una importante figura política nacional. En un régimen de gobierno que promovía la relación directa del gobernante con el pueblo, demostró ser una gran comunicadora. Tenía juventud, carisma, una fuerza de convicción contagiosa y sabía llegar a las masas.

En su discurso del Día de las Américas, el 14 de abril de 1947, en que abogó por la paz y la justicia social, pidió que ya no hubiera más discriminación en el mundo basada en la raza, la nacionalidad, el sexo, las ideas, la religión y el poder económico, e insistió en que los trabajadores del continente debían gozar del derecho a una retribución salarial justa, seguridad social, protección familiar y la posibilidad de mejoramiento económico (*Evita* T. I: 127-8).

Antes de viajar a Europa, Eva inauguró el 3 de junio el primer albergue temporal para mujeres en Buenos Aires. Desde septiembre del año anterior trabajaba en el Ministerio de Trabajo y Previsión, recibiendo a los necesitados y promoviendo obras que beneficiaban a la población más desprotegida. Durante su gira por Europa, varias veces habló en lugares públicos a los trabajadores. En su discurso del 14 de junio, ante Franco, en una plaza pública, dijo a los trabajadores españoles que estaba allí para traerles "...un mensaje de amor de todos los trabajadores argentinos" (*Evita* T. I: 150).

El Peronismo practicó un populismo nacional sindicalista, que buscaba el reconocimiento de los derechos de los trabajadores y dio poder a actores sociales marginados, como las mujeres. El discurso de despedida de Eva de Madrid, que se transmitió por radio, fue dirigido especialmente a las "mujeres de España" (*Evita* T. I: 152). Sus discursos en Italia también mencionaban a las mujeres con frecuencia, e incitaban a los trabajadores a hacer suyo el futuro (*Evita* T. I: 160). Al regresar a Argentina, a fines de agosto, anunció que volvía a ocupar su puesto en su oficina del Ministerio de Trabajo y Previsión. Eva hablaba de sí como trabajadora, hacía referencia a las jornadas agotadoras de trabajo de su marido, y se sometía ella misma a días laborales de 14 y 15 horas, dejando debidamente documentado, a visitantes locales y a extraños, su culto al trabajo y al bienestar social, al que diferenciaba cuidadosamente de la beneficencia, que había sido la piedra de toque de la sociedad patricia y elitista, en que las damas ricas daban regalos a los carenciados (Fraser y Navarro 122-8).

Evita dedicó un artículo a este tema, publicado en el diario *Democracia*, el 28 de julio de 1948, titulado "Ayuda Social, sí; limosna, no", en el que afirmó que la ayuda social del Peronismo, que ella misma organizaba desde su Fundación de Ayuda Social, nada tenía en común con la de antes, a la que caracterizó de "limosna" accidental y esporádica, dedicada a tranquilizar las conciencias de los ricos y poderosos. Ella daba ayuda social a aquellos que carecían de la protección social necesaria, a los "...que por razones de edad, por causas de enfermedad o por incapacidad física, no son aptos para el trabajo. Es la habitación, el vestido, el alimento, la medicina para el enfermo que no está capacitado para el trabajo y que no pudo adquirirla. No es limosna. Es, simplemente, solidaridad humana" (*Evita* T. I: 449). El gobierno peronista organizaba la ayuda social tratando de reparar injusticias y satisfacer las necesidades sociales de los sujetos más desprotegidos y marginales. Era su manera de expresar su amor al necesitado y reconocer su valer.

Una diferencia importante, para Eva, entre la ayuda social y la limosna, era que a esta última la daba el rico, al que le sobraba, al pobre, que no tenía, y era casi una burla de los explotadores hacia los explotados; la ayuda social, en cambio, en palabras de Eva, "...es la exteriorización del deber colectivo de los que trabajan, de cualquier procedencia o clase social, con respecto a los que no pueden trabajar" (*Evita* T. I: 450). La ayuda social era más digna porque la brindaba un trabajador a otro trabajador desvalido. Eva solicitaba preferentemente apoyo económico de los trabajadores para llevar a cabo su notable obra en la Fundación de Ayuda Social. Construyó hogares para mujeres, para ancianos, para niños, hospitales, policlínicos, urbanizaciones obreras. Mediante su habilidosa intercesión y capacidad de convocatoria, logró que los sindicatos destinaran parte de los aportes que recibían de sus miembros a la Fundación. Gracias a estos fondos pudo reunir importantes capitales, que se transformaron en inmediatas obras sociales de asistencia a sectores carenciados de la sociedad.

El trabajo con la Fundación la puso en contacto directo con las necesidades de la población. Ella asumió su labor como un deber casi religioso, ganándose el afecto del pueblo. Su obra de asistencia social contribuyó muchísimo a modelar su imagen pública como abanderada de los humildes, defensora de los pobres y mujer providencial.

A través de la Fundación, Eva practicó un tipo de asistencia social que, afirmaba ella, no hacía distinción de sexo, raza, religión, origen y bandería política. La política social del Peronismo había nacido cuando Perón ocupaba la Secretaría de Trabajo y Previsión, y Evita continuó su obra desde ese mismo espacio durante su presidencia. Perón, como Presidente, no podía gobernar sólo para un sector, tenía que gobernar para todos, aun cuando centrara su base política en el movimiento obrero organizado, que constituía la columna vertebral del Peronismo, y sería el sector más combativo durante los años de la Resistencia, luego de su caída.

Eva ayudó a Perón a mantener relaciones fluidas con el movimiento obrero, poniéndose en contacto con las agrupaciones gremiales, y transformándose en intermediaria entre los gremios y Perón, operando en funciones casi ministeriales. Si el trabajo en la Fundación le dio prestigio y visibilidad, su labor sindical fue fundamental para el Movimiento. Gracias a su simpatía y su carisma, y a su personalidad enérgica, Eva logró comunicarse con los líderes sindicales y fue respetada y valorada por ellos.

Eva y Perón fueron cambiando sus funciones en el plano político. Perón, que había iniciado su carrera en la Secretaría de Trabajo y Previsión, pasó a ser el líder máximo y Presidente. Clausuró el Partido Laborista con el que había llegado a la presidencia, y creó su propio partido. Decía que él no era un político profesional y tradicional burgués, y no creía en el sistema partidario demoliberal, que, en su concepto, operaba como una competencia política entre las elites en el poder, de espalda a los intereses del pueblo; él era un líder, cuyo mandato venía directamente del pueblo, que lo había habilitado políticamente al pedir por su liberación a las autoridades militares en la Plaza de Mayo el 17 de octubre de 1945 (Pavón Pereyra 230-1). Este mandato popular hacía de Perón un líder elegido y plebiscitado por su pueblo.

Eva se situó en el ala izquierda del Movimiento, organizando el trabajo social que el Peronismo reivindicaba como la base de su política de masas. Era el nexo y representante de Perón ante los sindicatos, la directora de la Asistencia Social y la líder del movimiento femenino. Esta última función resultó crucial para el Peronismo: logró que la legislatura aprobara el voto femenino y reconociera los derechos civiles de la mujer, y luego creó el Partido Peronista Femenino, separado del Partido Peronista Masculino, y sobre el cual ostentó un liderazgo indiscutido, como su fundadora y Presidente. El Partido Femenino recibió más del sesenta por ciento del voto de las mujeres en las elecciones presidenciales de 1952, contribuyendo a la segunda presidencia de Perón. Eva favoreció la participación de la mujer en la vida política argentina, alentando su conciencia cívica (Fraser y Navarro 107-9).

La militancia de Eva hizo más por la mujer argentina que las prédicas de los grupos feministas elitistas de esa época, que se movían en una esfera alejada de la realidad social y las necesidades de las mujeres del pueblo. Toda esta actividad política de Eva, acompañada por sus constantes intervenciones públicas (tenía abiertas a su disposición las puertas de los medios de comunicación y contaba con múltiples espacios públicos: la radio y el cine, las plazas, los teatros y sindicatos), dio a su gestión un extraordinario dinamismo durante el tiempo relativamente breve en que participó en la política peronista. Sus años claves fueron de 1946 a 1950, cuando, en la cima de su habilidad y energía organizativa, presentó sus principales batallas políticas e hizo sus aportes mayores al Movimiento. 1951 fue el año de su renunciamiento político a la Vice Presidencia del país. La Confederación General del Trabajo la había propuesto como futura vicepresidente, y en un evento popular de caracteres dramáticos, en un mitin multitudinario, Eva aceptó el nombramiento, para luego, ante el conflicto político que generó el ofrecimiento en el Ejército, renunciar al mismo (Fraser y Navarro 143-7). Esos momentos la mostraron en la cumbre de su popularidad, dueña de un estilo propio para dialogar con las masas. Contaba con sus propios seguidores y seguidoras, que la veían como una apasionada defensora de los intereses de los trabajadores, y aspiraban a llevarla al gobierno.

El agravamiento de su dolencia fue limitando gradualmente su actividad, hasta dejarla recluida en su residencia durante sus últimos meses de vida. En 1951 aparecieron sus libros *Historia del peronismo* y *La razón de mi vida*. En 1952, ante la inminencia de su muerte, minada su salud por el cáncer, el pueblo peronista inició un doloroso proceso de duelo. El 26 de julio murió Eva y durante días los hombres y mujeres del pueblo desfilaron frente a su féretro (Page 24-36).

Eva había demostrado que era una líder carismática, voluntariosa, dueña de una energía extraordinaria para su trabajo, organizadora natural que escuchaba y comprendía a las mujeres y a toda la gente del pueblo, comunicadora persuasiva habituada a tratar a los hombres que estaban en el poder, ya fuese el mismo Perón u otros militares y funcionarios políticos. Era capaz, como su marido, de tener un diálogo enriquecedor con los sectores sindicales y ejercer su liderazgo con firmeza.

Durante sus años de militancia política su relación con el pueblo trabajador se volvió apasionada. Eva exaltaba siempre sus valores y virtudes en sus discursos y en sus escritos. En el diario *Democracia* publicó el 4 de agosto de 1948 un artículo en que definía el sentido social que el "descamisado" tenía para el Peronismo. Dice que el descamisado apareció en el escenario político como antes había aparecido el gaucho, reclamando justicia frente a los enemigos de la nacionalidad (*Evita* T. I: 452). El descamisado era "…un factor de progreso, de unidad nacional, de bienestar colectivo" (*Evita* T. I: 453). Había cambiado la política, porque actuaba en defensa de los intereses del pueblo, que era el depositario de las virtudes de la nacionalidad y creaba la riqueza. La política de privilegio, creía, había terminado y cobraban valor el trabajo y la producción. La asistencia social era un acto de solidaridad del pueblo con el pueblo mismo. El Peronismo luchaba por dignificar al pueblo, mejorando su situación económica y laboral. Esa era la base de la prédica de la política justicialista (*Evita* T. I: 454).

En su biografía, *La razón de mi vida*, explica por qué prefiere el apelativo cariñoso de "Evita", en lugar del de Sra. de Perón. Los descamisados sólo la conocían por el nombre de Evita, mientras los funcionarios de la presidencia o personalidades políticas la llamaban Señora. Cuenta que así se les presentó a los humildes de su tierra, diciéndoles "…que prefería ser Evita a ser la esposa del presidente, si ese Evita servía para mitigar un dolor o enjugar una lágrima" (*Evita* T. IV: 72). Eva confiesa que prefiere "su nombre de pueblo": "Reconozco —dice— …que… lo que me gusta es estar con el pueblo, mezclada en sus formas más puras: los obreros, los humildes, la mujer… Hablo y siento como ellos, con sencillez y con franqueza llana y a veces dura, pero siempre leal. Nunca dejamos de entendernos. En cambio, a veces, "Eva Perón" no suele entenderse con la gente que asiste a las funciones que debe representar" (*Evita* T. IV: 74). Ve en sí a dos mujeres: una actúa un personaje oficial como Primera dama, y otra, la auténtica, es sencilla, llana, parte de su pueblo.

Su relación lírica e idealizada con el pueblo fue en constante progreso hasta sus últimos días. En su testamento, que leyera Perón el 17 de octubre de 1952 desde los balcones de la Casa Rosada (formaba parte de un manuscrito más extenso, nunca publicado por Perón, y dado a la luz finalmente como *Mi mensaje* en 1986), Eva aseguró poéticamente que dejaba su corazón a sus descamisados, sus mujeres, sus obreros, sus ancianos, sus niños; su corazón se quedaba con ellos para "ayudarlos a vivir" con el cariño de su amor, para "ayudarlos a luchar" con el fuego de su fanatismo, y "para ayudarlos a sufrir" con sus propios dolores (*Mi mensaje* 77). Perón, desde "su privilegio militar", se había encontrado con el pueblo, "…supo subir hasta su pueblo, rompiendo todas las cadenas de su casta", pero ella había nacido en el pueblo y sufrido con el pueblo, tenía carne y alma y sangre de pueblo (*Mi mensaje* 78). Eva, en ese texto, que es el más personal de todos sus escritos, y que parece tener menos interferencia de correctores ideológicos, designaba como sus herederos a Perón y al pueblo. Sus palabras finales fueron palabras de amor, confesando: "Quiero vivir eternamente con Perón y con mi pueblo. Dios me perdonará que yo prefiera quedarme con ellos porque él también está con los humildes y yo siempre he visto en cada descamisado un poco de Dios que me pedía un poco de amor que nunca le negué" (*Mi mensaje* 80-1).

II. Eva idealizaba la personalidad de Perón. En sus primeros discursos, en 1946, se presentaba a su auditorio como "la mujer" de Perón, persuadiéndolo del amor que éste, "abanderado de la justicia social", sentía por su pueblo (Evita T. I: 57). Al año siguiente, en un discurso pronunciado en Trabajo y Previsión a una delegación de estudiantes, cambia su tono y en lugar de presentarse simplemente como su esposa habla como "descamisada". Eva exalta al General por su idealismo; dice Eva: "Ustedes los estudiantes...deben ver en el general Perón un idealista tratando de hacer esta Patria más justa, más soberana y más poderosa. Mientras el timón de la Patria esté en manos del general Perón, yo, como una descamisada más, les puedo asegurar que la Patria va segura y firme hacia un destino más brillante aún" (Evita T. I: 137). En otros discursos dice ser "modesta colaboradora" de Perón y actúa como abanderada del pueblo.

En los discursos de los años siguientes Evita deja en claro que Perón es un Presidente sin rivales, un conductor extraordinario, y se define como "peronista fanática". Sostiene un culto de idealización pública de Perón e indica la línea política a seguir: no debe haber ni segundas figuras ni caudillos que interfieran en la relación entre Perón y el pueblo. Los caudillos son, en la interpretación del Peronismo, causantes de problemas en los organismos políticos: llevan a la división, y en el Peronismo la consigna es la unidad (*Evita* T. IV: 35).

En las conferencias que leyera en la inauguración de la Escuela Superior Peronista en 1951, publicadas como *Historia del Peronismo*, analiza el papel político que debe ocupar el líder. Explica qué significa ser un líder, qué es el pueblo y como son los pueblos, y muestra el momento histórico en que el pueblo se encuentra con su líder. Evita aclara que en esa escuela se enseña a querer, a amar a Perón y si es necesario a dar la vida por él. Los pueblos no avanzan sin un conductor, éstos son sujetos providenciales en la vida de los pueblos. Se denomina "mujer sencilla, de pueblo" y dice que describir a Perón es como tratar de "describir al sol": es alguien extraordinario, ilumina y, para conocerlo, hay que verlo (*Evita* T. III: 29). El líder es un "genio", que aparece excepcionalmente, mientras los caudillos son individuos más limitados y egoístas, sirven intereses particulares y hacen daño al movimiento político (*Evita* T. III: 28). Evita se pone junto al pueblo y a buena distancia de Perón, para no ser un obstáculo, como los caudillos. El Peronismo no es un partido político demoliberal, sino un Movimiento, y su líder mantiene un contacto directo con las masas. Ella es una privilegiada, que puede compartir el carisma de Perón, y eventualmente desarrollar el suyo propio.

Evita en sus discursos presenta la ideología del Peronismo desde la perspectiva del pueblo. No repite mecánicamente lo que dice Perón. Abanderada del Movimiento, da una imagen apasionada del militante peronista. Evita es joven, fanática, y está dispuesta a dar la vida por la causa, a sacrificarse, como siempre afirma en sus discursos. Sacrificio que adquiere trágica concreción con su enfermedad, su agonía y su muerte. El duelo por su desaparición tuvo una enorme fuerza catártica. Era como despedir al pueblo mismo en la persona de su abanderada, la que va adelante en la lucha, llevando la bandera del Movimiento, sus ideales, y que como tal cae.

Evita exaltó la relación fraternal y de mutua adoración que existía entre Perón y las masas. Perón había triunfado fácilmente en las elecciones presidenciales de 1946 porque, a pesar de estar al frente de un partido político improvisado, había sabido darle espacio al trabajador, y logró quitarles los votos a los partidos políticos tradicionales. Todos aquellos que se oponían a su política estaban para Perón al servicio de la oligarquía. Los peronistas demonizaban a los partidos de la oposición y los consideraban traidores. La oposición no respetaba la voluntad popular. La virtud que caracterizaba al peronista era la lealtad, demostrada en la pueblada del 17 de octubre de 1945 para rescatar a su líder encarcelado. Perón luego transformó la celebración del aniversario del 17 de octubre en la gran fiesta popular de su Movimiento: el día de la lealtad del pueblo hacia su líder.

La oligarquía era caracterizada como traidora, "vendepatria". Oligarcas eran todos aquellos que explotaban y esclavizaban al pueblo. "El espíritu oligarca –dice Eva en *Historia del peronismo*– se opone al espíritu del pueblo"; muestra "afán de privilegio", ambición ilimitada, soberbia y vanidad (*Evita* T. III: 77). Aún dentro del Peronismo podía desarrollarse ese espíritu oligarca como una deformación, en funcionarios y dirigentes, si ponían su interés personal por delante del interés del Movimiento. Invita a los militantes a velar por su pureza, y luchar contra los traidores y los "vendepatrias" (*Evita* T. III: 89).

Eva explica en *Historia del peronismo*, siguiendo las ideas de Perón, que el Peronismo es distinto al capitalismo, y distinto al comunismo, pero tiene elementos de los dos: es un capitalismo humanizado, donde el estado tiene un papel mediador "justiciero". Recuerda a los trabajadores que asisten al curso de la Escuela cómo la oposición a Perón se alió con el imperialismo norteamericano enemigo, representado por Braden, su embajador, contra el Peronismo en 1945 (*Evita* T. III: 99). Esto demostraba que tanto los partidos burgueses, como los comunistas y socialistas, habían preferido unirse al imperialismo que aliarse al Peronismo. Evita criticaba a la oligarquía en sus discursos, mientras idealizaba y alababa tanto a Perón como al pueblo. Perón y el pueblo eran la fuente de toda virtud, y la oligarquía, el imperialismo y los "vendepatria" representaban el mal. La oligarquía era la enemiga de la revolución peronista y los peronistas tenían que vigilar para evitar que la oligarquía y sus fuerzas destruyeran al Peronismo.

Diversos sectores de la población se oponían al Peronismo: una buena parte de la clase media, que apoyaba al Radicalismo; estudiantes e intelectuales, que preferían el marxismo comunista o socialista, y los profesionales, que desconfiaban de la política de movilización de masas que practicaba Perón, y resentían el papel que se daba a los obreros, que habían pasado de ser los más marginados y despreciados, a ser convocados e idealizados por Perón y Evita. Los profesionales sentían que el trabajo intelectual y profesional pequeño burgués había perdido parte de su prestigio al valorizarse el trabajo manual del obrero, durante la etapa peronista. La pequeña burguesía derivaba su sentimiento de superioridad social, en gran medida, de su educación privilegiada, y el cambio irritaba a la clase media profesional.

El Peronismo alienó a los que habían sido hasta ese momento participantes privilegiados de la política criolla: era un movimiento nacional y popular con actores nuevos (Mafud 49-55). Perón promovió la organización de gremios y sindicatos, creando una base activa para institucionalizar su política. Sus consignas eran simples: defensa de la economía, de la soberanía nacional y de la justicia social. Basó la efectividad de su Movimiento en la conducción y la estrategia (*Conducción política*, O. C.: XIII: 15-17). Los partidos políticos democráticos liberales y los comunistas privilegiaban la discusión crítica y el análisis racional de las ideas; el Peronismo favoreció la aplicación práctica de sus principios de justicia social por encima de las luchas ideológicas, evitando enfrentamientos políticos divisivos que lo debilitaran.

El modelo institucional peronista era centralizado y burocrático. La formación militar de Perón tiene que haber influido en ese modelo. El Ejército, como institución, limita la crítica y rechaza el disenso, desarrolla gran capacidad operativa y tiene poder e influencia social. Perón creó un Movimiento nacional combativo, unido, que respondía a sus órdenes, y tenía relativa autonomía para operar en conjunto en todo el país. Este Movimiento, respaldado por las organizaciones gremiales, se transformó en el gran actor de la política argentina. Después de 1955 el Peronismo sobrevivió, a pesar de la ausencia y proscripción de su líder. Los partidos políticos de oposición no pudieron ampliar demasiado su influencia hasta después de la muerte de Perón en 1974.

III. En un discurso del 1 de junio de 1949, pronunciado ante un congreso de obreros ferroviarios, Eva les dice que están tratando de limpiar la nación de "…vendepatrias y entreguistas, adentrándole el espíritu criollo en lugar de lo foráneo" y los incita a defender la revolución contra los "disfrazados de obreristas, agitadores, de afuera" (*Evita* T. II: 60). Explica a los trabajadores que hay que dar "la vida por Perón" y que ella misma en su lucha "va dejando jirones de su corazón y de su alma" y no tiene miedo de morir por la causa (*Evita* T. II: 62). En *Mi mensaje*, su último texto, ruega a los descamisados que no se entreguen jamás ni al imperialismo ni a la oligarquía. "La oligarquía que nos explotó miles de años en el mundo – dice – tratará de vencernos", la solución es "…convertir a todos los oligarcas del mundo: hacerlos pueblo" (*Mi mensaje* 83).

Los intelectuales liberales, los de izquierda y diversos sectores de la clase media conspiraron contra Perón y Evita durante los años de la primera y la segunda presidencia, demonizando la política peronista, y haciendo imposible un diálogo constructivo (Rosano 91-123). La política peronista, practicada desde el poder por Perón y Evita, con apoyo de los sindicatos, las organizaciones peronistas y las masas movilizadas, resultó desestabilizante y amenazadora para esa clase media acostumbrada a la política elitista de los partidos políticos liberales: dividió el campo político y cultural en peronismo y antiperonismo, alienando a grandes sectores del liberalismo y las izquierdas, y distanciándolos del proletariado y la clase trabajadora. J. L. Borges, que en su juventud había sido yrigoyenista y desarrolló una línea literaria de tendencia popular, fue ferviente antiperonista y se hizo cada vez más conservador, al sentir el desprecio de los peronistas hacia su figura y la falta de comprensión y tolerancia por su obra (Naipaul 113-7). Los críticos nacionalistas y los forjistas, que lideraron la lucha antibritánica y antiimperialista, bajo la guía intelectual de Scalabrini Ortiz y Jauretche, transformaron a Borges posteriormente en un ejemplo del escritor extranjerizante y ajeno a lo nacional, olvidando su obra de juventud (Jauretche, *Los profetas del odio* 71-80).

A la caída de Perón, los historiadores revisionistas profundizaron esta visión de una argentina dividida entre un campo popular, liderado por los grandes caudillos históricos: Rosas, Yrigoyen y Perón, y un campo antinacional, dominado por los intereses de los sectores liberales, aliados al capitalismo internacional (Jauretche, *Política nacional y Revisionismo Histórico* 52-60). Las figuras del liberalismo más criticadas fueron Rivadavia y Sarmiento. La pequeña burguesía liberal mostró el resentimiento que había acumulado durante los años de gobierno popular. Se publicaron los libros que los intelectuales liberales y socialistas, como Martínez Estrada, Sábato y Ghioldi, venían escribiendo durante la última etapa de la segunda presidencia, en que atacaban con vehemencia al régimen peronista y denunciaban las humillaciones que habían sufrido (Svampa 257-68).

Resultó difícil para la cultura pequeño burguesa liberal y marxista asimilar el Peronismo. Fue recién en la década del 60, durante los años de la Resistencia peronista, que intelectuales como Puiggrós y Hernández Arregui llegaron a una síntesis más progresista para interpretarlo, desde una perspectiva que integraba marxismo y nacionalismo (Hernández Arregui 346-381; Svampa 274-81). Pocos escritores y artistas pudieron trasladar lo que había pasado en esos años al imaginario globalizante burgués elitista del mundo de la literatura y el arte, formado en lenguajes literarios "internacionales" de origen europeo (Plotnik 29-69). Aquellos que captaron mejor el fenómeno populista del Peronismo fueron los periodistas, como Rodolfo Walsh, Tomás Eloy Martínez y Horacio Verbitsky, y los cineastas, como Fernando Solanas, Octavio Getino y Jorge Cedrón. Poetas y narradores siguieron, en su mayor parte, hasta 1974, reflejando la problemática de la pequeña burguesía liberal y los sueños utopistas de los sectores socialistas (Borello 18-32). Tal como había ocurrido antes con el yrigoyenismo y el rosismo, la pequeña burguesía liberal reaccionó contra el Peronismo y lo acusó de ser un movimiento demagógico, totalitario y tiránico (Neyret 3). Jauretche afirmaba que la inteligencia argentina se había divorciado de los intereses populares, y que cuando ésta iba en una dirección, el pueblo iba en la dirección contraria (*Los profetas del odio y la yapa* 71).

La cultura literaria, en los países dependientes neocoloniales o tercermundistas, es, en su mayor parte, una cultura de grupos exclusivos, elitistas, bastantes cerrados, de gusto sofisticado. Estos círculos letrados han creado grandes obras de arte admiradas por los lectores de los centros neocoloniales y los países desarrollados, que son escasamente comprendidas en sus propios países, particularmente porque no reflejan ni traducen los intereses de las mayorías populares. Los grandes escritores argentinos de su momento dejaron limitado testimonio en su obra de ficción de los diez años del primer gobierno peronista.[8] No encontraron un modo adecuado de expresarlo, ni de comunicarse con los sectores populares.[9]

---

[8] La recopilación de Sergio Olguín, *Perón Vuelve. Cuentos sobre el peronismo*, es un testimonio involuntario de la pobreza del corpus, que selecciona obras menores de los autores, como el cuento paródico "La fiesta del monstruo" de Borges y Bioy Casares, y obras que emplean un lenguaje indirecto y alusivo para hablar del presente, como el cuento fantástico "Casa tomada" de Cortázar, cuya relación con el mundo político peronista es discutible. En todo caso "Casa tomada" de Cortázar y "Cabecita negra" de Rosenmacher, pudieran ser ejemplos de los temores y ansiedades que el populismo provocó en la clase media. El único cuento destacado de la colección que para mí logra reflejar de forma rica y compleja el efecto que el personaje de Eva Perón tuvo en el Ejército que derrocó a Perón, desatando consecuencias imprevisibles, es "Esa mujer" de Rodolfo Walsh.

[9] La literatura culta ha estado siempre en manos de un sector social determinado. En el caso argentino, desde el comienzo de nuestra vida independiente, la burguesía urbana monopolizó la producción cultural, y los escritores en su mayor parte provinieron de sectores sociales identificados con las ideas liberales. La ideología de la burguesía liberal ha sido universalizante e imperialista: sus intelectuales crearon conceptos como los de civilización y barbarie para

justificar su derecho a invadir, someter y explotar el trabajo y las riquezas de otros pueblos. El Peronismo, siendo un movimiento político popular y obrero, fue rechazado por la burguesía liberal. Fue marginado por el sector letrado y quedó sin una representación cultural capaz de crear obras que pudieran competir por sus logros y calidad artística con las grandes obras de la cultura liberal burguesa.

La literatura hispanoamericana ha defendido a lo largo de su historia sus intereses de clase y ha tenido sus géneros europeos predilectos. Fueron los colonizadores los que trajeron la literatura a América, que se afincó más en los centros urbanos blancos y mestizos, y menos en los sectores rurales indígenas. Los colonos poco se interesaron en el arte indígena, y no procuraron incorporar sus expresiones artísticas al arte colonial. La iglesia procedió de otro modo, y fue una institución esencial en la integración del indígena y el criollo a América. La iglesia llegó a todos los sectores sociales, y el indígena y el campesino pudieron entrar en la sociedad colonial a través de la religión. La iglesia tuvo un papel político y cultural importante desde la colonia, lo cual explica el fervor religioso en los países y regiones con gran población indígena, como México y Perú, Bolivia, el Noroeste argentino, religiosidad que el pensamiento liberal erróneamente interpretó como barbarie.

La literatura liberal burguesa no reflejó en sus obras el punto de vista del populismo de Rosas, ni el de Yrigoyen, ni el de Perón. Escribieron obras contra los caudillos populistas, atacándolos, demonizándolos, y en ellas la burguesía liberal mostró su odio y su desprecio hacia las clases consideradas inferiores.

En América fue necesario modificar los géneros literarios europeos más prestigiosos– la poesía, la novela - para abarcar la experiencia americana. Su literatura acogió géneros extraliterarios – el ensayo interpretativo y la crónica histórica - que son considerados parte de su literatura, y registraron todo: la conquista, los genocidios, las luchas coloniales, la gesta de la independencia. Estos géneros extraliterarios se integraron a los géneros literarios europeos importados a los enclaves coloniales americanos, y nuestras grandes obras literarias de ficción insertaron el ensayo y la crónica para generar la novela-crónica, la novela-ensayo, la poesía-crónica, y otros géneros derivados de ese proceso de fusión. También los historiadores, pensadores y periodistas, fascinados por la ficción, se desplazaron hacia la literatura para crear la crónica novelada, el cine documental, la historia novelada y la biografía. De este movimiento salieron obras como las de Sarmiento, Mansilla, José Hernández y Rodolfo Walsh, y las obras de Sábato, Borges y Piglia. Este ha sido el aporte más importante de América a la literatura heredada de los amos imperialistas. En América ha madurado y sigue madurando una literatura que transforma la literatura europea heredada.

Hay disciplinas de la cultura europea, como la filosofía académica, que no se desarrollaron bien ni arraigaron en América, pero otras tienen una dinámica

El populismo tiene sus propios espectáculos: mítines políticos, fiestas populares, conciertos de música, competencias deportivas.[10] El Peronismo organizó un programa educativo para los trabajadores, independientemente de la estructura profesional burguesa y de clase media, creando escuelas para oficios (Plotkin 85-103). Buscó organizar a las masas, darles personalidad e independencia. Movilizó a las mujeres y a los sindicatos, siguiendo sus propios intereses. El Peronismo mostró el abismo que separaba a la clase media culta de los sectores proletarios.

IV. Con su dedicación al bienestar social y su prédica de unión, paz y amor al pueblo, Eva dio al Justicialismo un sentido providencial espiritual y cristiano. Concluyó numerosas obras durante el año 1949. El 14 de julio de ese año inauguró la Ciudad Infantil. En el discurso inaugural explicó que su política de ayuda social respondía a las ideas y a la iniciativa de Perón. Habían ya finalizado hogares-escuelas, hogares de tránsito, el hogar de la empleada, hogares de ancianos (*Evita* T. II: 72). Unos días antes, en un acto del Sindicato de Docentes Particulares, Eva definió el sentido y carácter de la ayuda social peronista; aclaró que el General Perón "...no habla, realiza...no promete, da...no es un teórico, es un práctico" (*Evita* T. II: 66). Perón buscaba la Patria grande, se había cansado "...de ver cómo en nuestro país se practicaba una democracia mal entendida aplicada siempre en perjuicio de las clases humildes" y estaba tratando de llevar a cabo el sueño de San

---

nueva. En Argentina son tres: la literatura, la historia y la política. Estas tres disciplinas forman la matriz de nuestra cultura. En el siglo veinte debemos agregar a estas tres la psicología y la sociología. Son la base de nuestra cultura nacional que seguirá evolucionando con el tiempo, y a partir de esta matriz los escritores y artistas crearán grandes obras.

10   La literatura culta ha estado en manos de un sector social y han quedado fuera de la literatura otros sectores, particularmente los sectores no letrados. Esos sectores se han expresado de otro modo: mediante las artes populares, la danza, el canto. También con el juego. El pueblo no lee novelas burguesas, pero juega y asiste a los juegos y espectáculos deportivos, sobre todo al fútbol, pasión popular. En el siglo XIX amaba las carreras de caballos, y en el XX parte de esa pasión pasó al automovilismo, el amor a los "fierros".

Martín. Los críticos que tenía el Peronismo, "...que hoy se levantan como apóstoles de la democracia y de la soberanía nacional" –dice Eva– no hicieron absolutamente nada positivo cuando estaban en el gobierno, por el contrario vendieron todo al extranjero: ferrocarriles, puertos, seguros, reaseguros y teléfonos, y dejaron a los argentinos un único derecho: el de "morirse de hambre" (*Evita* T. II: 68). El General Perón, en cambio, había nacionalizado esos servicios y promovido la institución de ayuda social que ella dirigía, honrando al movimiento peronista.[11]

Ese año Eva pronunció varios discursos doctrinarios, entre los que se destacaron el del acto inaugural de la Primera Asamblea Nacional del Movimiento Peronista Femenino, el 26 de julio, y el discurso pronunciado en el encuentro organizado por la Comisión Auxiliar Femenina de la Confederación General del Trabajo en el Teatro Colón, el 16 de diciembre de 1949. Para ese entonces había logrado una representatividad considerable dentro del movimiento nacional peronista, y era la líder indiscutida de la rama femenina del Partido. Había organizado la campaña dirigida a afiliar a las mujeres al Partido Peronista Femenino en todo el país, y había creado Unidades Básicas adecuadas a sus necesidades. La Unidad Básica peronista aspiraba a ser mucho más que el comité partidario de los partidos liberales burgueses: era un club político de asistencia social, educación partidaria y enseñanza de oficios, que buscaba educar a los trabajadores y ayudarlos a satisfacer sus necesidades más apremiantes. Los comités partidarios de los partidos liberales, en cambio, se concentraban en discusiones partidarias y políticas: buscaban satisfacer intereses sectoriales egoístas, para acu-

---

11 Eva se refería a sus logros con la Fundación en casi todos sus discursos, aclarando que la ayuda social era ayuda del pueblo al pueblo, que se ayudaba a sí mismo, liberándose, y ella solo era el puente que transmitía esa ayuda. Esa Fundación era parte integral de la concepción de justicia social sobre la que se basaba el Peronismo. Era una ayuda distinta a la beneficencia que practicaban los ricos en el pasado: no era ayuda de una clase explotadora a otra explotada, sino de asistencia que les daban los que trabajan a los que no trabajaban, o estaban en un estado calamitoso de necesidad (*Evita* T. II: 176-83). Ella no era más que la intermediaria legítima en ese proceso entre Perón y los "descamisados", por ser ella misma pueblo y, por lo tanto, estar autorizada a ayudar a sus iguales.

mular poder en beneficio propio, y no se preocupaban por la necesidad social del pueblo.

En esos discurso Eva Perón pasaba revista a los logros del Peronismo, incluidos los propios, indicando que, como partido en el poder, el Peronismo podía dar cuenta de una gran obra realizada, y afirmar que había llevado a cabo una verdadera revolución. Se enorgullecía en anunciar que había llegado "la hora de los pueblos", y que los autores de esa revolución eran las masas de trabajadores, los "descamisados" despreciados por la oligarquía, guiados por el General Perón, que era quien, al frente de éstos, logró cambiar la vida política del país. En el discurso del 16 de diciembre, dirigido a las mujeres, Eva dijo que deseaba ser considerada la "dama de la esperanza" y las instigaba a ocupar su papel dentro del Movimiento; confesaba ser una luchadora "fanática" que todo lo sacrificaba, y creía que "el fanatismo es la sabiduría del espíritu", y que son los mártires y los héroes los que han cambiado la historia (*Evita* T. II: 192-3).

El 26 de julio de 1949, en el acto inaugural de la Primera Asamblea Nacional del Movimiento Peronista Femenino, pronunció su discurso doctrinario más extenso y completo, haciendo especial hincapié en el sentido moral del Movimiento, que aspiraba a traer justicia a la sociedad, y en el valor de la Tercera Posición, que podía combinar armónicamente las fuerzas del Estado, del capital y del trabajo, y que reconocía "el carácter moral y el carácter social del trabajo" (*Evita* T. II: 90-1). En ese discurso incitó a la mujer a aliarse al hombre, y comentó los diez derechos básicos del trabajador, que incluían: el derecho a trabajar, el derecho a una retribución justa, a la capacitación, a tener condiciones dignas de trabajo, al bienestar y a la seguridad social, entre otros, aclarando que eran una extraordinaria conquista del Peronismo para todos los hombres y mujeres. Otro importante logro fue la sanción de los Derechos de la Ancianidad, reconociendo a los ancianos el derecho a la seguridad y a la protección del estado.

La incesante obra de Eva en beneficio de los niños, los ancianos, las mujeres y los trabajadores necesitados, demuestra sus profundos sentimientos humanitarios. El Peronismo se define como un movimiento social y político de raíz cristiana, que busca una redistribución inmediata de la riqueza, haciendo menos ricos a los ricos y menos pobres a los pobres. En *La razón de mi vida* Eva dice que el ideal social del cristianismo aún no se ha logrado, y el Peronismo busca realizar su doctrina en el mundo del presente y traer justicia y paz en la tierra (*Evita* T. IV: 77). Perón afirmaba que su Movimiento era expresión de la filosofía del cristianismo que, a diferencia del capitalismo y el comunismo, no tenía una forma política concreta; él había creado un movimiento político de acuerdo a los fines de la filosofía cristiana, con la cual se identificaba plenamente (*Obras completas* 22: 438-9).

En *Mi mensaje* Eva previno a Perón y a los trabajadores, a sus descamisados, del peligro que representaban para el Justicialismo algunos sectores del Ejército y la Iglesia. Con un lenguaje poético inspirado y apocalíptico, Eva fustigó tanto a la jerarquía de la Iglesia, insensible muchas veces ante las necesidades de los pobres, como a los oficiales oportunistas del Ejército, celosos de los logros obtenidos por el Peronismo. Eva afirma en esas confesiones que está defendiendo a su pueblo, al que pertenece, porque nunca lo traicionó, ni se dejó marear "por las alturas del poder y de la gloria" (*Mi mensaje* 40). Dice que se rebela contra todo privilegio, y reconoce la importancia histórica de la religión y del ejército, pero que, desgraciadamente, las Fuerzas Armadas, en lugar de servir al pueblo "...son casi siempre carne de oligarquía", ya sea... "porque ésta copó los altos círculos de la oficialidad o porque los oficiales que el pueblo dio a sus fuerzas armadas se entregaron...olvidándose del pueblo, de sus dolores..." (*Mi mensaje* 47). Eva denuncia también a las jerarquías eclesiásticas; dice:

Yo no he visto sino por excepción entre los altos dignatarios del clero generosidad y amor... En ellos simplemente he visto mezquinos y egoístas intereses y una sórdida ambición de privilegio...No les reprocho haberlo combatido sordamente a Perón, desde sus conciliábulos con la oligarquía...Les reprocho haber abandonado a los pobres; a los humildes, a los descamisados...a los enfermos...y haber preferido en cambio la gloria y los honores de la oligarquía. Les reprocho haber traicionado a Cristo que tuvo misericordia de las turbas... Yo soy y me siento cristiana...porque soy católica... pero no comprendo que la religión de Cristo sea compatible con la

oligarquía y el privilegio... El clero de los nuevos tiempos...tiene
que convertirse al cristianismo... viviendo con el pueblo, sufriendo
con el pueblo...sintiendo con el pueblo.

Mi mensaje 55-6

Eva afirma que la religión no debe aconsejar la resignación, tiene que
ser "bandera de rebeldía", y predicar el amor como el único camino
para salvar al hombre (*Mi mensaje* 58).

La muerte de Eva dejó al Peronismo sin uno de sus pilares. Había
logrado organizar de una manera eficiente y espectacular la ayuda
social, adquiriendo gran visibilidad en el Movimiento, en el que se la
consideraba la Dama de la esperanza, y constituía un eslabón impor-
tantísimo en la relación entre Perón y los gremios. Al frente de la
Fundación, demostró su eficiencia como administradora y recaudadora
de fondos, recibiendo para sus obras grandes sumas de dinero, no sólo
de su esposo y del gobierno, sino también y fundamentalmente de los
sindicatos de trabajadores, que aceptaron derivar parte de sus fondos a
la ayuda social, y de empresarios que hicieron donaciones considera-
bles. Igualmente demostró su capacidad y liderazgo político en la
organización de la rama femenina del partido, permitiendo el ingreso
de las mujeres en la política. Su muerte provocó un inmenso y sentido
duelo. Desaparecida a una edad muy joven, después de luchar contra
el cáncer, el pueblo elevó su figura a un nivel religioso y mítico. Eva
se transformó en el hada buena, en la protectora de los humildes, para
las clases proletarias (Taylor 72-85).

La verdad histórica sobre Eva emerge de sus logros y actividades
políticas. Sus discursos y sus escritos nos permiten ver su evolución en
su momento histórico. Su concepción de lo que debe ser la asistencia
social al pueblo, la manera en que ella la llevó a cabo y el ejemplo de
su figura carismática en contacto directo con las masas en los actos
públicos del Peronismo, dejó un legado imborrable, particularmente
para la mujer argentina, contribuyendo a su emancipación política. El
diálogo que inició Perón con el trabajador conoce una modulación
nueva en el discurso de Evita, al dirigirse al pueblo desde el pueblo,
como embajadora de Perón, pero también como intercesora y peticio-
nante ante él en nombre del pueblo. Su clara ubicación en el campo

popular dio al pueblo una figura emblemática y carismática poderosa en que podía verse reflejado, con un cuerpo que se entregaba en la lucha cotidiana, primero joven, brillante y adornado de joyas; luego adusto, fanático y militante; y por último agónico y sufriente, satisfaciendo simbólicamente su deseo de participar en la política de la nación. Esa experiencia histórica fue fundamental para el desarrollo de la conciencia política de las masas en Argentina, que vieron materializarse sus aspiraciones de reconocimiento, representatividad y justicia social. La experiencia populista del pueblo argentino con Juan Perón y Evita fue, desde esta perspectiva, iluminadora y trascendente. Demuestra cómo, en los países del tercer mundo neocolonizados, el populismo nacionalista adquiere un sentido especial, en muchos aspectos benéfico, tanto por la conciencia política que crea en los trabajadores, como por los cambios culturales que esa política trae para las masas y para las elites intelectuales y artísticas, que se ven obligadas a participar en un fenómeno social nuevo que resulta crucial para los pueblos en su lucha por la justicia y la liberación (Taggart 115-118).

Bibliografía citada

Borello, Rodolfo. *El peronismo (1943-1955) en la narrativa argentina.* Ottawa: Dovehouse Editions, 1991.

Buchrucker, Cristián. "Interpretations of Peronism. Old Frameworks and New Perspectives". James Brennan, Editor. *Peronism and Argentina.* Wilmington: Scholarly Resources Inc., 1998. 3-28. Traducido por James Brennan.

Doz, Emilie. *Eva Perón: discurso y "mise en scène".* Lyon: Université Lyon II, 2007. Tesis de grado.

Dujovne Ortiz, Alicia. *Eva Perón. La biografía.* Buenos Aires: Suma de letras, 2002. (1995).

Fraser, Nicholas; Navarro, Marysa. *Eva Perón.* New York: W.W.Norton & Company, 1980.

Hernández Arregui, Juan José. *La formación de la conciencia nacional.* Buenos Aires: Peña Lillo/Ediciones Continente, 2004. (1960)

Jauretche, Arturo. *Los profetas del odio y la yapa*. Buenos Aires: Corregidor, 2004. (1957).

––––––. *Política nacional y Revisionismo Histórico*. Buenos Aires: Peña Lillo Editor, 1970. 2da. Edición corregida y aumentada. (1959).

Mafud, Julio. *Sociología del peronismo*. Buenos Aires: Editorial Américalee, 1972.

Martínez, Tomás Eloy. "Las memorias de Puerta de Hierro". T. E. Martínez, *Las vidas del General. Memorias del exilio y otros textos sobre Juan Domingo Perón*. Buenos Aires: Aguilar, 2004. 13-73. (1970)

––––––. "La construcción de un mito". *Réquiem por un país perdido*. Buenos Aires: Aguilar, 2003. 345- 65.

Navarro, Marysa. "La Mujer Maravilla ha sido siempre argentina y su verdadero nombre es Evita". Marysa Navarro, editora. *Evita. Mitos y representaciones*. Buenos Aires: Fondo de Cultura Económica, 2002. 11- 42.

––––––. "Evita, el peronismo y el feminismo". José Miguens y Frederick Turner, editores. *Racionalidad del peronismo*. Buenos Aires: Editorial Planeta, 1988. 101-116.

Naipaul, V. S. *The Return of Eva Perón with The Killings in Trinidad*. New York: Alfred Knopf, 1980.

Neyret, Juan Pablo. "Rosas en Perón y Perón desde Rosas: una propuesta de revisión del canon argentino". Sin publicar. 2007.13 pág.

Olguín, Sergio. *Perón Vuelve. Cuentos sobre peronismo*. Buenos Aires: Grupo Editorial Norma, 2000.

Page, Joseph. "Introduction". Eva Perón. *In my Own Words. Evita*. New York: The New Press, 1996. Traducida por Laura Dail. 1-46.

––––––. *Perón. A Biography*. New York: Random House, 1983.

Pavón Pereyra, Enrique. *Yo Perón*. Buenos Aires: Editorial M.I.L.S.A., 1993. Segunda edición.

Perón, Eva. *Mi mensaje*. Buenos Aires: Ediciones Del Mundo, 1987. Introducción de Fermín Chávez.

––––––. *Evita. Mensajes y discursos. Historia del peronismo. La razón de mi vida*. Buenos Aires: Fundación de Investigaciones Históricas Evita Perón, 1999. 4 tomos.

Perón, Juan Domingo. *Obras completas*. Buenos Aires: Editorial Docencia, 2002. Compilación de Eugenio Gómez de Mier. Tomo XXII: vol. 1.

————. *Conducción política. Obras completas.* Tomo XIII. (1952).

Plotkin, Mariano. *Mañana es San Perón. A Cultural History of Perón's Argentina.* Wilmington: Scholarly Resources Inc., 2003. Traducido por Keith Zahnister. (1993).

Plotnik, Viviana. *Cuerpo femenino, duelo y nación. Un estudio sobre Eva Perón como personaje literario.* Buenos Aires: Corregidor, 2003.

Rosano, Susana. *Rostros y mascaras de Eva Perón. Imaginario populista y representación.* Rosario: Beatriz Viterbo Editora, 2006.

Sarlo, Beatriz. *La pasión y la excepción. Eva, Borges y el asesinato de Aramburu.* Buenos Aires: Siglo XXI Editores, 2003.

Sebrelli, Juan José. *Eva Perón, ¿aventurera o militante?* Buenos Aires: Ediciones Siglo Veinte, 1966. 2da. Edición.

Svampa, Maristella. *El dilema argentino: civilización o barbarie. De Sarmiento al revisionismo peronista.* Buenos Aires: El Cielo por Asalto, 1994.

Taggart, Paul. *Populism.* Buckingham: Open University Press, 2000.

Taylor, Julie M. *Eva Perón. The Myths of a Woman.* Chicago: The University of Chicago Press, 1979.

CAPÍTULO 3

JAURETCHE, EL ENSAYO NACIONAL
Y LA COLONIZACIÓN PEDAGÓGICA

A rturo Jauretche (1901-1974) fue una de las figuras políticas e intelectuales más destacadas del Peronismo. Junto con Homero Manzi (1907-1951) y Raúl Scalabrini Ortiz (1898-1959), se acercaron al Coronel Juan Domingo Perón (1895-1974) poco después del golpe militar que llevó al GOU (Grupo de Oficiales Unidos) al poder en 1943 (Galasso 45). En esta época eran reconocidos en la vida política argentina como dirigentes de FORJA (Fuerza de Orientación Radical de la Joven Argentina). Los jóvenes radicales disidentes, desconformes con la dirección que Alvear había dado al Partido Radical después del golpe de estado de 1930, que sacó al Presidente Yrigoyen del poder (éste muere poco después en 1933), habían organizado en 1935 su propia tendencia política.

FORJA marcó una etapa importante de la evolución de las ideas políticas argentinas (Hernández Arregui 218-303).[1] Sus militantes unieron a su fervor intelectual su práctica y experiencia política, y se mantuvieron en contacto con los sectores populares (D'Atri 129-40). Simpatizaron con Perón, que comprendía las necesidades de las masas de trabajadores, y valoraban su proyecto de reivindicación social de los humildes. Vieron en él a un continuador de Yrigoyen (Cangiano 68-78).

---

[1] Scalabrini Ortiz publicó en 1940 dos libros anti-imperialistas fundamentales, *Política británica en el Río de la Plata* e *Historia de los ferrocarriles argentinos*, producto de una extensa y prolija investigación, denunciado las maniobras del imperialismo inglés, desde la fundación de la República hasta el momento presente.

Jauretche era un periodista polémico y combativo que publicaba regularmente artículos y editoriales en los periódicos del grupo, particularmente los *Cuadernos* de FORJA, de gran influencia en la juventud de la época. Perón confió en él y lo nombró en 1946 director del Banco de la Provincia de Buenos Aires, acompañando la gestión de Miguel Miranda, el empresario nacional seleccionado para liderar la transformación económica del país. En 1950 Jauretche renunció a su puesto en el Banco de la Provincia y, cosa poco imaginable en él, se retiró a la vida privada, alejándose de la militancia y absteniéndose de hacer cualquier crítica a la gestión de Perón (Galasso 61-3).

Este periodo de "abstinencia" política, tan significativo, demuestra la importancia que daba a la ética militante. Jauretche creía que el militante debía acercarse a su pueblo con la verdad y serle fiel, aún a riesgo de su propia seguridad, y enfrentando, si hacía falta, la exclusión y el ostracismo. Esta posición personal lo llevó a ser un actor marginal de la vida política, pero su honestidad intelectual fue un ejemplo para los jóvenes. La Revolución de 1955, que derrocó a Perón, cambió el curso de la vida de Jauretche, que salió de su mutismo, y se transformó en una de las plumas más incisivas del Peronismo y de la Resistencia. En 1956 publicó su polémica crítica al plan económico de Raúl Prebisch, *El plan Prebisch. Retorno al coloniaje*. A partir de ese momento escribió numerosos libros, transformándose, en su vida madura, bien pasados los 50 años, en apreciado autor y ensayista político y cultural (Maranghello 127-34).

A la caída de Perón los intelectuales liberales comenzaron a publicar artículos y libros contra el Peronismo. Martínez Estrada, que había iniciado en la década del treinta, con su obra *Radiografía de la pampa*, el ensayo introspectivo contemporáneo de evaluación del ser nacional en la Argentina, publicó en 1956 *¿Qué es esto? Catilinaria*. El extenso libro es un estudio concienzudo sobre el papel del Peronismo en la vida nacional. Martínez Estrada compara su misión de denuncia de los males del Peronismo a la de Cicerón, en su patriótica acusación contra el tribuno romano populista Catilina (Alfón 12-3). Haciendo un paralelo entre Perón y Catilina, citando a Cicerón y Salustio, Martínez Estrada inicia un estudio panfletario del Peronismo, que abunda en acusaciones contra Perón, a quien considera un peligroso demagogo

(Martínez Estrada 45-9). Además de comparar a Perón con Rosas, hace paralelos entre Hitler, Mussolini y Perón: para Martínez Estrada el Peronismo es un ejemplo histórico de totalitarismo extremo, que utiliza al pueblo para crear una brutal dictadura nacionalista. En el proceso destruye a los elementos progresistas y liberales, y sobre todo vacía a la cultura de un significado trascendente, transformando todo en una farsa. [2]

Martínez Estrada se apoyó en autoridades como Toynbee y Jung para dar a su superficial estudio un aura de irrefutabilidad y verdad (Alfón 12). Dice que es un "censor implacable" y promete defender al pueblo de un mal que lo emponzoñó. Jauretche lo acusa de hipocresía, por cuanto, detrás de su aparentemente justa ira, Martínez Estrada mostraba subestimación y desprecio por ese pueblo que decía defender (*Los profetas del odio* 27-8). Jauretche cree que está ciego ante la realidad económica y no entendió el papel social y laboral del Peronismo (35-42).

El poco afortunado ensayo llevó a Jauretche a concebir a su vez un libro para responderle a Martínez Estrada, y a otros intelectuales que se habían enrolado en el antiperonismo y apoyaban la Revolución Libertadora, a la que el ex dirigente de FORJA consideraba ilegítima y violatoria de los derechos de un pueblo que había elegido a Perón en las urnas. El ensayo fue publicado en 1957 como *Los profetas del odio*, y subtitulado "Algunos frutos del árbol de la intelligentzia". Años después Jauretche escribió una continuación, a la que tituló "El colonialismo mental: su elaboración", que formó la segunda parte del libro al salir en 1967, con el título *Los profetas del odio y la yapa (La colonización pedagógica)*.[3]

---

[2]   Otros intelectuales consideraron al Peronismo de forma parecida. Borges, que había sido yrigoyenista en su juventud, para hacerse conservador en su vejez, vio al Peronismo en una de sus narraciones, escrita con su amigo Bioy Casares en 1947, como una fiesta popular macabra ("La fiesta del monstruo" 41-59).

[3]   Martínez Estrada en *¿Qué es esto?*, 1956, ya había usado la palabra "intelligentzia" para designar a la intelectualidad liberal corrompida (71-4). Jauretche la emplea de distinta manera, burlándose de la intelectualidad "cipaya" y "vendepatria", liberal, entre los que incluye a Sarmiento y Mitre (*Los profetas del odio...* 102-3). En el mismo sentido utiliza la palabra Hernández Arregui, más

En el libro Jauretche critica el legado histórico liberal en la conformación ideológica de la Argentina moderna, desde una perspectiva política antiliberal nacional y popular. En este trabajo explicaré cuál es la base de esa crítica a la cultura liberal, y su propuesta educativa y cultural alternativa, en la que tuvo un papel decisivo, más allá de lo estrictamente intelectual, su experiencia política y su posición moral. En su opinión, el intelectual debe entender la sed de justicia del pueblo, y unir la participación social a su saber libresco. Su propio concepto de cultura nacional popular, asociado a su trayectoria vital, aboga por el compromiso del intelectual. Este debe ayudar al pueblo en la lucha contra la dependencia y el imperialismo que lo somete, y contribuir a su liberación. Su misión es elevar la conciencia de las masas.

Durante los años que median entre la primera y la segunda escritura del libro, Jauretche logró establecerse en los medios intelectuales como un talentoso y "nuevo" ensayista de temas nacionales. Publicó en 1958 *Ejército y política. La patria grande y la patria chica*; en 1959 *Política nacional y revisionismo histórico*; en 1962 *FORJA y la década infame* y en 1966 *El medio pelo en la sociedad argentina (Apuntes para una sociología nacional)*. Esta última obra, junto con la edición de 1967 de *Los profetas del odio y la yapa*, y su obra de 1968, *Manual de zonceras argentinas*, conforman una suerte de trilogía de crítica antiliberal peronista y nacional a la cultura argentina dominada por el pensamiento liberal de la generación de 1837 y 1880, y sus representantes contemporáneos, entre los que sobresalían Martínez Estrada y Sábato.

La primera edición de *Los profetas del odio* apareció en 1957. Ese mismo año Walsh publicó *Operación masacre*, su denuncia de los asesinatos de civiles indefensos, ordenados por el régimen de Aramburu y Rojas, en los basurales de José León Suárez, después del levantamiento peronista de 1956, liderado por el General Valle; Hernández Arregui publicó *Imperialismo y cultura* y Perón *Los vendepatria*, donde el General condenaba al régimen de Aramburu y citaba profu-

.

---

joven que Jauretche y su discípulo, en el libro de 1957 *Imperialismo y cultura* (Duhalde 10).

samente al que consideraba el intelectual nacional antiimperialista más meritorio de la Resistencia: Scalabrini Ortiz.

En el prólogo a la primera edición, Jauretche cuenta que la idea de su libro nació como consecuencia de la carta que le dirigiera a Sábato en 1956, para criticar su ensayo *El otro rostro del peronismo*. Jauretche dice que, siguiendo el método crítico inaugurado por Ramos Mejía hacía muchos años, Sábato quería "...resolver las ecuaciones de la historia por el camino de las aberraciones mentales y psicológicas" (8). Le explica en su carta que lo que movilizó a las masas detrás de Perón no fue el resentimiento sino la esperanza, ya que esos "cabecitas" eran criollos que veían cómo había mejorado su nivel de vida bajo el Peronismo. Decidió entonces escribir un libro para extender su crítica a varios autores claves del antiperonismo y "...poner en evidencia los factores culturales que se oponen a nuestro pleno desarrollo como nación...y los instrumentos que preparan las condiciones intelectuales de indefensión del país" (8). Aclara que él es un combatiente de la política y de la cultura, y que si en su ensayo injuria es porque se siente injuriado por intelectuales divorciados de la realidad del país, que se comportan como vencedores, actúan representando al antiperonismo en el poder y crean obstáculos a la inteligencia argentina cuando ésta busca su propio camino independiente (10).

En el prólogo a la segunda edición, publicada muy poco después de la primera, dice que la primera edición se había agotado rápidamente y que el público lector había aprobado su ataque a la "intelligentzia" argentina (18). Llama a la revolución de 1955 "el segundo Caseros", e indica que, a pesar del optimismo de los liberales, en 1957 las condiciones del país eran opuestas a las de 1853, cuando se derrocó a Rosas: el modelo agroexportador que había imperado hasta ese momento estaba agotado. Las condiciones objetivas habían cambiado hacia 1930, en el comienzo de la Década Infame, cuando la oligarquía no pudo contener más a las masas y optó por la dictadura (19).

En la edición de 1967 Jauretche incluye una nueva introducción, donde advierte al lector que el libro tenía "dos puertas": "Los profetas del odio", ampliado y corregido, y la "yapa": la colonización pedagógica (22). En un país dependiente, consideraba, se superponía una superestructura cultural a la estructura material de la dependencia, deformando el pensamiento nacional e impidiendo que la gente tomara conciencia de la situación. Si en *Los profetas de odio* analizaba el papel que jugaban algunos actores en la colonización pedagógica, en la nueva edición agregaba una "yapa" donde trataba de explicar los fundamentos teóricos que justificaban ese comportamiento. Para él existían "dos argentinas paralelas": la de la "realidad" y la de las "formas", y los intelectuales pertenecían a la segunda (22). Reconoce que su fin es didáctico y por eso el lector encontrará en sus páginas cierta redundancia. Marta Peña sugiere leer toda la obra tardía de Jauretche como un intento extendido y orgánico de explicar desde su punto de vista la situación nacional, tal como la vive un viejo actor y militante de la causa popular (Peña 2).

Escribió el libro durante su exilio montevideano en 1956-7. Aunque era miembro activo de la Resistencia, disentía en muchos puntos con las decisiones políticas que tomaba Perón, que lideraba al Peronismo desde el exilio. Tenía también diferencias con John William Cooke, el delegado político de Perón en la Argentina, que representaba el pensamiento del sector de izquierda del Movimiento. Reconocía sobre todo los aportes que el Peronismo había hecho al país, y los cambios sociales que había traído para las masas, al elevar su nivel de consumo y darles representatividad política (Galasso 92-4). El y Scalabrini Ortiz estuvieron entre los intelectuales peronistas que más contribuyeron desde la prensa a reconstruir el frente nacional. En 1956 Jauretche había publicado *El Plan Prebisch Retorno al coloniaje*, intentando polemizar con el influyente economista Raúl Prebisch (polémica que éste nunca aceptó), autor del "Informe" económico que recomendaba al régimen del General Aramburu la mejor política económica a seguir para desarrollar al país. En opinión de Jauretche lo que buscaba Prebisch era justificar la entrega del patrimonio nacional al capital imperial, aprovechando la situación de crisis para retornar al "coloniaje" (Galasso 80).

En *Los profetas del odio* Jauretche atacó a los intelectuales y escritores que apoyaron el golpe. Dedicó tres capítulos de la primera parte, los más extensos, a criticar a Ezequiel Martínez Estrada, a Jorge Luis Borges y a Julio Irazusta. Dejó de lado la crítica económica, materia que dominaba bien y "desde adentro", aunque no tenía formación académica en ese campo (había sido Presidente del Banco de la Provincia de Buenos Aires) y denunció los fundamentos culturales del coloniaje. Desde la revista *Qué*, junto a su amigo Scalabrini Ortiz, Jauretche venía luchando contra la dictadura. Creyó importante mantener una perspectiva crítica del pasado histórico inmediato, y analizar al Peronismo desde una postura constructiva, para entender sus errores y limitaciones, junto a sus aciertos. Para él Perón, en esos momentos, estaba cometiendo el error de respaldarse casi exclusivamente en los sectores proletarios del movimiento y de apoyar el sabotaje; lo que hacía falta, para Jauretche, era crear una alianza multiclasista con la burguesía, preparando una salida electoral junto a Frondizi y sus seguidores, que se habían escindido del Radicalismo y formaron el Partido Radical Intransigente. Perón posteriormente hizo un acuerdo político con Frondizi y le cedió el voto peronista, lo que permitió a éste último ganar las elecciones presidenciales en 1958 (Galasso 113-6). A la larga, sin embargo, esa alianza dio resultados contraproducentes y Frondizi claudicó ante las presiones de los sectores militares, que acabaron dando un golpe de estado en su contra para sacarlo del poder en 1961.

En *Los profetas del odio* Jauretche critica a Martínez Estrada, y denuncia que éste en sus escritos "profetizaba", "abominaba" y analizaba las lacras del pasado nacional, pero en ningún momento se refería a la "condición semicolonial" de su patria (27). Lo acusa de "ignorancia" y "falsedad moral" y de intentar ocultar la realidad social y "...la naturaleza de los movimientos y desplazamientos de nuestras masas populares, en relación con las transformaciones de la economía" (27).

Responde a los argumentos de Martínez Estrada, que acusaba al programa de industrialización del Peronismo de haber despoblado el campo. Analiza la economía de las estancias primitivas, dirigidas por estancieros patriarcales que protegían a sus peones (29). La familia del peón, explica, tenía casa y comida. Vivían en un orden de valores cristianos. El caudillo era el "sindicato" del peón. Con la aparición del frigorífico y el refinamiento de las haciendas murió en el litoral esa economía patriarcal. La transición económica dejó al gaucho fuera del cuadro. El peón se hizo suburbano y tenía que emigrar buscando trabajo temporal, lo cual acabó destruyendo su hogar. Este peón, desempleado endémico, era el "trabajador rural" que la industria le había sacado al campo (34).

Al irse el peón a trabajar a la industria, el chacarero mecanizó la agricultura. La mano de obra bien paga permitió la explotación racional de los campos, y la aplicación de la genética contribuyó al progreso técnico (35). Aumentaron las haciendas y disminuyeron los cultivos. Con la producción industrial se agrandó el mercado interno y se diversificó el mercado exterior. Considera que no se puede separar lo social de lo económico. Lo que le ha pasado al proletariado rural no está en los libros, pero lo saben los que viven en el campo. El costo del trabajo en el campo era mínimo para el patrón, y la idea de aprobar un "estatuto del peón" lo asustó (40). Por lo tanto, argumenta Jauretche, Martínez Estrada acusa al Peronismo del despoblamiento del campo simplemente porque no entiende a su pueblo (41).

En el segundo capítulo se propone demostrar cómo el desplazamiento de las capas más pobres de la población era consecuencia de fenómenos políticos y sociales. Muchos liberales, siguiendo la línea ortodoxa del mitrismo, acusaron a las masas de ignorancia e ineptitud (44). Para Jauretche los problemas del campo se debían a que la población del país había crecido y la economía pastoril no podía sustentar a las veinte millones de personas que tenía Argentina en esos momentos. El campo se encontraba en un estado de guerra social y la población campesina emigraba a las ciudades. El fenómeno no era sólo argentino, ocurría también en otras partes del mundo.

Martínez Estrada establecía una continuidad entre el viejo Partido Federal, el Radicalismo y el Peronismo. Era la línea política popular que también había condenado Sarmiento cuando, durante las guerras civiles del siglo XIX, creía que luchaban la civilización y la barbarie, y que Ghioldi había actualizado durante el Peronismo, al interpretar que se enfrentaban "libros y alpargatas" o, en el lenguaje de las elites intelectuales, los cultos con los bárbaros (48-50). Jauretche ve otra cosa: ve a minorías extranjerizantes que quieren imponerse a las mayorías populares, ve a opresores que atacan a los oprimidos. En la Argentina de Perón el campesino pobre se había convertido en un buen obrero, había mejorado su nivel de vida, se había hecho militante sindical y se había politizado. En una nota, que agregó en el año 67, explica que si Martínez Estrada no entendía esto era porque lo cegaba la "mala educación" que había tenido, basada en una pedagogía colonialista, que era la misma que impedía el desarrollo de nuestra cultura, desvinculándola de la vida concreta, transformándola en un adorno (51).

Para Jauretche las masas habían aparecido como protagonistas en la escena política en tres momentos de la historia nacional (52-6). Los caracteriza como el momento de las "lanzas", en el siglo diecinueve, durante los años de las guerras civiles y la hegemonía de los caudillos federales; el del sufragio, cuando el radicalismo se expresó en las urnas en 1916 y encumbró a su caudillo, Hipólito Yrigoyen; y el del sindicalismo, cuando Perón, a partir de 1943, promovió el desarrollo de sindicatos de trabajadores y los transformó en la columna vertebral del movimiento peronista.

Con el Radicalismo yrigoyenista reaparecieron durante la primera parte del siglo XX en la escena política nacional las multitudes federales. El Radicalismo, cree Jauretche, trató de salir de la economía colonialista agropecuaria, industrializando el país (54). El voto secreto dio al pueblo conciencia de su responsabilidad en el destino de la patria. Gracias a Yrigoyen se integraron los inmigrantes al país, pero "la pedagogía colonialista", desde la escuela, el periódico y el libro, se opuso a la liberación nacional. Jauretche entiende que él, y los otros integrantes del grupo FORJA, desprendidos del Radicalismo, fueron los que auténticamente recogieron las consignas de Yrigoyen contra las deformaciones del Radicalismo conservador liderado por Alvear. Durante la "década infame", a partir del golpe de Uriburu que derrocó al presidente Yrigoyen, se sancionaron, con la complicidad de socialistas y radicales, leyes que frenaron la evolución social y política del país, aumentando su dependencia y comprometiendo su soberanía, y conformando lo que él denomina el "estatuto legal del coloniaje" (55).

Las multitudes argentinas volvieron al escenario político del país en 1945, cuando marcharon el 17 de octubre para recuperar a su líder prisionero, demostrando su voluntad de acción y capacidad participativa. El programa peronista de soberanía nacional, liberación y justicia social expresaba viejos anhelos de las masas. Entiende que cuando el pueblo se hace presente en la vida política del Estado, se vuelve un poderoso instrumento para la nación. En esos momentos, 1956, cuando escribe desde Montevideo, se está planeando una reforma constitucional en Argentina; Jauretche advierte que dicha reforma, ideada por la junta militar golpista ilegítima que ocupa el poder, se propone anular leyes benéficas para el pueblo, aprobadas anteriormente por la legislación peronista, y provocará conflictos y rencillas políticas: hará que vuelvan a triunfar las oligarquías provinciales por encima de los objetivos de la nación (56-7).

En el tercer capítulo, somete a proceso de revisión las ideas de Martínez Estrada sobre la clase obrera. Para Martínez Estrada, Perón, al equiparar el salario del obrero al de los profesionales, había creado un cuerpo de "haraganes y estafadores", condenado a una servidumbre satisfecha. (59). Esa opinión errónea constituía una prueba de cómo la prosperidad de "los de abajo" molestaba a la clase media. La plena ocupación del proletariado había llevado a la disminución del rendimiento del trabajo obrero, pero eso no era algo exclusivo del comportamiento del obrero argentino, puesto que ocurría en cualquier cultura y país en que se dieran circunstancias similares. Al restringirse la oferta de mano de obra, el empresario no podía conseguir a los obreros más calificados y disminuía el rendimiento individual. Lo que deseaba Martínez Estrada era mantener "la miseria estratificada por rango social" (60). Jauretche interpreta la posición de este último como una reacción egoísta pequeño burguesa de rechazo al trabajo manual, al que consciente o inconscientemente, consideraba infamante.

La situación social de la Argentina, explica Jauretche, era muy peculiar: la principal riqueza estaba en manos de los propietarios de los campos, que constituían una especie de "nobleza" local, aunque no tuvieran la riqueza de la burguesía mercantil y empresaria de otros países (61). La clase profesional pequeño burguesa, formada por los estratos superiores de la inmigración, vivía en un estado de pobreza decente. De esa clase salían los sacerdotes, los militares y los maestros. Era una clase resignada y sin horizontes. La esperanza de los hijos era heredar la posición de los padres. El Peronismo había tenido un profundo impacto en el nivel de vida de esta clase pequeño burguesa. La transformación de la economía durante la gestión gubernamental de Perón creó una situación inédita de prosperidad general. La clase media profesional, sin embargo, no le dio crédito al Peronismo por esta prosperidad: solo reverenciaba la riqueza que podían brindarle los "cipayos", y los negociados que se hacían con los representantes de los imperios. Era una clase corrupta y "vendepatria". Martínez Estrada formaba parte de ese sector que veía como una derrota lo que había sido básicamente un triunfo para el pueblo (63). Durante el Peronismo se amplió el mercado interno y esto abrió nuevas oportunidades, tanto para los trabajadores como para la clase media.

A diferencia de los trabajadores, que tomaron conciencia de la importancia del momento que vivían y lo asumieron, la clase media no entendió su papel histórico. El proletariado había comprendido que su enemigo era la condición semicolonial del país contra la que tenían que luchar, y que la evolución industrial constituía un importante avance para todos (65). En opinión de Jauretche, la realización de la Argentina como nación exigía unión de clases sociales y era necesario el alineamiento vertical tras la figura de un líder. El proletariado había sabido acatar esto, y solo demandaba su parte correspondiente en la nación, lo cual demostraba su acendrado patriotismo. La clase media, en cambio, no había entendido la conducta política de los humildes, porque la "intelligentzia" cipaya, de mentalidad foránea, había propagado entre ellos una falsa cultura que les impedía entender la verdad (66). Las "alpargatas" habían servido al destino nacional mejor que los libros. La clase media no había sido siempre tan ciega: durante el gobierno del Radicalismo, fue la primera que tuvo conciencia de lo que estaba pasando a nivel nacional. Los militantes de FORJA, surgidos de la clase media, entre los que estaba el mismo Jauretche, continuaron las luchas del Radicalismo y supieron entender lo que pasó en el año 45. El proletariado se sumó después al Peronismo.

Jauretche veía a Martínez Estrada como un simulador que ocultaba la realidad. Se fingía pobre, y nunca fue pobre ni perseguido (67-9). Fue un burócrata, que primero había sido anti-yrigoyenista, y después anti-peronista. Había escrito ensayos evasivos que mitificaban la influencia del medio histórico-social y ocultaban la realidad argentina. Otros intelectuales, entre los que cita a Abelardo Ramos, Fermín Chávez y Hernández Arregui, autor del trabajo seminal *Imperialismo y cultura*, 1957, habían procedido de manera muy diferente, defendiendo al pueblo de la nación.

En el capítulo cuarto Jauretche ataca a uno de los intelectuales y escritores contra quien se han ensañado más los pensadores nacionalistas: Jorge Luis Borges. Considera a Borges el intelectual químicamente puro que, sacado de su especialidad técnica, se muestra muy pequeñito. En este capítulo se vale de un personaje "crítico" criollo, gauchesco, de ficción, Julián Barrientos, para opinar sobre Borges. Barrientos dice que cuando los intelectuales "...se juntan, el pueblo se va para otro lado" (71). Ve como algo innegable el divorcio entre intelectuales y pueblo. En política, dice, los intelectuales primero estudian "el catálogo" y después "...clasifican por analogía lo que ven en su país" (72).

Para Jauretche, Borges (que había prologado un extenso poema gauchesco suyo, *El Paso de los libres*, en 1934, cuando simpatizaba con el Radicalismo) actuaba como si la historia patria fuera una "porquería" (74). Su comportamiento fue completamente distinto al de su amigo y compañero de FORJA, Homero Manzi, que había preferido escribir letras de tangos para el pueblo en lugar de hacerse "hombre de letras" (76). Borges había renegado de lo popular, que cortejó en sus años juveniles. Jauretche termina el capítulo afirmando que, a pesar de sus logros literarios, poco ha de quedar de Borges si no se cumple el destino de la Argentina como nación: sólo la patria puede hacer trascender a los hombres (79).

En el capítulo quinto, con el que termina *Los profetas del odio* en su edición original de 1957, discute el libro de Julio Irazusta, *Perón y la crisis argentina*, publicado en 1956. Aclara que su ataque es contra Julio, y no contra su hermano Rodolfo Irazusta, a pesar que ambos militaban juntos en política. Julio acusaba a Perón de haber mantenido una política anti-industrial. Jauretche dice que ya Scalabrini Ortiz en sus artículos, y él mismo en *El Plan Prebisch Retorno al coloniaje*, habían demostrado lo contrario (82-5). Los que estaban dañando la industria, con el pretexto de su recuperación patrimonial, eran los dirigentes de la Revolución Libertadora, en esos momentos en el poder. Irazusta utiliza un libro de Santander, *Técnica de una traición Juan D. Perón y Eva Duarte agentes del nazismo en Argentina*, para atacar a Perón. Santander había acusado al líder y a su esposa de haber estado al servicio de los ingleses y de haber recibido dinero de los alemanes.

Jauretche demuestra que la acusación de Santander era falsa e injuriosa. Hubo dos ediciones del libro *Técnica de una traición*: una en Buenos Aires en 1953 y otra en Montevideo, que era la que él tenía en esos momentos, y que no coincidía con la anterior. Cuando la Comisión Investigadora de la Cámara de Representantes lo citó para interrogarlo sobre sus acusaciones, Santander dijo que las pruebas ya no estaban en su poder (90). Jauretche concluye que Irazusta no había tenido presente al pueblo al juzgar al Peronismo y que, debido a esto, se rebelaba contra la "intelligentzia", pero desde la óptica limitada de un "ganadero", y sus argumentos terminaban coincidiendo con los de la "intelligentzia" (92).

Así concluye la primera versión del libro, que Jauretche amplía para su edición de 1967. Titula a la segunda parte de la obra "El colonialismo mental. Su elaboración. La yapa. La colonización pedagógica". Esta continuación, a diferencia de la primera parte, que había sido resultado de una polémica del momento contra los intelectuales antiperonistas, y era, en consecuencia, improvisada y panfletaria, pertenece a una época en que Jauretche había afianzado su perfil intelectual como escritor y ensayista social en Argentina. Acababa de publicar su libro más sistemático y ambicioso un año antes, *El medio pelo en la sociedad argentina (Apuntes para una sociología nacional)*, que fue muy bien recibido por los lectores y por la crítica. En aquel libro, dice, había querido "...contribuir a la visión del país desde el ángulo social", mientras que en la segunda parte de la nueva edición de *Los profetas del odio* se proponía entender el país "desde la cultura" (97). Su propósito, aclara, era "pragmático" y su interés, más que universal, era nacional. Quería demostrar cómo y por qué causas la inteligencia se había transformado en "intelligentzia", cómo se había formado la mentalidad de los intelectuales argentinos y cómo estaba constituido el aparato "cultural" que dirigía y difundía las obras de esa "intelligentzia", impidiendo la creación de un pensamiento propio. La "superestructura cultural", que expresaba los intereses colonialistas, había participado en la formación de esa "intelligentzia". La nueva "inteligencia", que reemplace a la vieja "intelligentzia" colonial, tendrá que liberarse del lastre y definir su carácter nacional. Este proceso, cree, ya está en marcha. Jauretche utiliza la palabra de origen ruso "intelligentzia" con sarcasmo, para designar a un grupo de intelectuales argentinos que estaban al servicio de intereses foráneos y anti-nacionales. El desarrollo de una "intelligentzia" local, considera, fue resultado del proceso de colonización pedagógica sufrido por el país. Se ignoró la cultura propia de aquellas naciones que se separaron de la corona española. La cultura criolla fue considerada por el intelectual local incultura y "barbarie". Tenían como objetivo lograr la "civilización' imitando la cultura europea. Se quiso destruir lo indígena, que era considerado un obstáculo, y trasplantar lo europeo a América (101). Dado el desarrollo tecnológico experimentado durante el siglo XIX, tenían gran confianza en los beneficios que traería la modernización técnica. Esa "intelligentzia" ayudó a estructurar los nuevos países formados a la caída del imperio colonial como países dependientes, marginando valores autóctonos que podrían haber servido de contención en el proceso de asimilación. Integraban esa "inteligentzia" los pensadores liberales, que tenían una visión eurocéntrica y antinacionalista del país. Procederá a criticar esa perspectiva desde una posición nacionalista cultural abierta y dinámica. Se centrará en el análisis del proceso pedagógico, que permite la reproducción y legitimación del modelo de dominación neocolonial.

La cultura propia, considera, quedó privada de medios de expresión. Se sustituyó la población nativa por el torrente inmigratorio y el país se volvió una extensión del modelo que quería imitar (102). La cultura preexistente derogada subsistió en la tradición oral en lugares remotos de las provincias. El centro de asimilación de la influencia extranjera fue la zona del litoral. El intelectual se fue conformando a la política dominante, que trataba de estabilizar el país en las condiciones más óptimas para su aprovechamiento. Operaba como un colaborador de aquellos que reducían el país a colonia de los intereses económicos extranjeros (103). Todo el potencial que mostraba el país debería haberse traducido en una versión cultural propia. A pesar que se hablaba constantemente de la "crisis" argentina, Jauretche entiende que esa crisis era provocada por el mismo proceso de crecimiento y no era un síntoma de decadencia.

Jauretche analiza la pedagogía colonialista utilizada en las instituciones de formación intelectual (106). Caracteriza a nuestra "intelligentzia" como "desubicada". Nos ha acostumbrado a pensar el país desde abajo y desde el margen, tal como éste está ubicado en el planisferio. Para pensar como argentinos hay que colocarse en el centro. Sería conveniente dar vuelta el planisferio: comprobaríamos que Europa queda abajo y parece una península del Asia. Nuestra visión de lo europeo es parcial y falsa (108). Nuestra incapacidad para ver el mundo a partir de nosotros mismos, cree Jauretche, ha sido cultivada. Muchos argentinos van desde nuestro margen a Europa, con el objetivo de adquirir una técnica, y el país de la técnica termina absorbiéndolos. En Europa nuestros intelectuales se creen europeos, pero allá nadie los tiene en cuenta. Los grandes conceptos europeos de cultura, civilización, derechos del hombre, rigen para una humanidad que tiene límites estrechos, que comprende parte de Europa y Estados Unidos e ignora al resto del mundo (110). Los letrados analizan los fenómenos en términos abstractos, prefieren las soluciones extrañas a los problemas propios, demostrando que en realidad son "extranjeros" en su propia tierra.

Los problemas argentinos con la educación empiezan a partir de la primera formación del niño. Jauretche recuerda que el pueblo en el que nació en la provincia de Buenos Aires en 1901, Lincoln, había sido treinta años antes territorio ranquel. Allí nadie hablaba de los Ranqueles, y los pobladores procedieron a reemplazar los nombres indígenas por nombres gringos (113). Todos miraban despectivamente lo que era local. Llegó a conocer a antiguos veteranos de la guerra del Paraguay, y le sorprendía qué diferente era lo que ellos le contaban de la guerra, de lo que le decían en la escuela. La escuela parecía estar desconectada de la vida. Se deformaba y se tergiversaba la historia. Tenía que seleccionar entre aquellos conocimientos que venían de la experiencia, y los que le llegaban de la "cultura". Se dio cuenta que la escuela era producto de la "intelligentzia", destinada a producir a su vez más "intelligentzia", y que estaba modelada en el esquema sarmientino de civilización y barbarie. Nadie mencionaba la relación de la cultura con el medio (117).

Este desencuentro entre la escuela y la vida producía un desdoblamiento en la personalidad del niño. El maestro iba de lo general a lo particular, no empleaba el método inductivo, que le permitiera pasar de lo particular a lo general. La realidad circundante quedaba excluida de la enseñanza. La enseñanza laica y obligatoria había impedido que las escuelas extranjeras estratificaran la población según su lengua u origen, pero esa política nacional no había podido establecer sus propios fines culturales. Es que su idea de lo nacional, cree Jauretche, no traducía el deseo de la comunidad, sino el de una elite, la "intelligentzia" (121). La nación, para esa elite, no era un fin, sino un medio. El fin para ellos era crear un sistema institucional republicano. Esa idea, originada en la filosofía de la Ilustración francesa, adoptada por la política liberal argentina, y continuada por los militares golpistas de la línea Mayo-Caseros, en ese momento en el poder, ponían a las instituciones que forman la República por encima de la patria y de su soberanía. Alterar el régimen institucional era considerado una traición, pero negar su soberanía, entregando el país a intereses extranjeros, no.

Los vencedores de Caseros, en la interpretación de Jauretche, se habían aliado a los extranjeros para realizar su sueño institucional, comprometiendo la soberanía nacional y la integridad de la patria (122). Los ideólogos liberales identificaban patria con liberalismo. Privilegiaban lo institucional por encima del suelo patrio, y el sentido de nacionalidad perdía su base. La formación cultural liberal desvinculaba al hombre de su realidad. Muchos intelectuales eran ejemplo de esto, como Victoria Ocampo, la directora de la famosa revista *Sur*, cuyas memorias publicadas, cree Jauretche, la mostraban como una "snob" (125). La clase rica criolla de fines del siglo diecinueve profesaba "religión de extranjería" (127). Para desarrollar al país imitaron a otros países, y el mismo criterio usaron para educar a los hijos. Los formaban según un modelo importado y obtenían un "snob" desarraigado, obsesionado por la novedad. En realidad, no tenían muchas opciones: la otra posibilidad era aceptar el aldeanismo local. La revista *Sur* y el diario *La Nación* habían ayudado a que la inteligencia se fugara de sus responsabilidades, practicando el escapismo intelectual. Los "snobs" se negaban a expresarse en función de su ser real, y del medio en que vivían y al que pertenecían (129).

Jauretche critica el comportamiento de los estudiantes universitarios. Se pregunta por qué se rebelaron contra Perón y el Peronismo, mientras se mostraron complacientes con el gobierno durante la Década infame; por qué aceptan convivir en esos momentos con el régimen de Aramburu. Para Jauretche, los universitarios comparten un "subconsciente de elite" y aceptan el "despotismo ilustrado" de la democracia teórica (132). La enseñanza superior no tiene en Argentina una finalidad nacional ni social amplia, está organizada para servir los intereses económicos de los hijos de las minorías ricas y de parte de la clase media. El objetivo de la universidad, dice, es "...capacitar los estratos medios de la sociedad pastoril, que necesita sólo doctores y pedagogos" (133). La Facultad de Filosofía y Letras no produce ni filósofos ni letrados: gradúa profesores, que prepararán a otros profesores, en un círculo vicioso y estéril. El egresado de una Universidad siente que es propietario de una "patente de corso" (134). Ha adquirido el derecho de usufructuar del sistema económico en beneficio propio. Considera que la Reforma Universitaria de 1918 fracasó en el país y sus participantes se integraron luego a la "intelligentzia". La presencia del pueblo en el Estado durante el gobierno de Yrigoyen impulsó la Reforma, pero los universitarios se volvieron contra el pueblo. La universidad fue anti-yrigoyenista como luego sería anti-peronista (136). El país, cree, necesita una universidad politizada, para que el estudiante sea parte activa de la sociedad. El aprendizaje de una determinada disciplina, que da una capacitación técnica, no puede ser un fin en sí mismo, debe ser un medio para la realización nacional. En 1955, como en 1930, los estudiantes se pusieron de parte de la oligarquía y del imperialismo al que pretendían combatir. Jauretche atribuye esto "...a la falta de experiencia política de los jóvenes, a un esteticismo sumado al poder de las ideas, que les hace rechazar los movimientos de masas, cuyas imperfecciones no se compaginan con la imagen ideal" (140). La sociedad burguesa acepta al estudiante a condición de que mantenga su hosquedad "frente a los movimientos de masas como el peronismo" (151). Cuando el estudiante se recibe, firma manifiestos internacionales defendiendo causas justas y compra cuadros de pintores socialmente comprometidos para sentirse bien. La "intelligentzia" tiene su mandarinato que determina lo que es aceptable y correcto.

El estudiante padece de un mal que él denomina "fubismo": un sentimiento de superioridad intelectual que lo lleva a despreciar al pueblo. Los estudiantes ven a los trabajadores y a los obreros como fracasados. No comprenden que los grandes maestros del mundo político, social y cultural nacional no están en la universidad, sino precisamente en esa multitud. Para liberarse del "fubismo", el estudiante tiene que sentir que es parte de una sociedad real, y no creer que representa a la "civilización", en lucha contra la "barbarie" (142). La deformación de la Reforma hizo que se consagraran falsos intelectuales, los "arieles", como pretendidos maestros de la juventud.

Los que participaron en la Reforma, al no incorporarse a las corrientes nacionales, se transformaron en el ala izquierda de la "intelligentzia" de importación, que en lo ideológico abstracto disiente con la derecha, pero se alía con ésta contra lo popular (144). Ataca al socialista Alfredo Palacios, que utilizó la inhabilitación política del Peronismo para hacerse elegir senador, mostrando que a pesar de ser un opositor a la oligarquía y al imperialismo, se valió de la proscripción ilegítima de un partido popular para obtener crédito político (149). Los intelectuales "arielistas", siguiendo las ideas que propusiera Rodó en el influyente ensayo *Ariel*, de 1900, ven a Calibán como un ser utilitario y grosero. Los arielistas desprecian al obrero "bárbaro". Durante la primera mitad del siglo veinte, los arielistas del Río de la Plata se evadieron de la situación histórica real: la dominación imperialista inglesa en el área, prefiriendo atacar en cambio la influencia norteamericana, de importancia menor en aquella época. Scalabrini Ortiz, con sus estudios sobre el papel del imperialismo británico en Argentina, cambió esto, porque suministró los elementos "para el aprendizaje del país real" (151).

En la tercera parte del libro, Jauretche estudia el instrumental de que se vale la "superestructura cultural" para afianzar su dominio. Primero, considera el papel de los medios de información, que ayudan a formar la opinión pública. Cree que no se ha tomado en cuenta lo suficiente cómo influye el prestigio de los medios de difusión en la formación de las ideas (157). Hay que considerar el grado de libertad que tiene la prensa en la teoría y en la práctica. Los medios consideran que la libertad de prensa es imprescindible para el desarrollo de la libertad humana. Esto, teóricamente, es verdad. En la práctica, sin embargo, los grupos dominantes dan las versiones de los hechos y las difunden según sus intereses, y condicionan el acceso que tienen los periodistas a las fuentes de información (159). La prensa independiente también manipula la información que no se adecua a sus fines. Los titulares destacan lo que quieren que se lea. La pretensión de independencia y objetividad absoluta de la información es un engaño. La prensa libre, para él, procedía en Argentina de una forma parecida a como lo hacía la prensa de los países totalitarios, aunque el lector no lo sabía (162-66). Las agencias del "mundo libre", aliadas al imperialismo, fabricaban, según sus intereses, las imágenes que deseaban que los demás tuvieran de Latinoamérica. Dado que la prensa libre dependía de los avisos comerciales, que eran su eje económico, los periódicos necesariamente se autocensuraban para no ofender a las empresas o particulares que anunciaban en sus páginas. Es común escuchar hablar de la presión oficial que sufre la prensa, pero no se habla de la presión económica que pone la empresa que compra espacio comercial en sus páginas.

Cada vez que el Estado quiere orientarse en defensa de los intereses nacionales, cree Jauretche, como había ocurrido en los gobiernos de Yrigoyen y Perón, lo censuran porque no quieren que el Estado lidere. Los intereses privados que tienen capacidad para dirigir emplean la libertad de prensa, que procuran monopolizar, como pantalla para difundir sus propuestas, y plantean la situación como una alternativa entre libertad y dictadura (169-70). Por eso Jauretche considera importante denunciar los intereses de la "prensa libre". Los periódicos tienen privilegios, están exentos de impuestos. En su experiencia personal, como periodista, la "prensa libre" ha trabado más su libertad de expresión que la prensa oficial.

Los agentes de la colonización pedagógica se valen de la autoridad de periódicos como *La Nación* y *La Prensa* para dar respetabilidad a sus afirmaciones y publicidad a sus propuestas (179). Lo que le interesa al sistema es que colaboren con sus intereses políticos, sociales, económicos y culturales. Jauretche denuncia a grandes figuras de las ciencias, como el premio Nobel de medicina Bernardo Houssay, a quien cree cómplice del sistema. Según Jauretche, Houssay hizo su descubrimiento médico en equipo con otro, pero lo ocultó (184). Nombraron al Dr. Houssay Director del Centro de Investigaciones Científicas, desde el cual ejercía su poder (187). El aparato cultural, sin embargo, ignoraba la labor de otros científicos que no le convenían. Por ejemplo, silenció los logros del matemático Carlos Bigieri, que murió en la pobreza, condenado por la Revolución de 1955. Lo mismo pasó con el Dr. Alvarado, médico especializado en la lucha antipalúdica, que dio grandes servicios al país (189).

Los que trabajan para lo que denomina la "anti-nación" tienen las puertas abiertas, e impiden el surgimiento de los valores identificados con la creación nacional. Durante la Década Infame quedaron marginados Scalabrini Ortiz, Ramón Doll, Ernesto Palacio (191-2). No solo los liberales marginaban a los nacionalistas, también el Partido Comunista atacaba a los que militaron en sus filas y renunciaron luego, como ocurrió con Sábato, Puiggrós, Ramos y Portantiero. Jauretche argumenta que los liberales y la oligarquía se ensañan más con los nacionalistas que con militantes de otras tendencias.

Ataca los manejos políticos de las Academias que jerarquizaban a los "figurones". Demuestra que las Academias no eran serias, nombraban a sus miembros a dedo según intereses sectoriales. La Academia de la Historia, por ejemplo, rechazó a historiadores revisionistas como José María Rosa, mientras designó como miembro al Cardenal Caggiano, que no era historiador. A Ghioldi y al Almirante Rojas los nombraron miembros de la Academia de Ciencias Morales, lo cual en su concepto era una burla. También se nombraba a los Académicos en puestos de prestigio, como las Embajadas. Jauretche denuncia este sistema de recompensas y castigos que profundizaba la corrupción de un gobierno que en sí era ilegítimo (195-201).

En la cuarta parte del libro trata de hacer un balance provisorio de la situación de la cultura y la educación en esos momentos. En 1967 ya habían pasado cien años desde que la "intelligentzia" triunfara en el país. Esa "intelligentzia" había ejercido un verdadero "despotismo ilustrado" sobre la población nativa, a la que consideró incapaz de asimilarse a los presupuestos civilizadores, por lo que optó por reemplazarla por inmigrantes europeos (205). Le cambiaron la sangre al pueblo y lo alfabetizaron para que se ajustara a las ideas de la "intelligentzia". El pueblo reapareció en la escena política, donde había estado ausente desde la época de Yrigoyen, con el Peronismo y la clase culta lo juzgó inepto para la cultura. El problema es que esa "intelli-

gentzia" no acepta el ser del pueblo tal como éste es, y llama demago-
gos y tiranos a los que lo lideran. Cree que sólo es posible realizarse
trasplantando e importando una cultura desde afuera para fines euro-
peos, y niega la realidad existente. En el país se han producido cambios sociales y económicos importantes durante los siglos diecinueve y veinte, pero la actitud de la
"intelligentzia" no ha cambiado. Esos mismos valores culturales que
ésta niega, han sido factores decisivos en su historia. Hace un análisis
de la evolución social del país. Dice que en el origen la nación fue
organizada por la clase principal, que había asimilado la ideología de
la Ilustración y el Romanticismo. La plebe, al ser inculta, no tenía
acceso a la ideología. Ambas clases habían asimilado los elementos
formativos de la cultura local popular, pero la clase principal los consideraba sinónimo de barbarie. Sarmiento, al negar esa cultura autóc-
tona, cree, se negaba a sí mismo (207).

La Independencia fue una empresa llevada a cabo por la clase principal y por la plebe. Sin embargo, a la hora de gobernar, la clase principal vio a los Federales, que se aliaron con el pueblo bajo, como
traidores a su clase. Muchos de los Federales eran más ricos que los
unitarios, pero éstos últimos consideraban a la cultura un privilegio de
su clase. Durante la época de Rosas los Federales gobernaron creando
una alianza entre clase principal y pueblo. Después de las batallas de
Caseros y Pavón, de la guerra del Paraguay y la extinción de las mon-
toneras rebeldes, desapareció el conflicto entre "intelligentzia" y pueblo, porque el pueblo quedó reducido a "sujeto pasivo de la historia"
(209). Con el triunfo del liberalismo, la colonización económica y la
colonización pedagógica se integraron. La gente principal compartió
la misma ideología liberal. La plebe quedó privada de medios de
expresión y era como si no existiera. Implementaron la política del
progreso con un criterio tecnocrático (210). El objetivo no es desarrollar el país que es, sino el país como tiene que ser.

Tal como lo notó David Viñas en *Literatura argentina y realidad
política*, 1964, la Generación del 80 escribía y hacía cultura para el
círculo íntimo, para los iniciados (210). Sin embargo, esa misma "intelligentzia", identificada con el liberalismo económico, comienza a
percibir efectos no deseados en su sociedad a medida que el desarrollo

agropecuario y la inmigración modifican las estructuras tradicionales. Ya en el fin de siglo, con actitud "xenófoba", se vuelven contra el gringo, que era el instrumento de ejecución de la política liberal. Rechazan los efectos sociales del progreso. Los espíritus más lúcidos de la oligarquía, sin embargo, aceptaron el cambio inevitable: el país era una dependencia económica del mercado mundial, y deseaban mantener la continuidad de la política liberal (214).

Con la llegada de la inmigración se formó la nueva clase media y muchos intelectuales surgieron de esta clase. La ideología liberal se expandió a todos los grupos. La colonización pedagógica cumplió su tarea. Los más calificados accedieron a posiciones dirigentes. La cultura ayudó a consolidar el sistema. El intelectual se sentía distinto del pueblo del que provenía y se creía depositario de una misión cultural. Partía del presupuesto de la inferioridad de lo nacional "...cuya superación sólo se logrará por la transferencia de los valores de cultura importados" (215). El nuevo intelectual de clase media asumía, ante lo nacional y popular, la misma actitud despectiva que mostraba antes el intelectual de la clase principal.

Esto había cambiado, pensaba Jauretche, cuando llegó el Radicalismo de Yrigoyen al poder. Si bien sus bases políticas eran liberales, la presencia y participación del pueblo modificó sus efectos sociales y económicos. Yrigoyen no era un ideólogo, era un caudillo y percibía las necesidades sociales (216). Gobernó teniendo en cuenta las necesidades de las masas, y se interrumpió la continuidad de la política liberal anterior, separada del pueblo. La producción del país se diversificó, y esto amenazó la base del dominio colonialista, basado en la explotación de la producción primaria. Recurriendo al proteccionismo y a la devaluación monetaria los radicales desarrollaron la industria. El Yrigoyenismo expresaba los intereses de la clase media, pero los sectores cultos de esta clase no lo siguieron.

La izquierda no logró expresar un punto de vista nacional en su ideología, para oponer con éxito al pensamiento liberal. El Socialismo y el Anarquismo transfirieron ideologías extranjeras y se propusieron, como el liberalismo, civilizar la barbarie. No se preguntaron qué era el país, cómo era el pueblo, cómo pensaba, qué quería: este divorcio de los intereses nacionales, pensaba Jauretche, fue una de las debilidades principales del pensamiento político de izquierda (217). Preparaban las condiciones para otro país, que ellos querían crear como civilizadores. No trataron de acercarse a la realidad concreta, para formular un pensamiento propio de interpretación de la misma. Los liberales y los de izquierda estaban desconectados del medio social. Se subestimaba al país como realidad. El nuevo intelectual adoptaba respecto al país la vieja actitud peyorativa de los ideólogos de la Ilustración. Los liberales no comprendían el hecho nacional. Los héroes de los liberales y de la izquierda eran los mismos: Rivadavia, Sarmiento, Mitre, etc. Llevaban el pensamiento político a una vía muerta, donde con su consigna de "libros o alpargatas" reiteraban la dicotomía unitaria anterior de "civilización o barbarie". Tanto liberales como izquierdistas consideraban que ellos eran "la cultura", y que debían tomar las decisiones (220). Para ellos lo nacional y lo popular formaban parte de la barbarie.

Cree que el Peronismo es un Movimiento inconcluso y abierto, y el revolucionario se pregunta si lo que trataron de superar del pasado peronista no era mejor que el presente comprometido y caótico (224). En momentos de duda el revolucionario podía convertirse en instrumento de la contrarrevolución.

Jauretche afirma que su crítica a la "intelligentzia" se basaba en experiencias personales amargas. El no era filósofo de la historia ni literato, había aprendido en la escuela de la vida. Su objetivo había sido siempre servir a la causa de la liberación de su país. No es un perfeccionista, es un luchador pragmático que quiere servir a las grandes líneas del pensamiento nacional. El movimiento nacional abarca y contiene diversas posiciones partidarias (225). El y los militantes del grupo FORJA no fueron políticos en un sentido tradicional: más que a la política, se dedicaron a la "docencia cívica" (227). Reconocieron que Perón en 1945 era el continuador de la lucha de FORJA en pro de lo nacional. Una nueva Argentina estaba en pie. El Movimiento Justicialista tenía como objetivos lograr la justicia social y la liberación nacional, y favorecer la distribución del ingreso, tratando de alcanzar los más altos niveles sociales posibles dentro de las condiciones nacionales existentes.

Jauretche critica la manera que Perón estaba conduciendo el movimiento desde el exilio. El General, creía, daba al proletariado un peso demasiado grande en el Movimiento, sin ver que tenía dificultades operativas. Desplazaba y hasta hostilizaba a los sectores militantes de clase media (228). Durante los últimos años que ocupó el poder, durante su segunda presidencia, "...los combatientes resultaron sustituidos por los pensionistas del poder" (229). Perón no hizo nada por captar a la nueva burguesía que se había formado gracias a su política nacional. El conflicto religioso suscitado luego había afectado la estabilidad gubernamental. Hacía falta crear una mayor alianza entre las clases y "revertir la forma piramidal" de mando, típica de todo movimiento de liberación (230). Era necesario superar la política partidaria, en su concepto, para llegar a una política nacional. Llama a dirigentes y militantes al debate, y pide que se instruyan sobre las formas que asume la "colonización pedagógica" en el país. Cree que la batalla del Peronismo está ganada, porque, si bien no está en el poder, gobierna las esperanzas del 80 % de los argentinos. A diferencia de lo que pasó con la política de Yrigoyen, el país en todos esos años había hecho suyo el pensamiento de Perón (232).

Jauretche termina su obra polémica con dos epílogos: el primero, montevideano, de 1957, y el segundo, porteño, de 1967. En su epílogo montevideano argumenta que Montevideo debería ser el puerto natural de la confederación del Plata, que integrarían Bolivia, Paraguay, Argentina y Uruguay. Desgraciadamente, esa unidad no existía, Buenos Aires tenía un poder político exagerado y se aprovechaba mal la comunicación marítima de los países del Plata (233). La política inglesa en la región y la acción del ministro Canning balcanizaron el Río de la Plata a principios del siglo XIX, frustrando el destino de una nación. Rosas salvó lo esencial, aplicando el sentido común, gracias a su pragmatismo. No se dejó confundir por la "intelligentzia" liberal de su época. El país venció.

En el epílogo porteño de 1967, habla del relativo fracaso de nacionalistas como Lugones, que no supo recoger la lección de las multitudes. No vio la contradicción entre la superestructura cultural y el país real. Formaba parte de la "intelligentzia" y cuando proclamó "la hora de la espada", su espada no era nacional. La inteligencia nacional debía reemplazar a la "intelligentzia". La más propicia a desorientarse era la clase media, porque la colonización pedagógica dirigía su dis-

curso a ese grupo en ascenso (236). Su avidez de conocimiento lo
hacía víctima fácil de una colonización que recomendaba asimilar
recetas, en lugar de analizar con sentido propio (237). Con el afán de
aproximarse al modelo europeo se creo un país cada vez más blanco,
racial y culturalmente hablando, cada vez más "Europa" y menos
"América". Durante el Peronismo, la "intelligentzia" se sintió derrotada y creyó que el país era el derrotado (237). Pero el pueblo, cree, tuvo
el coraje de pasar por encima de los escombros de sus propias ilusiones traicionadas, para encontrar los fundamentos del país real.

Para Jauretche lo nacional era un concepto amplio, e iba más allá
de lo partidario. Coincidiendo con la posición de Perón sobre el tema,
sostenía que sólo un movimiento multiclasista podía abrazar la diversidad de lo nacional. Jauretche buscaba un trasvasamiento generacional, para que las nuevas generaciones llevaran adelante las banderas
del Peronismo. No consideraba que Perón, por su edad, pudiera liderar
él mismo este proceso. Pocos años después, a principios de los 70
(Jauretche muere en 1974, a los 73 años), observará con esperanza
elevarse el espíritu rebelde y combativo de la juventud peronista. Le
preocupó, sin embargo, la osadía de esa juventud, que temía la llevara,
como sucedió, al fracaso militar y político (Galasso 239-43).

Creía hacia el final de su vida que todos los sacrificios que se habían
hecho para dotar a la nación de un espíritu propio, alejado de la utopía
liberal, habían dado frutos, y su misión de denuncia de la "colonización
pedagógica" había sido positiva. Su crítica apuntaba a un sinceramien-
to de los objetivos culturales posibles para su nación. Propuso como
modelo un tipo de intelectual visceral y militante, guiado por un intenso amor a la patria, capaz de ejercer la autocrítica, y de mantenerse
cerca del pueblo y de las masas para luchar por su liberación.

Su aporte fundamental al pensamiento argentino fue su crítica antiliberal a la cultura, desde una perspectiva propia, que coincidía en
parte con el revisionismo histórico, en parte con la izquierda nacional.
Su perspectiva, influenciada por Scalabrini Ortiz y por Perón, privilegiaba la relación política entre el poder y las masas, y asignaba un
papel fundamental al desarrollo económico independiente. Jauretche
analizó la sociedad argentina, sus necesidades educativas, su cultura,
tratando de corregir lo que él consideraba errores y desviaciones de la

formación liberal. Creía que había que transformar la moral del argentino, haciendo la cultura más afín a las necesidades de los humildes, impartiendo una justicia equitativa.

Bibliografía citada

Alfón, Fernando. "Ezequiel Martínez Estrada, el arte de la etiología". Ezquiel Martínez Estrada. *¿Qué es esto? Catilinarias*. Buenos Aires: Ediciones Colihue/Biblioteca Nacional: 2005. 11-30. 1era. Ed. 1956.

Borges, Jorge Luis y Adolfo Bioy Casares. "La fiesta del monstruo". Sergio Olguín. *Perón vuelve Cuentos sobre el peronismo*. Buenos Aires: Grupo Editorial Norma, 2000. 41-59.

Cangiano, Gustavo. "El pensamiento vivo de Arturo Jauretche". Gustavo Cangiano y otros. *Nuevos aportes sobre Arturo Jauretche*. Buenos Aires: Archivo y Museo Históricos del Banco de la Provincia de Buenos Aires "Dr. Arturo Jauretche", 2001. 21-105.

Duhalde, Eduardo Luis. "Juan José Hernández Arregui y la formación de la conciencia nacional". Juan J. Hernández Arregui. *La formación de la conciencia nacional*. Buenos Aires: Peña Lillo, 2004. 9-13.

D'Atri, Norberto. "El Revisionismo Histórico Su historiografía". Arturo Jauretche. *Política nacional y Revisionismo Histórico con un apéndice de Norberto D'Atri*. Buenos Aires: Peña Lillo, 1970. 2da. Edición corregida y aumentada. 109-164.

Galasso, Norberto. *Jauretche Biografía de un argentino*. Rosario: Homo Sapiens Ediciones, 2000.

Hernández Arregui, Juan José. *La formación de la conciencia nacional*. Buenos Aires: Peña Lillo, 2004. (1ª. Ed. 1960).

Jauretche, Arturo. *El plan Prebisch. Retorno al coloniaje*. Buenos Aires: Peña Lillo, 1974. (1ª. Ed. 1956).

———. *Política nacional y Revisionismo Histórico con un apéndice de Norberto D'Atri*. Buenos Aires: Peña Lillo, 1970. 2da. Edición corregida y aumentada. (1ª. Ed. 1959).

———. *Los profetas del odio y la yapa*. Buenos Aires: Corregidor, 2004. (1ª. Ed. *Los profetas del odio* 1957; 1ª. Ed. *Los profetas del odio y la yapa* 1967).

——. *Ejército y política. La patria grande y la patria chica.* Buenos Aires: Peña Lillo, 1984. (1ª. Ed. 1958).

——. *FORJA y la década infame.* Buenos Aires: Peña Lillo, 1983. (1ª. Ed. 1962).

——. *El medio pelo en la sociedad argentina (Apuntes para una sociología nacional).* Buenos Aires: Peña Lillo, 1967. (1ª. Ed. 1966).

——. *Manual de zonceras argentinas.* Buenos Aires: Corregidor, 2003. (1ª. Ed. 1968).

Maranghello, César. "La brasa ardiente". Gustavo Cangiano y otros. *Nuevos aportes sobre Arturo Jauretche.* Buenos Aires: Archivo y Museo Históricos del Banco de la Provincia de Buenos Aires "Dr. Arturo Jauretche", 2001.107-183.

Martínez Estrada, Ezequiel. *¿Qué es esto? Catilinarias.* Buenos Aires: Ediciones Colihue/Biblioteca Nacional: 2005. 1era. Ed. 1956.

Peña de Matsushita, Marta. "Arturo Jauretche ante la condición humana". http://www.ensayistas.org/critica/generales/C-H/argentina/jauretche. htm. 1-19.

Scalabrini Ortiz, Raúl. *Política británica en el Río de la Plata.* Barcelona: Editorial Sol 90/Clarín, 2001. (1ª. Ed. 1940).

——. *Historia de los ferrocarriles argentinos.* Buenos Aires: Plus Ultra, 1983. (1ª. Ed. 1940).

CAPÍTULO 4

OPERACIÓN MASACRE: PERIODISMO, SOCIEDAD DE MASAS Y LITERATURA

O
peración masacre (1957-1977), de Rodolfo Walsh (1927-1977), es una obra cuyas peripecias de creación se entrelazan con la vida del autor de una manera ejemplar y trágica. Se inicia con las investigaciones que el periodista nacionalista Walsh realizara a partir de diciembre de 1956 sobre los fusilamientos de civiles ocurridos en la provincia de Buenos Aires, después del fracasado levantamiento del General Valle, el 10 de junio de ese año, y concluye, luego de un largo periplo, con la carta que Walsh, militante montonero, escribiera a la Junta Militar argentina el 24 de marzo de 1977, un día antes de su enfrentamiento con el Ejército y su muerte. [1]

Su elaboración definitiva abarca dos décadas de la vida de Walsh (de Grandis 1994:187-204). Durante este tiempo, las experiencias vividas lo llevaron a modificar sustancialmente sus ideas políticas, su interpretación de la historia nacional y del fenómeno literario. Vivió circunstancias históricas excepcionales y su investigación periodística, *Operación masacre*, luego de pasar por sucesivas correcciones y cambios, se integró a la literatura nacional como crónica y testimonio de una generación perdida (de Grandis 1992:306-7). [2]

---

[1] El editor de Ediciones de la Flor incluyó esta carta en la reedición de 1984, luego que la obra estuviera censurada y prohibida su publicación en Argentina durante muchos años.

[2] La generación de Walsh, frustrada ante la reacción autoritaria del Estado frente al experimento sindicalista y nacionalista del Peronismo, y como respuesta a la

En esta obra Walsh analizó un episodio de la campaña represiva que el gobierno militar golpista, presidido por el General Pedro Eugenio Aramburu, desató contra militantes peronistas y simpatizantes, sospechosos de participar en el conato revolucionario de 1956, liderado por el General Valle.

Inició su investigación, en la que lo asistió la periodista Enriqueta Muñiz, seis meses después del levantamiento del General Valle, cuando recibió una denuncia de Juan Carlos Livraga, uno de los sobrevivientes, sobre la matanza que había tenido lugar en la localidad bonaerense de José León Suárez. Walsh pudo demostrar a la opinión pública que varios de los detenidos por la policía provincial, en un procedimiento de la noche del 9 de junio, habían logrado sobrevivir a los fusilamientos clandestinos ordenados por el gobierno el 10 de junio de 1956, en supuesto cumplimiento de la Ley Marcial decretada, y escapar (Ferro 1994:139-66). Esa ley facultaba al gobierno a fusilar sin juicio previo a individuos descubiertos en circunstancias sospechosas, o que estuvieran conspirando contra el Estado. Walsh denunció la responsabilidad del gobierno militar en esos fusilamientos irregulares, y lo acusó de haber cometido un asesinato y masacre. El gobierno encubrió el crimen, y el sistema de justicia sobreseyó a los culpables de la matanza, asegurando su impunidad.

El Estado nacional era responsable del asesinato de trabajadores desarmados, la mayoría de los cuales habían sido detenidos por azar. Walsh, que al realizar la investigación no era peronista, va cambiando su opinión sobre el Movimiento Peronista al observar cómo el Peronis-

_____

situación política tiránica y represiva que observaban en Latinoamérica, se movilizó en la lucha revolucionaria contra el estado oligárquico, autoritario y burgués. Eva Perón, la joven actriz casada con el carismático militar nacionalista y populista Juan Perón; Walsh, el joven periodista que denunció la masacre del gobierno y luego se sumó al peronismo revolucionario; Guevara, el médico idealista que se unió a la fuerza guerrillera de jóvenes cubanos nacionalistas y socialistas, y llevó su militancia a la lucha por la liberación en Africa y luego a Bolivia, donde trató de introducir focos armados para extender la revolución en Sudamérica, lucharon por la liberación del ser latinoamericano de aquellas fuerzas económicas y políticas que le impedían su desarrollo completo como persona en un ámbito digno y en una patria justa y soberana. Son hoy figuras simbólicas y necesarias para los jóvenes que tienen que renovar su fe en las posibilidades de regeneración y desarrollo de sus sociedades.

mo había dado espacio en su política a la causa y a los intereses del pueblo.³ Walsh desarrolló y profundizó en sus escritos creencias fundacionales de la historia cultural argentina. Pensó que la prensa y el periodismo debían defender al pueblo, y que el intelectual y el escritor tenían el derecho de tomar las armas para resistir y luchar contra el poder arbitrario de los usurpadores de su patria, fueran éstos extranjeros, o locales. En ese proceso, el hombre de la sociedad civil, que vivía pacíficamente, sometido a las leyes, de pronto se veía arrastrado por la violencia militar y espiritual que engendraba la situación. El mundo que lo rodeaba escapaba a su encuadre racional, y el hombre "nuevo" de esa sociedad quedaba a merced de fuerzas que no controlaba y amenazaban destruirlo.

El Ejército, en 1955, con el pretexto de salvar a la patria de un peligro moral inminente, se había arrogado el derecho paternalista de interrumpir el cauce democrático de la sociedad. La sociedad civil quedó sometida al arbitrio de la ley militar y sus códigos de convivencia se vieron profundamente alterados. El pueblo lo veía como una imposición tiránica, por cuanto lo que había interrumpido realmente el Ejército era un proceso político a través del cual un nuevo sector social emergente, el proletariado, estaba adquiriendo identidad, personalidad, objetivos propios, y tratando de entender su lugar en la sociedad contemporánea.

El General Perón, Eva Perón, Walsh, el Che Guevara (y los intelectuales en que Perón se apoyaba para explicar sus ideas y justificar la actualidad de su defensa del patrimonio nacional, en particular Raúl Scalabrini Ortiz), condicionaron un nuevo y activo imaginario en la cultura argentina e hispanoamericana, durante las décadas del cincuenta y el sesenta. Los escritores de extracción liberal, como Ezequiel Martínez Estrada y Ernesto Sábato, criticaron, desde la perspectiva de

---

3 Su militancia activa no la inicia hasta varios años después. En 1968 dirige el semanario peronista *CGT*, en colaboración con Horacio Verbitsky; entre 1970 y 1973 milita en las Fuerzas Armadas Peronistas (FAP), y a partir de 1973 en la organización armada Montoneros. Funda y redacta el diario de orientación montonera *Noticias*. Después del golpe militar de 1976 y de la muerte de su hija Vicki, también militante montonera, funda la Agencia Clandestina de Noticias (ANCLA) (Lafforgue 231-4).

la alta cultura intelectual, la transformación de su sociedad tras el ascenso del Peronismo, y observaron con preocupación cómo los defensores del campo popular, vueltos algunos de ellos figuras emblemáticas, eran mitificados y endiosados por las masas (Jauretche 27-42).

Los escritores más jóvenes, entre los que debemos mencionar a Ricardo Piglia, Manuel Puig, Osvaldo Soriano y Tomás Eloy Martínez, revisaron con lucidez y sentido crítico las propuestas del imaginario liberal después del Proceso, 1976-1983, cuando los militares cometieron un brutal genocidio.[4]

La cultura de la sociedad argentina refleja sus divisiones y desequilibrios.[5] Muchos escritores han sido conscientes de esto e hicieron lo posible por superar la separación entre arte popular y arte de las elites. Walsh, a quien hoy conocemos y respetamos principalmente por sus crónicas e investigaciones periodísticas, publicó varios libros de cuentos.[6] En su diario personal habla de sus planes de escribir una novela, lo cual nunca pudo concretar. Sentía resistencia a hacerlo, por lo que

---

[4]   Argentina en 1977, año en que Walsh es asesinado, es un país aislado y fragmentado. La novela de Piglia, *Respiración artificial*, 1980, asimila, en su estructura y su temática, este aislamiento esquizofrénico del "ser" nacional durante le época del Proceso. El individuo tiene conciencia del fracaso de la revolución, y acepta lúcidamente un estado insufrible de cosas que amenazan su supervivencia en un mundo que no le da lugar y lo devora. Se termina el sueño moderno de libertad, y empieza el sueño amargo y derrotista de la post-modernidad.

[5]   Los periodistas y luchadores sociales, como Sarmiento, J. Hernández, L. V. Mansilla, Eduardo Gutiérrez, Almafuerte, los hermanos Discépolo, Arlt, Walsh, han ayudado con sus obras a conformar un imaginario de arte literario popular y social y a desarrollar nuevos géneros literarios; los escritores educados en las literaturas europeas, que conocían y creían en sus propuestas estéticas y buscaban transmitir sus innovaciones en el verso y la prosa, como Mármol, Cambaceres, Lugones, Borges, Sabato, Cortázar, Piglia, han creado una literatura culta eurocéntrica de gran nivel muy respetada por las elites educadas de Argentina y del extranjero. En Argentina, sociedad fragmentada, hay al menos dos literaturas nacionales: una de orientación popular y otra pensada y escrita para las elites cultas.

[6]   Antes de publicar la primera edición de *Operación masacre* en 1957 había editado una antología de cuentos policiales en 1953; publicó un volumen de cuentos largos policiales, *Variaciones en rojo*, en ese mismo año, por el que recibió el Premio Municipal de Literatura, y en 1956 editó una antología del

el género representaba en la cultura burguesa (Link 99-102). En sus crónicas testimoniales pudo expresar las vivencias revolucionarias de su tiempo.

Operación masacre crea un fresco social único sobre la vida política argentina en los años que siguieron a la caída de Perón. Presenta una imagen distinta del pueblo argentino y de la camarilla militar que había usurpado el poder popular. El cuadro que hace Walsh de "Las personas", en la primera parte de la obra, nos muestra un pueblo trabajador que vive con sencillez. Son casi todos obreros y disfrutan de la vida familiar. Muchos militan en política. Son reconocidos en el barrio como gente de bien. Se han casado jóvenes, o están de novio; los casados tienen hijos, han cumplido con sus deberes familiares. Los jóvenes trabajadores son hijos de familia que viven con sus padres.

Nos encontramos con una familia trabajadora nacional relativamente feliz, a pesar de las circunstancias políticas adversas. Los padres están orgullosos de los hijos, y éstos de sus padres. Sus sueños son continuar la historia familiar, dedicarse a los suyos. Sus placeres son grupales y típicos del gusto de la familia trabajadora en una época de rápida masificación de la producción y las costumbres: los deportes, las reuniones grupales, las actividades del barrio. Casi todos, con excepción de los militantes, llevan una vida tranquila, previsible, de tardecitas de barrio. El futuro es el trabajo, que de por sí es rutinario. Son los hombres anónimos de su comunidad. No se destacan como individuos. Walsh hace una presentación costumbrista de cada uno de ellos: es una crónica cotidiana de seres casi anónimos. Será la catástrofe del crimen la que los saque de ese anonimato en que viven. Lo desconocido, la arbitrariedad, la injusticia, la muerte irrumpirá en sus vidas para arrancarlos de la certidumbre rutinaria de la existencia del trabajador, en la que todo se repite y pocas cosas nuevas pasan, y la vida tiene un carácter casi ritual, de sacrificio, productividad y celebraciones de grupo.

El periodista se mantiene muy cerca del pueblo trabajador, es parte de él. Es el héroe proletario de la comunidad letrada, para quien escribir es un oficio con el que se gana el pan y sirve a su sociedad. Tam-

---

cuento fantástico. Posteriormente publicó los volúmenes de cuentos *Los oficios terrestres*, 1965 y *Un kilo de oro*, 1967.

bién escribe para denunciar anomalías e injusticias y decir la verdad.
El pueblo trabajador y el periodista se complementan, son aliados, se
educan mutuamente. En un principio el periodista estaba alejado de la
situación política, ni siquiera era opositor al gobierno, jugaba al ajedrez en un café de La Plata y soñaba con ser un gran escritor de libros
de literatura. Su afición era leer novelas policiales, que traducía para
Editorial Hachette. La realidad, la guerra irrumpe en su vida cotidiana
de repente. Dice Walsh en el prólogo a la tercera edición:

> La primera noticia sobre los fusilamientos clandestinos de junio de
> 1956 me llegó en forma casual, a fines de ese año, en un café de La
> Plata donde se jugaba al ajedrez, se hablaba más de Keres o Nim-
> zovitch que de Aramburu y Rojas... En ese mismo lugar, seis
> meses antes, nos había sorprendido una medianoche el cercano
> tiroteo con que empezó el asalto al comando de la segunda división
> y al departamento de policía, en la fracasada revolución de Valle.
> (9).

Esa noche fue testigo involuntario de la insurrección, y hasta oyó
morir a un conscripto junto a la ventana de su casa. El periodista se
resiste a introducirse en lo que será una larga pesadilla para él y los
fusilados sobrevivientes, cuyos testimonios rescatará de las sombras.
Dice, oficiando de personaje en su historia: "Tengo demasiado para
una sola noche. Valle no me interesa. Perón no me interesa, la revolución no me interesa. ¿Puedo volver al ajedrez?... Puedo. Al ajedrez y
a la literatura fantástica que leo, a los cuentos policiales que escribo, a
la novela "seria" que planeo...y a otras cosas que hago para ganarme
la vida y que llamo periodismo, aunque no es periodismo." (10-11)
Está consciente que está yendo más allá de lo que convencional-
mente se acepta como "periodismo". No es un simple reportero que se
limita a informar sobre los hechos: investiga una verdad oculta,
reconstruyendo los sucesos. Más tarde se erige en juez de los jueces:
el acusado del crimen será el Estado argentino. La violencia ha irrum-
pido en la realidad de su vida y contaminado el mundo imaginario de
la literatura. Los fusilados que quedaron vivos empiezan a aparecer,
como en una historia de terror. El primero de ellos, Livraga, uno de los

personajes principales de su libro, tiene la cara deformada por una bala que le atravesó, destrozándola, la mandíbula. Un año le lleva la investigación. Pasa de las preocupaciones del mundo imaginario de la ficción, que lo mantenían ocupado, a reflexionar sobre la realidad histórica que descubre. En ese proceso se ve obligado a cambiar de identidad: en un momento deja de ser el periodista Walsh, para ser Francisco Freyre y vivir escondido. Su seguridad peligra y portará revolver y andará prófugo, transformado en detective al que le pueden imputar un delito y tiene que ocultarse. A la historia, que vivirá un largo proceso posterior de desarrollo, la escribirá "en caliente". El escritor se vuelve protagonista, y participa en la acción. En un principio periodista algo escéptico, será luego militante convencido de la causa popular.

El libro, que publica por primera vez en 1957, se transforma, pasados los años, en una crónica de la resistencia armada de la juventud peronista y un testimonio de la lucha contra la tiranía. El último texto, incorporado por el editor después de la muerte de Walsh, es la carta dirigida a la Junta Militar, que envía el día antes de su muerte, en la que denuncia tanto el genocidio de los militares contra el pueblo insurrecto, como el vaciamiento económico del país. El Peronismo, sostiene, luchó contra el imperialismo, al que se alían los gobiernos antiperonistas (210-2). La acusación de Walsh es una continuación de las denuncias de Perón mismo en sus escritos del exilio, y la de los militantes de FORJA que apoyaron a Perón: Scalabrini Ortiz y Jauretche.[7] Scalabrini, Jauretche y Perón polemizan con los enemigos políticos e intelectuales de la causa popular, y Walsh denuncia los fusilamientos y saca a la luz la historia oculta de los crímenes cometidos por el gobierno militar. Estos hombres son protagonistas de una historia nacional que no hace concesiones al imperialismo, ni a sus aliados internos.

---

[7] En *Los vendepatria Las pruebas de una traición*, 1957, Perón se basó en los artículos que Scalabrini Ortiz publicara durante 1957 en la revista *Qué*, para atacar al gobierno de Aramburu y la gestión económica de Raúl Previsch. Perón transcribe textualmente una serie de artículos extensos en apoyo de su argumento, para demostrar que el gobierno de Aramburu no está sólo agrediendo al Peronismo: está traicionando a todo el país con su política entreguista. J. D. Perón, *Obras completas*, Tomo XXI: 11-160.

Los obreros que retrata Walsh serán, poco después, las víctimas inocentes de los fusilamientos. Pertenecen a esa clase trabajadora a la que Perón dio identidad, como lo demostrará Jauretche en su polémica con Martínez Estrada.[8] Pocos años después, entre 1960 y 1961, Walsh y Martínez Estrada coincidirán en Cuba, cuando este último vaya a la isla a dirigir Casa de las Américas y Walsh a colaborar con la agencia antiimperialista de noticias (Lafforgue 233-4). Allí se encontrarán con otro revolucionario que había cruzado, en su lucha antiimperialista, las fronteras del nacionalismo y el populismo: Che Guevara. Están gestando una nueva historia americana, que tratará de unir nacionalismo y socialismo. Perón y Jauretche desconfiaron de esa alianza. Perón se distanció de Cooke, al inclinarse éste hacia la doctrina marxista (Goldar 7-17).

La lucha guerrillera no llegó a buen fin en Latinoamérica. Guevara muere en Bolivia. Los Montoneros serán ferozmente reprimidos y la insurrección de izquierda destruida en Argentina (Horowics 261-3). El Peronismo sindicalista y popular, sin embargo, continuó su desarrollo y mantuvo su vigencia, transformándose políticamente, con un criterio realista y práctico que desafiaba las ideologías. El deseo de unión nacional, que es el que ha hecho a Argentina posible desde su formación como nación, termina imponiéndose frente a las crisis económicas y políticas, garantizando la supervivencia de la nación.

En su obra de 1957 Walsh reconoce al pueblo peronista y a las clases populares su protagonismo. El gobierno militar los reprime porque han entrado en la historia y les teme. Sabe que ese pueblo amenaza desplazar a la burguesía. El imperialismo los considera rebeldes, porque son militantes y resisten su dominación. Describe a la "familia" trabajadora como un núcleo social activo y responsable. Sus miembros son individuos guiados por el amor a sus semejantes, que disfrutan de placeres simples. El sueño de esta familia es realizarse en

---

[8]   Jauretche ataca a Martínez Estrada en *Los profetas del odio*, 1957, criticando el libro *¿Qué es esto? Catilinaria*, 1956, de Martínez Estrada, en que éste juzga la política del Peronismo. Jauretche explica que Martínez Estrada se horroriza al ver el espectáculo de las masas movilizadas por el Peronismo porque no entiende su carácter popular y las necesidades sociales del pueblo (A. Jauretche, *Los profetas del odio y la yapa*, 27-69). Su liberalismo lo lleva a tener una idea abstracta de la cultura.

grupo, favorecer el porvenir de los hijos, ayudar a la comunidad. Quieren llegar a la vejez y sentirse satisfechos, viviendo junto a los seres queridos. En la vida de estos seres no ocurren cosas extraordinarias, todo es común: no son personajes de novela. Son víctimas involuntarias de una historia nacional en que un sector de la sociedad se ensaña contra la clase trabajadora.

En cada semblanza crea un pequeño drama social. Esos son los hombres que van a ser fusilados. Unos morirán y otros lograrán escapar. Walsh hace un resumen de sus vidas, y se detiene en aquella noche del 9 de junio, cuando van a la casa de Juan Carlos Torres a escuchar la pelea de boxeo de Lausse y jugar a las cartas. Muestra la humanidad y la inocencia de los personajes que animan la tragedia. Algunos no eran peronistas y estaban allí de casualidad; otros eran peronistas y, como parte del pueblo, militaban y resistían a la dictadura. Resistir el abuso del poder es un derecho legítimo de los gobernados y no un delito.

Observa a los personajes desde "fuera", con interés y compasión. Las víctimas del suceso ignoran lo que les va a pasar. Viven en un mundo familiar en el que va a irrumpir lo extraño, el crimen, la muerte. El poder de la muerte los transforma en marionetas. El gobierno militar condena a sus hijos más desprotegidos y humildes. Estos tendrán que protegerse a sí mismos como se protegen los débiles: uniéndose frente al poder arbitrario, recurriendo a la solidaridad de su grupo.

El primero de los hombres que retrata es Nicolás Carranza. Walsh lo evoca en la noche del 9 de junio, en el momento de llegar a su casa. El hogar es la riqueza del humilde: allí están sus hijos que lo aman y a los que ama. El más pequeño tiene tan solo cuarenta días. Allí está su compañera abnegada, trabajando en su máquina de coser. Carranza se muestra preocupado, poco feliz. Era militante peronista y vivía prófugo. Empleado del ferrocarril, era uno de aquellos obreros a los que Perón y el Peronismo habían dado identidad y transformado en habitante con derechos de su patria. La tiranía militar lo perseguía y hasta había apresado a su hija de once años para interrogarla sobre su padre. Crueldad y cobardía del gobierno, ensañamiento con la clase obrera: eso es lo que muestra Walsh. En la reconstrucción hipotética del último diálogo de Carranza con su mujer, imagina la preocupación de ella: le pide que se entregue, si al fin y al cabo no había hecho nada. Era la última noche que veía a su familia y que sus hijos veían a su padre: Nicolás Carranza será uno de los obreros arbitrariamente fusilados por el gobierno militar.

El próximo personaje, Garibotti, es amigo de Carranza, y como él trabaja en el ferrocarril. Su casa, como la del otro, es humilde y aseada; amueblada al estilo de las casas proletarias, expresa la sensibilidad y el gusto simple y popular de sus habitantes: grandes fotografías de la familia a colores, y una litografía de Gardel, el mitificado Morocho del Abasto, en las paredes. Tiene seis hijos, cinco son varones: es una casa de hombres fuertes. Garibotti trataba de mantenerse al margen de los "líos"sindicales. Se llevaba bien con sus hijos, especialmente con el que era guitarrero como él. En esa casa se canta y se toca la guitarra, el sentimiento popular ha dado sus frutos. La historia, que Walsh cuenta en el presente, culmina cuando viene Carranza a buscarlo y ambos salen, después de darle una justificación a la esposa. El reportero concluye la semblanza elucubrando de qué hablaron los amigos mientras caminaban hacia el departamento de Torres, donde escucharían la pelea. Imagina que Garibotti tuvo un presentimiento de que algo malo iba a pasar. Esa noche, la última de su vida, será fusilado junto a su amigo.

En sucesivas y breves crónicas Walsh presenta a los demás personajes del drama político que va a desarrollarse. En cada una destaca aspectos diferentes de la vida del grupo social al que pertenecen. Estas crónicas se transforman en una historia de la vida privada y familiar de esos humildes trabajadores. En la tercera, dedicada a Don Horacio di Chiano, el dueño de la vivienda, que sobrevivirá a la matanza, Walsh nos da una semblanza del hombre y del barrio de Florida, donde están los departamentos en que habitan di Chiano y Torres. Indica que es un barrio que ofrece "...los violentos contrastes de las zonas en desarrollo, donde confluyen lo residencial y lo escuálido, el chalet recién terminado junto al baldío de yuyos y de latas (31)". En ese barrio describe al "habitante medio" que es:

...un hombre de treinta a cuarenta años que tiene la casa propia, con un jardín que cultiva en sus momentos de ocio, y que aún no ha terminado de pagar el crédito bancario que le permitió adquirirla. Vive con una familia no muy numerosa y trabaja en Buenos Aires como empleado de comercio o como obrero especializado. Se lleva bien con los vecinos y propone o acepta iniciativas para el bien común. Practica deportes –por lo general el fútbol, conversa los temas habituales de la política, y bajo cualquier gobierno protesta sin exaltarse contra el alza de la vida y los transportes imposibles. (31-32)

Este es el héroe de la vida colectiva de la gran ciudad. Tiene aspiraciones comunes, es lo que un escritor pequeño burgués o un escritor respetuoso de las elites intelectuales llamaría un "mediocre"; sin embargo, Walsh lo observa con simpatía: para él representa al hombre anónimo del pueblo, al obrero, al trabajador. Es el habitante urbano de una sociedad en rápido proceso de masificación, un ser que aspira al bienestar. Es el trabajador idealizado por el Peronismo, el obrero que va a trabajar todos los días, el buen argentino. Es digno, industrioso. Walsh lo justifica moralmente y lo rescata por lo que da a la sociedad. Para comprender al Peronismo hay que entender a este hombre, el trabajador típico de los barrios de Buenos Aires. Contra él se dirigirá el sistema represor con ensañamiento.

Walsh eleva a los trabajadores a una altura casi mítica. Les da carnadura existencial, serán los mártires de la clase obrera.[9] Está creando

---

[9] Los seres que se sacrifican por su sociedad y son mitificados contribuyen a la regeneración social y forman parte del sustrato religioso del inconsciente colectivo. La sociedad se regenera a través de estos seres que entregan su vida a una causa. Eva Perón, Perón, el Che Guevara, son los mitos que ha ido generando el pueblo para salvarse en medio de la descomposición social que amenaza su existencia. La cultura popular del siglo XIX se afianzó en el mito del gaucho rebelde. La del XX, en el héroe político que lucha sólo contra el sistema, el revolucionario, para rescatar a su sociedad de la injusticia. Evita fue una rebelde y una militante, Guevara un guerrillero revolucionario, Perón el líder de un movimiento de masas que cambió la vida política de su patria: héroes carismáticos, todopoderosos, que comunican al pueblo un sentimiento de libertad, expandiendo sus mundos limitados hacia nuevos horizontes.

un héroe distinto, que representa al pueblo peronista como sujeto colectivo. En su libro, además, emerge un héroe secundario guardián, que ayuda al pueblo y lo defiende de sus enemigos: el periodista altruísta, que ama la justicia y la verdad, y entrega su vida por sus semejantes. Walsh será finalmente seducido por el mito heroico del revolucionario y el guerrillero, y morirá como militante montonero con un arma en la mano, al igual que su hija Vicky.[10]

---

[10] El mito del combatiente popular, el revolucionario heroico, recorre el siglo XX, y aparece en la literatura de los escritores nacionalistas, asociado al mito del gaucho primero, para independizarse y "modernizarse" después, en la literatura y el cine testimonial de Walsh y de Solanas, en los discursos y crónicas de Evita y el Che. Ellos son los fundadores de una nueva visión del pueblo argentino, del hombre y la mujer de ese pueblo. Crean cultura a partir del contacto directo con las masas. Interpretan las ilusiones populares, generan una nueva fe redentora en el valor del ser nacional. Ese sentimiento se comunica a nuestra literatura culta que lo adapta y lo adopta.
Esos ideologemas están vivos ahora en nuestra cultura y habrán de transformarla en las primeras décadas del siglo XXI. Perón, Evita, el Che y Walsh son cada vez más parte de nuestro mundo nacional y nuestra literatura: las obras sobre ellos se suceden. No solo el Che sino también Evita han trascendido nuestras fronteras. Esta última se ha transformado en símbolo de la mujer libre, fuerte, luchadora. Junto a ella, ha crecido la imagen de las madres abnegadas y militantes de Plaza de Mayo, reclamando por la vida de sus hijos revolucionarios. Afirman el derecho substancial del pueblo a la resistencia armada contra la violencia ilegítima de la tiranía. Sus hijos fueron héroes y mártires, y sus secuestradores y torturadores, asesinos. Representan una gesta colectiva, sus hijos ya no son héroes individuales, forman parte de la resistencia heroica del pueblo.
La historia trágica argentina se ha vuelto un filicidio: los "padres" tiránicos les negaron a sus hijos el derecho de ser. También eran tiránicos los mentores de los guardianes del régimen militar: los poderosos señores de la oligarquía argentina y sus amos imperiales, que sabotearon la vida nacional. Frente a ellos, para decir la verdad, emergió un nuevo tipo de "artista" y de "intelectual". El artista es Walsh, el periodista y Guevara, el viajero aventurero y el guerrillero; el intelectual es Scalabrini Ortiz, a quien Perón cita profusamente en sus libros del exilio, y es Jauretche, el militante de FORJA que entendió la misión política del Peronismo. El político puede ser un héroe popular, como Perón, y la actriz de melodrama transformarse en actriz carismática de la política, como pasó con Eva Perón. La relación con el pueblo los fue cambiando; fueron actores de un drama colectivo que contribuyeron a gestar con sus iniciativas, sus sentimientos y sus ideas.

Luego de describir al hombre medio de ese barrio, hace una descripción física de sus calles y nos habla de Horacio di Chiano. Es uno de los pocos hombres maduros que aparecen como víctimas en el drama, la mayoría son jóvenes. Di Chiano es un hombre de 50 años que vive, hasta cierto punto, una situación social privilegiada, si se la compara con la de los otros: es de clase media, está satisfecho consigo mismo y con su familia, compuesta por su mujer y su hija. Es electricista en la Compañía de Electricidad. Regresa esa noche a las 20:45 a su casa, y en su viaje compra el periódico que informa de las noticias poco sorprendentes del día, cotidianas, previsibles. El mundo sigue su marcha, en otros países y en Argentina. El también va a ir a escuchar la pelea a la casa-departamento de su vecino, pero esa noche algo extraordinario va a pasar: a las 21:30, en Campo de Mayo, se inicia el levantamiento del General Valle que luego será brutalmente reprimido.

Cada personaje del drama aporta con su personalidad algún matiz especial. Giunta y Livraga son dos personajes que sobrevivirán y serán los más activos en los acontecimientos que suceden a la matanza: Livraga, el primero al que contactará el periodista, será el "fusilado que vive" mencionado en el "Prólogo a la tercera edición" (11). El Livraga que conoce Walsh es un hombre asustado, que lleva en su rostro deformado la marca de su *vía crucis*: el tiro de gracia que no lo mató, y le destrozó la mandíbula y la dentadura y le salió por la mejilla.

En la semblanza que hace en la primera parte del libro, nos presenta a Livraga en su vida familiar, un joven de 23 años que ha trabajado con su padre en la construcción y en ese momento es chofer de colectivos. Si bien el cronista señala que Livraga es un hombre del pueblo, de ideas "enteramente comunes", va un poco más allá que con los otros personajes, e indaga en su psicología. Dice que Livraga es "buen observador", pero acaso "confía demasiado en sí mismo"(49). Lo felicita por su coraje durante el peligro, y por el valor moral que muestra una vez pasada la tragedia, al presentarse ante los tribunales para reclamar justicia. Elucubra si Livraga sabía algo de la revolución que iba a estallar, y su conclusión es que no hay prueba ninguna. Va a la casa de Torres porque lo invita su amigo Vicente Rodríguez, que es peronista y ha sido sindicalista, pero abandonó la actividad gremial después del golpe militar que derrocó a Perón. Rodríguez es un buen hombre, grandote, fuerte, carga bolsas en el puerto, y siente esa seguridad que tienen los hombres que se saben físicamente privilegiados. Walsh discurre sobre sus pensamientos antes de salir de su casa. Rodríguez será uno de los fusilados y se lleva sus secretos a la tumba. Frente a la muerte se muestra confiado el "gordo" Rodríguez.

Otro de los fusilados que vive y alcanza un protagonismo especial es Giunta, el segundo de los fusilados con el que logra hablar Walsh durante su investigación, y quien le dará datos sobre los otros sobrevivientes. Carlitos Lizaso es uno de los cinco fusilados que no escaparán a la muerte. Es hijo de un militante del Partido Radical que se volvió peronista y Walsh muestra particular simpatía por él. Aparece después en la casa donde va a comenzar la tragedia un misterioso militante peronista e informante, que se hace llamar "Marcelo". Este sabe lo que está ocurriendo, presiente lo que va a pasar esa noche y trata de llevarse a Carlitos con él, sacarlo de allí, pero otro compañero, Gavino, que también es peronista y fue en una época suboficial de gendarmería, tranquiliza a "Marcelo" y le dice que esa noche no va a pasar nada. Gavino se salvará de la muerte, pero no Carlitos Lizaso. El grupo escucha la pelea del campeón Lausse, que es corta y éste gana con facilidad. Antes que el grupo pueda salir del departamento llega la policía. Allí se interrumpe la narración de la primera parte del libro y empieza la segunda, "Los hechos".

En el relato sobre los hombres, en la primera parte, Walsh hizo biografías breves de cada uno de ellos para que el lector pudiera comprenderlos. En la segunda parte, el relato avanza a medida que se precipitan los sucesos que culminarán en el fusilamiento de los apresados en la casa-departamento. La progresión temporal, acotada por los comentarios y las suposiciones del periodista, crea suspenso. "Los hechos" presenta los sucesos de esa noche en que apresan a los trabajadores, las peripecias que viven hasta que los fusilan. A partir de ese momento culminante, cuenta la fuga de varios miembros del grupo que sobreviven y sus desventuras durante los días siguientes.

La segunda parte se inicia con el ingreso de la policía en la casa de Torres al grito de "¿Dónde está Tanco?" (59), refiriéndose al General Tanco, uno de los líderes de la insurrección, en esos momentos prófugo. La policía, aparentemente, actuaba en base a un dato falso, creyendo que el General Tanco estaba en esa vivienda. Ante la sorpresa del grupo, no convencidos del error, los policías reaccionan con violencia y los arrestan. Torres y Lisazo escapan saltando una tapia, aunque a este último más tarde lo encuentran y lo apresan. La policía contó con el elemento sorpresa. Cuando identifican a Gavino creen que les va a decir dónde está Tanco y le introducen el caño de una pistola en la boca, pero éste no dice nada. El Jefe de Policía de la Provincia, Teniente Coronel (R) Fernández Suárez, dirige el operativo en persona. En ese momento son las 23:30 de la noche (la hora será muy importante en el relato y en el argumento denunciando la ilegalidad del procedimiento) y la policía se lleva a los detenidos.

Walsh, en las secciones que articulan esta segunda parte, intercala la narración de las vicisitudes que viven los miembros del grupo, desde que los llevan detenidos a la Unidad Regional de San Martín, con los sucesos políticos ocurridos durante la Revolución del General Valle. Revisa y corrige esta sección para la edición de 1969, cuando ya era militante de la izquierda peronista y podía ver los hechos de 1956 con una distancia crítica. Para él, la proclama del General Valle era sincera: sostenía que el país vivía una "despiadada tiranía", que lo retrotraía al "más crudo coloniaje", y se excluía de la vida política a la "fuerza mayoritaria" (65). Pero esa proclama, considera Walsh, no iba lo suficientemente lejos: sus demandas eran muy moderadas. Cree que la actitud de Valle muestra una debilidad intrínseca del Peronismo de esa época: percibe los males del país, pero no sabe diagnosticar bien sus causas y "convertirse en un movimiento revolucionario de fondo" (66). Hace una breve historia del levantamiento, los sucesos en Campo de Mayo, Avellaneda y La Plata, la represión y los fusilamientos. Indica que la insurrección estaba teniendo lugar de espaldas al país, que no se había enterado de lo que ocurría, motivo por el cual tenía que fracasar. Ese día, el 9 de junio, terminó sin que el gobierno hubiera declarado todavía la Ley Marcial.

El cronista vuelve a la narración de lo que acontecía en la comisaría de San Martín. Todos los apresados se mostraban sorprendidos. Los policías que quedaron de guardia en el departamento de la localidad de Florida detuvieron a dos más, Benavides y Troxler. Este último,

Troxler, militante peronista, será, junto a Livraga y Giunta, uno de los protagonistas más importantes del relato de Walsh. Troxler había sido oficial de la policía bonaerense, pero se rebeló contra los métodos de tortura que le obligaban a usar con los detenidos y abandonó el cuerpo.[11] Esa noche, el sargento que lo va a apresar lo reconoce. Más tarde, ante las ejecuciones, mantendrá su sangre fría (72).

A las 0:32 de la madrugada del día 10 el locutor de Radio del Estado leyó el decreto del gobierno que declaraba la Ley Marcial, en virtud de la cual la pena de muerte quedaba prácticamente legalizada en el territorio de la República. Mientras tanto, los presos se deshacían en preocupaciones. No entendían bien qué pasaba, sospechaban de sus compañeros de prisión y les preguntaban si andaban en algo. Rodríguez Moreno, el jefe de la seccional de San Martín, estaba nervioso frente a la situación. Tenía una historia sórdida, se lo había acusado de torturas en el pasado. Intimida y amenaza a los detenidos: quiere saber qué hacían en esa casa y las respuestas que recibe no les resultan satisfactorias.

A las 3:45 de la mañana la rebelión contra el gobierno disminuye su intensidad. Pero no hay señal de soltar a los presos. A las 4:45 Rodríguez Moreno recibe la orden de fusilarlos en un descampado. Libera a tres que habían sido detenidos por casualidad en las inmediaciones y procede a subir al resto de los condenados a un carro de asalto. Les dice que los traslada a La Plata. El comisario Cuello casi se compadece de Giunta, pero finalmente lo incluye. El convoy parte con doce presos y trece vigilantes. Los policías llevan fusiles máuser que sólo pueden disparar un tiro por vez, en lugar de ametralladoras, y gracias a esto varios condenados salvarán sus vidas. En la oscuridad de la noche, el convoy se desplaza por la carretera hacia un sitio que los presos no pueden determinar bien. Poco a poco intuyen que van a matarlos, particularmente Julio Troxler, que fue policía y entiende la situación.

---

[11] Julio Troxler, como Walsh, se hará después revolucionario y pasará a la clandestinidad. Participó como actor en la versión fílmica de la obra de Walsh, dirigida por Jorge Cedrón, en 1973. Fue asesinado por la Triple A en septiembre de 1974.

Walsh narra minuciosamente este episodio, dándole singular intensidad. Es el momento anterior a la masacre. El convoy llega al basural de José León Juárez y se interna en sus inmediaciones. El periodista señala la torpeza del procedimiento, sugiere que algo en el subconsciente de Rodríguez Moreno, una culpa secreta, un remordimiento, lo incitaba a fallar (92). Finalmente, el camión se detiene y hacen bajar a seis, buscan el lugar perfecto para fusilarlos. Dudan sin embargo, están inseguros. La camioneta que precedía al camión va detrás de los presos que caminan y los ilumina con sus faros. Estos sienten que les van a disparar y en su desesperación piensan en escapar, en correr. Les mandan detenerse y Rodríguez Moreno ordena al pelotón prepararse para disparar. Troxler, que se había quedado dentro del camión, esperando su turno, se abalanza contra los guardias y escapa, junto con Benavides. De pronto todos corren en medio de la noche, mientras los policías disparan buscando los blancos. El cronista describe como masacran sin piedad a los desafortunados que no pudieron correr. Livraga se salva de las descargas, lo creen muerto y le disparan el tiro de gracia en la cara, que no lo mata.

La narración se hace más lenta. Walsh titula a esta sección "El tiempo se detiene". Amplifica la escena, tratando de darle gran precisión gráfica. Es el momento culminante, en que caen asesinados los inocentes. Se pregunta qué es lo que sienten en ese instante, y prueba interpretaciones posibles. Consumado el crimen, declara: "La "Operación Masacre" ha concluido" (102). De ahí en más lo que va a contar son las increíbles peripecias que vivirán los sobrevivientes que lograron escapar. Nos muestra la humanidad de las víctimas, de esos trabajadores inocentes que son masacrados. Frente a éstos aparece, inhumana, siniestra, la policía, esa fuerza de supuesta contención social que debía garantizar su seguridad y que los engaña y los asesina. A los que escapan, los cazan sin piedad.

Walsh, como un documentalista, recorre el campo con el "lente" de su "cámara". Hace una reconstrucción de los hechos, utilizando los testimonios de los mismos sobrevivientes a los que entrevistó. Destaca los gestos de compasión y solidaridad que la gente del pueblo tiene para con los prófugos. Muestra la soberbia de los ricos, como el caso de la mujer que detiene su auto de lujo en el basural, mira los cadáveres y aprueba los asesinatos, sufriendo la ira de los pobres del lugar, que apedrean su auto (113).

La huída es una pesadilla para los sobrevivientes. Walsh describe con minucia cómo escapa Giunta, dramatizando el momento en que llega a la estación de trenes y ve que lo siguen y, una vez puesto en marcha el tren, tiene que saltar para salvarse. También Julio Troxler pasa al primer plano en esta parte. En rápidas y plásticas imágenes, el cronista muestra el coraje del militante peronista: Troxler vuelve a la escena del crimen para ver qué ha pasado con sus compañeros y no se va hasta comprobar que allí no han quedado sobrevivientes. En el camino encuentra a Livraga, ensangrentado y tambaleante, débil. Le han dado un tiro en la cara y su sufrimiento es enorme. Un oficial de la policía reconoce a Troxler y lleva a Livraga a un hospital.

Walsh era consciente que el suceso que estaba relatando era una crónica policial increíble que parecía una historia de ficción y emplea recursos típicos de la novela policial para contar los hechos (Amar Sánchez 205-16). Presta particular atención a los títulos de las secciones, y a los cortes entre una y otra, buscando los momentos de mayor suspenso. Titula a una "El fin de una larga noche", a la siguiente "El ministerio del miedo", otra "Un muerto pide asilo". Da a la narración un clima de suspenso y misterio (Romano 73-97). Es un asesinato colectivo, pero destaca la individualidad de cada una de las cinco víctimas y de los sobrevivientes. En estos hombres resalta su coraje cívico y su heroicidad, frente a la cobardía y alevosía de la fuerza policial, que no escatima esfuerzos para completar su obra inconclusa. Sus escenas gráficas imitan el ritmo narrativo cinematográfico y tienen un fuerte impacto visual. Luego de consumados los fusilamientos, empieza a contar las historias paralelas de los que escapan, la resistencia que encuentran, cómo sobreviven y se ocultan.

El caso de Livraga es especial, porque está herido. Un policía lo lleva al hospital, donde lo atienden con cuidado. Los médicos llaman al padre y ocultan el talón de recibo de la Unidad Regional de la policía donde lo habían detenido: ese recibo era una prueba de que había estado preso en San Martín e iba a tener gran importancia en los sucesos posteriores. Del policlínico lo trasladan a la Comisaría Primera de Moreno, y allí empieza un largo y doloroso proceso para Livraga. Lo encierran en una celda, a pesar de estar herido, y le niegan atención médica; la herida se le infecta, no recibe alimentos ni agua. Walsh recrea, con crudo y plástico dramatismo, el sufrimiento del personaje, hundido en sus pesadillas; dice:

Sobrevive prodigiosamente a sus heridas infectadas, a sus dolores atroces, al hambre, al frío, en la húmeda mazmorra de Moreno. Por las noches delira. En realidad ya no existen noches y días para él. Todo es un resplandor incierto donde se mueven los fantasmas de la fiebre que a menudo asumen las formas indelebles del pelotón. Cuando acaso por piedad le dejan a la puerta las sobras del rancho, y se arrastra como un animalito hacia ellas, comprueba que no puede comer, que su destrozada dentadura guarda todavía lacerantes posibilidades de dolor dentro de esa masa informe y embotada que es su rostro (128).

Su padre, desesperado, escribe al Presidente de Facto de la República, el General Aramburu, pidiendo por la vida de su hijo. Finalmente responden de la Casa de Gobierno, permitiéndole su visita y en ese momento el padre comprende que no lo matarán.

Giunta, otro sobreviviente, logró escapar del basural y fue a su casa, donde la policía lo detuvo. Amenazan con volver a fusilarlo, abusan psicológicamente de él. Siente que lo quieren arrastrar a la locura. Por las noches tiene pesadillas, recuerda las escenas que vivió en el basural. No le dan agua ni alimentos. Mienten a sus familiares, que tratan de encontrarlo, y lo transfieren de la Comisaría Primera de San Martín a la cárcel de Caseros, y de allí al penal de Olmos y a otras comisarías, hasta que lo devuelven a San Martín. De San Martín lo envían otra vez al penal de Olmos. Allí se reencontrará con Livraga, a quien también transfieren.

Walsh nos da una imagen sumaria de todos los del grupo. Muestra la insensibilidad de la policía y de los jueces, que rehúsan enseñar los cadáveres y ocultan información. Varios de los prófugos, como Torres, Troxler, Benavides, logran asilarse en embajadas extranjeras y salvar sus vidas. Los fusilamientos han dejado numerosos huérfanos. Los asesinados eran trabajadores, padres de familia. La segunda parte concluye cuando el gobierno, varios meses después, emite un certificado de "Buena conducta" a Giunta. En ese momento la matanza se vuelve una tragicomedia ridícula.

Esta segunda parte muestra la fuerza expresiva de la narrativa de Walsh. Sabemos que proyectaba escribir una novela, lo cual nunca concretó. El deseo y la intención siempre lo acompañaron, pero algo lo detuvo. El parecía ser el primer sorprendido ante esta dificultad y reticencia. En una entrevista que saliera en la revista *Siete días* en 1969, dijo que pensaba llevar a la novela el espíritu de denuncia de sus libros testimoniales, y que para él periodismo y literatura eran "vasos comunicantes" (Link, 118). La novela hace una "representación" de los hechos y él prefiere la "presentación". Le aclara al periodista que su conflicto es con el concepto mismo de novela, y las "relaciones falsas" que crea con el lector.

Operación masacre fue concebido como un libro periodístico de denuncia y testimonio, pero el sistema literario lo asimiló como parte de nuestra literatura. La versión final que manejamos concluye cuando el autor ya ha muerto: el guerrillero revolucionario ha sacrificado su vida por su causa, y el editor cierra el libro. En Latinoamérica, el concepto de lo que es un autor se redefine y se amplía en cada momento de su historia. Walsh es un cronista, un periodista y participante de la historia, que escribe, llevado por las circunstancias, una obra urgente, que el desarrollo posterior transforma en un clásico. En un primer paso lo que motivó la obra fue un suceso político, la violencia desencadenada por el gobierno contra la población civil. El periodista defiende a los civiles, resiste y milita escribiendo y denunciando, que es su manera de actuar. Está luchando con la palabra y la idea. Después luchará con las armas.

En la tercera parte del libro presenta lo que él denomina "La evidencia". Demuestra que el Estado ha olvidado su misión política y ha cometido un crimen contra los ciudadanos. Peligra la base política del contrato social. El periodista-narrador se transforma en el abogado y fiscal que desenmascara a los culpables. El Estado nacional está en manos de una pandilla de asesinos y el abuso del poder arrastra consigo a todo el sistema legal y jurídico. El país queda fuera de la ley. Solo el pueblo puede salvarlo.

El valor redentor que Walsh da a lo popular coincide con el sentido mesiánico de la política peronista. Perón y Evita eran los redentores de los "descamisados" y los "cabecitas". Los escritores peronistas, como Jauretche, o simpatizantes del Peronismo como Mafud, destacaron este aspecto del Peronismo, al que consideraron un fenómeno sociológico nuevo.[12]

La tercera parte toma como personajes a los policías responsables de la matanza, demostrando su inhumanidad. Walsh reconstruye el diálogo mantenido entre el Jefe de la Regional de San Martín, Rodríguez Moreno y el Jefe de Policía de la Provincia de Buenos Aires que impartió la orden de fusilamiento, el Teniente Coronel (R) Fernández Suárez. Rodríguez Moreno tiene que enfrentar la cólera de su jefe al saber que varios de los que tenían que ser fusilados habían logrado escapar. Fernández Suárez transfiere a todo el personal que había sido testigo o participado en la matanza a otros destinos, dispersándolos. De inmediato comienza la batalla de la prensa, las declaraciones a los diarios, las exageraciones y las mentiras, y, luego, las desmentidas, proceso de encubrimiento de un crimen que finalmente saldrá a la luz gracias a las investigaciones de Walsh, el periodista héroe y mártir de esta historia de denuncia de graves delitos cometidos por el Estado nacional contra trabajadores desarmados, ilegítimamente detenidos y encarcelados. Walsh cuestiona las declaraciones de Fernández Suárez a la prensa, y demuestra que procedió ilegalmente, por cuanto él mismo reconoció que las personas habían sido detenidas a las 23 horas del día 9 de junio de 1956, antes que se decretase la Ley Marcial en el país.

---

12 En una sociedad de masas, hacía falta una política dirigida a los humildes. El carácter militante y masivo del movimiento resultó inaceptable para muchos intelectuales individualistas liberales y pequeño-burgueses, que acusaron a Perón de tirano. Para Jauretche, no era Perón solamente quien los amenazaba sino los obreros incultos, los cabecitas limpiándose los pies en la fuente de Plaza de Mayo, como ocurrió aquel 17 de octubre de 1945, cuando las masas de trabajadores marcharon sobre la casa de gobierno en Buenos Aires para pedir la libertad de su líder (Jauretche 48-50). Mafud, por su parte, considera al Peronismo un fenómeno político "virgen", que privilegia la acción política directa por encima de la doctrina (Mafud 43-55).

Pocos meses después, uno de sus propios hombres, Jorge Doglia, jefe de la División Judicial de la Policía, presenta una denuncia contra Fernández Suárez, acusándolo de torturar a los detenidos y de fusilar a Livraga. Este reacciona iniciándole un sumario y lo destituye. Pero Doglia habla con un miembro de la Junta Consultiva de la provincia y reaparecen los cargos. Dada la situación, el Jefe de Policía se presenta ante la Junta Consultiva, presidida por el ministro de gobierno, para defenderse. La base de su argumento es que había cargos sin pruebas. Walsh lee esas declaraciones y va creando su propio contra-argumento judicial, transformándose en fiscal acusador de Fernández Suárez. Afirma que en la declaración de defensa de éste último se encuentra la base para probar los crímenes cometidos. El jefe dice que hizo el allanamiento de la finca donde encontró al grupo a las once de la noche, y Walsh prueba, recurriendo al Libro de locutores de Radio del Estado, que la Ley Marcial no se había hecho pública y entrado en vigencia hasta las 0:32 de la madrugada del día 10, por lo cual no podía ser aplicada con retroactividad para fusilar a individuos detenidos cuando la Ley Marcial no regía (150).

Hace una lectura e interpretación de las declaraciones de Fernández Suárez usando su misma defensa en su contra. Demuestra así la torpeza y la ignorancia del Jefe de Policía, además de su carácter criminal. Fernández Suárez, en sus declaraciones, trata de hacer quedar a Livraga, que presenta acusaciones contra él, como un individuo peligroso que conspiraba contra el Estado. El gobierno de la Revolución Libertadora, dice Walsh, quiso negar y desmentir lo que él había comprobado en sus investigaciones y, en una campaña periodística, demostrará que tiene suficientes pruebas para acusar a Fernández Suárez (151).

Recién después de aparecida la primera edición del libro en 1957 llegó a sus manos el expediente que el Juez Belisario Hueyo había instruido en La Plata, donde Livraga hizo su denuncia de lo acontecido. Walsh coteja sus propias investigaciones con el expediente y sostiene que ambos "se superponen y se complementan" (151). El, por su parte, había logrado reunir declaraciones de otros testigos que no aparecen en el expediente judicial, y el expediente contenía confesiones de los ejecutores materiales de los hechos que él no conocía. A continuación hace un análisis detenido del extenso expediente, que contiene la historia de todas las veces que compareció Livraga ante el juez, cotejándolo con la información que él había reunido del caso. Livraga describió al juez todo lo que pasó, cómo lo detuvieron, el episodio del fusilamiento, el tiro que recibió en el rostro, su ingreso al policlínico y, como prueba material de su detención, mostró la boleta de recibo que le dieron al ingresar a la seccional de San Martín, especificando los objetos que entregó a la policía, entre ellos el reloj y las llaves. Walsh encuentra excelente la descripción de los lugares, aunque Livraga no estaba claro con respecto a la gente que había participado en los operativos.

El Juez Hueyo comenzó las indagatorias de las personas implicadas, ante la reticencia y negativa de los jefes de hacer declaración alguna. Los nuevos jefes policiales dijeron no tener registros de los hechos ocurridos en sus dependencias en esa fecha. Luego el Juez se dirigió a funcionarios del gobierno, hasta llegar al mismo Presidente, el General Aramburu, que no contestó. Walsh hace publicar la denuncia de Livraga (155). Fernández Suárez no responde a las preguntas del Juez: había procedido ignorando toda cuestión formal de derecho. Consta que Livraga había sido detenido antes de promulgarse la Ley Marcial. Finalmente, otro de los sobrevivientes, Giunta, se decide a hablar ante el Juez. Livraga y Giunta son individuos claves en el proceso judicial contra el gobierno y en la denuncia de los crímenes cometidos. Giunta relata los hechos y cuenta cómo logró escapar entre las balas. Un nuevo testigo, un Teniente de Fragata presente en el Departamento de Policía, confesó que había escuchado declarar a miembros del personal transferido, que estaban en San Martín en funciones en momentos del fusilamiento, que habían visto a Livraga, a pesar que su nombre no estaba asentado en los libros. Walsh reconoce que el frente policial de silencio se está rompiendo y la policía poco a poco acepta colaborar con el Juez (160).

Finalmente lo llaman a declarar a Rodríguez Moreno, el autor material de los fusilamientos. Este se presenta como un hombre derrotado. Ratifica todo lo que conocemos del procedimiento: la orden de secundar al Jefe de la Policía en el arresto de las personas, la detención de los arrestados en la seccional de San Martín, los fusilamientos, dando detalles de la hora en que ocurrieron todos esos hechos. También aclara el incidente de la fuga de los detenidos y su entredicho con el Jefe de Policía. Explica que con posterioridad fue relevado de su mando. Walsh considera que la declaración de Rodríguez Moreno actúa como una prueba más de lo que él trata de demostrar: los trabajadores habían sido detenidos antes de la entrada en vigencia de la Ley Marcial. Dada la gravedad de la denuncia, el Jefe de Policía Fernández Suárez fue a pedirle ayuda directamente al Presidente de la Nación, el General Pedro Aramburu.

El Sub-jefe de policía, Cuello, hace declaraciones falsas sobre la hora en que empezó a regir la Ley Marcial. Dice que entró en vigencia entre las 22:30 y 23:00 horas del día 9, cuando Walsh sabe que fue durante la madrugada del 10. A continuación el Juez se entrevista con el Presidente de la Suprema Corte de Justicia de la Provincia de Buenos Aires, quien le informa (va a ser la coartada del Jefe de Policía para encubrir su crimen) que Fernández Suárez no podía ser juzgado por un tribunal civil, debía ser juzgado por un tribunal militar. Había actuado en cumplimiento del decreto que declaraba la vigencia de la Ley Marcial, que le daba el poder de aplicar la pena de muerte. Este decreto había sido seguido por el que enumeraba a los condenados a muerte (179). Argumenta Walsh que el último decreto no incluía a Livraga, ni a ninguno de los fusilados en José León Suárez, entre los condenados a la pena capital. El Juez le pide a Fernández Suárez una copia del decreto que ordenaba el fusilamiento de Livraga, y éste, por supuesto, no responde.

Para el Juez era esencial probar la hora en que se había promulgado el decreto de Ley Marcial. Walsh consigue, meses más tarde, una copia de la programación de Radio del Estado que demuestra que la Ley Marcial había entrado a regir a las 0:32 de la madrugada del día 10 (173). Aunque el Juez Hueyo sostiene su competencia en el caso, éste va a la Suprema Corte de la Nación en 1957. La Suprema Corte dicta un fallo que Walsh considera "oprobioso", porque deja impunes los asesinatos de José León Suárez (186). El Tribunal Supremo declara que el caso no compete a la ley civil, y debe ser juzgado por un tribunal militar. Walsh rebate este fallo que considera mal intencionado, y demuestra la complicidad de la Suprema Corte con el gobierno militar.

El país no tiene en ese momento un sistema de justicia realmente independiente del poder político.

En la sección 35, que titula "La justicia ciega", da su propia interpretación de los hechos, rebatiendo a la Suprema Corte, a la que denuncia y acusa de corromper "la norma jurídica", presentando lo que denomina su propio "dictamen" (188). Argumenta a favor de la jurisdicción del juzgado civil, por cuanto la detención de los trabajadores tuvo lugar antes que rigiera la Ley Marcial, que no podía aplicarse con retroactividad a las personas ya detenidas. La matanza no fue un fusilamiento, fue un "asesinato" (192). El Estado ha caído en la más baja conducta criminal, asesinando a sus ciudadanos y luego declarando su propia impunidad ante el crimen cometido. Los ciudadanos quedan librados a su propia suerte: el gobierno, ilegítimo y tiránico, no les garantiza la vida. Estos no tienen dónde reclamar justicia. Ante semejante arbitrariedad tienen que defenderse solos.

La sociedad civil, cansada de soportar décadas de arbitrariedades y atropellos por parte del poder militar (que se había arrogado el derecho de ser árbitro de la ley, cuando en realidad servía a intereses sectoriales), asumirá, durante los años siguientes, su propia defensa y organizará la resistencia armada. Surgirán grupos guerrilleros, gestionados desde los partidos políticos de oposición, que combatirán al gobierno. Walsh militará en las Fuerzas Armadas Peronistas (FAP) a principios de los setenta, y en el Movimiento Montonero a partir de 1973 (Lafforgue 233-4). En ejercicio activo de su militancia guerrillera caerá ante las fuerzas del Ejército en combate armado en 1977, cuando una patrulla lo intercepte en la vía pública [13].

---

[13] En las dos últimas décadas del siglo concluye el ciclo revolucionario, la gesta heroica de la ansiada liberación de los pueblos latinoamericanos. Decaen o desaparecen los movimientos guerrilleros y la esperanza de un cambio revolucionario: la creación de un tiempo Nuevo y un hombre Nuevo, como lo había anunciado el Che. El Imperialismo norteamericano impone su política. La muerte de Walsh es un símbolo del sacrificio y el final trágico de muchos revolucionarios latinoamericanos. La Revolución Rusa cae ante el avance del capitalismo. El comunismo soviético enfrenta la disgregación territorial. En los noventa afianza su poder y triunfa el capitalismo globalizado norteamericano y europeo. Se impone la "paz" internacional, un nuevo equilibrio de poderes.

En el "Epílogo", escrito para la tercera edición de 1969, Walsh dice que su intención original al escribir esta crónica testimonial había sido "presentar a la Revolución Libertadora, y sus herederos hasta hoy, el caso límite de una atrocidad injustificada" (192). Los distintos gobiernos mantuvieron silencio sobre el caso y los acusa de ser cómplices de la matanza, porque "la clase que esos gobiernos representan se solidariza con aquel asesinato..." (192). Walsh consideraba que el conflicto social era resultado de la lucha de clases. Indica que en su libro había querido enfocarse en el caso de aquellos muertos que representaban a la sociedad civil, y separarlos de los militares que habían sido fusilados, aunque todos los fusilamientos representaban una violación del artículo 18 de la Constitución Nacional vigente, que declaraba abolida la pena de muerte por motivos políticos (194). Declara responsables de esos asesinatos a los oficiales que encabezaban el poder militar del gobierno en 1956, el General Aramburu y el Almirante Rojas. En la última edición del libro en que introduce cambios, la de 1972, agrega un capítulo sobre la muerte de Aramburu (Gillespie 89-96; Neyret 190-2).

El General Aramburu fue secuestrado por un comando de Montoneros en 1970. Walsh defiende la legitimidad del secuestro, el juicio y posterior ejecución de Aramburu, a quien el pueblo argentino "no lloró" (195). Entre los que denunciaron la ejecución se encontraba nada menos que el Coronel Fernández Suárez, responsable de la masacre de civiles en 1956, que él había investigado. Walsh descubre cómo los liberales trataron de transformar a Aramburu en héroe y mártir. Para él, Aramburu era tan héroe como el General Lavalle, asesino de Dorrego, quien había desatado la guerra civil en 1828, al fusilar al gobernador federal sin juicio previo. Se burla de Sábato y ataca la posición política liberal del escritor, que había apoyado la Revolución Libertadora de Aramburu y Rojas, diciendo que probablemente le escribiría en el futuro una "cantata" a Aramburu similar a la que había dedicado a Lavalle en *Sobre héroes y tumbas* (196).

Para Walsh, Aramburu merecía el odio popular. No había llegado al poder para liberar al país de la tiranía, como lo sostenía, sino para "torturar y asesinar", para mantener los privilegios de una clase, de una "minoría usurpadora que sólo mediante el engaño y la violencia consigue mantenerse en el poder" (197). El gobierno de Aramburu había masificado la tortura, había proscrito al Peronismo, había arrebatado al pueblo el cadáver venerado de Eva Perón, había reprimido las huelgas, arrasando las organizaciones sindicales y sus obras sociales. Su acción destructiva desencadenó una segunda "década infame".[14] Había entregado el patrimonio nacional al imperialismo y al capital extranjero, creando lazos nocivos de dependencia, acumulando una enorme deuda externa, y dejando al país prisionero de la banca internacional y los grandes monopolios. Su ejecución, desde esta perspectiva, era un acto de justicia llevado a cabo por la juventud peronista, que rescataba el derecho de responder a la violencia con violencia y condenar a los tiranos. Dice: "Esa rebeldía alcanza finalmente a Aramburu, lo enfrenta con sus actos, paraliza la mano que firmaba empréstitos, proscripciones y fusilamientos" (198). Deja en claro que quien muere es un enemigo del pueblo, un hombre al servicio de la oligarquía y el imperialismo, que tenía las manos sucias de sangre.

Walsh transforma el capítulo de Aramburu en un nuevo final a *Operación masacre*. Es un final revolucionario en que se impone la justicia popular. Para reforzar esta idea, agrega un apéndice con una escena del guión de la versión cinematográfica del libro que filmara clandestinamente Jorge Cedrón en 1971. El cineasta Jorge Cedrón, como Julio Troxler, que participa en la película desempeñando su propio papel, y el mismo Walsh, caerían pocos años después asesinados como resultado de la violencia represiva desatada por la Triple A (Alianza Anticomunista Argentina) y el Ejército.[15]

Walsh indica que el guión de la escena de la película incluido es la secuencia final, que no aparecía en el libro original de *Operación masacre* y "completaba" su sentido (200). En la escena, narrada por Troxler, se ven las masas de trabajadores marchando con confianza

---

14 Se denomina "década infame" a los años que sucedieron al golpe de estado del general Uriburu contra el presidente Hipólito Yrigoyen en 1930. Esta década se caracterizó por una aguda crisis económica, la persecución de la oposición y la corrupción del gobierno.

15 Troxler murió asesinado por la Triple A en Buenos Aires el 20 de septiembre de 1974. El cineasta Cedrón sería asesinado años después en París, se cree que por sicarios enviados por el régimen militar instaurado en 1976 en Argentina

hacia el futuro, después de haber aprendido su lección. Esas masas habían decidido tomar las armas, e iban "forjando su organización"... independiente de "traidores y burócratas", y marchaban "hacia la Patria Socialista" (204). Ese es el final revolucionario que el libro no tenía en su origen, siendo como había sido un alegato de denuncia y protesta escrito por un joven nacionalista. Entre 1956 y 1972 Walsh había sido partícipe de una etapa importantísima de la historia argentina, que él interpretaba como una lucha del pueblo y la clase trabajadora por su liberación. El objetivo era lograr la independencia nacional, liberarse del imperialismo para construir la patria socialista.

Si al concluir esta parte de la última edición que publica Walsh en vida, emerge de la obra la imagen heroica del pueblo en armas, en el documento que agrega el editor a la edición de 1984, la "Carta abierta" a la Junta Militar, aparece la imagen "finalizada" del autor como personaje heroico que da la vida por su pueblo (Ferro 1999:142). La gesta del guerrillero se completa con su propio sacrificio, como mártir de una causa. Su narrativa crea un puente que va del nacionalismo de los años cincuenta al socialismo guerrillero y marxista de los años setenta: el nacionalismo peronista y el guevarismo voluntarista se dan la mano. En esa carta, que cierra su libro y su vida (al punto que podemos decir que *Operación masacre*, siendo el primer libro periodístico de denuncia del autor, se vuelve una obra literaria que abarca la totalidad de su existencia), Walsh, el periodista, el militante y el patriota, denuncia a la Junta Militar, encabezada por el General Videla, a un año de la toma del poder, acusándola de cometer los más grandes crímenes contra su pueblo.

Ese gobierno ilegítimo tortura y asesina a los militantes del campo popular. Entre las víctimas cita a muchos de sus amigos y a su misma hija, Vicky, que murió combatiendo y cuyo sacrificio acepta con resignación.[16] Para él el gobierno de Videla representa el regreso al poder

---

[16] En un artículo que publicara Walsh en 1977, tres meses después de muerta su hija Vicky, la recuerda luchando. Esa es la imagen que deseaba el padre perdurara de su hija: la de la guerrillera heroica que no se arredra ante la propia muerte y combate con valor. Una pequeña mujer que lucha contra el ejército por más de dos horas y ríe mientras dispara sus armas ("Carta a mis amigos", *Nuevo Texto Crítico* 280-2).

de las "minorías derrotadas" (205). Ya en esos momentos se cuentan por miles los muertos y desaparecidos, los militares crearon campos de concentración y niegan a la población el derecho esencial del *habeas corpus*. Los métodos de tortura que emplean hacen retroceder a la sociedad a la época medieval. Fusilan rehenes y prisioneros sin piedad, y matan a los que quedan heridos en los combates. Compara los métodos que utilizan contra guerrilleros, sindicalistas, intelectuales, opositores no armados y sospechosos, con los de la policía secreta del regimen Nazi de Hitler, y con los que los norteamericanos usaron contra sus enemigos en Vietnam (207). Denuncia el genocidio cometido con los prisioneros arrojados al mar desde los aviones de la Primera Brigada Aérea, muertos que aparecen flotando en el río y que el gobierno atribuye falsamente a la Triple A.

Es el Estado el que ejerce el terrorismo contra su propia población. Esa violencia desencadenada contra el pueblo encubre móviles siniestros: la entrega del país y su economía al imperialismo internacional. Analiza la política económica del gobierno, que realiza un vaciamiento de la capacidad productiva del país. La Junta Militar decía tener una "misión patriótica", y aseguraba defender el suelo nacional contra un enemigo extranjerizante. Walsh demuestra que lo contrario era cierto: al destruir la economía, los militares golpistas destruían el patrimonio nacional y entregaban la soberanía del país a intereses extraños, desnacionalizando los bienes, procediendo con el egoísmo típico de la oligarquía apátrida. La Junta de Videla era una continuadora de la política de la "Revolución" del General Aramburu, defendía los mismos intereses, sólo se habían radicalizado sus métodos. Si Aramburu fusilaba unos pocos militantes, Videla los fusilaba por miles; si Aramburu torturaba y mandaba matar a individuos selectos, Videla organizaba un genocidio macabro. El Estado había perfeccionado el uso de la violencia contra el pueblo para mantener el poder. El verdadero objetivo, sin embargo, era económico: retener el dominio del país para una minoría oligárquica, aliada al capital internacional.

Walsh les dice a los Comandantes de las tres armas que no pueden ganar la guerra, porque, aunque maten hasta el último guerrillero, el espíritu de lucha y de resistencia del pueblo continuará (212). Esta carta, en la que confiesa que ha querido ser fiel al compromiso que asumió "de dar testimonio en momentos difíciles", y fechada el 24 de marzo de 1977, un día antes que el ejército lo cercara y matara, es el final del libro y de su vida, pero apunta a un nuevo comienzo. Su vida tiene un "final abierto", por cuanto asegura, y quiere creerlo, que la lucha continua, y que su carta de denuncia y testimonio contribuirá a que se inicie un ciclo de resistencia y defensa de los valores del pueblo.[17]

Operación masacre es un hito de un ciclo de literatura testimonial antitotalitaria en la literatura argentina, que señala las injusticias de un sistema de gobierno que no contempla los intereses de todos los ciudadanos y victimiza a los más vulnerables. El objetivo revolucionario de Walsh era iniciar una nueva etapa histórica en su patria, fundar una nueva historia y una nueva literatura. Dice el ensayista mexicano Carlos Monsiváis que las historias nacionales en Latinoamérica muestran un movimiento ritual de falsos comienzos y finales, y los pueblos subdesarrollados van repitiendo sus ciclos al margen de la historia, sin lograr entrar en una etapa de liberación real (Monsiváis 152). Esto nos lleva a un sentimiento constante y doloroso de frustración y pérdida, de fracaso, que se refleja en las conciencias y las culturas nacionales. Podemos pensar que Walsh luchó contra este aparente determinismo con valor y con fe, con sacrificio y voluntad, y en su vida, como escritor, periodista y revolucionario, comunicó sus ideales no sólo a las clases medias lectoras sino también a las masas recientemente alfabetizadas que constituyen el público nuevo del periodismo y son la fuerza política que conforma el país del futuro. La literatura para él no podía estar separada de la política, tenía que estar al servicio de la educación y concientización de esas masas, que necesitaban luchar por sus derechos para vivir un día dignamente en una sociedad libre, justa y soberana.

---

[17] Walsh no pudo continuar con su obra de denuncia. Esa tarea pasó a aquellos periodistas y escritores que, igual que él, habían unido el testimonio a la militancia, y lograron sobrevivirlo, como Horacio Verbitsky y Miguel Bonasso.

Bibliografía citada

Amar Sánchez, Ana María. "El sueño eterno de justicia". *Nuevo Texto Crítico...* 205-216.

De Grandis, Rita. "La escritura del acontecimiento: implicaciones discursivas". *Nuevo Texto Crítico...* 187-204.

————. "Lo histórico y lo cotidiano en *Operación masacre* de Rodolfo Walsh: Del suceso a la guerra popular". Juan Villegas, editor. *Lecturas y relecturas de Textos españoles, latinoamericanos y US latinos*. Asociación Internacional de Hispanistas. Actas Irving-92. Volumen 5. University of California, 1994. 305-313.

Ferro, Roberto. "*Operación masacre*: investigación y escritura". *Nuevo Texto Crítico...* 1994: 139-166.

————. "La literatura en el banquillo. Walsh y la fuerza del testimonio". Noé Jitrik, director. *Historia Crítica de la Literatura Argentina*. Buenos Aires: Emecé Editores, 1999. Vol. 10: 125-145.

Gillespie, Richard. *Soldiers of Perón. Argentina's Montoneros*. Oxford: Oxford University Press, 1982.

Goldar, Ernesto. *John William Cooke y el peronismo revolucionario*. Buenos Aires: Editores de América Latina, 2004.

Horowicz, Alejandro. *Los cuatro peronismos*. Buenos Aires: Hyspamérica Ediciones, 1986.

Jauretche, Arturo. *Los profetas del odio y la Yapa. Obras completas*. Vol. 4. Buenos Aires: Corregidor, 2004.

Laforgue, Jorge. Coordinador. *Rodolfo Jorge Walsh Nuevo Texto Crítico* 12/13 (Julio 1993-Junio 1994).

————. "Informe para una biografía". *Nuevo Texto Crítico...* 219-234.

Link, Daniel, editor. *Ese hombre y otros escritos personales*. Buenos Aires: Seix Barral, 1996.

Mafud, Julio. *Sociología del peronismo*. Editorial Américalee, 1972.

Monsiváis, Carlos. *Días de guardar*. México, Ediciones Era, 1970.

Neyret, Juan Pablo. "Civilización y barbarie en la literatura y la historia argentinas. "Cómo murió Aramburu" de Montoneros: un texto fundacional soslayado." Klaus Dieter Ertler, Enrique Rodríguez Moura, eds. *Fronteras e identidades-Identidades e fronteiras. Civilización y barbarie – Sertão e litoral*. Frankfurt an Main: Peter Lang, 2005. 187-216.

Perón, Juan Domingo. *Los vendepatria Las pruebas de una traición. Obras completas.* Vol. 21: 1-330. Buenos Aires: Editorial Docencia, 2002.

Romano, Eduardo. "Modelos, géneros y medios en la iniciación literaria de Rodolfo J. Walsh". *Nuevo Texto Crítico...* 73-97.

Walsh, Rodolfo J. *Operación masacre.* Buenos Aires: Ediciones de la Flor, 1994. Decimonovena edición.

CAPÍTULO 5

TESTIMONIO Y LIBERACIÓN:
PASAJES DE LA GUERRA REVOLUCIONARIA

I. El Che, escritor

En el año 1963 Ernesto "Che" Guevara (Rosario 1928 - La Higuera 1967) publicó sus memorias de la guerra popular revolucionaria de liberación de Cuba, a las que tituló *Pasajes de la guerra revolucionaria*. En su prólogo indica que en un principio había pensado, junto con otros compañeros que participaron en la lucha, escribir una "historia" de la revolución, pero dado que pasaba el tiempo y el proyecto no se realizaba, decidió escribir una serie de "recuerdos personales" de la campaña militar (*Pasajes de la guerra revolucionaria* 1977:V).

Explica al lector que estos recuerdos eran parciales, incompletos, ya que "al luchar en algún punto exacto y delimitado del mapa de Cuba..." no podía estar simultáneamente en los otros sitios donde se peleaba (*Pasajes...* 1977: V). Por eso invitaba a otros participantes sobrevivientes de la guerra a dejar también su testimonio, pidiendo que se atuvieran estrictamente a lo cierto, a la verdad histórica, tal como lo había hecho él. El Che no quería que se olvidaran episodios heroicos de la guerra que pertenecían ya "a la historia de América".

Pasajes... no fue el primer libro escrito y publicado por el Che. En 1960 había publicado *Guerra de guerrillas*, un manual sobre la guerra revolucionaria, en el que sintetizaba su experiencia como soldado y comandante guerrillero, y teorizaba sobre la posibilidad de extender esa guerra a otros países de América en la lucha por la liberación. Tanto *Guerra de guerrillas* como *Pasajes*... son obras escritas con criterio expositivo y pedagógico. El Che comunicaba sus experiencias para ayudar a la causa revolucionaria. En esta etapa hacía numerosas participaciones en público, pronunciaba discursos, y publicaba artículos políticos en revistas. Uno de los nuevos desafíos que tenía en su vida era el de ser "político revolucionario" o político del pueblo (*Obras completas.* "Sobre la construcción del partido" 101-12). El Che se vuelve un destacado ensayista político, cuyo tema fundamental era la lucha por la defensa de la revolución y la liberación de los pueblos del mundo, oprimidos por el imperialismo.

Ernesto comenzó a escribir diarios en su adolescencia. Le gustaba escribir: lectura y escritura lo acompañaron siempre (Piglia 103-114). Era un soñador y concebía ideas audaces, trataba de llevarlas a cabo y escribía sobre ellas. Su padre publicó en 1989 parte de un diario incompleto que encontró en unas cajas sobre el primer viaje extendido que hizo Ernesto por su patria en 1950, a los 21 años (Guevara Lynch, *Mi hijo el Che* 257-72). Recorrió un periplo de cerca de 5.000 kilómetros, por varias provincias argentinas, en una bicicleta provista de un pequeño motorcito de origen italiano, marca Cucciolo, que podía impulsarla por tramos, uno de los inventos populares en aquella época de postguerra. El diario mostraba una expresión cuidada en diversas entradas, en que el narrador contaba sus aventuras durante el vagabundeo con evidente deleite. Ernesto, el joven estudiante de medicina, continuaría escribiendo notas y diarios a lo largo de su vida, describiendo sus experiencias, rescribiendo y ampliando estas notas más tarde, transformándolas en crónicas autobiográficas.

En 1952 Ernesto salió de viaje por América Latina con su amigo Alberto Granado, recorriendo buena parte del continente. Este viaje (que llevara al cine con notables resultados el director brasileño Walter Salles en *Diarios de motocicleta*, en 2004, con el actor mexicano Gael García Bernal en el papel del Che) fue una etapa de intensa experiencia social, en que tuvo contacto personal con las masas trabajadoras y con los pueblos indígenas de América (Sorensen 50-53). Ernesto reelaboró sus notas un año después, y escribió el que podemos considerar su primer libro, que se publicara después de su muerte como *Notas de viaje*. Como todo libro de viajes es un libro heterogéneo que muestra la evolución de la conciencia del personaje durante las distintas etapas del trayecto. Luego de un principio ligero y "picaresco", durante el periplo argentino y chileno, el viaje se vuelve dramático al ingresar los amigos a Perú, visitar las ruinas incaicas, conocer las minas y relacionarse con la población indígena (*Viaje por Sudamérica* 61-96). Van a Lima y trabajan en un leprosario en la selva peruana, donde conviven con los enfermos. Ese es el punto culminante de la narración, que concluye con los personajes saliendo del pueblo en balsa por el río Amazonas, en camino hacia Venezuela.

Su amigo Alberto se quedó en Caracas, y Ernesto regresó a Buenos Aires para completar en pocos meses su carrera de medicina, y volver a salir por Hispanoamérica en 1953. Este segundo viaje continental, que realizó con su amigo Calica, abre una nueva etapa en la vida de Guevara, que ya no volvería a vivir en su patria. Durante el viaje escribió un diario que quedó inconcluso. En ese viaje, que comenzó en Bolivia y continuó en Perú, Ecuador y Centro América, Guevara fue testigo del golpe militar en Guatemala en 1954, apoyado por Estados Unidos, contra el Presidente populista Jacobo Arbenz. Ernesto cuenta cómo vivió este episodio, su deseo de participar en la lucha, de tomar armas contra los golpistas. Nos confiesa su sentimiento de impotencia al ver la pasividad de la gente, que no fue capaz de defender la revolución de Arbenz, que estaba llevando a cabo una importante reforma agraria en su país (*Otra vez* 43-58).

Durante ese viaje conoció a la militante peruana del APRA Hilda Gadea, exiliada en Guatemala, que influyó en su evolución política. Hilda viajó con él a México, donde se casaron y tuvieron una hijita (Massari 81-90). En México Ernesto conoció en 1955 al revolucionario cubano Fidel Castro, héroe y sobreviviente del asalto al cuartel Moncada en 1953, con cuya rebeldía se identificó. Castro lo convenció de unirse a su Movimiento 26 de Julio, con el que preparaba la invasión a Cuba para iniciar una ofensiva guerrillera, arrojar del poder al dictador Batista y hacer una revolución política radical en su patria (Anderson 174). El diario que llevaba Ernesto sobre este segundo viaje por América quedó inconcluso porque el personaje aventurero, el estudiante viajero, el pícaro y divertido argentino, aceptó unirse al grupo de

Castro y se transformó radicalmente. Ernesto se convierte en el "Che", el médico militante, que lee con fervor a Carlos Marx, estudia *El Capital*, recibe entrenamiento militar y se prepara para ir en la expedición del Granma.

En 1955 termina la vida del aventurero, en estado de disponibilidad, que planeaba quedarse en México, o viajar a Europa y encontrarse en París con su madre (Guevara Lynch, *Aquí va un soldado de América* 89-95). Desde el momento que conoce a Castro aparece en su vida un nuevo objetivo: hacer la revolución. El Che acepta luchar por un país que no es el suyo, posee conciencia política continental, y verá la expedición a Cuba como el comienzo de una experiencia revolucionaria que proyectaba continuar en otros países y circunstancias, de ser posible.

La invasión comenzó con un desastre. El contingente llegó a Cuba en el viejo yate Granma y fue sorprendido y casi totalmente aniquilado en Alegría del Pío por el Ejército de Batista poco después de desembarcar. El Che asistió a los enfermos y heridos, organizó y entrenó a un grupo combatiente, y asumió responsabilidades militares cada vez más importantes en la lucha armada. Fidel, reconociendo su capacidad y liderazgo, lo nombró Comandante de la segunda columna que se desprendió de su propia columna, una vez que el grupo guerrillero hubo crecido lo suficiente e incorporado nuevos reclutas.

Durante los dos años que duró la guerra el Che llevó un diario donde apuntaba los hechos sobresalientes, y que luego utilizó para escribir las crónicas y artículos sobre la guerra que publicó como *Pasajes de la guerra revolucionaria* (Dieterich… 11-2). Llevó también un diario durante su expedición al Congo en 1965, con el que escribió un libro, publicado póstumamente, en 1999, como *Pasajes de la guerra revolucionaria: Congo*. Compuso un diario puntual y meticuloso durante la guerra en Bolivia, cuya última anotación fue la del 7 de octubre de 1967, un día antes de que fuera cercado, herido y apresado en la Quebrada del Yuro, para ser asesinado al día siguiente en La Higuera, por orden de sus captores, el ejército boliviano, apoyado y asesorado por la CIA.

Las memorias del Congo son un análisis e informe de hechos y episodios militares difíciles de contar, por cuanto el Che consideró su participación en esa guerra un fracaso, y muestra su decepción y frustración al dar sus opiniones (*Pasajes de la guerra revolucionaria: Congo* 31-33). En el diario de Bolivia, al contrario, a pesar que la guerrilla terminó en una posición difícil, después de muchos meses de lucha, sin apoyo político apreciable de las organizaciones políticas bolivianas y sin recibir ayuda de los campesinos de la zona, cercada por el ejército que finalmente la aniquila, el Che muestra un gran optimismo y en todo momento mantiene su espíritu de combate y se niega a aceptar que el grupo estaba siendo destruido. En su opinión las posibilidades de iniciar un foco guerrillero permanente eran buenas, y era la táctica apropiada para continuar la guerra revolucionaria de liberación en Sudamérica (Castro, "Introducción" 519-33).

Los viajes y desplazamientos por el mundo fueron una constante en la vida del Che. Como Ministro de Industria en Cuba se transformó en embajador itinerante de la Revolución y visitó numerosos países en Asia, África, Europa y América, haciendo extensas giras, en las que conoció y trató a importantes políticos del momento, como Mao Tse Tung, Ben Bella y Abdel Nasser (Taibo II 382-87). Durante esta etapa el Che tuvo un papel político determinante, participó en foros internacionales y escribió ensayos defendiendo sus ideas revolucionarias marxistas, y proponiendo una lucha global para derrotar al imperialismo norteamericano, creando "dos, tres...muchos Vietnam", y extendiendo la revolución socialista por todo el tercer mundo ("Crear dos, tres...muchos Vietnam es la consigna", *Obras completas* 341-54). Basado en su experiencia guerrillera cubana esbozó su teoría foquista, sosteniendo que era posible hacer la revolución en los países subdesarrollados, con numerosa población campesina, y avanzar la causa del socialismo en el mundo ("Guerra de guerrillas: un método", *Obras completas* 355-70). Preveía una lucha larga y costosa, con grandes sacrificios. Sabemos cómo sus ideas fueron escuchadas, y las ilusiones que generaron entre los militantes revolucionarios durante las décadas siguientes, ante la perspectiva de un cambio revolucionario en nuestra América. Las fuerzas represivas de las oligarquías y el imperialismo, por su parte, ante los avances revolucionarios, reprimieron sin compasión a los militantes populares: obreros, campesinos y estudiantes.

El Che fue un revolucionario inusual, al que en su momento sectores de la izquierda acusaron de aventurero y de no tener convicciones políticas bien fundadas en una militancia partidaria consistente (Almeyra 21-4)). La gran cantidad de biografías escritas sobre él testimonian el interés con que los historiadores estudiaron e interpretaron su vida. Junto a su amor por la aventura, por los viajes, destacan su interés por las competencias deportivas y las pruebas físicas que demandaban gran energía (Taibo II: 38-45). Su condición de asmático crónico lo postraba regularme, como resultado de fuertes ataques. En su niñez, sus padres trasladaron a la familia a vivir a Alta Gracia, en las sierras de Córdoba, una localidad turística donde, por su altura y buen clima, convalecían enfermos respiratorios, para protegerlo (Massari 13-20). Esta situación despertó en él gran rebeldía y emprendía actividades físicas arriesgadas desafiando sus limitaciones. Durante sus años estudiantiles practicó rugby. Los viajes que hizo por Argentina en bicicleta, y por Sudamérica en una vieja motocicleta y a dedo, también fueron una prueba física exigente. Pero el desafío mayor fue la expedición armada a Cuba, donde tuvo que vivir en el clima muy húmedo de la sierra, a la intemperie, por más de dos años, sometido a incontables padecimientos físicos y ataques de asma.

Durante la campaña de la Sierra Maestra el Che desplegó un gran temple y vocación militar, aptitud que ya estaba en su carácter y mantuvo durante el resto de su vida. Lo llevaría en 1965 a comandar la expedición militar cubana al Congo, y a morir en 1967 liderando la lucha guerrillera en Bolivia, después de casi un año de campaña. Como revolucionario, el Che fue un líder militar comparable a los jefes guerrilleros que lucharon por la libertad de América durante los últimos doscientos años. Sus memorias de la guerra revolucionaria cubana lo muestran como héroe abnegado, que lucha por la liberación del pueblo.

Si leemos todos los diarios y crónicas conocidas del Che como una obra continua, desde el diario de su viaje en bicicleta por Argentina en 1950, hasta su diario de Bolivia, nos encontramos con una memoria biográfica de experiencias vitales excepcionales (Piglia 111-2). Estas experiencias lo transformaron espiritual y moralmente e hicieron de él "un soldado de América" (Guevara Lynch, *Aquí va un soldado de América* 7). La conversión gradual que hizo que Ernesto, el estudiante de medicina, se transforme en Che, el guerrillero, y Che, el político revolucionario, es equiparable, por su tensión moral, a los procesos sufridos por individuos ejemplares cuyas vidas han marcado moralmente a la humanidad. Después de la muerte el Che ha sido cubierto de un aura de "santidad", ha sido mitificado y elevado a símbolo de la juventud combativa e idealista, que trata de reivindicar a los oprimidos y a los pobres. Podemos asociar la figura del revolucionario, que lucha por su pueblo, a la de algunos religiosos que han participado en la vida pública de América y defendido a los pobres y a los oprimidos. Un caso paradigmático fue el del cura guerrillero Camilo Torres. El mensaje cristiano de sacrificio está presente en el Che (Sorensen 24-9).

El Che, que desconfiaba de las religiones organizadas, luchó por la libertad y la liberación, palabras claves en su vida. Su figura es un símbolo del espíritu altruista juvenil, que desea cambiar el futuro y salvar a la humanidad. Admiraba la interpretación redentora de la historia del marxismo. Estudió a Marx y se unió al Movimiento 26 de Julio de Fidel Castro. La posibilidad de la guerrilla apareció en su vida como un momento fundamental para demostrar su virilidad y su heroísmo, imbuido como estaba de la necesidad de realizar grandes obras.

Guevara es un héroe contemporáneo que se vio envuelto en aventuras extraordinarias y logró pasar del mundo privado del estudiante viajero, al mundo público del guerrillero revolucionario, que lucha por liberar un país de la tiranía. Participó como actor principal de una de las revoluciones claves del mundo americano durante el siglo veinte.

En sus diarios el Che proyecta sobre sí mismo, por momentos, una mirada escéptica y burlona, distanciada; observa el mundo con duda y desconfianza, aunque se muestra compasivo. Se ve como un incorregible y un Quijote, e intuye que esas pasiones que no sabe y no quiere controlar, porque son fuente de placer y de grandeza personal, lo llevarán a la derrota, a la locura o a la ruina. Este tono irónico, presente en sus diarios de viaje juveniles, y en las cartas privadas dirigidas a sus familiares y amigos, particularmente a su madre, fue menos frecuente en sus crónicas de guerra, dado su carácter ejemplar y combatiente, y la responsabilidad pública de su misión revolucionaria (Guevara Lynch, *Aquí va un soldado de América* 38-62).

II. Memorias de la guerra revolucionaria

El Che comenzó a escribir los artículos que integran *Pasajes de la guerra revolucionaria* en 1959, y los publicó primero en las revistas *Verde Olivo* y *Revolución*. Luego de publicado el libro en 1963 escribió nuevos artículos sobre el tema de la guerra durante ese año y 1964. La edición póstuma, de 1977, intercala, con criterio cronológico, sus otros artículos publicados sobre la guerra de liberación cubana. Una edición de 2006, del Centro de Estudios Che Guevara, con prólogo de Aleida Guevara, su hija, separa los textos publicados en la edición de mayo de 1963, de los artículos sobre la guerra publicados con posterioridad a la edición, en 1963 y 1964. Presenta por primera vez una serie de correcciones que hiciera el Che al manuscrito de la edición de 1963, para el caso que el libro se volviera a publicar (*Pasajes...* 2006:1). Dado que el Che concibió su obra como una memoria "abierta", tomaré como base para mi trabajo la edición de 1977, por considerar que el criterio cronológico deja menos vacíos en la narración de los episodios y permite al lector seguir mejor la evolución de los sucesos.

Pasajes de la guerra revolucionaria es un libro de memorias en el que Che quiere celebrar el triunfo de la revolución y afirmar su legitimidad, estimulando la fe del pueblo cubano en sus líderes. Describe el sacrificio de los dirigentes que participaron en la guerra y su costo humano. Considera que esas memorias no deben perderse porque son ejemplares y forman parte de la historia de Cuba y de América.

El Che es el narrador y un actor principal en las historias que cuenta. Los episodios fueron escritos a lo largo de varios años, y luego recopilados y varían en su carácter: algunos son anecdóticos y otros informativos, analíticos y típicamente políticos. Describe con bastantes detalles los primeros quince meses de actividad guerrillera, mientras que los últimos meses de la guerra aparecen resumidos. Da particular importancia a la etapa de formación y consolidación del núcleo guerrillero, y a su relación con la población campesina en la sierra en los comienzos, después del desastre de Alegría del Pío. Entre los personajes, el jefe guerrillero que tiene más autoridad es Fidel Castro, al que el Che describe como un líder carismático, sabio, altruista y casi infalible. Poco a poco Castro asignará al Che más responsabilidades militares, invistiéndolo gradualmente de poder. El Che pasará de médico de la expedición armada a combatiente, luego lo nombra miembro del Estado Mayor y, finalmente, Comandante de la segunda columna. Fidel vio al Che como a su segundo, lo puso por encima incluso de su propio hermano Raúl. Posteriormente designó a Raúl, a Almeida y a Camilo Cienfuegos (este último era Capitán en la columna que mandaba Guevara) comandantes de otras columnas. En la campaña final en el llano el Che fue el principal líder militar. Triunfó en la batalla de Santa Clara, la victoria militar más importante del ejército guerrillero, y concluyó la guerra revolucionaria. El Che se ganó un sitial como uno de los héroes y salvadores de la nación moderna cubana. En la historia de América, su nombre se une al de aquellos soldados que, sin ser oriundos del país por el que luchaban, dedicaron sus mejores esfuerzos a liberar esa nación, entre ellos el General Máximo Gómez, en Cuba, de origen dominicano, y el Almirante William Brown, el marino irlandés que comandó la flota argentina durante las luchas independentistas. El guerrillero argentino además pagó una deuda histórica que tenían con Cuba los hispanoamericanos del continente, que toleraron que durante el siglo diecinueve la isla siguiese siendo colonia española, sin hacer mucho en su defensa, mientras el continente estaba liberado.

A lo largo de la narración el Che describe el heroísmo de sus combatientes y el valor de sus capitanes, entre los que sobresalen Camilo Cienfuegos, capaz y osado, y El Vaquerito, líder del Escuadrón suicida, muerto en la última batalla de la guerra. Critica a los oficiales y soldados del ejército de Batista, poco motivados para luchar por la defensa de un régimen corrupto y totalitario, entregado al imperialismo. Descubre a los traidores que se infiltraron en el ejército guerrillero, como Eutimio Guerra, que aceptó espiar para el régimen de Batista y se propuso asesinar a Fidel Castro. El mismo Guevara se encargó de ejecutar a Eutimio, después que éste fuera condenado a muerte por un tribunal guerrillero. La justicia sumaria guerrillera fue criticada por los gobiernos burgueses y liberales. Guevara y otros revolucionarios la consideraron necesaria para mantener el orden y defender la revolución. Después del triunfo comenzaron en 1959 los juicios de La Cabaña, presididos por el Che, contra los criminales de guerra, y se ejecutaron a varios cientos de condenados (Taibo II 360-63).[1]

Además de los traidores, el comando guerrillero persiguió a los bandidos y ladrones de la sierra, que, aprovechando la falta de autoridad policial, robaban y cometían tropelías contra los campesinos. En "Lucha contra el bandidaje" Guevara cuenta cómo capturan y ejecutan a varios bandidos peligrosos. En las descripciones de héroes y de villanos, Guevara analiza el contexto social que rodeó la vida de los personajes, haciendo notar el grado de responsabilidad individual. Tanto héroes, como bandidos y traidores, son hombres libres que caen por sus debilidades o triunfan por su amor al prójimo, su valor y su altruismo. A pesar de la crueldad de la guerra, en que se busca matar al enemigo, Guevara hizo lo posible por humanizar la lucha, no abandonaba a ningún compañero caído y asistía a los heridos del enemigo. Liberó a todos los soldados prisioneros, no se los maltrató ni se los torturó. Este trato difería totalmente del que los guerrilleros recibieron de parte del Ejército de Batista, que torturaba y mataba a los prisioneros, y a los campesinos que apoyaban a la guerrilla.

Presenta en el relato a diversos personajes, comerciantes y campesinos, que ayudaban a los guerrilleros y les daban provisiones. Clodomira y Lidia, dos mujeres heroicas, espiaban para ellos y hacían de correo, poniendo en riesgo su vida. Analiza la conducta y las motivaciones de los hombres que amenazaban la revolución. Describe la conducta de los políticos que en Miami trataban de vender al Movimiento, incluso antes que éste triunfara, y la de los guerrilleros de otros grupos, como los del Segundo Frente del Escambray, que buscaban quitarle al 26 de Julio el liderazgo de la guerra, o impedirle operar en un determinado territorio (*Pasajes...* 178). Guevara se identifica con los fines y las ideas del Movimiento 26 de Julio y de su líder Fidel. Considera al Movimiento el auténtico representante de los intereses del

---

[1]   Dijo el Che en su discurso ante las Naciones Unidas en diciembre de 1964, defendiendo a Cuba de las acusaciones que se le hacían: "...fusilamientos, sí, hemos fusilado; fusilaremos y seguiremos fusilando mientras sea necesario. Nuestra lucha es una lucha a muerte. Nosotros sabemos cuál sería el resultado de una batalla perdida... En esas condiciones vivimos nosotros por la imposición del imperialismo norteamericano. Pero eso sí: asesinatos no cometemos..." (*Obras completas* 320).

pueblo. Cree necesario que las otras tendencias y grupos políticos se subordinen a sus objetivos.

El Movimiento que lideraba Castro fundaba su legitimidad, durante la guerra, en la necesidad de luchar para restaurar la libertad a Cuba, que estaba en manos de un dictador. Los impulsaba el amor a la patria, y ese amor había que demostrarlo arriesgando todo por ella y ofrendando la propia vida si hacía falta. El ataque al cuartel Moncada había sido un acto temerario que había costado muchas vidas. La defensa de Castro ante sus jueces tomaba como ejemplo el sacrificio de los héroes y mártires del pasado por la libertad de la isla, fundamentalmente a José Martí, poeta y revolucionario (*La historia me absolverá* 53-127). Igualmente temeraria y arriesgada fue la invasión a Cuba del grupo de Castro en el viejo yate Granma. La planificación deficiente e improvisada llevó al desembarco desastroso, que culminó en la sorpresa de Alegría del Pío, en que el grupo de ochenta y dos combatientes fue diezmado y casi totalmente destruido, quedando reducidos a un pequeño grupo de doce hombres.

La historia del padecimiento de los guerrilleros comenzó antes del desembarco, durante la travesía, desde Tuxpan, México, en que sufrieron hambre y mareos durante siete días. Durante los tres primeros días en tierra tuvieron que ocultarse en ciénagas, para no ser avistados por la aviación enemiga. El mismo individuo que los guiaba en la marcha los traicionó y los llevó a una emboscada. Fueron sorprendidos en Alegría del Pío y ametrallados sin compasión. Fue el bautismo de fuego del Che, que tuvo que escoger entre llevar una mochila con medicamentos o una caja de balas en la huída. Escogió las balas, sellando con su elección su decisión de luchar por la causa con las armas en la mano, aceptando su deber de "soldado revolucionario" (*Pasajes…* 6). Una ráfaga de metralla enemiga impactó en la caja de balas y una astilla saltó y le hirió el cuello. Creyó que estaba gravemente herido y a punto de morir. Vio como alrededor de él sus compañeros mal heridos expiraban. En ese momento recordó un cuento de Jack London, en que un personaje esperaba en Alaska la muerte por congelamiento (7). Quería morir con dignidad. Por suerte, la herida era superficial y, a diferencia de la mayoría de sus compañeros del Granma, logró salvar la vida.

El Che recuerda la escena como algo grotesco. Ante el ataque, sus compañeros bisoños no sabían qué hacer. Uno dijo que había que rendirse, y Camilo gritó que allí no se rendía nadie (7). El grupo mantuvo su espíritu de lucha en medio del desastre. El Che cree que allí se inició la verdadera "forja de lo que sería el Ejército Rebelde" (7). El soldado tenía que hacerse en la guerra, y sólo la prueba de fuego daba una idea de la dimensión heroica del guerrillero. El Che se autocritica por su reacción ante el peligro: más que en la lucha futura, pensó en su muerte y sintió que había sido derrotado. El temor y el pesimismo eran inaceptables en un soldado revolucionario.

El próximo episodio, "A la deriva", narra el dificultoso escape y el reagrupamiento de los sobrevivientes de la matanza de Alegría del Pío.[2] El Che sabía que podían ser sorprendidos en cualquier momento y los matarían. Se hacen una promesa, reafirmando la misión del grupo: luchar hasta la muerte (8). Esos compañeros que iban con él eran cuatro, y todos sobrevivieron a la guerra y pudieron ocupar puestos importantes en la revolución: Ramiro Valdés, Juan Almeida, Chao y Benítez.

La travesía de los días siguientes fue terrible. Sufrieron acosados por la sed. El Che trató de resolver los problemas que enfrentaba recurriendo a lo aprendido en sus lecturas. Recordó que había leído en una novela de aventuras que era posible mezclar agua dulce con agua de mar; hizo la prueba y comprendió que era mejor no confiar mucho en los novelistas: la mezcla era imbebible. Debilitados, alimentándose del azúcar de las cañas que chupaban, continuaron la marcha y encontraron a otro grupo pequeño en que estaba Camilo Cienfuegos. Caminaron por la costa padeciendo hambre y sed durante dos días. Unos marinos enemigos estuvieron a punto de sorprenderlos.

El grupo de guerrilleros llegó a las proximidades de una casa en que se celebraba una fiesta de "gente bien", privilegiada: era una fiesta de oficiales del ejército de Batista. Continúan la marcha y llegan a la

---

2   El episodio tiene el título de un cuento de un escritor muy admirado en Argentina: el uruguayo Horacio Quiroga. "A la deriva", de Quiroga, narra la muerte por envenenamiento de un hombre que ha sido picado por una víbora, y que va a la deriva por el río, buscando una población donde puedan salvarlo. En el cuento el hombre muere antes de llegar al poblado.

choza de un campesino pobre, que les ofrece su hospitalidad. Los campesinos se acercan a conocerlos, les traen comida y les hacen regalos. En esa lucha los lados estaban tomados: los revolucionarios y sus aliados del pueblo se enfrentaban a las fuerzas militares de la opresión.

La alianza con los campesinos será crucial para el desarrollo de la guerra, y condicionará la política futura del Movimiento. El Che percibió el potencial revolucionario del campesino, y reconoció la necesidad de atender sus reivindicaciones sociales, modificando el régimen de propiedad de la tierra, haciendo una reforma agraria. Los guajiros de la zona vivían en medio de una angustiante pobreza, mal nutridos, sufriendo enfermedades crónicas, sin escuelas ni servicios sociales. Estos campesinos les contaron que Fidel estaba vivo. Pocos días después se encuentran con el resto de los sobrevivientes, incluidos Fidel y Raúl Castro, Ciro Redondo y Faustino Pérez. Una vez logrado este reencuentro comienza la nueva etapa de la guerrilla. El capítulo se cierra con Fidel recriminándoles la pérdida de los armamentos: todo lo que el grupo del Che conservaba del equipo militar con el que habían salido de México eran dos pistolas. Según Fidel, al dejar las armas habían abandonado la "esperanza de sobrevivir" en caso de toparse con soldados. El Che no olvidará la lección: el éxito de la lucha depende en gran parte del armamento que se posee.

Una vez reunido el grupo con su jefe natural: Fidel, necesitaban hacer algo para cambiar su suerte. Debían atacar y vencer al enemigo, iniciar la lucha para buscar el triunfo. Planifican el primer combate, el de La Plata, que tiene lugar el 16 de enero. Guevara narra con delectación los pasos preliminares. Encuentran en el camino al mayoral Chicho Osorio, hombre cruel y temido en la región, al servicio de familias latifundistas (14). Chicho estaba borracho e improvisan una escena de comedia: Fidel se hace pasar por un coronel del Ejército, para sacarle información. Chicho cae en la trampa, se deja tomar prisionero y los guía al cuartel de La Plata. Allí disponen el ataque, contaban con sólo veintidós armas. Al comenzar la acción ejecutan a Chicho. Hieren y matan a varios soldados y vencen pronto. Ellos no sufren ninguna baja. A los heridos los curan, conducta militar ejemplar que los soldados de Batista no imitarían. Capturan varias armas y municiones, objetivo esencial en la lucha, ya que no contaban con proveedores de armamentos: tenían que apoderarse de las armas del enemigo para poder aumentar el número de sus combatientes.

Dejan el área para internarse en la sierra, y observan con dolor el éxodo de campesinos: los mayorales los habían asustado, diciéndoles que el ejército bombardearía la zona. Su verdadera intención era sacarlos de la tierra para robársela. Entienden que el campesinado no estaba listo aún para incorporarse a la lucha, y ellos tenían que crear esas condiciones si deseaban vencer. Concluye el capítulo diciendo que ésa había sido la única ocasión en que el Ejército Rebelde había tenido más armas que hombres. En el futuro eso cambiaría, al incorporarse nuevos reclutas y formar un ejército guerrillero más numeroso y mejor organizado (17).

El segundo combate tuvo lugar el 22 de enero en Arroyo del Infierno. Fue un ataque dirigido contra la vanguardia de la columna del Teniente Sánchez Mosquera. Sánchez Mosquera, en opinión del Che, era uno de los jefes más capaces del Ejército de Batista, pero también uno de los más sanguinarios, y no vacilaba en asesinar campesinos para intimidar a la población e impedir que apoyara a los insurgentes.

El Che intercala en su narración anécdotas personales. Cuenta con humor lo que sucedió cuando usó un casco de guerra, tomado a uno de los soldados de Batista y sus compañeros lo confundieron con un enemigo. Camilo disparó contra él, pero pronto se dio cuenta del error, evitando un incidente más grave. En ese combate el Che mató a su primer enemigo. Constata el hecho con cierta frialdad, como un mal necesario. Los guerrilleros ya habían alcanzado cierta veteranía: el Che controla sus emociones cuando le disparan, y mata como un deber de guerra, no se ensaña con el enemigo.

Su moral revolucionaria le dice que en esos momentos la guerra es inevitable. Su causa, la liberación de Cuba, es, en su opinión, justa. No cuestiona su legitimidad. Fiel a su espíritu analítico, el Che deriva lecciones de sus experiencias. Como buen observador y maestro de sí mismo, aprenderá a combatir y a mandar. Durante los dos años que dura la guerra revolucionaria se convierte en un excelente soldado. Liderará la ofensiva militar final contra el régimen y triunfará en la batalla de Santa Clara. Dominará los aspectos teóricos y técnicos de la guerra de guerrillas, sobre los que escribirá un valioso manual.

En el combate de Arroyo del Infierno el Che comprobó la importancia que tenía el "liquidar a las vanguardias", limitando la movilidad del enemigo, ya que "...sin vanguardia no puede moverse un ejército" (20). Ese encuentro sirvió para levantar la moral de los guerrilleros, que habían perdido fe en la posibilidad del triunfo, después del desastre inicial de Alegría del Pío. En la lucha campeó la autoridad de Fidel: fue quien calculó cómo actuaría el Ejército, decidió tenderle una emboscada y disparó el primer tiro, dando comienzo a la acción. Fidel representa la unidad de mando y la firmeza de la guerrilla. El Che aparece como un ser falible, que comete torpezas, tiene ataques de asma que lo postran y necesita de la ayuda de sus compañeros para seguir. Fidel no se equivoca. En una ocasión el Che se opone a él y tiene que reconocer después que su jefe estaba en lo cierto (56).

En el próximo episodio, "Ataque aéreo", el Che muestra el peligro interno que amenazaba a la guerrilla: los desertores, los traidores y los soplones. Eran los individuos que vendían la revolución por dinero o ventajas personales que, para la moral del Che, era el crimen mayor que podía cometer un revolucionario.[3] Introduce al villano más importante del libro, el traidor Eutimio Guerra. Guerra espiaba para el enemigo y le habían ofrecido una suma de dinero para asesinar a Castro mientras éste dormía, lo cual estuvo muy cerca de concretar. Pasaba información al Ejército, que reprimía a los campesinos, quemaba sus campos y viviendas, y torturaba y asesinaba a muchos, sembrando el terror en la población civil.

El relato sobre Eutimio Guerra continúa durante los dos episodios siguientes: "Sorpresa de Altos de Espinosa" y "Fin de un traidor". En "Sorpresa en Altos de Espinosa" el Che describe los problemas que tenían con la moral de combate y las deserciones que sufrían. La deserción era castigada con la pena de muerte, pero pocas veces lograban atrapar a los que se escapaban, aunque mandaban a guerrilleros a perseguirlos. El Che había iniciado una labor docente, dando "explicaciones de tipo cultural o político a la tropa", tratando de elevar su moral y su sentido de la responsabilidad (26). Tomó como misión personal el

---

3   A lo largo de su actuación revolucionaria el Che privilegió el estímulo moral, el buen ejemplo, por encima del estímulo material (*Obras completas* 140-54).

enseñarle a leer a algunos guerrilleros "guajiros", entre ellos a Julio Zenón Acosta.

Durante su campaña el Che convivió con el campesinado de la Sierra, que los apoyó con víveres y los protegió del enemigo. Numerosos jóvenes campesinos se incorporaron a la guerrilla como combatientes. Durante el año 1958, los líderes del Movimiento 26 de Julio pusieron en práctica en la zona liberada en la Sierra una reforma agraria básica, que profundizaron cuando tomaron el poder en toda la isla. El Che consideraba al campesino un aliado esencial de las luchas de liberación en el Tercer Mundo.

El Che describe a Julio Zenón Acosta, un guajiro analfabeto de 45 años, como un ser bueno, fiel, honesto, dedicado a la revolución. Era "...el hombre incansable, conocedor de la zona, el que siempre ayudaba al compañero en desgracia" (27). Su bondad contrastaba con la maldad y el cinismo del espía traidor Eutimio Guerra, infiltrado en la guerrilla. Eutimio se burlaba de ellos: les decía que los iban a atacar aviones poco antes que los ametrallaran desde el aire, fingiendo que predecía el futuro, cuando la realidad era que él había delatado la posición de la guerrilla (28). Guevara hace responsable a Eutimio de la muerte de Julio Zenón Acosta, cuando el Ejército ataca una posición de la que estaban retirándose. Gracias a la astucia de Fidel se salvan casi todos, pero el guajiro Julio muere. Guevara anota, como epitafio: "El guajiro inculto, el guajiro analfabeto que había sabido comprender las tareas enormes que tendría la Revolución después del triunfo y que se estaba preparando desde las primeras letras para ello, no podría acabar su labor" (28).

Guevara junto con otros combatientes marcha hacia el llano, y van a la finca de un militante del Movimiento 26 de Julio, donde se lleva a cabo una reunión política entre los que luchaban en la Sierra y los que militaban en el Llano. Allí conocerá a tres importantes mujeres de la revolución, que tuvieron larga actuación política: Vilma Espín, Haydée Santamaría y Celia Sánchez. Esta última se incorporó poco después a la guerrilla en la Sierra. Fue la única oportunidad que tuvo el Che de ver a quien consideraba uno de los militantes más heroicos de la revolución: el dirigente de Santiago de Cuba Frank País. País, que luego fue apresado, torturado y asesinado por el Ejército de Batista, era símbolo de aquellos militantes que no pudieron ver el fin de la guerra, pero que de haber sobrevivido hubieran tenido un importante papel en el gobierno revolucionario. Los visita un periodista extranjero, Matthews, que los fotografía, dándoles la oportunidad de presentar a los guerrilleros del Movimiento a la opinión pública de otros países (31).

Poco después encuentran en poder del traidor Eutimio Guerra diferentes pruebas que demostraban que estaba colaborando con el Ejército enemigo, entre ellos un salvoconducto firmado por el Coronel Casillas, y lo apresan. El Che describe el momento dramático en que se lo condena a muerte. Eutimio muestra cierta dignidad y antes de morir pide que la revolución ayude a sus hijos. Sabemos que fue el mismo Che quien disparó el arma que lo ejecutó, aunque no lo dice directamente en la narración (Taibo II: 174). El Che explica que la revolución cumplió, y sus hijos iban en esos momentos a una buena escuela, y se les había cambiado el nombre, para que no los asociaran con el traidor. La ejecución de Eutimio quedó como un importante ejemplo de la justicia revolucionaria, y de cómo el dinero y la vanidad podían corromper a un ser humano.

En el próximo pasaje el Che nos confiesa que el mes de febrero de 1957 fue para él "la etapa más penosa de la guerra" (33). Titula a este episodio "Días amargos". Su salud había desmejorado y sufrió un ataque de asma tan grave que no pudo seguir avanzando con la columna. Tuvo que ocultarse en la sierra durante varios días, ayudado por un compañero. Enviaron a un campesino a la ciudad a buscar adrenalina, sin saber si regresaría (35). Finalmente éste volvió, lograron evadir el cerco que les había tendido el enemigo y fueron a la casa de Epifanio Díaz, donde se reencontraron con los otros.

Esperaban que Frank País, el dirigente de Santiago, les enviara cincuenta nuevos reclutas. Cuando estos llegaron, el Che notó la diferencia entre éstos, inexpertos, y los veteranos, que se habían transformado, en pocos meses, en avezados y agresivos luchadores. Los jefes del grupo venido de Santiago tienen roces con los combatientes de la Sierra (39). Al informarle el Che del problema a Fidel, éste lo criticó por no haber impuesto su autoridad. Castro organizó a los nuevos, asignándoles capitanes que restablecieran la disciplina. Quería dar a los bisoños su bautismo de fuego. Ese combate tuvo lugar el 27 de mayo en El Ubero, y fue una de las acciones más sangrientas en que participó la guerrilla.

Dedicaron marzo y abril a entrenar a los nuevos guerrilleros. Se les incorporan en esos días tres jóvenes norteamericanos, que vivían en la Base Naval de Guantánamo con sus padres, y se escaparon para incorporarse a la guerrilla. El hecho tuvo repercusión internacional y concluyó cuando los jóvenes regresaron con el periodista Bob Taber, que había ido a la sierra a entrevistar a los dirigentes del 26 de Julio. Bob Taber llegó el día 23 de abril, acompañado de Celia Sánchez y Haydée Santamaría y otros compañeros del llano. Subieron todos al pico más alto de la Sierra, el Turquino. Durante la travesía Taber observó la simpatía que manifestaban los campesinos hacia los guerrilleros.

Este capítulo, que tituló "Adquiriendo el temple", tiene también su momento risueño: comen carne de caballo y se muestran compungidos y culposos, como si estuvieran cometiendo "un acto de canibalismo", mientras mastican "al viejo amigo del hombre" (43). Fidel tiene un gesto paternal con el Che y le da una hamaca de lona, un bien que para ellos era casi un lujo, para protegerlo de los ataques de asma. En esos momentos se incorporó a la guerrilla uno de los combatientes más destacados y valientes, el Vaquerito, por quien el Che sentía una simpatía especial, y al que designó, una vez nombrado Comandante, Capitán del Pelotón Suicida. El Che describe al Vaquerito como un personaje memorable: se trata de un joven fantasioso, que luego exhibiría una "forma extraña y novelesca….de afrontar el peligro" (46). El Vaquerito morirá en combate un día antes de la caída de Santa Clara, después de haber luchado junto al Che durante casi toda la guerra revolucionaria. Era osado y valiente, le gustaba hablar de su vida y contar sus hazañas, exagerando y divirtiendo a sus oyentes con su humor y sus mentiras. Era muy bajo y tenía unos pies tan pequeños que al llegar al campamento no encontraron calzado para él. Celia Sánchez le regaló sus propias botas mexicanas. Usaba un sombrero guajiro y lo bautizaron con sorna el Vaquerito. Esta anécdota es un homenaje de reconocimiento al soldado revolucionario y a su valor, y muestra la ternura del jefe Guevara hacia sus combatientes. El Vaquerito era casi un niño-hombre, un David, que se enfrentaba sin miedo a un enemigo superior, derrotándolo a fuerza de coraje.

Los veteranos del Granma sometían a los reclutas a marchas agotadoras en las sierras para endurecerlos, enseñarles a dominar el cansancio y el hambre, y mantener la moral revolucionaria. Debían creer en su capacidad de vencer al enemigo, a pesar de ser éste superior en número y calidad de armamentos. El ejército guerrillero necesitaba tomar armas del enemigo y las acciones iban dirigidas a sorprender a las vanguardias, ponerlas fuera de combate, quitarles las armas y municiones, y escapar antes de que llegara el grueso de la columna. Estas operaciones intimidaban al enemigo y tenían gran efecto sicológico, contribuyendo a crear el mito del poder del ejército guerrillero y su invencibilidad.

Los guerrilleros empezaron a controlar mejor el territorio en que operaban. Tenían buenas relaciones con la población local. El Che ayudaba a la gente humilde de la zona, les daba asistencia médica, aunque no tenía muchos medicamentos a su alcance. Observa el estado de abandono y desnutrición del campesinado, y comprende que es necesario hacer una reforma al régimen de propiedad en el campo. Dice el Che: "...las gentes de la Sierra brotan silvestres y sin cuidado y se desgastan rápidamente, en un trajín sin recompensa. Allí, en esos trabajos empezaba a hacerse carne en nosotros la conciencia de la necesidad de un cambio definitivo en la vida del pueblo. La idea de la reforma agraria se hizo nítida y la comunión con el pueblo dejó de ser teoría para convertirse en parte definitiva de nuestro ser" (49). En un principio el núcleo de la guerrilla había estado formado por jóvenes militantes urbanos, pero en esos momentos el grueso del ejército guerrillero era de campesinos que se habían incorporado a sus filas, como el caso del Vaquerito. Los guajiros demostraban ser estupendos soldados, que lo daban todo a cambio de muy poco; perfectamente adaptados a los trabajos y penurias de la vida en las sierras, su única ambición era ser un día dueños de su tierra, y por eso el 26 de Julio se propuso brindarles ese derecho.

El ejército guerrillero tuvo que luchar durante varios meses más contra las delaciones y las deserciones, porque aún no se había logrado formar una férrea moral revolucionaria. Empiezan a recibir algunos armamentos de los grupos políticos simpatizantes de las ciudades. Fidel manejó la situación con eclecticismo y habilidad, aceptando la ayuda sin hacer promesas ni comprometerse. Entre los nuevos compañeros que se incorporan hay dos que el Che destaca y valora: Crucito, el poeta campesino, que componía décimas de memoria, alegrando la vida del grupo en la sierra, y mantenía verdaderas "payadas" con uno de los hombres de la ciudad; y un chico de quince años, Joel Iglesias, que entró como mensajero y, por su inteligencia y coraje, el Che elevó después a combatiente y lo hizo jefe de un pelotón en su columna, dirigiendo a hombres que eran mucho mayores que él, pero lo respetaban por su liderazgo natural. Una vez terminada la guerra revolucionaria Joel pasó a ser Comandante del Ejército Rebelde (54).

Fidel, en contra del criterio del Che, que luego reconoció su equivocación, decidió atacar el cuartel de El Uvero, mejor defendido, para escalar las operaciones militares en la Sierra, demostrando el poder de fuego de la guerrilla. Fidel fue el encargado de iniciar la acción con el primer disparo. La lucha, que creyeron iba a durar pocos minutos, se transformó en un cruento combate, en que tuvieron que pelear a pecho descubierto por más de dos horas. Ellos tuvieron 6 muertos y varios heridos, y el enemigo 14 muertos y varios heridos; combatieron en total más de 130 hombres. Para el Che fue "...la victoria que marcó la mayoría de edad de nuestra guerrilla. A partir de ese combate, nuestra moral se acrecentó enormemente..." (61). Habían demostrado al enemigo que podían tomar y reducir los cuarteles, y éste tuvo que retirarse y dejar las sierras en manos de los guerrilleros. Así pudieron dominar el territorio cómodamente, establecer mejores comunicaciones, crear una base sedentaria de operaciones y regularizar los abastecimientos de comida, medicinas y hasta armas, que empezaron a llegar en mayor cantidad.

El Che volvió a servir a sus compañeros como médico, atendiendo a los heridos y moribundos. En el episodio "Cuidando heridos" describe el sacrificio que significó para él y sus ayudantes cuidar de los heridos en las condiciones en que estaban. Se veían obligados a ocultarlos de los enemigos mientras se restablecían, transportándolos en hamacas por los difíciles y casi intransitables senderos de las montañas. El Che destaca el heroísmo de sus ayudantes, extrayendo de este ejemplo la siguiente conclusión moral: "De muchos esfuerzos sinceros de hombres simples está hecho el edificio revolucionario, nuestra misión es desarrollar lo bueno, lo noble de cada uno y convertir todo hombre en un revolucionario...Los que hoy vemos sus realizaciones tenemos la obligación de pensar en los que quedaron en el camino y trabajar para que en el futuro sean menos los rezagados" (67-8). El trabajo esforzado del médico Guevara y sus combatientes "enfermeros" es una contribución silenciosa que sienta las bases de la moral revolucionaria, que llevará a la transformación de la sociedad y a la creación del "hombre nuevo".

Curar a los heridos del ataque de El Uvero y esperar a que se restablezcan les tomó todo el mes de junio del 57. Aunque el Che no desatendió la misión humanitaria que le encomendó Fidel, aprovechó la oportunidad para demostrar su liderazgo y capacidad de mando: simultáneamente con el cuidado de los heridos, comenzó a adiestrar a un grupo de simpatizantes campesinos que se le acercaron, hasta reunir un total de cerca de 40 personas, entre combatientes y nuevos reclutas. Mientras los instruía militarmente, luchaba contra la indisciplina y las deserciones, que amenazaban la cohesión del grupo. A medida que se reponían los combatientes, iban asumiendo sus responsabilidades militares y daban más movilidad al grupo. El Che mejoró las comunicaciones y mantuvo una red de informantes que le dejaban saber de los peligros y protegían a su grupo. Fidel premió poco después este buen desempeño, y al dividir en dos la columna guerrillera, que se estaba haciendo demasiado numerosa, lo nombró su primer comandante.

Ya para el mes de julio de 1957, Fidel Castro había logrado establecer una suerte de "territorio libre" en la sierra, en el que el ejército procuraba no entrar. Tenía tropas bastante disciplinadas, con buena moral de combate, más y mejores armas y apoyo creciente de la población local. Esto hizo que varios políticos se acercaran al Movimiento, tratando de influir en ellos, previendo la inexperiencia política de los jóvenes guerrilleros. Guevara temía "una traición" y tituló al episodio que describe lo que pasó: "Se gesta una traición". Entre los políticos que fueron a la sierra a parlamentar con Fidel estaban Raúl Chibás, del Partido Ortodoxo, y Felipe Pazos, que había sido presidente del Banco Central bajo el gobierno de Prío Socarrás, derrocado por Batista en 1952. El Che manifiesta su desacuerdo con este tipo de arreglos, y considera a estos políticos oportunistas peligrosos que tratan de medrar en la situación y sacar provecho de la lucha guerrillera. Pazos aspiraba a ser Presidente del gobierno provisional que se formara luego del triunfo definitivo de la guerrilla (77).

Castro trataba al Che como a su hombre de confianza, y le explicó que si discutía con esos políticos era para concertar un programa de puntos mínimos, que pusiera en claro que el Movimiento no dejaría el poder en manos de ninguna junta militar temporal. Deseaba además sentar las bases de una reforma agraria, acordar la liberación de los presos políticos, demandar libertad de prensa y programar el proceso acelerado de industrialización (76). Guevara cree que el Manifiesto resultante firmado tenía aspectos positivos y acepta la política acuerdista de Fidel. Los políticos burgueses viajaron luego a Miami para tratar de ampliar el acuerdo. Guevara pensaba que habían ido más bien a buscar su propio beneficio, y el acuerdo no prosperó. Fidel reaccionó con indignación al conocer el Pacto de Miami, y afirmó su propia jefatura política ante el oportunismo de los políticos burgueses. El Che consideró que lo que había frenado la ofensiva burguesa y su intento de apoderarse de la dirección política del Movimiento fue el temor que éstos sintieron al ver en la Sierra al pueblo en armas; dice: "Lo que no calcularon es que los golpes políticos tienen el alcance que permita el contrario, en este caso, las armas del pueblo. La rápida acción de nuestro jefe, con la confianza puesta en el Ejército Guerrillero, impidió que la traición prosperara y su encendida réplica de meses después, cuando se conoció el resultado del pacto de Miami, paralizó al enemigo" (78).

El Che salió fortalecido de esta situación. Era consciente de su talento como líder militar, y Fidel lo nombró Comandante de la segunda columna guerrillera. El Che considera este momento el más importante de su vida. Durante el año y medio que duraría aún la guerra, se convertirá en su Comandante más destacado, y el jefe militar que finalmente derrotará al ejército de Batista en la batalla de Santa Clara, signando así la caída y huída del dictador de Cuba y el triunfo definitivo de la ofensiva guerrillera. Dice el Che: "La dosis de vanidad que todos tenemos dentro, hizo que me sintiera el hombre más orgulloso de la tierra ese día. El símbolo de mi nombramiento, una pequeña estrella, me fue dado por Celia junto con uno de los relojes de pulsera que habían encargado a Manzanillo" (79). Esa estrella en su boina vasca sería el símbolo que identificaría al Che en el futuro en muchos de sus retratos. Fidel le dio entonces libertad para iniciar sus propias acciones militares y le encomendó una difícil y arriesgada misión, como todas las que asignaría a Guevara: tender un cerco a Sánchez Mosquera, el oficial enemigo más peligroso, y sorprenderlo. Ante ese desafío el Che empezó a elucubrar hazañas.

En el episodio "El ataque a Bueycito" nos encontramos ante una nueva realidad: el Che transformado en Comandante. De ahí en adelante decidirá según su propio criterio. Trata de inculcar una fuerte moral de combate en su columna. Un guerrillero mata a otro que le había propuesto desertar, y el Che aprovecha la situación para darles una lección. Hace desfilar a todo el grupo frente al cadáver del desertor, aleccionándolo sobre las responsabilidades del guerrillero, que nunca debe abandonar su puesto de combate.

En el ataque a Bueycito se le trabó el fusil ametralladora y casi pierde la vida ante un enemigo. Confiesa que tuvo que correr, sin ningún honor, para salvarse (83). Se muestra como un ser falible, que no teme admitir sus debilidades y constantemente se esfuerza por mejorar. Tomaron el cuartel de Bueycito con éxito y procedieron a repartir entre los combatientes el botín de armas que capturaron. El Che hizo varios ascensos después del combate y licenció a aquellos hombres cuya moral revolucionaria no estuvo a la altura de las circunstancias. Poco después se enteraron de la muerte del gran líder político del Llano Frank País, asesinado por la dictadura. Al conocer el asesinato el pueblo de Santiago se lanzó a las calles en una huelga espontánea. El Che comenta con lucidez: "Con Frank País perdimos uno de los más valiosos luchadores, pero la reacción ante su asesinato demostró que nuevas fuerzas se incorporaban a la lucha y que crecía el espíritu combativo del pueblo" (85).

El ataque siguiente que llevó a cabo la columna del Che fue el de El Hombrito. Allí lograron detener a una columna mandada por Merob Sosa, impidiéndole su acceso a la sierra. El Che disparó sobre la vanguardia del pelotón enemigo. En cada combate, señala el Che, el grupo iba aprendiendo. Concluye: "Este combate nos señalaba lo fácil que era, en determinadas circunstancias, atacar columnas enemigas en marcha y, además, nacía en nosotros la certidumbre de la bondad táctica de tirar siempre sobre la cabeza de la tropa en marcha para tratar de matar el primero...logrando así que todos buscaran no ir adelante y se llegara a inmovilizar la fuerza enemiga" (89). Con el tiempo esta táctica dio buenos resultados, el enemigo terminó por dejarles bajo su control el territorio de la Sierra y ya no se atrevían a entrar en ella.

En el próximo episodio, "Pino del Agua", el Che se acusa de otra falta: fue demasiado "blando" con un soldado enemigo capturado, y éste les causó un gran daño. Debía ser en el futuro más estricto en su trato al enemigo, para defender la revolución. El Che le había pedido al soldado Baró, capturado, que denunciara al régimen de Batista en una embajada extranjera, en la que pediría asilo, a cambio de ayudarlo a visitar a su madre que, según el soldado, estaba enferma (91). Baró lo engañó y el Ejército asesinó a los cuatro guerrilleros que lo acompañaban. Colaboró con Sánchez Mosquera, denunciando a los campesinos que ayudaban a la guerrilla. Aquél desató el terror contra la población local. El Che se autoacusa de debilidad, o sentimentalismo, explicando cómo debe comportarse un guerrillero para defender a sus compañeros, sin poner en riesgo la vida de los demás y el triunfo de los objetivos de la revolución.

En el combate de Pino del Agua la columna del Che emboscó unos camiones del enemigo que venían por la sierra. Ante un incidente ocurrido en el ataque, hace reflexiones sobre la conducta del combatiente durante la guerra. Uno de los guerrilleros remató a un soldado enemigo herido, y el Che se lo recriminó, insistiendo que los guerrilleros jamás debían matar a un enemigo herido (94). Al oír esto otro soldado oculto se entregó, y le decía a los guerrilleros que no lo mataran, porque "el Che, dice que no se matan los prisioneros" (95). El Che demuestra su carácter compasivo, y su adherencia a normas humanitarias de lucha. Al final del episodio, como era su costumbre, hace un autoanálisis crítico, observando que su columna guerrillera se había retirado con bastante desorden. Concluye: "Todo esto indicaba la necesidad imperiosa de mejorar la preparación combativa y la disciplina de nuestra tropa..." (96).

Los próximos episodios, hasta llegar al combate de Mar Verde contra Sánchez Mosquera, a fines de noviembre de 1957, describen la campaña de moralización que lleva a cabo el Che en su propia columna, y la lucha contra el bandidaje de la sierra. El Che las considera fundamentales para mantener la moral revolucionaria, y mostrar la diferencia entre la actitud del ejército revolucionario del pueblo, y la de los bandidos locales, que trataban de robar a los campesinos, aprovechando la falta de policía y la anarquía que reinaba en la sierra.

El Che formó una Comisión de Disciplina que juzgaba y ajusticiaba a desertores, y a "chivatos" que delataban a los guerrilleros. Se produjo un incidente grave cuando uno de los miembros de este Comité de Disciplina, en su rigor, mató por accidente a un guerrillero, al que iba a golpear en la cabeza con su pistola. Ante la ira del grupo, el Che procedió a juzgar al culpable, un excelente combatiente, el Capitán Lalo Sardiñas. Comenzó un extenso debate y, si bien no pudo impedir el castigo, Guevara logró, después de una votación, que se le conmutara la pena de muerte por la pena de degradación.

Fidel, después del incidente, le dio en reemplazo a quien sería el mejor capitán del Che, luego elevado a Comandante: Camilo Cienfuegos. Camilo había sido parte del grupo original que llegara con el Granma, y se transformó en gran amigo personal del Che. Terminará con él la campaña de Las Villas, para morir luego del triunfo de la revolución, en un accidente aéreo nunca aclarado definitivamente. El Che le dedicará a su amigo póstumamente su libro *Guerra de guerrillas*, diciendo que lo que mató a Camilo fue su propio valor, su espíritu temerario (como el del mismo Che). Dice el Che en la dedicatoria: "Todas estas líneas y las que siguen pueden considerarse como un homenaje del Ejército Rebelde a su gran Capitán, al más grande jefe de guerrillas que dio esta revolución, al revolucionario sin tacha y al amigo fraterno" (*Guerra de guerrillas* 7). Con Camilo el Che pudo reforzar y darle movilidad a su columna y hacerla prácticamente invencible para el Ejército de Batista. Si bien la cooperación entre los dos demostraba la flexibilidad y el liderazgo en combate del Che, fue resultado directo de la sagacidad táctica y política de Fidel, que sabía rodearse de los hombres necesarios para la lucha, y darles libertad y confianza para llevar a cabo su cometido. Podemos decir que Camilo fue para el Che lo que el Che era para Fidel: su hombre clave y su mejor combatiente.

El Che fomentaba la disciplina y organizó actividades típicas de una etapa más sedentaria de la guerrilla. Estableció una presencia "policial" en la zona y reprimió al bandidaje. Juzgaron y ajusticiaron a un combatiente con poca conciencia revolucionaria, que amenazaba con denunciarlos al enemigo, Arístidio. Guevara explica que quizá el campesino no había cometido una falta que justificara la pena máxima, pero que la justicia revolucionaria era tal, que debía ser un ejemplo para los demás y marcar una conducta a seguir para todos (103). Luego persiguen a una banda de salteadores que asolaba la región, la del Chino Chang. Che mandó a Camilo a apresar a varios de los ladrones. Sólo condenan a muerte al Chino Chang y a un violador, y hacen un simulacro de fusilamiento con otros tres. Estos luego son incorporados al ejército guerrillero como combatientes, y actuaron con valor durante la campaña (104).

El Che dice que no podían aplicar otras penas: "Podrá parecer ahora un sistema bárbaro este empleado por primera vez en la Sierra, sólo que no había ninguna sanción posible para aquellos hombres a los que se les podía salvar la vida, pero que tenían una serie de faltas bastante graves en su haber" (104). El momento exigía "poner mano dura y dar un castigo ejemplar para frenar todo intento de indisciplina y liquidar los elementos de anarquía..." (105). El Che admite que algunos de estos hombres eran probablemente rescatables, no del todo malos, y que se habían dejado llevar a esa situación de bandidaje por indisciplina e individualismo, por egoísmo, y varios murieron vivando la revolución. El objetivo de estos castigos, para el Che, era que "...se comprendiera la necesidad de hacer de nuestra Revolución un hecho puro y no contaminarlo con los bandidajes a que nos tenían acostumbrados los hombres de Batista" (105). A fines de octubre regresaron a El Hombrito, una zona bien defendida por ellos, donde empezaron a publicar un periódico que tuvo varios números, *El Cubano Libre*, redactado por dos estudiantes que habían llegado de La Habana.

La versión de *Pasajes...* de 1977, inserta en esta parte un episodio que no aparecía en la primera edición de la obra de 1963. Se trata de una anécdota significativa que ilustra el carácter tierno y sentimental del Che, así como la moral de hierro que lo guiaba en sus conductas, haciéndolo aceptar cualquier sacrificio en defensa de la revolución. El

Che tenía gran afición por los perros, y habían adoptado un cachorrito como mascota de la columna; Sánchez Mosquera entró con sus hombres hasta cerca de la posición que ocupaban ellos para atacarlos, y mientras escapaban del cerco que les habían tendido, el perrito empezó a llorar. Temiendo que los descubrieran el Che ordenó a un guerrillero que lo ahorcara, ante la consternación del grupo, que sentía un hondo afecto hacia la mascota. Esa noche, al regresar al campamento, los duros guerrilleros se enternecieron cuando vino el perro de la casa vecina de un campesino a buscar un hueso. En los ojos del perro vieron la mirada del cachorro asesinado y se sintieron culpables. Aquel perrito que habían tenido que matar para no poner en riesgo la vida de los soldados era un símbolo de toda la inocencia sacrificada que quedaba en el camino de la revolución.

Sánchez Mosquera era el oficial del Ejército enemigo más hábil con el que tenía que enfrentarse la columna del Che en los combates de la Sierra Maestra. El sueño del Che era cercarlo y vencerlo, cosa que nunca logró hacer en la medida de su deseo. Temía que Sánchez Mosquera los sorprendiera y los atacara en el campamento de El Hombrito, su base de operaciones, sin darles la oportunidad de defenderse y escapar. Sánchez Mosquera era una especie de zorro cruel, que aterrorizaba a los campesinos y se metía en el territorio que tenía que defender el Che. Combatieron contra él en Mar Verde y en Altos de Conrado. En esas acciones el Che perdió valiosos soldados de su columna. En Mar Verde puso un cerco a Sánchez Mosquera, con la ayuda de Camilo Cienfuegos. El Teniente Joel Iglesias, un valiente adolescente protegido por el Che, fue herido en el combate, y el Capitán Ciro Redondo, uno de los más importantes combatientes que había llegado en el Granma, perdió la vida. Después de este fracaso el Che regresó al campamento de El Hombrito para atender a los heridos. Tuvieron que replegarse ante la agresividad de Sánchez Mosquera, que subía a la Sierra para atacarlos. Al Che le dieron un balazo en el pie durante el combate. Sánchez Mosquera logró finalmente entrar en el campamento de El Hombrito y lo destruyó, pero los guerrilleros escaparon.

Para ese entonces ya se había cumplido un año de lucha armada en la Sierra. El balance era extremadamente positivo para los guerrilleros. A fin de año las tropas enemigas empezaron a retirarse de la Sierra. Se habían formado dos nuevas columnas, una al mando de Raúl Castro, hermano menor de Fidel, y la otra comandada por Almeida. A pesar de los camaradas perdidos en los combates, de la represión de Batista en las ciudades, y de la muerte de Frank País, la combatividad había aumentado durante el primer año de lucha. Recibían cada vez más apoyo. En mayo salió una expedición desde Miami en el yate Corinthia para reforzar al grupo de la sierra. El Ejército la atacó y mató a su jefe, Calixto Sánchez. Otro grupo político, el Directorio Estudiantil, comenzó a combatir en la Sierra del Escambray. En septiembre de 1957 la Base Naval de Cienfuegos se alzó contra Batista, pero fueron reprimidos.

Dice el Che: "Al finalizar este primer año de lucha, el panorama era de un alzamiento general en todo el territorio nacional. Se sucedían los sabotajes…Nuestra situación militar se consolidaba y era amplio el territorio que ocupábamos" (122-3). Habían logrado incorporar una buena cantidad de reclutas, contaban con más armas, tenían comunicaciones aceptables, provisiones adecuadas de comida y medicamentos, varios médicos se habían unido a la guerrilla para atender a los heridos, habían creado talleres para el abastecimiento y la reparación de armamentos, y tenían una planta transmisora de radio, con un alcance cada vez mayor.

Varios grupos políticos, en los que se habían infiltrado agentes de Batista, se acercaron a Fidel. Este manejaba esas relaciones con sentido práctico. El Movimiento 26 de Julio albergaba en su seno dos tendencias, que competían por el liderazgo, la de la Sierra y la del Llano (127). Fidel mantuvo la unidad del Movimiento y formó un frente amplio de lucha. El 14 de diciembre envió una carta a todas las organizaciones revolucionarias, que el Che transcribe, llamándolas a la unión. Argumenta contra cualquier corriente que pudiera tener la intención de poner provisoriamente el gobierno en manos de una junta militar interina cuando llegara el triunfo. Sostiene que se regirán por la Constitución de 1940 y disolverán el Tribunal Supremo de Justicia, que estaba al servicio de la dictadura. Propone como Presidente del futuro Gobierno Provisional al Magistrado de la Audiencia de Oriente, Dr. Urrutia, por su honestidad. Fidel reitera su compromiso con su pueblo, y su intención de luchar hasta la victoria o la muerte.

En febrero de 1958 Fidel decidió atacar al enemigo para demostrar la capacidad combativa de sus fuerzas. Elige asaltar otra vez Pino del Agua, que estaba ocupado por el Ejército. Se propuso cercar a la compañía allí estacionada y liquidar sus postas. El armamento guerrillero era ya más sofisticado, y tenían minas y bombas caseras. Provocaron un buen número de bajas al enemigo, a pesar que luchaban bajo el ataque de la aviación. Ante el éxito de la ofensiva general, Fidel pidió al Che que no luchara más en primera línea, que no se arriesgara tanto. Los oficiales del ejército rebelde le escribieron una carta a Fidel solicitándole que en el futuro derivara sus responsabilidades de combate en ellos (147). Estaban conscientes de que poco a poco iban ganando la guerra insurreccional, y señalaban a los hombres que veían con más condiciones para ocupar puestos políticos importantes luego del triunfo revolucionario. Les piden que se arriesguen menos en los combates, con el fin de preservar un núcleo político dirigente.

A partir de este momento los análisis del Che abarcan períodos más extensos de tiempo. La edición original que publicó en 1963 llegaba solamente hasta el combate de El Hombrito, el 29 de agosto de 1957; los otros episodios fueron incorporados a la edición siguiente del libro, luego de su muerte. La descripción de la guerra revolucionaria durante el año 1958 no se concentra tanto en anécdotas individuales. Narra a grandes rasgos, resumiendo, los combates, particularmente la campaña del Llano, la marcha a Las Villas y la toma de Santa Clara. Se detiene en el análisis del proceso político, cada vez más intenso, que se va desatando, como resultado del éxito de la lucha armada, entre las organizaciones políticas que aspiran a ocupar un espacio de poder cuando caiga la dictadura.

En la isla se fue desarrollando un proceso de insurrección popular cada vez más intenso. Los guerrilleros decidieron llamar a una huelga general en las ciudades en abril de 1958, pero la mayoría de los trabajadores no la acató. Ante ese fracaso Batista procuró sacar ventaja de la situación. Decidió hacer una gran ofensiva militar para derrotar a los guerrilleros en la Sierra Maestra. Esta ofensiva se inició el 25 de mayo con más de diez mil hombres del Ejército, apoyados por tanques y la aviación, y duró dos meses y medio.

En abril tuvo el Che un enfrentamiento militar comprometido con su enemigo Sánchez Mosquera. Este logró aislarlo de su columna y sus hombres le empezaron a tirar mientras subían la loma hacia donde él se encontraba. Sufrió un ataque de asma y tuvo que ocultarse. Ese día sintió vergüenza de sí mismo, se sintió cobarde (152). Poco después, en preparación de la ofensiva a Oriente, Fidel le encomendó al Che que se hiciera cargo de la Escuela de Reclutas, y lo retiró del comando de la columna temporalmente.

Poco antes de la ofensiva del Ejército de Batista a fines de mayo, tuvo lugar una importante reunión política en la Sierra, en la que participaron representantes de los dos principales sectores del Movimiento 26 de Julio. El objetivo de esa reunión era unir al Movimiento bajo una sola dirección. Los dirigentes de la Sierra censuraron a los del Llano y los culparon del fracaso de la huelga general. Fidel salió fortalecido de la disputa, y quedó como dirigente máximo del Movimiento y como Comandante en Jefe, tanto de la Sierra como del Llano. La dirección política del Movimiento 26 de julio pasó a la Sierra. Los dirigentes de la ciudad fueron integrados a la guerrilla de la Sierra como combatientes. Fidel fue designado Secretario General del Movimiento. Coordinaba su política en todo el territorio y era el encargado de las relaciones con la comunidad cubana exiliada en Estados Unidos y en Venezuela.

El Ejército de Batista fracasó en su ofensiva militar, a pesar de su superioridad numérica y de armamento. Enfrentado a una guerrilla políticamente unificada, con buena moral de combate, no logró sacarla de su territorio. Todos los intentos de penetrar en la sierra chocaron con la resistencia de una guerrilla veterana, que sabía cómo emboscar a las columnas, destruir las vanguardias, quitarles el armamento y huir. La continua pérdida de combatientes minó la moral del Ejército y tuvo que retirarse de la Sierra, después de haber perdido gran cantidad de hombres, sin alcanzar su objetivo.

Ante el fracaso del enemigo, el comando guerrillero se planteó la posibilidad inmediata de un contraataque. Planeó una ofensiva general para derrotar a Batista y derrocarlo. Esto lo narra el Che en el episodio incluido en la edición de 1977, que era la segunda parte de un artículo publicado originalmente en la revista *O Cruceiro*, en julio de 1959, bajo el título "Una revolución que comienza". Este texto cubría la laguna temporal que dejaba la primera edición. El último artículo que escribió el Che sobre la guerra revolucionaria cubana, "Una reunión decisiva", apareció en la revista *Verde Olivo*, el 22 de noviembre de 1964. En 1965, marchó a su misión militar en el Congo y ya no continuó escribiendo sobre el tema.

Luego de rechazar la ofensiva del Ejército Nacional de Batista, Fidel se trazó nuevos objetivos. Dice el Che: "La lucha debía continuar. Se estableció entonces la estrategia final, atacando por tres puntos: Santiago de Cuba, sometido a un cerco elástico; Las Villas, adonde debía marchar yo, y Pinar del Río, en el otro extremo de la Isla, adonde debía marchar Camilo Cienfuegos..." (160). Santiago, donde operarían Fidel y su hermano Raúl, era provincia vecina a la Sierra Maestra. Al Che y a Camilo les correspondía marchar hacia el oeste, cortar las comunicaciones entre el oriente y el occidente de la isla, y atacar puntos estratégicos. Fueron los que tuvieron más responsabilidad militar en la ofensiva final. El gobierno de Batista cae cuando el Che toma la ciudad de Santa Clara. Camilo no llega a luchar en Pinar del Río, sino que acompaña la ofensiva del Che en la provincia de Las Villas. Fidel había pedido al Che que en su marcha contactara a los otros grupos políticos revolucionarios para asegurarse su apoyo. Quería que esos grupos se subordinaran al 26 de Julio, y ordenó al Che que actuara en esa zona como un verdadero gobernador militar.

La marcha del Che a Las Villas, al frente de una columna de menos de 150 hombres, para emprender una guerra abierta contra el Ejército Nacional, marca el momento épico más heroico de la guerra, dado el riesgo que implicaba el atacar en la llanura a un enemigo mejor armado y más numeroso. El Che no pudo disponer de vehículos para transportar a sus hombres varios cientos de kilómetros por la isla, tuvieron que marchar por las noches durante varias semanas por áreas pantanosas, para no ser blanco de los ataques de los aviones, que los bombardeaban y ametrallaban continuamente, y para evitar que la infantería lograra cercarlos. El padecimiento físico del ejército guerrillero en esas circunstancias fue enorme; dice el Che: "Caminábamos por difíciles terrenos anegados, sufriendo el ataque de plagas de mosquitos que hacían insoportables las horas de descanso; comiendo poco y mal, bebiendo agua de ríos pantanosos o simplemente de pantanos. Nuestras jornadas empezaron a dilatarse y a hacerse verdaderamente horribles" (161). Muchos de los hombres iban descalzos. Durante la marcha recibieron apoyo de los campesinos.

Al divisar el macizo montañoso de Las Villas los guerrilleros se sintieron llenos de optimismo, ya que estaban acostumbrados a combatir en la montaña, era su territorio familiar. Debían atacar los poblados de la Sierra del Escambray, para paralizar la farsa electoral que estaba organizando el gobierno de Batista en contra de los insurgentes. En el Escambray el Che trató de mantener unidos a los grupos políticos que operaban allí: el Segundo Frente Nacional del Escambray, el Directorio Revolucionario, la Organización Auténtica y el Partido Socialista Popular. Durante los meses de noviembre y diciembre de 1958 sus hombres bloquearon las carreteras, dividiendo a la isla en dos y, a finales de diciembre, el Che atacó la ciudad de Santa Clara.

Las tropas de la dictadura estaban totalmente desmoralizadas. El Che inició junto con Camilo la ofensiva final en la provincia de Las Villas el 21 de diciembre. Tomaron varios poblados. Camilo avanzaba por el norte, mientras el Che marchaba por el centro hacia Santa Clara, la ciudad principal de la provincia, de 150.000 habitantes, situada en el centro geográfico de la isla. La lucha para tomar Santa Clara comenzó el 29 de diciembre. El momento culminante de la batalla fue el ataque rebelde al tren blindado, repleto de armamentos y tropas, que Batista había enviado como refuerzo, y los guerrilleros hicieron descarrilar, para luego asediarlo con bombas molotov, hasta lograr que se rindieran todos sus ocupantes. Tomaron la estación de Policía y el cuartel 31 y, cuando estaba por rendirse el cuartel Leoncio Vidal, Batista huyó de la isla, abandonando a sus seguidores a su suerte, y se desmoronó la jefatura del Ejército. Fidel les ordenó marchar sobre La Habana. En pocos días los rebeldes controlaron toda la isla y Fidel fue nombrado Primer Ministro del gobierno provisional.

Este es el momento en que termina la guerra. Iban a iniciarse los cambios revolucionarios. Los guerrilleros entraron en La Habana vitoreados por el pueblo de Cuba. Fidel nombró al Che Comandante de la Fortaleza de la Cabaña, donde presidió los tribunales revolucionarios, que llevaron a cabo los juicios sumarios de los esbirros de Batista que habían cometido asesinatos y masacres contra el pueblo (Anderson 369-374). Allí demostrará una vez más su celo revolucionario. Fidel sancionó una ley especial nombrando al Che Cubano de nacimiento, dándole ciudadanía cubana en reconocimiento a su extraordinario servicio a la Revolución. Lo designa Presidente del Banco de Cuba y, poco después, Ministro de Industria. Comienza otra etapa en su vida. Va a participar en la creación de un estado revolucionario y de una sociedad nueva, de acuerdo a principios políticos socialistas. Declara el Che: "...constituimos en este momento la esperanza de la América irredenta. Todos los ojos –los de los grandes opresores y los de los esperanzados– están fijos en nosotros" (167). En este artículo, que cierra la edición del libro de 1977, escrito en 1959, cuando era Presidente del Banco Central, el Che explica cómo será la batalla que tendrá que librar Cuba para diversificar su economía, y escapar de la dependencia del monocultivo de la caña de azúcar. El primer desafío será implementar la Reforma Agraria, después desarrollar la incipiente industria y satisfacer las necesidades del mercado interno y, finalmente, crear una flota mercante para poder exportar. Durante los próximos años, desde el Ministerio de Industria, el Che trabajó incansablemente para alcanzar esos objetivos.

Concluye el artículo que cierra estos *Pasajes...* recordándonos su vocación continental latinoamericanista, y afirmando su determinación de luchar para defender la revolución. Dice: "Pueden tener seguridad nuestros amigos del Continente insumiso que, si es necesario, lucharemos hasta la última consecuencia económica de nuestros actos y si se lleva más lejos aún la pelea, lucharemos hasta la última gota de nuestra sangre rebelde, para hacer de esta tierra una república soberana, con los verdaderos atributos de una nación feliz, democrática y fraternal de sus hermanos de América" (168).

Durante esos años Cuba tendrá que defenderse de las agresiones del Imperialismo Norteamericano. El imperialismo se valió de cuanto estuvo a su alcance para tratar de destruir la revolución cubana, e impedir el desarrollo de movimientos revolucionarios en Latinoamérica y otras partes del tercer mundo: golpes de estado, invasiones armadas, sanciones económicas, bloqueo, alianzas políticas con los países dóciles. El Che se pone al servicio de esa lucha contra el imperialismo, y se transforma en un enérgico e inteligente crítico de la situación política cubana e internacional. Sus discursos y artículos irán interpretando la compleja realidad de su tiempo. Embajador itinerante, participará en diferentes foros internacionales defendiendo la Revolución, incluidos el de la Organización de Estados Americanos, la Asamblea General de las Naciones Unidas y la reunión de Países Socialistas. Los ensayos escritos durante estos años demuestran la claridad de su visión y el sentido de su misión revolucionaria.

Las memorias militares del Che en *Pasajes de la guerra revolucionaria* son una autobiografía moral y política del personaje histórico y testimonian su conducta en la revolución. Su versión busca ajustarse a la verdad, criterio rector en su vida. Su ejemplo y su sacrificio dieron valor y sentido a las luchas de liberación en América Latina y en el mundo todo, transformándose en símbolo de una importante etapa de nuestra historia.

Bibliografía citada

Almeyra, Guillermo. "El redescubrimiento del Che". Guillermo Almeyra/ Enzo Santarelli. *Che Guevara El pensamiento rebelde*. Buenos Aires: Peña Lillo, 2004. Primera edición 1993. 11-29.

Anderson, Jon Lee. *Che Guevara Una vida revolucionaria*. Barcelona: Editorial Anagrama, 2006. Traducción de Daniel Zadunaisky y Susan Pellicer.

Castro, Fidel. "Introducción". *El diario del Che en Bolivia. Obras completas...* 519-33.

———. *La historia me absolverá*. Madrid: Júcar, 1984.

Dieterich, Heinz; Paco Ignacio Taibo II y Pedro Alvarez Tabío. *Diarios de guerra. Raúl Castro y Che Guevara*. Madrid: La Fábrica, 2006.

Guevara, Ernesto Che. *La guerra de guerrillas*. Tafalla: Editorial Txalaparta, 2005.

———. *Obras completas*. Buenos Aires: Editorial Andrómeda, 2002.

———. *Pasajes de la guerra revolucionaria*. La Habana: Editorial de Ciencias Sociales, 2002. 3ra. Edición (1era. Edición 1977).

———. *Pasajes de la guerra revolucionaria*. México: Ocean Sur, 2006. Edición autorizada con correcciones por Che Guevara.

--------. *Pasajes de la guerra revolucionaria: Congo.* Buenos Aires: Editorial Sudamericana, 1999.

--------. *Otra vez. Diario inédito del segundo viaje por Latinoamérica.* Bogotá: Ocean Sur, 2007.

Guevara, Ernesto Che, Alberto Granado. *Viaje por Sudamérica.* Tafalla: Editorial Txalaparta, 1994. Edición de Roberto Massari.

Guevara Lynch, Ernesto. *Mi hijo el Che.* Buenos Aires: Editorial Sudamericana, 1984. 3ra. Edición.

--------. *Aquí va un soldado de América.* Buenos Aires: Editorial Sudamericana/ Planeta: 1987.

Massari, Roberto. *Che Guevara. Pensamiento y política de la utopía.* Tafalla: Editorial Txalaparta, 2004. Nueva edición ampliada y revisada por el autor. Traducción de José María Pérez Bustero.

Piglia, Ricardo. "Ernesto Guevara, rastros de lectura". *El último lector.* Barcelona: Editorial Anagrama, 2005. 103-138.

Sorensen, Diana. *A Turbulent Decade Remembered. Scenes from the Latin American Sixties.* Stanford: Stanford University Press, 2007.

Taibo II, Paco Ignacio. *Ernesto Guevara, también conocido como el Che.* Barcelona: Editorial Planeta, 1996. Nueva edición definitiva, corregida y actualizada.

CAPÍTULO 6

EL PENSAMIENTO AMERICANISTA
DE RODOLFO KUSCH

L a obra ensayística de Rodolfo Kusch (1922-1979) es labor de filósofo heterodoxo y antropólogo autodidacto. Le dio un papel destacado a la literatura en su interpretación de América (valoró más la cultura popular que la letrada) y reflexionó sobre libros de autores argentinos como Güiraldes, Hernández y Sarmiento; escribió también obras de teatro: *Tango, Credo Rante, La muerte del Chacho y La leyenda de Juan Moreira.*

Al iniciar su tarea como filósofo Kusch se propuso interpretar desde una perspectiva crítica lo americano.[1] Se preguntó qué es lo que

---

[1] Me acerco al pensamiento de Kusch con el deseo de aprender conceptos y nociones que puedan resultarme útiles en mi labor crítica. Quisiera formar con su obra y la de otros ensayistas nuestros, como Martínez Estrada, Mafud, Canal Feijóo, Murena, Jauretche, una fuente de saber útil para entender nuestra literatura y cultura. En el pasado he enriquecido mi comprensión de los textos hispanoamericanos con el aporte crítico de teóricos y filósofos europeos y norteamericanos, como Barthes, Foucault, Bakhtin, Derrida, Said, Jameson, Butler, cuyas ideas siguen exégetas de distintas latitudes.

Los estudiosos y críticos argentinos hemos sido fieles a ese saber europeo y norteamericano, del que se alimentan las cátedras universitarias y las revistas especializadas. Debo reconocer en este apego a una gran tradición crítica internacional un hábito de dependencia cultural que caracteriza al mundo intelectual latinoamericano. Ese hábito, coherente con nuestros valores, me incita a buscar "maestros" entre los críticos de la intelectualidad de esos países. Sus obras me ayudan a profundizar la comprensión de los textos que estudio. Hay en mí y en otros críticos latinoamericanos, sin embargo, sentimientos confusos, difíciles de confesar, que hacen que ignoremos los méritos de los pensadores locales. Los consideramos demasiado vernáculos, demasiado desprolijos, o finalmente, poco filósofos según la tradición europea. Al marginar a estos pensadores, o al negarles a sus ideas y opiniones el nivel "científico" necesario para formar parte de un aporte permanente a nuestro autoconocimiento, cercenamos una fuente de saber que yo creo necesaria para entender en todas sus dimensiones nuestra cultura.

Es cierto que nuestros ensayistas muestran en sus obras ciertos prejuicios y dan opiniones circunstanciales; no encontramos en ellos muchas veces esas verdades filosóficas sofisticadas y bien fundadas que nos muestran los académicos y filósofos de las universidades europeas y norteamericanas. No ofrecen, salvo excepciones, razones superiores bien basadas en la cultura filosófica y resulta difícil esgrimir sus juicios en discusiones intelectuales. Sus pensamientos resultan acotados y producen cierto malestar en los lectores. Porque no presentan siempre conceptos claros, no son fáciles de aprender. Representan el "sentido común" de nuestra cultura, pero se muestran deseosos de fundar un saber propio y distintivo de lo americano que pueda darnos ciertas claves para interpretar lo nuestro. De mi parte siento que tengo hacia estos pensadores vernáculos una deuda, tanto he aprendido de los pensadores europeos y tan poco de los nuestros, quizá por eso sé tan poco de América y lo poco que sé lo entiendo con anteojos europeos, al punto que si trato de ver por ojos latinoamericanos, me parece que nuestros pensadores tienen una visión defectuosa.

En Europa el ensayo ocupa una esfera más específica del saber que en Latinoamérica, puesto que Europa cuenta con una bien asentada tradición filosófica y una gran cultura académica, pero en Latinoamérica el papel del ensayo se extiende y su saber lidera el conocimiento de lo propio, ante una cultura académica débil y dependiente, y una cultura filosófica sin originalidad y nada productiva. El ensayo cubre ese vacío y además instaura el motivo principal del pensar latinoamericano: la pregunta por América y por el ser americano. El ensayo (y la poesía) ocupan un papel especial en la cultura de América: son los géneros más activos en nuestro autoconocimiento, donde se unen la intuición del habitante de estas tierras, su picardía y personalidad, y su voluntad de conocer y de ser. Si no logramos dar al ensayo un lugar, un espacio en el conocimiento de América (la poesía ya ocupa su espacio propio y es enorme el impacto que tiene en el imaginario americano), nuestra vida intelectual no será más que un pobre remedo de las culturas europeas y norteamericana, una muestra lastimosa de sometimiento colonial.

Quisiera asumir una nueva actitud intelectual: leer a Borges, Sábato y Piglia desde la crítica europea y norteamericana, y desde los aportes críticos de nuestros ensayistas. Incorporar estas fuentes nuestras como un saber activo, útil, para enriquecer la comprensión de lo argentino y latinoamericano, aunque la mezcla provoque algunas confusiones. Quizá esa confusión sea un fiel reflejo de la idiosincrasia de nuestra cultura heterogénea y mestiza.

hacemos los pequeño-burgueses educados, los intelectuales urbanos de clase media, frente a lo americano. Cuestionó el modo en que la pequeña burguesía liberal interpretaba a América: su lógica de la afirmación, su fe en la ciencia, la llevaba a asumir una forma de vida que no era auténtica. Vivimos, según Kusch, para afirmar un mundo que queremos sea un remedo de Europa y Estados Unidos, occidental, centrado alrededor de los logros utilitarios y económicos (O.C. I:103-113).Y la ciencia ignora nuestros valores y nuestro ser: impone un mundo objetivo, matematizable, que tiene poco que ver con el hombre. El ser humano, para Kusch, vive en una constante búsqueda de sentido y lucha por establecer su significación. El hombre moderno, "civilizado" y urbano contemporáneo comparte esta experiencia con los hombres de otras culturas, incluidas las culturas nativas, indígenas americanas y las culturas mestizas y marginales.

La realidad está llena de sentido, es "semántica", pero no siempre lógica. Frente a las verdades del mundo de la ciencia el hombre se resiste, las niega, para así, a partir de esa negación, afirmar su ser auténtico, americano (O.C. II: 549-56). El hombre parte del "estar", y del estar pasa al "ser". El estar se asocia con el ámbito, con el domicilio. En América el estar es un "estar-siendo"; en Europa, en cambio, es un "ser-estando": parten del ser y pasan al estar, al domicilio. En América el ser refleja el ámbito, y es distinto al ser de otras culturas. Querer imponerle el ser europeo, como pretende la pequeña burguesía liberal urbana es, para Kusch, buscar colonizarlo. El ser latinoamericano se resiste a la colonización, y los adelantos de las sociedades europea y norteamericana, científicas, modernas, industriales, no terminan de cuajar y encontrar su ámbito en Latinoamérica. El sudamericano, establecido en su "estar", se rebela contra la imposición científico-racional. Y porque se lo quiere forzar a aceptarla se resiente. Llevado por su resentimiento procura crear sentido en su mundo, y afirmar su estar aquí.

Las masas del pueblo latinoamericano son para Kusch las que más resisten las imposiciones de una sociedad racional y científica, y se defienden en el estar (O.C. II: 656). Kusch reconoce su protagonismo al pueblo más pobre y desprotegido, el pueblo de las villas miserias, el de los poblados rurales del nordeste, el pueblo identificado con el movimiento peronista. Si lo que define al hombre es su búsqueda de significado, su necesidad de encontrar un sentido a la existencia, el latinoamericano tiene su propia manera de buscar ese sentido. La diferencia entre el ser y el estar, del castellano, que no aparece en el "to be" de la lengua anglosajona, y tampoco en el alemán, que solo reconoce el ser, la encontramos en la lengua quechua, la lengua indígena que reúne mayor cantidad de hablantes nativos en Sudamérica a todo lo largo de la Cordillera de los Andes, el sitio del antiguo imperio incaico. Este hecho apoya la convicción de Kusch de que en América el estar tiene prioridad sobre el ser, que caracteriza a la ontología occidental europea (*O.C.* II: 108-13). España, por su parte, siendo un país europeo cuya cultura resultó históricamente marginada y su proceso de democratización demorado en relación a las naciones protestantes, comparte con las culturas nativas latinoamericanas cierta actitud ante el "estar aquí". Sarmiento y Alberdi, desde una perspectiva europeísta y cientificista, acusaron a los españoles de desidia y atraso, y vieron como necesario en Argentina cambiar el carácter de la población local, condenada por la herencia española, atrayendo inmigrantes del norte de Europa, que inculcaran sus ideales de progreso y amor al trabajo.

Para Kusch, la ideología liberal de la república inmigrante había fracasado en Argentina, porque se había enfrentado a la negación y al resentimiento de las masas peronistas y del indio (*O.C.* II: 650-3). La cultura pequeño-burguesa urbana argentina, identificada con el estado liberal, mostraba, ante esta realidad, su desazón, su pesimismo, su sentimiento de fracaso. La cultura letrada, para Kusch, era incapaz de comprender la realidad de América (*O.C.* II: 266-73). La ve como una cultural colonial, que se afirma en los valores europeos y busca implantar esos valores en América. El universitario, el letrado, el literato, quieren sentir a Europa en América, y fracasan, porque tratan de forzar en América el ser europeo, sin tener en cuenta lo que el pueblo desea. El pueblo lo niega y resiste, busca imponer su propio ser, su verdad existencial.

La cultura letrada está divorciada de América. Kusch en su búsqueda de lo americano no recurre a la cultura letrada sino a la popular y a la nativa. En este proceso, el filósofo se vuelve antropólogo. Si vemos los principales títulos de su obra ensayística, comprobamos esta transición en su obra de la filosofía a la antropología: en *Seducción de la*

barbarie Análisis herético de un continente mestizo, 1953, su primera
obra, Kusch ubica su pensamiento en relación a la dialéctica sarmientina de civilización y barbarie, reinterpretando el problema; en
América profunda, 1962, el filósofo recurre a las crónicas coloniales
para entender el pensamiento indígena; *Indios, porteños y dioses*,
1966, es un diario de viaje de Buenos Aires a Bolivia, donde Kusch
prioriza el trabajo de campo, la observación directa del comportamiento del pueblo; *El pensamiento indígena y popular en América*, 1970,
elabora muchas de las observaciones de sus viajes y las sistematiza; *La
negación en el pensamiento popular*, 1975, desarrolla una interpretación del sentido de la negación y su valor ontológico; en *Geocultura
del hombre americano*, 1976 y *Esbozo de una antropología filosófica
americana*, 1978, piensa a América desde la antropología filosófica.

En el "Exordio" de *América profunda*, 1962, Kusch advertía al
lector que gracias a los trabajos antropológicos de José Imbelloni, José
María Arguedas y Luis Valcárcel había comprendido la necesidad de
estudiar el mundo precolombino y colonial americano para entender su
pensamiento, y gracias a los viajes y al trabajo de campo su interpretación de lo americano había progresado. Sus ensayos contienen testimonios de diversos informantes indígenas que recogió en sus viajes
por Bolivia; analizando estos testimonios Kusch buscó adentrarse en
el conocimiento ontológico de lo americano, y elaboró su interpretación del "estar" y el "ser" en América. Su misión intelectual se inspiró
en ensayistas como Canal Feijóo y Martínez Estrada, pero él ambicio-
naba ir más allá de ellos y encontrar la raíz filosófica del drama de
América.

Kusch procedió a "razonar el material arqueológico" y fue aventu-
rándose en su interpretación del ser de América (*O.C.* II:7). En
América profunda estudió el "viracochismo", valiéndose de crónicas
del siglo XVII que daban testimonio del culto del dios Viracocha en el
altiplano altoperuano, hoy Bolivia. Cita diversos estudios de investiga-
dores americanos, como Lehmann-Nitsche, Ricardo Latcham, Miguel
León Portilla. Kusch analiza los datos sobre el mundo cósmico y
sagrado de los incas, su relación con la tierra y el sentido simbólico de
sus creencias. Señala que la idea del mundo que tenían los incas procedía de la interpretación de los "yamqui", sus sabios, y era resultado

de la relación de este pueblo con la vida en esta tierra, desde donde surgía su filosofía. Para él la filosofía no es universal sino regional, refleja las condiciones ontológicas de la existencia de cada pueblo. La filosofía contemporánea europea, así, no es universal aunque lo pretenda. Su anunciado universalismo denota la aspiración colonial europea que busca imponer su experiencia histórica, y el ser resultante de la misma, como verdad universal. América debe tener su propia verdad, derivada de su historia.

En su próxima obra, *El pensamiento indígena y popular en América*, 1970, ya no apoya sus conclusiones en crónicas, da un paso más y hace investigación de campo. En 1967 había realizado un viaje al altiplano boliviano donde recogió testimonios de diversos informantes, a través de los cuales procuró interpretar el pensar indígena. Una de las conclusiones más interesantes a que llega en este libro es que en el "pensamiento seminal" yace la lógica original indígena del pensamiento popular. El pensamiento seminal, más afectivo que el pensamiento causal occidental, se concreta en "una negación de todo lo afirmado", en lugar de afirmar, como lo hace el pensar causal europeo (*O.C.* II: 482). El pensamiento europeo se mueve en el "patio de los objetos", espacio artificial que también podemos encontrar en América en el ámbito de la ciudad occidental instalada en ésta. El pensar seminal se da en "términos de contemplación y de espera" y "busca conciliar los extremos desgarrados a que se reduce en el fondo la experiencia misma de la vida" (*O.C.* II: 482-3).

El pensar seminal afecta la economía de la comunidad. La economía indígena refleja el pensar seminal y la ciudadana el pensar causal, y generan relaciones sociales diferentes. Según Kusch, en la sociedad indígena "...el individuo no puede esgrimir su yo, sino que se deja llevar por la costumbre, la cual a su vez es regulada por la comunidad" (*O.C.* II: 491). Es un régimen "irracional", el individuo no cuantifica su trabajo ni su producción, y "...no constituye una unidad económica". En contraste, la economía de la clase media urbana "...permite la autonomía del yo, con la consiguiente capacidad de éste de disponer del dinero, y además de cuantificar en términos de una economía científica cierto tipo de relaciones, como ser el trabajo, el intercambio de mercancías, la libertad de empresa... (*O.C.* II: 491)".

La economía de mercado responde a un criterio cuantitativo, mientras que la indígena es cualitativa; el capitalismo está sujeto a leyes matemáticas, y de libertad en relación a las cosas; el indio también es libre, pero sujeto a "normas religiosas" (*O.C.* II: 493). Este hombre indígena, tanto como el hombre "moderno", son abstracciones, advierte Kusch; el hombre real es el "pueblo" que no es ni totalmente moderno ni totalmente indígena y "...se desplaza entre un pensamiento causal y un comportamiento seminal (*O.C.* II: 496)". En el subdesarrollo, cree, no se acepta "el valor objetivo y neutro del dinero y de las cosas...", sino que la relación con éstas está turbada de "implicaciones afectivas" (*O.C.* II: 496). En cualquiera de los dos mundos, el indígena o el moderno, el hombre busca su salvación, su trascendencia, procurando acercarse a lo que considera sagrado. Los 5.000 años transcurridos en lo que va del mundo del indígena al del civilizado europeo, o el americano colonizado, no transformaron tanto el universo del sentido dentro del cual se mueve la existencia: el ser humano hoy sigue buscando su trascendencia y su salvación.

Kusch vislumbra dos historias: la "pequeña" y la "gran" historia. La pequeña historia es la historia del colonialismo y el capitalismo europeo en América, que busca imponer el ser europeo, frente a un ser americano que resiste y lo niega, y se resiente, porque quiere afirmar su propio ser; es la historia positiva, afirmativa de la modernidad científica, mercantil, que quiere extenderse al resto del mundo. La gran historia, en tanto, que involucra y absorbe a la pequeña historia, es la historia del hombre en el gran teatro de la vida, en su dimensión biológica, donde éste busca afirmar su yo y crear su propia historia a partir de la negación de la historia presente. Kusch concibe el yo y la historia, así como el ser, como continuo hacerse. En el momento en que se pretende imponer lo hecho, o forzar un modelo, se le está quitando su libertad al hombre. La pequeña historia de la modernidad occidental es falsa en América, es inauténtica, porque no contempla la necesidad ontológica y los valores del ser americano, que no se mueve del "ser" al "estar", como el europeo, sino del "estar" al "ser": el ámbito, el suelo, es determinante en este continente.

Kusch, desde su perspectiva fenomenológica, entiende que el ser existe en el tiempo y engendra su propia historia. Heidegger es su principal referente, aunque Kusch cree en el mestizaje intelectual americano y se comporta y piensa de manera heterodoxa, y como él dice, "herética". Además de Heidegger cita también a Max Scheler y a Jung, hace referencia a lo cósmico y a lo sagrado, y la importancia del mito en América (*O.C.* II:292-5).

La filosofía de Kusch progresa de lo general a lo particular, de lo universal filosófico a lo particular antropológico. En su última etapa, durante los años setenta (muere en 1979), elabora la base de su antropología filosófica apoyándose en el pensamiento desarrollado por él a partir de sus viajes y observaciones durante las dos décadas anteriores. Kusch poseía una formación filosófica académica, era egresado de la Universidad de Buenos Aires, pero su singular apasionamiento por América y lo americano, por el pueblo de América, lo llevó a investigar las culturas precolombinas, la vida contemporánea en las grandes ciudades y las culturas indígenas del altiplano, desde una perspectiva antropológico-filosófica y "cultural", que no desdeñaba lo político ni lo literario. Se interesó por el mundo político del Peronismo, al que juzgó auténtico por carecer de una doctrina fija y concluida, y estar más cerca del hombre, su negatividad y resentimiento, que los partidos liberales burgueses. Gracias a esta postura auténtica, el argentino podía afirmarse y hacerse en su propio ser; el Peronismo no forzaba al argentino a aceptar un ser inauténtico, colonizado; entendía la historia como un hacerse a partir de lo que está: el hombre argentino. Este hombre podía avanzar hacia el ser y lograr su estar-siendo americano auténtico.

Meditó sobre lo literario, y consideró que la literatura urbana y liberal producida a partir de la emancipación era una literatura falsa, porque trataba de imponer valores coloniales e inauténticos, de espalda a la problemática de América. Rescató obras como el *Martín Fierro*, que se aproximaba al pensamiento seminal americano.

Su intuición filosófica continuó su proceso de penetración de su realidad. Entendió el mundo americano como un drama, donde el hombre buscaba relacionarse con lo sagrado, con la divinidad. Escribió obras de teatro con personajes del mundo histórico argentino, como Juan Moreira y Chacho Peñaloza, y de la mitología urbana, el tango. Como hermeneuta, Kusch no se acercó a un mundo objetivo, sino a un mundo de significados, a un mundo semántico. Trató de intuir lo americano a partir de una lectura filosófica cargada de intuición poética.

Si bien Kusch contextualiza su pensamiento apoyándose en el saber de la época en que estuvo activo como pensador, entre 1940 y 1979, su filosofía se inserta en el pensar sobre América que ha vertebrado el ensayo moderno latinoamericano y argentino desde la emancipación, discutiendo conceptos como ciudad y campo, civilización y barbarie, modernización y atraso, el mestizaje, el futuro y la "salvación" de América. El conflicto entre naturaleza americana y saber europeo, cuyo estudio iniciara Sarmiento en su *Facundo* (al que Kusch somete a una severa crítica), vertebra el ensayo argentino posterior a 1845, con ricos momentos de producción ensayística. Entre esos pensadores se destacan, a fines del siglo diecinueve y principios del veinte, los positivistas, como José María Ramos Mejía, Agustín Alvarez y José Ingenieros, y el grupo de ensayistas que surgen en el siglo XX a partir de la obra de Ezequiel Martínez Estrada, como Julio Mafud, H. A. Murena, J. J. Sebrelli y el mismo Rodolfo Kusch, que da a ese pensamiento una modulación filosófica original.

Aquellos que queremos alimentar nuestro saber del saber hecho en América, a partir del desgarramiento y trauma que significa lo americano, necesitamos incorporar las ideas del ensayo latinoamericano como parte de nuestro repertorio activo de conocimiento para aprehender y entender nuestra realidad y nuestra cultura, y asumir como propio el punto de vista de los pensadores latinoamericanos y argentinos en la interpretación de esa realidad. La crítica literaria y la interpretación de los textos se enriquecerá con este saber, cuando junto a las ideas de Derrida, Jameson, Said y Butler, incluyamos, en pie de igualdad, las ideas de Martínez Estrada, Murena, Sebrelli y Kusch, no como a creadores marginales de un saber sin mérito ni profundidad, sino como a pensadores originales que poseen una ventaja indiscutible frente a los europeos y norteamericanos: han pensado desde Latinoamérica, desde el espacio latinoamericano, y apuntan a problemas que sólo alguien que ha vivido en esta parte de América puede ver en todos sus matices. Necesitamos entonces sacudirnos nuestros prejuicios, y devolvernos la fe para estudiar y entender nuestra cultura y vivir en América como seres totales.

Bibliografía citada

Kusch, Rodolfo. *Obras completas*. Rosario: Editorial Fundación Ross, 2000-2003. 4 volúmenes.

Capítulo 7

MODELO ARGENTINO:
EL TESTAMENTO POLÍTICO DE PERÓN

E l 1° de mayo de 1974, el General Juan Domingo Perón, Presidente de los argentinos, anunció, en su discurso en el Día del Trabajador ante el Honorable Senado de la Nación, que había creado un Modelo Argentino, que en breve ofrecería a la consideración del país, para que el pueblo, inspirándose en ese modelo, pudiera concebir un Proyecto Nacional que perteneciera a la totalidad de la nación (*El Modelo Argentino Proyecto Nacional* 22). Perón consideraba que los trabajadores, como grupo social, debían definir la sociedad a la que aspiraban, en un proyecto que trascendiera las luchas económicas. Su Modelo Argentino proponía un nuevo tipo de democracia con justicia social (Baeza 41-6). Para alcanzar esa democracia hacía falta planificar el futuro. Los partidos políticos participarían, junto a los trabajadores, en la elaboración del Proyecto Nacional. Los intelectuales también debían hacer su aporte. El resultado final sería la combinación de lo que los intelectuales formularan, lo que el país quería y lo que resultara posible realizar.

Perón entregó las carpetas de su Modelo a los Ministros de su Gabinete para su estudio y discusión (Gómez de Mier Tomo 25: 17). Poco después, su salud comienza a deteriorarse y Perón fallece el 1° de Julio de 1974 a los 78 años de edad. Los acontecimientos políticos posteriores y el golpe de estado de 1976 impidieron que se llevara a cabo en esos momentos el proceso concebido por Perón, pero su Modelo Argentino para el Proyecto Nacional se convertiría en el manifiesto programático más importante del General, pensado de acuerdo al desarrollo futuro de su sociedad y de la doctrina que había concebido como propia: el Justicialismo. En este escrito Perón se muestra como un estadista original que nos propone una filosofía política latinoamericana, producto de sus reflexiones teóricas y su experiencia política. Dada la amplitud y generosidad de su concepción, podemos considerar al Modelo Argentino el testamento político de Perón, escrito durante la etapa final de su vida y presentado al pueblo estando en ejercicio de la Primera Magistratura de la República y en pleno uso de sus facultades.

El texto, publicado después de su muerte, es una síntesis de su doctrina y constituye "una propuesta de lineamientos generales, antes que de soluciones definitivas" (*El Modelo Argentino* 27). Los grupos representativos de la comunidad al discutirlo contribuirían a profundizar el Modelo, para que surgiera del mismo un Proyecto Nacional que, consideraba, debía quedar inserto en la Constitución. Era misión del ciudadano analizar el modelo, y el gobernante debía crear un Consejo para hacer posible la participación ciudadana en ese proceso. El Consejo proveería un cauce institucional para preservar el Modelo, que continuaría evolucionando, permitiendo que triunfara definitivamente la Idea, venciendo al tiempo. En ese Modelo propuesto Perón comunica al pueblo su manera de ver el futuro. El mundo marchaba en un proceso acelerado de integración universal y continental, y la Argentina, lejos de resignarse a un papel pasivo, debía hacer su propio aporte a la cultura mundial (28).

En este trabajo Perón vuelca su experiencia de treinta años en la política argentina. Reconoce que la obra humana es imperfecta, y el Modelo es una manera de rescatarla de los avatares del tiempo y construir algo más permanente, de crear un auténtico legado político para contribuir a la felicidad de su pueblo. Perón no buscaba imponer el Modelo que presentaba ni forzar a la población a aceptarlo; su ambición, como buen maestro, era la de motivar a los ciudadanos para que éstos lo analizaran y después, entre todos, pudieran crear un Proyecto Nacional. Era parte de un proceso grupal, colectivo, en que los argentinos, consciente, intencionadamente, iban a producir la nación, a renovar el proceso fundacional de la patria.

Perón pensaba que el gobernante no debía imponer al pueblo su propia ideología y teoría política. Cada sociedad, basada en sus experiencias políticas, podía generar una ideología que representara sus necesidades y aspiraciones. Los representantes de las instituciones del pueblo, dialogando, decidirían por consenso los objetivos de la nación. Este ambiente de plebiscito popular era indispensable para poder llegar a un nuevo tipo de consenso democrático. En ese espacio de diálogo e interacción política el movimiento generaría su ideología. De allí saldría el proyecto nacional.

Con esta propuesta revertía Perón la relación entre teoría-ideología y práctica política que imperaba en los otros partidos. En lugar que la ideología generara la práctica, la práctica produciría su síntesis política e ideológica, en una relación de interacción entre teoría y práctica. Con esto buscaba darle soberanía y poder real al pueblo. Esta es una de las ideas más importantes que lega el Peronismo a la filosofía política nacional.

Perón dividió la obra en tres partes. La primera parte es la fundamentación histórica del Modelo Argentino. Perón explica por qué la Argentina necesita tener una ideología creativa y una doctrina que sistematice sus principios. Aquel pueblo que no sea capaz de crear su propia ideología, no tendrá más remedio que adoptar una ideología foránea, lo cual no puede satisfacer "las necesidades espirituales" del pueblo argentino (29).

Esta ha sido una cuestión arduamente debatida en la vida política latinoamericana: cómo crear una filosofía política propia, o una filosofía política adaptada a las necesidades del continente, que reflejara su realidad. Fue uno de los puntos más controvertidos durante el siglo XIX, cuando se fundaron las repúblicas latinoamericanas. Durante el siglo XX, dado el relativo fracaso de esos mismos procesos de formación nacional, que dio por resultado naciones dependientes, Estados débiles y clientelistas, el debate mantiene su vigencia. Perón tiene su propia interpretación de esta cuestión: su respuesta es que estos países deben revertir este proceso de dependencia, uniéndose, constituyendo un bloque independiente, para defender sus propios intereses. Este bloque constituirá un tercer poder frente al poder de las grandes potencias de la hora, los dos grandes imperialismos: el norteamericano y el soviético.

Perón fue testigo de la destrucción de Europa durante la Segunda Guerra Mundial y el Justicialismo había sido su respuesta ante esa situación internacional (32). Francia e Inglaterra se habían unido para destruir los nacionalismos de Alemania e Italia; luego, generalizada la lucha, también la Unión Soviética y los Estados Unidos van a olvidar sus diferencias ideológicas para unirse contra un enemigo común y destruirlo. El General entendió que no era en beneficio del país someterse al nuevo orden internacional derivado de la guerra. Había que resistir contra los imperialismos, pero de manera pacífica. Había que hacer cambios políticos sin recurrir a la fuerza militar. Insistía en la necesidad de la paz y de la unión entre los pueblos que tuvieran intereses políticos semejantes. Buscaba la concertación de los intereses en conflicto. Definía su posición como cristiana y social, identificada con la filosofía de la Iglesia Católica. Pero veía que la Iglesia no tenía su propia filosofía política, comparable a la del capitalismo liberal o a la del comunismo, que no le satisfacían. De ahí, en parte, su necesidad de crear su propia filosofía política: el Justicialismo, que caracterizaba como una doctrina nacional, social y cristiana.

Perón explica que el Justicialismo, a diferencia de otras filosofías políticas, no consiste en una serie de postulados: es un método de interpretación de las necesidades del pueblo, en que éste expresa sus propios deseos y objetivos. El gobernante, para él, es quien escucha al pueblo, quien lo interpreta y deduce una doctrina. Es una especie de ventrílocuo. El Justicialismo, nombre que dio a su filosofía política a partir del 1º de mayo de 1948, quería que el hombre se realizara en sociedad, e hiciera una ética de su responsabilidad cívica; que se desenvolviera en plena libertad, en un ámbito de justicia social; que esa justicia estuviera fundada en la ley del corazón y la solidaridad del pueblo, que fuera asumida por todos los argentinos y comprendiera a la nación como unidad abierta, pero consciente de su identidad (31-2). Perón insistía en que si bien creía en la comunidad, respetaba la individualidad del ser humano.

Consideraba que el Modelo que proponía tenía como objetivo encontrar coincidencias entre los argentinos, buscar la grandeza del país y lograr la felicidad del pueblo. El pueblo había impregnado al Justicialismo de las constantes básicas de su nacionalidad, por lo cual el Movimiento Justicialista podía ser considerado un fiel representante de sus intereses. El Modelo Argentino ayudaría a la sociedad nacional a madurar, ya que la sociedad no maduraba por sí sola. El Modelo, sin embargo, era solo una propuesta inicial que las generaciones futuras perfeccionarían. Era abierto y buscaba la armonía y la paz entre los argentinos. Su doctrina era revolucionaria y su realización pacífica.

En la democracia social que concebía Perón cada miembro de la comunidad debía realizarse. Su propuesta tenía una clara dimensión ética y era un llamado a la autonomía de la conciencia moral. Debía conformar, consideraba, un sustrato programático superior, orientador de la conducción. Sin embargo, la ideología emergente debía ser resultado del proceso histórico del pueblo, ya que de lo contrario éste no la admitiría como representativa de su destino (38). El país debía decidirse por su liberación, y por su integración continental y universal.

Los países avanzados habían crecido económicamente a expensas de los pobres. Los habían colonizado, dominándolos políticamente. La carga del progreso de las metrópolis imperialistas recayó sobre las espaldas de los trabajadores de los pueblos sometidos. La comunidad latinoamericana debía retomar la creación de su propia historia, el hombre tenía sed de verdad y de justicia. Ya había concluido el gobierno de las oligarquías y las burguesías, y empezaba el gobierno de los pueblos. Pero las diferencias que separaban a la Argentina de las grandes potencias se iban profundizando con la brecha tecnológica. Hacía falta desarrollar tecnología propia y para esto los países que querían liberarse tenían que unirse. El objetivo no era enfrentar a los grandes imperialismos, sino crear un modelo de desarrollo autónomo. El Tercer Mundo tenía que asumir su autodefensa. Los grandes imperialismos estaban perdiendo su hegemonía. Las ideologías iban siendo superadas por las necesidades de la lucha por la liberación.

Argentina debía formar su modelo característico de democracia, y no aceptar el tipo de democracia liberal que quería imponer Norteamérica. La democracia liberal creaba una sociedad competitiva y egoísta; hacía falta en cambio una sociedad solidaria y cooperativa. La sociedad competitiva y pragmática había estimulado el progreso económico, pero reducía la vida interior del hombre. Había que devolver al hombre su valor absoluto, persistiendo en el principio de justicia. La Argentina había sufrido a lo largo de los años, y particularmente después del golpe que lo derrocara de la presidencia en 1955, una creciente intervención externa y una vacilante política interna. Pretendieron diluir el poder político del Justicialismo, usaron la proscripción y la violencia, atacaron lo autóctono, pero en el pueblo argentino siempre estuvo latente el sentimiento de independencia nacional. El voto con proscripción, que se usó contra el Peronismo, daba legalidad a los resultados de las urnas, pero nunca legitimidad a los gobernantes que emergían del proceso. Ante esta situación el pueblo optó por ser protagonista de su historia.

Los gobiernos pro-liberales crearon una política productiva en función del beneficio de unos pocos, sin respetar las necesidades de la población (48). Para que la distribución sea socialmente aceptable, considera Perón, la decisión económica debe ir acompañada de una política social. El gobierno tiene que participar en el proceso de distribución y establecer políticas de ingreso. La actividad económica radicada en el país debe atender las necesidades de la economía nacional. Hay que expandir, en primer lugar, el consumo esencial de las familias de menores ingresos, y tener una política de precios e ingresos para combatir la inflación. El gasto público debe hacerse con un sentido social y de manera planificada. Hacen falta planes a largo y a corto plazo para utilizar bien los recursos.

La Argentina, señala Perón, es un país de alta movilidad social y los individuos poseen buenas posibilidades de formarse, pero la capacidad económica tiene aún demasiado peso en el desarrollo de las personas. Esto ha favorecido a las elites, e influido en la formación de los líderes. El líder tiene que ser un intérprete de su pueblo, y el requisito para ser un buen líder debe ser tener capacidad personal y vocación para servir al país.

La sociedad argentina ha logrado preservar la unidad familiar como célula social mejor que las sociedades liberales altamente competitivas, devoradas por el consumismo. El consumismo debilitó a la familia, y aparecieron desviaciones en la conducta de sus miembros, debido principalmente al consumo de alcohol y drogas. El Peronismo quiere que el hombre sea punto de partida de toda actividad creadora, y no instrumento de apetitos ajenos. Había que corregir pautas de consumo para que el país se desarrollara socialmente en pro de la felicidad del hombre, y no con el solo objetivo del progreso económico. Los medios de comunicación masivos fueron usados como vehículos de penetración cultural. Los que controlan los medios de comunicación tratan de aniquilar la conciencia del pueblo. El consumo artificial y la mentalidad competitiva desestimularon la creatividad en la ciencia y el arte.

Perón entendió que había que cambiar esa situación, y para eso era importante crear un modelo lúcido en el que la cultura tuviera el papel de importancia que se merecía. Concebía a la cultura como una especie de red que conectaba los ámbitos económico, político y social (57). Formaban parte de la cultura tanto la actividad artística como la humanística. Uno de los principales obstáculos para el desarrollo de la cultura nacional era el vasallaje cultural a que nos sometían los imperios que exportaban su cultura al resto del mundo. Usaban los medios de comunicación con esos fines, enfermando espiritualmente al hombre; ponían énfasis en lo sensorial, estimulando su ansia de poseer y diluían su capacidad crítica. Esto impedía al hombre madurar, se convertía en un hombre-niño, conformista, lleno de frustraciones, agresivo.

Ese colonialismo cultural encontró en la Argentina sus propios aliados. Había sectores de la cultura argentina cuya vocación era elitista y extranjerizante, y colaboraban con los intereses colonialistas (58). Perón entendía que los argentinos que apoyaban el capitalismo liberal o el comunismo obstruían la formación de una cultura nacional. Eso no significa que negara la necesidad de interactuar con otras culturas, pero el objetivo era alcanzar la liberación nacional y remover las barreras que la limitaran o la desviaran. La cultura tenía que comprometerse con los fines políticos nacionales.

En el terreno de la ciencia y la tecnología era imposible pretender ser autónomos, debían incorporar tecnología proveniente del exterior, pero era necesario, al mismo tiempo, desarrollar una ciencia y tecnología propia. Para lograr esto había que estimular la investigación, aplicada a los aspectos fundamentales para el desarrollo de la industria nacional. Se lo había hecho de manera insuficiente en el pasado, impidiendo que el investigador se entregara totalmente a su disciplina, y no se organizaron vínculos estables entre el sistema científico-tecnológico, el gobierno, el sistema financiero y el sistema de producción. Como resultado la investigación se había dispersado, y gran cantidad de científicos habían emigrado del país. Para resolver esto había que diseñar una política científica y tecnológica de realización relativamente sencilla.

Perón presta especial atención en su Modelo al ámbito ecológico. Dice que la cuestión ecológica es el problema más grave que tendrá que enfrentar la sociedad en el futuro. Vamos en una marcha suicida, afirma, contaminando el medio ambiente. Las sociedades de consumo son en realidad sociedades de despilfarro. Mientras los países pobres sufren hambre, enfermedades, analfabetismo, los países ricos malgastan preciosos recursos extraídos de los países pobres y pagados a bajos precios. El ser humano tiene que entender que su futuro depende de la armonía que pueda establecer con la naturaleza. Su arrogancia lo ha llevado a creer que puede controlar a la naturaleza con la mente, pero esto es un absurdo. Se desperdicia el agua dulce, crece irracionalmente la población y, a pesar de la revolución verde sobrevenida al aplicar las nuevas tecnologías industriales y descubrimientos biológicos a la producción de alimentos, el Tercer Mundo no produce lo que consume. No se pueden hacer cambios en la política demográfica, si ésta no va acompañada de una política económica y social correspondiente. La solución debe ser concertada entre los países. Dice Perón: "A la irracionalidad del suicidio colectivo debemos responder con la racionalidad del deseo de supervivencia" (66).

Había que programar y crear nuevas instituciones según las necesidades del Estado. El Estado liberal dejaba todo en manos privadas, pero en la Argentina hacía falta más gobierno y más eficiencia, no se podía dejar todo en manos privadas. El Poder Ejecutivo tenía que tener un peso suficiente para mantener un papel regulador, y por eso se lo acusó muchas veces de autoritario. Había que ajustar las estructuras de poder a lo que el país necesitaba y evitar la creación de burocracias sin objetivos claros. La intención del Modelo Argentino era ser una propuesta abierta que operara en armonía con las necesidades históricas. Debía ser un ideal de vida nacional creado por todos.

Aquí termina lo que Perón llama la "fundamentación" histórica y comienza la descripción del Modelo que él propone para la creación del Proyecto Nacional argentino. Explica en primer lugar uno de los conceptos que sostienen su doctrina: el de "Comunidad Organizada", que es la comunidad en la cual debe vivir el habitante del mundo justicialista. Quiere escapar del individualismo deshumanizante (del capitalismo liberal) y del colectivismo asfixiante (comunista). La Comunidad Organizada es la sociedad que corresponde al tercer modo posible del Estado, entre ambos extremos, y tiene elementos individualistas y colectivistas.

Dice Perón que la Comunidad Organizada "es el punto de partida de todo principio de formación y consolidación de las nacionalidades..."(72). Es la comunidad que corresponde a una sociedad nacional y nacionalista. Se inicia como un proceso de integración en que los ciudadanos llegan a sentir la comunidad como propia. Organizada quiere decir equilibrada, armónica. Debe defender los intereses del espíritu humano y poseer un criterio realista. Tiene que tener objetivos claros sobre la base de una ideología común, que se concreta en una doctrina. Debe alcanzar un alto grado de conciencia social y la solidaridad será el factor aglutinante. Debe constituir un sistema, y requiere programación, participación y capacitación del ciudadano. La organización está a cargo de los que quieren servir, y tienen aptitud para conducir y capacidad para estudiar las cuestiones relativas al desarrollo social del país. Esos ciudadanos deben representar intereses legítimos y aspiraciones justas y ser buenos dirigentes. Comunidad Organizada significa comunidad liberada. La conducción de esta sociedad es centralizada pero la ejecución debe ser descentralizada. Es el sentir del pueblo el que debe proveer la base espiritual de lo que debe ser la sociedad.

¿Sobre qué valores asentará su existencia el hombre de la Comunidad Organizada? Sus valores deben ser: la autenticidad, la creatividad, la responsabilidad y la espiritualidad. Ser argentino, para Perón, significa estar insertado en una situación histórica concreta y tener un compromiso moral con el destino de su tierra (75). Gracias al respeto de esos valores se podrá tener una patria justa, libre y soberana. Para la Comunidad Organizada la familia sigue siendo la célula social básica y el matrimonio la única base posible de su constitución. Perón considera que la unión contractual matrimonial es una misión trascendente, mediante la cual el individuo puede proyectarse hacia la comunidad. Su deseo es que cada familia pueda tener una vida digna, y que el estado asegure a las familias todas las prestaciones vitales y las proteja. La familia, considera, difunde en la comunidad una corriente de amor que es la base de la justicia social. Los fines de la familia tienen que ser solidarios con los fines de la nación, para que el pueblo no quede atomizado. La familia forma parte de la sociedad organizada nacional y cristiana, dinámica y creativa (80). Gracias a su sentido ético el pueblo crea orden, progreso y asegura el uso feliz de la libertad.

Después de discutir su concepto de comunidad y de familia, Perón explica cómo entiende la cultura. Dice que es artificial establecer una distinción entre el hombre argentino y la cultura que de él emana (81). El hombre argentino no es una síntesis de sus raíces europeas y americanas, sino una nueva identidad, derivada de su situación histórica y su adherencia al destino de la tierra. El argentino debe volver los ojos a su patria, dejar de pedir la aprobación del europeo para todo lo que hace; no debe caer ni en el europeísmo libresco ni en el chauvinismo ingenuo. La cultura popular, considera, tiene más vitalidad que la académica, creada por intelectuales. Hay que dirigir la mirada a los valores autóctonos para lograr una integración entre la cultura "superior" y la popular.

Los factores que inciden en la creación de la cultura son los medios de comunicación, la educación y la creatividad del pueblo. Los medios de comunicación controlan la información que puede ser usada para despertar una conciencia moral en los ciudadanos o para destruirla. La escuela debe estar vinculada a la comunidad y la nación. Durante la infancia, cree, deben sentarse las bases de la educación del niño para conformar un ciudadano sano. En la enseñanza media se fortalecerá la conciencia nacional y este proceso progresivamente continuará en la educación superior. Las instituciones educativas tienen que insertarse en la Comunidad Organizada (84). Perón no concibe a la Universidad como separada de la comunidad, y cree que el intelectual argentino debe estar al servicio de la reconstrucción y liberación de su patria.

Los jóvenes universitarios necesitan sumarse a la lucha por la constitución de una cultura nacional. En ese proceso el pueblo aportará su creatividad, como tercer elemento para la definición de su cultura nacional.

El próximo tema que aborda Perón es el de la vida política dentro de la Comunidad Organizada. Primero, advierte al lector cómo el Estado liberal había conducido su política: para el Estado liberal sólo los partidos políticos tenían representatividad, y mediaban entre el individuo y la organización política superior. Los grupos sociales y organizaciones intermedias eran rechazados, porque se los consideraba ajenos a la concepción liberal y parte de una concepción corporativista del Estado. Para él esto es un error: se le deben dar más peso a las organizaciones intermedias, que representan los intereses populares, para poder llegar a una democracia social. Creando un sistema de instituciones políticas y sociales, el pueblo podrá participar mejor en la elaboración de las decisiones de gobierno. La democracia es social, dice, sólo si el gobierno hace lo que el pueblo quiere (85). El pueblo organizado debe tomar las decisiones dentro del marco de la sociedad, para lograr un equilibrio entre el derecho del individuo y el de la comunidad.

La democracia social, cree, tiene que ser la expresión de una nación soberana, orgánica, de una Comunidad Organizada que procura el bien común a través del desarrollo social del país. Se nutre de una ética social que habrá de convertir al hombre actual en hombre nuevo. Requiere una caracterización de la propiedad en función social, inclusive la propiedad privada, que debe utilizarse para el bien común (87). En la democracia social decide el pueblo. El Peronismo es un Movimiento, y Perón considera superado el sistema de partidos múltiples y minúsculos, poco representativos, así como el partido único monopólico representando intereses egoístas de un sector. La participación política tiene que ser auténtica y el Peronismo la promueve, a través de partidos, o de personalidades independientes. El hombre tiene derecho a participar y contribuir al proyecto social de su comunidad, como trabajador, intelectual, empresario, militar, sacerdote, etc., y para esto tiene que organizarse y tomar su lugar en el Consejo para el Proyecto Nacional Argentino.

La democracia social se realiza en una concepción nacional universalista, de efectiva cooperación. A diferencia de la democracia liberal, necesita una estructuración orgánica. Tiene ideales pero no es una utopía, porque acerca la realidad al ideal y mantiene el ideal abierto a la realidad del futuro y sus cambios. La tarea política requiere una conducción política y una conducción político-administrativa. La primera atiende a la estructura del poder y la segunda a la administración del país (89). Las grandes tareas de la conducción son el planeamiento, la ejecución concreta, y el control y reajuste del proceso.

El planeamiento debe hacerse para el largo, el mediano y el corto plazo. Para el largo plazo el pueblo tiene que ser consultado. El mediano plazo está a cargo del Poder Ejecutivo. El corto plazo está a cargo del equipo ministerial. En todos los niveles tienen que establecerse controles y hace falta una completa red de información. El Congreso debe funcionar todo el año y participar activamente del proceso de programación de la estructura institucional del país. Perón cree necesario contar con un Poder Ejecutivo fuerte y capacitado, a cargo de la conducción efectiva del país. En el mundo interdisciplinario en que vivimos el Presidente debe controlar los factores externos de poder, y dejar la conducción político-administrativa a la acción ministerial. Un funcionario, cuyo poder debe ser equivalente al de un Primer Ministro, se encargará de la coordinación ministerial, fortaleciendo así la capacidad de decisión y acción del Presidente. La forma de gobierno correspondiente es la democracia representativa, republicana, federal y social.

Para hacer posible esta democracia los grupos sociales necesitan integrar cuadros intermedios, organizados institucionalmente, y procurar la unión, guiados por sus líderes. Todos los sectores necesitan paz social y diálogo abierto, porque la desunión pone en peligro la lucha por la liberación y la reconstrucción nacional. La violencia debe ser reemplazada por la idea. El objetivo de la política exterior es la paz mundial y la felicidad de los pueblos (93). Perón prevé un futuro en que la humanidad actuará "...en un sistema internacional estructurado sobre la base de un equilibrio pluripolar" (94). Su esperanza es que en ese entonces la Argentina pueda ser una potencia. Su política se basará en el respeto a la soberanía de los Estados, la autodeterminación y el pluralismo ideológico, la vigencia de la tercera posición y el respeto a los deseos y las necesidades del pueblo. Quiere recuperar para la Argentina el liderazgo perdido a nivel mundial.

Perón cree que la dimensión política antecede a lo económico. El objetivo económico debe ser servir a la comunidad como un todo y al hombre como persona. Los argentinos tienen que participar en una revolución ética y en una toma de conciencia cristiana. Los países del Tercer Mundo carecen de una justicia distributiva que respete a los más necesitados. Considera que el mundo va a cambiar en el futuro y que hay que prepararse para esos cambios. Habrá nuevas formas económicas, y los problemas no serán exclusivamente nacionales: será una sociedad globalizada. Hay que avanzar hacia ella gradualmente, evitando las formas violentas. Hay que partir de lo local y regional, logrando acuerdos de integración y haciendo planes de desarrollo económico. Ve a aquellos grupos e intereses que tratan de fomentar un consumo irracional como enemigos del país, porque refuerzan lazos de dependencia con intereses privados reñidos con el interés de la comunidad. La comunidad debe tener una escala de valores para que su vida no dependa exclusivamente de las demandas y los vaivenes del mercado, sino que se desarrolle de acuerdo a una concepción social propia universalista. En esta etapa es muy importante preservar los recursos naturales, que serán cada vez más necesarios para la humanidad, y sin ellos fracasará el desarrollo.

Perón creía que su doctrina política era revolucionaria. Estaba llevando a cabo una revolución incruenta. Esto diferenciaba su revolución de las revoluciones liberales burguesas y comunistas, que habían sido violentas. Consideraba a su movimiento una tercera vía. Mantenía una actitud pacifista. El Peronismo era un movimiento cristiano. Su pacifismo quedó demostrado durante el golpe contra su gobierno en 1955, en que Perón renunció a la violencia y no quiso defenderse recurriendo a la guerra. No quiso manchar sus manos con sangre argentina. Prefirió salir al exilio y seguir luchando contra sus enemigos con su arma favorita: la política.

Perón consideraba que la política era organización y que la organización vencía al tiempo. Su idea de la comunidad organizada se basaba en este principio. Su política daba un nuevo papel a las instituciones intermedias y populares de base. Las organizaciones peronistas son un tejido burocrático dinámico y sano, a través del cual la sociedad se coordina y ejerce su poder popular. Son la expresión de una democracia popular y social.

Perón siempre creyó en la necesidad de evolucionar hacia una comunidad socializada, donde el capital estuviera al servicio del trabajo. La sociedad debía ser compasiva, cristiana y solidaria, nivelarse de abajo hacia arriba, y las instituciones políticas tenían que estar al servicio de los más débiles y ayudar a los pobres.

Consciente de las limitaciones económicas de la Argentina, consideraba indispensable industrializarse y armonizar la estructura agropecuaria con la industrial, para que los productos salieran al mercado con el máximo posible de valor agregado (101). El país tenía que buscar la autosuficiencia de los insumos críticos que condicionaban la actividad industrial. El Estado debía complementar la tarea del empresario privado. Las empresas del Estado necesitaban satisfacer las necesidades básicas de la comunidad. Había que permitir el ingreso del capital extranjero, pero disciplinándolo de acuerdo a los intereses propios, puesto que un país para ser libre tiene que mantener su capacidad de decisión sobre el uso de sus recursos y factores productivos.

Perón entiende que la finalidad del proceso de desarrollo es elevar el nivel de ingresos de la comunidad y lograr su distribución con un criterio de justicia social. A diferencia de lo que hace el capitalismo liberal, su objetivo es redituar, tanto al capital como a las fuerzas del trabajo, de manera equitativa. Favorecer al capital por encima del trabajo sería socialmente injusto. El Estado debe estar presente para atacar la inflación, que distorsiona la distribución del ingreso. Los gobiernos provinciales necesitan fomentar una conciencia social de solidaridad, para ayudar a los sectores más necesitados y las áreas económicas sumergidas. Hace falta formación moral e idoneidad técnica para que el proceso de desarrollo tenga éxito.

La Argentina, como país, tiene una naturaleza privilegiada, y la actividad agropecuaria es central para su desarrollo, por lo que el Estado debe definir una política estable para el sector. Hay que asegurar a los colonos que ocupan la tierra condiciones propicias de explotación, porque la tierra no es bien de renta sino de trabajo, y tiene que producir cada vez más. El hombre de campo debe tener mentalidad moderna, la revolución tecnológica es un proceso irreversible. El Estado tendrá que regular la actividad del sector. Necesita ayudar a los pequeños productores con créditos y cooperativas agrarias, interviniendo en la comercialización y fijando precios.

El Estado también necesita fomentar y coordinar la actividad industrial, y decir qué produce el sector público y qué la actividad privada. Hay que darle a esta última marcos operativos estables para fomentar la inversión. Se necesita desarrollar tecnología propia para que haya industria argentina, porque sin industria nacional habrá crecimiento, pero no desarrollo integral. El mundo ha creado un sistema competitivo en que pierden los más débiles (111). La tecnología es un tipo de "mercadería" que debe ser utilizada con una función social, y ser de libre acceso en el mundo. El problema científico-tecnológico está en el corazón de la lucha por la liberación, ya que el ritmo de crecimiento depende del ritmo de aplicación de la tecnología de manera productiva. Esto no significa que Perón crea que el desarrollo de la tecnología pueda ser autárquico en su totalidad, pero cuando se desarrollen nuevos conocimientos éstos deben quedar en manos nacionales. La tecnología tiene sentido cuando se la aplica a un modelo de sociedad deseado.

El objetivo debe ser sustituir tecnologías extranjeras por tecnologías propias, exportar tecnologías en lo posible y adaptar la tecnología extranjera a los usos locales. El avance científico requiere una tarea planificada e interdisciplinaria. El gobierno necesita fomentar la ciencia, y conectar la actividad científica con los medios de producción y el sistema financiero. Tiene que asegurar la formación del científico y que éste cree un conocimiento adecuado para el país. El gobierno y el empresariado tienen que ocupar a los científicos del país para evitar el éxodo: ésta es una responsabilidad moral ineludible. Hay que hacer acuerdos de cooperación internacional con otros países, cuidando que la cooperación sea recíproca.

La cuestión ecológica es una de las más delicadas, por el impacto de esta cuestión sobre la sociedad futura. Hace falta una revolución mental en los países industrializados y en sus dirigentes para que haya convivencia biológica. Perón cree que la naturaleza debe ser restaurada, ya que el hombre no puede reemplazar a la naturaleza y el progreso debe tener un límite, puesto que los recursos naturales son agotables. Critica a aquellos países que ponen todo su esfuerzo en controlar el crecimiento de la población; más importante es aumentar la producción y mejorar la distribución del alimento, mejorar la atención de la salud y la educación. El lucro y el despilfarro no pueden seguir siendo el motor de la sociedad, hacen falta nuevos modelos de producción, consumo y desarrollo tecnológico (120). "Necesitamos –dice Perón– un hombre mentalmente nuevo en un mundo físicamente nuevo" (121). Ambiciona transformar las ciudades cárceles del presente en las ciudades jardines del futuro. Aconseja discutir la cuestión del crecimiento de la población mundial recurriendo a las Naciones Unidas. Para un país como la Argentina es fundamental defender sus recursos naturales de la voracidad de los monopolios internaciones, ya que cada gramo de materia prima que sale del país equivale a kilos de alimentos que dejarán de producirse en el futuro.

Los problemas básicos del Tercer Mundo, considera Perón, son la falta de justicia social y la insuficiente participación popular en la conducción de los asuntos políticos, distorsiones que su movimiento trató de corregir con su accionar (122). Para resolver estos problemas hay que hacer una revolución en paz, dentro del marco de la ley. Las instituciones deben primero establecer funciones y después dictar normas, al revés de lo que hace el liberalismo. Las instituciones tienen que programar su trabajo y el gobierno actuar partiendo de una programación. El país es un sistema al que se le pide un cierto nivel de eficiencia social mínima. Es importante que el trabajador del país participe en las instituciones, y en el Consejo para el Proyecto Nacional, y lograr que se respeten los derechos, tanto de las mayorías como de las minorías.

La programación institucional, piensa Perón, debe ser un proceso continuo. La Constitución Nacional debe fijar mediante una reforma el modo en que se hacen los ajustes institucionales, para que las instituciones no pierdan su representatividad y su dinamismo. La Constitución tiene que estar al servicio de una sociedad que marcha hacia la Comunidad Organizada y busca desempeñar un papel en el mundo. El gobierno necesita centralizar la conducción y descentralizar la ejecución, y actuar con planificación flexible para posibilitar reajustes y permitir la participación de todo el país. Los funcionarios tienen que ser estables y estar al servicio de la comunidad.

Para que exista democracia social, dice Perón, las masas populares deben mantener su representatividad, no puede basarse todo en la figura del caudillo (128). Las fuerzas políticas necesitan de la acción armónica de quienes conciben la doctrina, la predican y habrán de ejecutarla. En una plataforma política se evidenciará la base ideológica, que será lo que el partido conciba como Proyecto Nacional. La solución auténtica de los problemas argentinos necesita de la participación de las organizaciones de trabajadores, que deben intervenir en la formulación del Proyecto Nacional. La clase obrera organizada es indivisible, y debe mantener sus vínculos de solidaridad y nuclearse en una central única. El trabajo es un derecho y un deber, y cada uno debe producir al menos lo que consume. Los trabajadores tienen que definir la comunidad a la que aspiran e ir más allá de la simple puja de salarios. Deben actualizarse, capacitarse y formar sus propios líderes (129). Los Derechos del Trabajador de la Reforma Constitucional de 1949 tienen plena vigencia e integran el Modelo Argentino, y a éstos hay que adicionar el derecho a la participación plena en el Proyecto Nacional. Esos derechos eran: el derecho a trabajar, el derecho a una retribución justa, a la capacitación laboral, a condiciones dignas de trabajo, a la salud, al bienestar, a la seguridad social, a la protección familiar y al mejoramiento económico.

El intelectual tiene un importante papel en el modelo nacional peronista. Para Perón el intelectual debe interpretar las necesidades del mundo por venir, visualizar el cambio, combinar lo filosófico con lo práctico (130). Son éstos los objetivos que Perón se propone alcanzar con este Modelo, está tratando de ajustar su propia persona a este ideal. Perón concibe un intelectual distinto al que prospera en la sociedad liberal; en esta última, competitiva a ultranza, el intelectual se inserta en los procesos de producción y responde a las exigencias del mercado; en una democracia social, en cambio, el intelectual tiene que producir según las necesidades del hombre.

Para el Proyecto Nacional hay que tener en cuenta lo que los intelectuales conciban, lo que el país quiera, y lo que resulte posible realizar. Perón dice que el sistema liberal ha formado intelectuales para después frustrarlos, porque les ha negado participación. El quiere una sociedad en que el intelectual sea socialmente reconocido, y el hombre valga por sus conocimientos y condiciones morales. Hace falta un régimen universitario adecuado y la vigencia constitucional de los derechos del intelectual (132).

Los empresarios, por su parte, necesitan organizarse sobre una base humanística. El empresario tiene que poner límites a sus beneficios, porque la empresa constituye un bien social y debe estar al servicio del país. Cree que hay que trasladar a la comunidad los frutos del progreso a través de un sistema de precios adecuado, que respete las necesidades de los distintos estratos de la población. El gobierno deberá establecer formas de producción y comercialización que sean aptas para funcionar dentro del Modelo.

En relación a la política de la Iglesia Católica, afirma Perón que hay plena coincidencia entre la interpretación peronista de la justicia social y los principios de la Iglesia (133). La ética es la misma, fundamento de una moral común, y una idéntica prédica por la paz y el amor entre los hombres. Hay que dar a los logros humanos un sentido trascendente, e ir por un camino de fe, de amor y de justicia, para servir a un ser humano que está sediento de verdad.

Perón cree en la concepción universalista del mundo y en el camino de la paz. Para llegar a este universalismo las naciones oprimidas del Tercer Mundo van a tener que luchar contra los imperialismos. El Ejército tendrá que participar en actividades de apoyo a la comunidad y en acciones de apoyo educativo, porque las Fuerzas Armadas son parte del pueblo, y esta solidaridad es necesaria. Deben asumir la defensa de su sociedad contra el neocolonialismo y contribuir a la formulación del Proyecto Nacional. Para esto necesitan tener un profundo conocimiento de los objetivos nacionales, establecer contactos con los distintos sectores de la comunidad, elaborar la doctrina militar nacional, desarrollar áreas no abarcadas por la actividad privada, desarrollar una industria bélica nacional y participar activamente con su tecnología en los programas industriales y el Plan Siderúrgico Nacional. Termina en este punto el Modelo Argentino esbozado por Perón, que procede a brindarnos sus conclusiones.

Cree que estamos en la aurora de un nuevo renacimiento, porque el mundo se orienta hacia el universalismo. Los grandes problemas mundiales son la sobrepoblación, el agotamiento de los recursos naturales y la preservación del ámbito ecológico. Hay que lograr una integración entre los pueblos que no sea una nueva manifestación enmascarada de algún tipo de imperialismo. Tampoco se puede concebir una integración mundial armónica sobre la base de una nivelación indiscriminada, que despersonalice a los pueblos y enajene su verdad histórica. Para liberarse en todos los terrenos hay dos etapas esenciales: la del continentalismo y la del tercer mundismo. Argentina debe ser para Latinoamérica y no para los Norteamericanos, como indirectamente declara la Doctrina Monroe. Perón cree que hay que estructurar a toda Latinoamérica como una Comunidad Organizada.

Para tener independencia de decisiones el hombre debe poseer individualidad propia. El Tercer Mundo necesita configurar un Movimiento que respete la pluralidad ideológica. Su denominador común debe ser la liberación. Perón no busca una revancha histórica. El Tercer Mundo debe unirse mediante vínculos económicos bien definidos en cada uno de los continentes. Los intereses internacionales no surgieron espontáneamente de las necesidades de los pueblos: los intereses particulares de los grupos de poder los crearon. Hay que revertir este proceso. El hombre necesita habitar su mundo para realizar su esencia, y esa morada única es su patria. Sólo podremos ser universales si antes somos argentinos, porque el desarraigo anula al hombre (143).

Esta es la lección final de Juan Domingo Perón. Su documento es un legado de esperanza para la humanidad y el testamento político que deja a los argentinos. Es un pedido de compromiso a las diversas fuerzas e intereses políticos del país, para crear un Proyecto Nacional común que asocie a la comunidad con vínculos de solidaridad y le permita enfrentar su destino futuro. No propone soluciones para todos los problemas, pero entiende que el político tiene que ser un intelectual capaz de ofrecer a su comunidad una visión para guiar su futuro. El ofrece su propio Modelo Argentino, social y cristiano, que quiere opere como una guía de trabajo. Los distintos integrantes de la comunidad deberán organizarse para crear, a partir de ese Modelo, su Proyecto Nacional. El resultado final debe ser un acuerdo entre lo que se desea, lo que el pueblo quiere y lo que se puede llevar a cabo. Este es el legado de un luchador social que tuvo una conciencia única de su misión y que, previendo su desaparición física, quiso sintetizar su experiencia política en un documento de contenido práctico y doctrinal, dirigido a las generaciones futuras de su patria.

Bibliografía citada

Baeza, Aníbal Roque. *Caracteres del Modelo Argentino Justicialista: Nacional, Social y Cristiano*. Buenos Aires, 1987. Edición del autor.

Gómez de Mier, Eugenio. "Presentación". Juan Domingo Perón, *Obras Completas* Tomo 25. Buenos Aires: Editorial Docencia, 2002. 13-18.

Perón, Juan Domingo. *El Modelo Argentino Proyecto Nacional*. Rosario: Ediciones Pueblos del Sur, 2002.

Segunda parte

Literatura argentina y peronismo

CAPÍTULO 8

EL JOVEN BORGES: CRIOLLISMO
Y POPULISMO

E n 1921 el joven Jorge Luis Borges regresó a Buenos Aires, luego de siete años de residencia en Europa. Fueron aquellos años trascendentales en su formación y en su experiencia literaria. Cursó su bachillerato en el Collège Calvin de Suiza, donde recibió una educación excepcional. Formado en un hogar bilingüe, desde niño habló y leyó en inglés y castellano. En el colegio de Ginebra la educación se impartía en francés. El latín era una de las materias a la que daban más importancia. Estudió por su cuenta el alemán. El colegio privilegiaba la enseñanza de las humanidades y las literaturas ("An Autobiographical Essay" 214-5).

En 1919 terminó su escuela secundaria y partió para España con su familia. Borges era entonces un joven políglota de creciente erudición. En Sevilla y Madrid pudo participar activamente en la formación y difusión del movimiento de vanguardia español. Comenzó a publicar ensayos y poemas en las revistas ultraístas *Grecia* y *Ultra*. Al regresar a Buenos Aires en 1921 fundó con otros escritores la revista mural *Prisma* y la revista *Proa*, y colaboró en la revista de vanguardia *Martín Fierro* (Woodall 86-118).

Su educación escolar concluyó en 1919, pero Borges había crecido en un hogar excepcional y su padre impulsó en él, desde su niñez, el estudio independiente. Jorge Borges, aficionado a las letras, simpatizaba, como su amigo Macedonio Fernández, con el ideario anarquista, y trató de comunicar al niño buenos hábitos de trabajo intelectual (Woodall 53-6). Jorge Luis se formó en estos ideales libertarios y asumió con responsabilidad el deber de autoeducarse. Durante la década del veinte fue un lector y estudioso incansable, como lo evidencia su producción ensayística. Sus exigentes hábitos intelectuales hicieron de él un crítico excelente. Esta formación fue la base sobre la que desarrolló su literatura.

Dada su independencia de criterio, no tardó en cuestionar al movimiento de vanguardia al que había pertenecido en España y ayudado a fundar en Argentina: el Ultraísmo. Sus primeros libros de ensayo: *Inquisiciones*, 1925, *El tamaño de mi esperanza*, 1926, y *El idioma de los argentinos*, 1928, testimonian este proceso de discusión intelectual con su medio literario. Borges enunció las ideas básicas y formativas del Ultraísmo primero, y luego demostró sus limitaciones (*Inquisiciones* 105-108).

En su poesía, asimismo, evolucionó de su vanguardismo inicial a una poética "en las orillas", como lo señaló Beatriz Sarlo, y él lo expresó bellamente en su poema "Versos de catorce" (Sarlo, *Borges, un escritor de las orillas* 16).[1] Esta nueva poética revisaba el lugar de lo popular y lo criollo en relación al arte vanguardista. También interpretaba el criollismo desde una nueva perspectiva.

Borges desplazó el espacio del criollismo del campo a la ciudad. Los herederos de ese mundo criollo eran los habitantes pobres de los suburbios y los barrios bajos (Olea Franco 133). Desechó hablar del mundo de la clase media en formación, integrada por los inmigrantes europeos que habían llegado recientemente al país. La poesía culta aún no había tomado a los barrios como tema de su canto, pero sí la poesía popular. Borges eligió como modelo la poesía popular del poeta anarquista Evaristo Carriego, discípulo de Almafuerte y amigo de su padre. Carriego había muerto prematuramente en 1912. Borges llegó a conocerlo, y en 1930 publicó su libro *Evaristo Carriego*, donde estudió su poesía y la cultura popular de su tiempo. Carriego fue el primero en llevar a los personajes criollos del campo a la ciudad, creando una alianza poética entre la ciudad y el campo. Los sujetos mitificados,

---

[1]   Dice Borges: "Yo presentí la entraña de la voz *las orillas/* palabra que en la tierra pone lo audaz del agua/ y que da a las afueras su aventura infinita/ y a los vagos campitos un sentido de playa." (*Luna de enfrente* 42).

héroes y antihéroes de sus poemas, eran el compadrito electoral y el cuchillero, el carrero y el cuarteador.

Borges reconoció el valor del tango. Prefería las composiciones de principios del siglo XX, antes que el género se difundiera y comercializara. Alabó la milonga, en que se mezclaba, como en su poesía, el mundo rural con el de las orillas de la ciudad (*Evaristo Carriego* 141).

Borges se convirtió en un poeta del espacio porteño. Atraído por los temas metafísicos y buen lector de filosofía, introdujo en sus primeros poemarios la cuestión de la identidad y el tiempo. Describió escenas de los suburbios con originales imágenes visuales. La poesía de Carriego, base de sus poemas ciudadanos, era una poesía popular que había derivado su estética del Modernismo vigente en su época. Borges consideraba al Modernismo una poética superada en el tiempo, que sobrevivía en la pluma de poetas consagrados como Lugones, y de jóvenes como Martínez Estrada, con una temática renovada. Borges llevó la poesía de los barrios a un plano expresivo vanguardista, tomando la imagen y la metáfora como base de su poética. El resultado fue una poesía altamente sugestiva, de tonos filosóficos y confesionales. Tenía un sentido urbano localista y encontró una forma nueva de discutir la modernidad en su patria. El sujeto de muchos de estos poemas es un vagabundo, el "flaneur", personaje de los poemas baudelerianos, que camina incansablemente por la ciudad, transformándose en testigo de su evolución y sus cambios (Molloy 487-96). La ciudad, a su vez, refleja su crisis personal. Borges nos muestra un sujeto inestable, en crisis, en una ciudad cambiante, cuya identidad aún no está totalmente definida.

La poesía del joven Borges pronto se diferencia de la poesía de los otros poetas coetáneos del ultraísmo argentino y español, como Oliverio Girondo y Gerardo Diego (Sarlo, *Borges, un escritor de las orillas* 51). Son poetas que se identifican con la modernidad cosmopolita. Borges cuestiona el cosmopolitismo e indaga en el sentir local y nacional, se pregunta por la historia patria. Busca ampliar el horizonte de lectura. En sus ensayos discute tanto autores contemporáneos como renacentistas, medievales y antiguos, religiosos y laicos. Hace *tabula rasa* de las separaciones literarias por época, país y tendencia estética, practicada por críticos e historiadores.

Se muestra como un escritor independiente e idiosincrásico. La poesía y el ensayo son sus géneros preferidos en esta década. Durante la década del veinte Borges es un escritor polémico, que cuestiona todo y entra en conflicto con escritores y tendencias diversas a la suya. Mantiene una presencia literaria decisiva en el Buenos Aires de esos años. En su libro *Evaristo Carriego*, estudia la poesía popular de Carriego y el barrio del poeta, Palermo, sus zonas pobres, sus personajes marginales y las inscripciones de los carros. Su manera de integrar la indagación poética con el análisis de la cultura popular del barrio es original y renovadora.

Idealiza lo popular y proyecta su visión en la poesía culta, tomando distancia con la modernidad cosmopolita. El afán mimético e imitativo de los porteños buscaba introducir Europa en América. Borges buscaba lo americano y lo argentino. Fueron apareciendo en sus poemas personajes históricos del siglo XIX, como Facundo y Rosas, y espacios urbanos que historiaban la ciudad: sus cementerios, sus casas pobres, donde descubría una rica espiritualidad. El sujeto poético deambulaba por las calles declarando su asombro ante ese mundo subestimado. Era un joven sensible y culto enamorado de su destino, que elevaba su canto metafísico desde su modesta patria sudamericana, con un gesto estoico y patriótico a la vez.

Nacionalismo, y amor a lo popular y a lo criollo, confluían en ese sentir.[2] El poeta se identificaba con la política del caudillo radical populista Hipólito Yrigoyen, y apoyó su reelección a la presidencia en 1928 (Rodríguez Monegal 205-9). Su único interés era escribir y ganar una reputación en su país como escritor. La idea de emigrar era totalmente opuesta a su carácter. Luego de su segundo regreso de Europa a la Argentina en 1923, no volvió a viajar, excepto a los países limítrofes, hasta pasados sus sesenta años cuando, ya escritor mundialmente reconocido, recibió premios internacionales e invitaciones de diferentes universidades y centros culturales del mundo.

En sus ensayos desplegó una variedad temática que no era usual en un ensayista en Buenos Aires. Los modernistas, de quienes él y sus

---

[2]   Las investigaciones de Olea Franco, publicadas en 1993, me resultaron fundamentales para entender el acercamiento de Borges al nacionalismo y al criollismo (*El otro Borges. El primer Borges* 77-116).

compañeros de generación querían diferenciarse, habían sido grandes lectores. El joven Darío publicó a los veintinueve años uno de los libros más influyentes de crítica de su tiempo, *Los raros*, demostrando una capacidad de análisis notable. Grandes estudiosos de las formas poéticas, los modernistas eran poetas intelectuales (Pérez, *Modernismo, vanguardias, posmodernidad*... 65-73). El vanguardismo evitó esta actitud circunspecta y se lanzó a destruir la tradición poética del pasado y fundar bibliotecas con entera libertad. Borges, sin embargo, valoró el espíritu crítico sobre todas las cosas. En sus ensayos analiza textos y autores con sentido histórico y rigor filológico. Discute palabras e ideas, y rebate cualquier argumento que no le parezca cierto. Critica lo mismo a Quevedo que a Góngora, a Lugones que a Darío. Tampoco se calla ante los excesos vanguardistas. Poco a poco se va alejando y diferenciándose de los escritores coetáneos, se vuelve un caso especial en sí mismo, toda una literatura.

Su gusto literario parecía exótico y raro. En *Inquisiciones* escribió sobre Torres Villarroel, Joyce, Browne y Ascasubi, temas de metafísica y cuestiones de poética. Este joven de veinticinco años todo lo mezclaba y lo combinaba, con gran criterio y solvencia intelectual. Sus fuentes eran variadas e irreverentes. Discutía, por ejemplo, la poesía de tema rural de Silva Valdés, basando sus comentarios en Schiller y Hugo, Almafuerte y Furt, Schopenhauer y Estanislao del Campo ("Interpretación de Silva Valdés" 66-9). Era un lector idiosincrático, al que llamé en un trabajo anterior "lector salvaje" (Pérez, *Modernismo, vanguardias, posmodernidad*... 262-4). Su apetito de lectura era inmenso, legitimaba con su actitud la excentricidad del lector sudamericano, y apuntaba a un nuevo tipo de saber: quien mira desde los márgenes (los márgenes de las culturas hegemónicas) puede ver mejor las culturas canónicas y las culturas locales en desarrollo. Borges observaba críticamente el saber heredado y lo trataba con una libertad nueva. Mostraba un nuevo tipo de goce ante el hecho estético. Buscaba e identificaba en el mundo de las letras problemas que discutía con solvencia y resolvía a su modo.

Desarrolla su propia hermenéutica recurriendo a un criterio amplio y enciclopédico. Se muestra como un pensador enérgico y original. En el ensayo "Menoscabo y grandeza de Quevedo" discute a uno de los grandes clásicos de nuestra lengua. Nos da su opinión sobre varios de sus libros. Los considera "cotidianos en el plan, pero sobresalientes en los verbalismos de hechura" (*Inquisiciones* 43). Reconoce que en Quevedo prima el intelectualismo, pero que no por eso dejó de ser un sensual. A pesar de su "gustación verbal" siempre mostró "una austera desconfianza sobre la eficacia del idioma" (46). Para él, ésta es la esencia del escritor español. A diferencia del gongorismo, que a Borges le parecía vano, y lo juzgaba "una intentona de gramáticos... de trastornar la frase castellana en desorden latino", el conceptismo de Quevedo era psicológico y buscaba "...restituir a todas las ideas el... carácter que las hizo asombrosas al presentarse por primera vez al espíritu" (48). Borges se identifica con Quevedo, poeta intelectual que siente el gusto por las palabras y busca presentar ideas tal como éstas asombraron al espíritu. Su análisis es, en forma desplazada, una indagación sobre su propia literatura.

Su trabajo crítico es arriesgado. En sus ensayos busca responder a las preguntas más acuciantes de la literatura de su tiempo. Discute con habilidad la cuestión del criollismo. Dice en "Queja de todo criollo" que las naciones muestran dos índoles, una "aparente" y otra "esencial" (*Inquisiciones* 142). Lo auténtico para él es lo esencial, que casi siempre contradice la apariencia. En los españoles considera que lo esencial es "la vehemencia" de su carácter, y en el criollo argentino la burla, el fatalismo, la austeridad verbal y la suspicacia (143). Borges busca estas características esenciales en la historia nacional y en la literatura. Cree que los dos caudillos máximos de la historia hasta ese momento, Rosas e Yrigoyen, encarnan el fatalismo. Reconoce que el pueblo los quiere y que practicaban una "teatralidad" burlesca.

El criollismo se manifiesta también en la lírica popular. Borges rastrea el cambio lingüístico del castellano peninsular al habla argentina. La lírica popular es verbalmente austera y evita las metáforas asombrosas. Toma distancia con el culto exagerado a la metáfora que practicaban muchos poetas vanguardistas, y en el que él mismo creía unos pocos años antes. Se inclina a favor de la austeridad verbal y del uso moderado de la metáfora. Aprovecha para polemizar con los autores y críticos oficiales más importantes del momento: Lugones y Rojas, representantes de un nacionalismo militante en el que Borges no confía. Dice que Lugones asusta a sus oyentes con su altilocuencia, y que el estilo de Rojas está hecho "de patriotería y de insondable nada" (148).

Toda esta situación le parece sintomática de lo que sucede en el mundo de las letras: persiguiendo el espíritu de "argentinidad" y "progreso", los escritores se han vuelto con hostilidad contra el espíritu criollo. Creen que para progresar como nación hay que desterrar al criollo, negarlo. Borges teme que ese deseo de progreso, y esa búsqueda de una nación fuerte, pueda terminar en una política nacional expansionista e imperialista. Dice: "...tal vez mañana a fuerza de matanzas nos entrometeremos a civilizadores del continente" (149). Un progresismo exagerado lleva a negar el pasado, y atacar lo que los progresistas ven como un obstáculo. Lamenta que el criollo se transforme en víctima de ese proceso. El en su obra buscará darle un nuevo lugar al mundo criollo, resemantizarlo y reinterpretarlo. Descubre un espacio en los barrios pobres, donde el poeta puede reflexionar con tranquilidad.

Presta atención a la cultura popular que se está desarrollando en Buenos Aires. Toma elementos temáticos de la canción popular, particularmente de la milonga y el tango, transfiriéndolos al mundo de la poesía culta. Los letristas de milonga hablaban de los criollos afincados en la ciudad: el cuarteador, el carrero, el compadrito electoral. Los tangos buscaban en los barrios a sus héroes y antihéroes de crónica policial. Borges prefiere los héroes duros a los sentimentales. Los presenta en su ambiente modesto e inculto, y los trata con respeto. Busca en ellos un ideal estoico.

Introduce en sus poemas un sujeto lírico observador, sensible, culto y reflexivo, que va al suburbio pobre en busca de la esencia del ser argentino, y la encuentra en los valores criollos, que proponen el goce desinteresado del propio ser.

Borges "descubrió" o redescubrió a Buenos Aires a su regreso de Europa en 1921, luego de pasar muchos años afuera, como nos confiesa en su ensayo autobiográfico ("An Autobiographical Essay" 224). Al llegar se encontró con una ciudad en rápido proceso de modernización y cambio. El la observaba con la mirada experimentada del que ha

viajado y vivido en otras ciudades. Escéptico frente al proceso trans-
formador, buscaba en la urbe nueva rastros del viejo mundo criollo.

En su ensayo "Buenos Aires" propone una visión anti-sarmientina
de la ciudad: Buenos Aires no era una isla de modernidad rodeada de
desierto, sino el resultado de la invasión del mundo de la pampa, que
definía la economía nacional, en la zona portuaria donde se asienta la
ciudad (*Inquisiciones* 88). Su interpretación coincidía con la de Alberdi, quien consideró que no había enfrentamiento entre la civilización y
la barbarie, sino entre los intereses económicos de la campaña y el
centralismo porteño (Pérez, *Los dilemas políticos...* 21). Buenos Aires
no era una versión local de las modernas capitales europeas o de las
ciudades norteamericanas: era una ciudad con una identidad propia. El
determinismo histórico alimenta un sentimiento de inferioridad y
dependencia que Borges rechaza, porque puede llevar a la imitación
servil de la cultura europea.

Más que las zonas céntricas modernizadas de la ciudad, valora los
barrios pobres y zonas suburbanas, donde se asienta la población criolla que llega del campo. Descubre un plano estético que aún no había
sido explotado por la poesía culta. Decide cantar a ese suburbio, a sus
casas más humildes y a su gente sencilla, a la hora del crepúsculo y
buscar en ese mundo desvalido su sentido metafísico, núcleo de una
filosofía que nos identifique.[3]

Borges nos explica sus ideas sobre el pensamiento metafísico en el
ensayo "La nadería de la personalidad". Cree que en el pensamiento
contemporáneo se le da al yo una preeminencia exagerada (*Inquisiciones* 92). El quiere proponer una estética "hostil al psicologismo" que
heredaron del siglo anterior. Recurre a sus numerosas lecturas filosóficas y literarias para apoyar su argumento: cita a Agrippa, a Torres
Villarroel, a Whitman, a Schopenhauer. Su conclusión, de acuerdo con
este último filósofo, es que el yo es una mera "urgencia lógica" y es
"un punto cuya inmovilidad es eficaz para determinar por contraste la
cargada fuga del tiempo" (104). No sólo el yo, sino también el tiempo
y el espacio, son cuestiones esenciales para la modernidad filosófica.
La metafísica para Borges es una problemática viva que lo apasiona, y

---

[3]   Vuelve a expresar esta idea en "La pampa y el suburbio son dioses", en *El
tamaño de mi esperanza* 25-31.

no una curiosidad intelectual. Lo demuestra en su ensayo "Sentirse en muerte", en que describe cómo durante una caminata por Buenos Aires llegó a una intuición fundamental: la de que el tiempo "es una delusión" (*El idioma de los argentinos* 132). Borges integra las cuestiones metafísicas a su proyecto literario, en su poesía, en sus ensayos y, posteriormente, en su cuentística.

Discute el problema del criollismo y el regionalismo en literatura en el ensayo "El tamaño de mi esperanza", que introduce el libro del mismo nombre, y oficia de prólogo y de programa literario. Explica que se dirige a aquellos que son criollos, y no a los europeístas. Afirma: "Mi argumento es hoy la patria" (13). Resume hechos históricos fundamentales del pasado. Critica a Sarmiento, a quien llama "norteamericanizado indio bravo" y lo considera "gran odiador y desentendedor de lo criollo" (14). Sarmiento, dice, "...nos europeizó con su fe de hombre recién venido a la cultura y que espera milagros de ella" (14). Cree que el desarrollo de la poesía gauchesca fue uno de los sucesos culturales más destacados durante el siglo XIX. Hacia el fin de siglo, la aparición del tango y su manera de ver el mundo de los suburbios y la ciudad de Buenos Aires creó un nuevo imaginario social. Para él, el individuo más original que había dado la Argentina durante el siglo XIX era Juan Manuel de Rosas, y el más destacado de los políticos argentinos de principios del siglo XX era el caudillo político radical Hipólito Yrigoyen.

No había emergido hasta ese momento un "pensamiento" original que se aviniera a la grandeza de la realidad vital que los rodeaba: no hay, dice, "ninguna idea que se parezca a mi Buenos Aires" (16). Sin embargo Buenos Aires "...más que una ciudá, es un país y hay que encontrarle la poesía y la música y la pintura y la religión y la metafísica que con su grandeza se avienen" (17). Ese es su deseo y "el tamaño de su esperanza". No defiende el "progresismo", que es "un someternos a ser casi norteamericanos o casi europeos", ni tampoco el "criollismo" en la acepción corriente de esa palabra: quiere un criollismo de nuevo tipo, que define como "un criollismo que sea conversador del mundo y del yo, de Dios y de la muerte" (17). En su poesía de esos años notamos la búsqueda de ese criollismo del que habla.

Su poesía pasó por varias etapas. Borges comenzó su carrera literaria en España y su poesía primera, no recogida en libros, era una poesía cosmopolita y revolucionaria, que se ceñía a la propuesta vanguardista del Ultraísmo. Poemas como "Trinchera" y "Rusia", que iban a formar parte de un libro inspirado en la Revolución Rusa, *Ritmos rojos*, nos dejan ver en sus imágenes la influencia que tuvieron en él las lecturas de su etapa europea, particularmente el expresionismo alemán.[4] Dice en "Rusia": "La trinchera avanzada es en la estepa un barco al abordaje/ con gallardetes de hurras/ mediodías estallan en los ojos/ Bajo estandartes de silencio pasan las muchedumbres/ y el sol crucificado en los ponientes/ se pluraliza en la vocinglería/ de las torres del Kremlin" (*Textos recobrados* 71). Las imágenes de sus metáforas son plásticas y concisas, y responden a las expectativas del ideario ultraísta (71). Otros poemas, como "Catedral", muestran la influencia del futurismo; dice el poeta, asociando el edificio de la iglesia con un gran avión, símbolo de la vida moderna: "La catedral es un avión de piedra/ que puja por romper las mil amarras/ que lo encarcelan/ la catedral sonora como un aplauso/ o como un beso" (109).

Al regresar al país revisa sustancialmente su poética (Olea Franco 127). Empieza a dudar de la efectividad de las imágenes vanguardistas, y desconfía de la imitación acrítica de los grandes movimientos poéticos europeos. Encuentra en Buenos Aires nuevos amigos escritores, mayores que él, escépticos y bien formados. Macedonio Fernández y Ricardo Güiraldes influyen en el cambio de su gusto poético. Borges se transforma en ávido observador y testigo de la ciudad, y relee los clásicos de la literatura argentina. Estudia la poesía gauchesca y la poesía de Carriego, y escucha la música popular, en particular la milonga y el tango ("An Autobiographical Essay" 227-37). Descubre pronto su propio programa literario, que sintetiza en "El tamaño de mi esperanza".

---

[4] Dice en su autobiografía que había escrito en España dos libros, que destruyó: *Los naipes del tahúr*, una colección de ensayos literarios y políticos de orientación anarquista, y *Ritmos rojos*, libro de poemas que exaltaban la Revolución Rusa ("An Autobiographical Essay" 223). De este último libro se han conservado varios poemas, recogidos en *Textos recobrados (1919-1929)*.

En sus ensayos de poesía, además de abordar la obra individual de diferentes poetas, como Quevedo, Ascasubi, Silva Valdés, González Lanuza, Unamuno, Herrera y Reissig, Góngora, Almafuerte, Carriego, entre otros, analiza cuestiones de poética, el lenguaje y la rima, y las figuras, particularmente la metáfora. En "Palabrería para versos" Borges polemiza con la postura que la Real Academia Española asume sobre la lengua. Acusa a la Academia de ser ortodoxa y poco objetiva: su idea sobre la superioridad léxica del castellano se basa en prejuicios. Borges propone su propia teoría: la lengua es algo vivo que cada escritor hereda y puede enriquecer con sus propias percepciones y experiencias (*El tamaño de mi esperanza* 52).

Critica la concepción aceptada por los vanguardistas de que la creatividad del poeta debía medirse por la originalidad de sus metáforas. Consideraba un error creer que la metáfora fundaba el hecho poético, argumentando que en la poesía popular se encontraban muy pocas metáforas. Demuestra que la metáfora es una figura propia de un momento tardío de un ciclo poético, luego que se ha establecido una nueva poesía. Los poetas "explotan" la nueva lírica y compiten entre ellos, creando figuras poéticas novedosas. Mediante la metáfora los poetas muestran su "habilidad retórica" para conseguir énfasis (54). Muchos poetas y críticos valoran excesivamente la originalidad de la imagen en la metáfora. El considera esa originalidad algo secundario: lo fundamental es ver cómo y dónde se debe ubicar esa metáfora en el discurso poético (55).

Cree que se sobrevalora el valor poético del adjetivo. En "La adjetivación" recomienda al escritor buscar en el verso la eficacia, y no usar el adjetivo como un adorno (63). El poeta tiene que trabajar con cuidado el aspecto sonoro del lenguaje. El sonido fácil produce efectos desagradables. Los modernistas abusaron de la rima, cultivando en sus versos sonoridades ridículas y exageradas. En "Profesión de fe literaria" nos dice que la rima crea en el verso un ambiente artificial y falso, y no es un elemento necesario en la poesía, a diferencia del ritmo, que es algo natural en el lenguaje (147). Borges cree que cada poeta debe ajustar el repertorio poético de su lengua a sus propias necesidades estéticas, y buscar su propia poética (149). Para esto hace falta distanciarse de las poéticas de moda, y asumir frente a la literatura una actitud crítica. La base para llegar a crear una gran literatura, para él, es la lectura. El saber literario y crítico es indispensable para ser un gran escritor de literatura culta. En sus ensayos el joven Borges demuestra que es un lector extraordinario.

Borges aplica este programa literario en la creación de su obra poética. En su primer libro, *Fervor de Buenos Aires*, 1923, sus poemas son distintos a los que había escrito bajo la influencia del Ultraísmo en España. En *Inquisiciones* incluye un artículo sobre González Lanuza, donde caracteriza las diferencias entre el ultraísmo español y el argentino. El ultraísmo español celebraba las imágenes ultramodernas (sus emblemas eran el avión, las antenas y la hélice), el ultraísmo de Buenos Aires no. Dice Borges: "El ultraísmo en Buenos Aires fue el anhelo de recabar un arte absoluto que no dependiese del prestigio infiel de las voces y que durase en la perennidad del idioma como una certidumbre de hermosura" (105-6). Buscaba un arte que fuese "intemporal", idealista y trascendente, no se conformaba con celebrar el momento.

Borges somete las imágenes a un procedimiento de estilización y "sublimación" espiritual. Idealiza el suburbio y las zonas pobres de la ciudad, "pintando" sus paisajes en horas especiales, sobre todo en el crepúsculo, cuando la luz condiciona la percepción y el estado de ánimo del que observa. Su aproximación al hecho poético es bastante ecléctica, combinando recursos vanguardistas, como el uso del verso libre, y simbolistas, como los juegos con la intensidad de la luz. Dice que el poeta alemán postromántico Heinrich Heine influyó en su libro ("A quien leyere", sin página). Su visión del paisaje es intencionalmente subjetiva, y expresa la sensibilidad y la problemática espiritual del que observa. Presenta un sujeto poético particular e idiosincrásico: un joven porteño que camina por los modestos barrios suburbanos de la ciudad. Borges proyecta en su literatura experiencias autobiográficas, creado un juego especular en que el mundo refleja al artista y el artista al mundo.

Combina en su discurso poético la observación realista con la ensoñación. Sus figuras poéticas preferidas son la imagen visual y la metáfora, en las que da prioridad a las sensaciones. Busca imágenes sugerentes que destaquen sutilmente los elementos espaciales y temporales. Se distancia de la posición vanguardista extrema que había defendido durante su etapa europea. Su concepción de la poesía se vuelve más personal y asocia elementos vanguardistas y simbolistas. Hace su propia síntesis formal. Está buscando crear una literatura propia, "borgeana". Innova también en la temática: habla del suburbio de la ciudad y no del centro. Busca un camino intermedio entre la poesía culta y la poesía popular. Lee con atención la poesía de Carriego y las letras de tangos y milongas. Su verso es inteligible, figurativo, separándose de la vanguardia más radical, que empleaba en su poesía el verso oscuro, no figurativo, la metáfora cerrada, expresión directa de la psiquis en un estado extremo.

Su poesía es estilizada y trabaja el efecto visual. En ese momento prefiere lo popular a lo cosmopolita, lo criollo a lo europeo.[5] Quiere ser reconocido como el poeta de los barrios suburbanos de Buenos Aires. Muestra su amor a la ciudad redescubierta hace poco tiempo. Sus sentimientos nacionalistas estaban en consonancia con el momento político social que estaba viviendo la Argentina, en que triunfaba el populismo del presidente radical Yrigoyen, con quien el poeta simpatizaba.[6] Procura un acercamiento coloquial a la lengua urbana, pero no quiere ser un poeta costumbrista. Escribe con lenguaje culto. No utiliza el lunfardo ni el arrabalero, a los que consideraba limitados y artificiosos (*El tamaño de mi esperanza*, "Invectiva contra el arrabalero" 134-41). Imita en ocasiones el tono oral rioplatense, que silencia y omite algunos sonidos finales. De esa manera el lector puede percibir las inflexiones del habla popular en su poesía.[7]

---

5   Beatriz Sarlo cree que en la expresión literaria del joven Borges conviven criollismo y cosmopolitismo. No encontramos esto en su poesía juvenil, que opone criollismo y cosmopolitismo. Sarlo identifica internacionalismo y cosmopolitismo, y en mi opinión se equivoca. Borges no ve conflicto entre internacionalismo y criollismo, pero si entre criollismo y cosmopolitismo. (Sarlo, *Escritos sobre literatura argentina* 149-159).

6   Daniel Balderston notó en *Out of Context Historial Reference and the Representation of Reality in Borges* la manera oblicua en que Borges hacía referencia al contexto histórico en sus cuentos (1-17). Observamos un acercamiento similar a la realidad de su medioambiente social en su poesía.

7   Dice en *Luna de enfrente*, en el poema dedicado a la muerte del General Quiroga: "El madrejón desnudo ya sin una sé de agua/ y la luna atorrando por el

En el poema que abre *Fervor de Buenos Aires*, "Las calles", escrito en verso libre, el poeta expresa en tono confesional lo que siente hacia las calles de Buenos Aires, que, nos dice, "ya son la entraña de mi alma" (sin página). La ciudad, personificada, tiene un "alma". El no quiere cantar a las "calles enérgicas/ molestadas de prisas y ajetreos" del centro de la ciudad, sino a "la dulce calle de arrabal/ enternecida de árboles y ocasos", y a las calles que se adentran en el descampado, en la pampa, donde el suburbio se confunde con el campo. Se considera un "codicioso de almas": busca las almas del suburbio donde. al amparo de las casas, "hermánanse tantas vidas", y es su "esperanza" el testimoniarlas.

En los poemas siguientes el poeta nos habla de la ciudad por la que él vagabundea y con la que mantiene una relación íntima. Describe los crepúsculos y amaneceres que contempla en sus caminatas, y explica las resonancias espirituales que tienen en él. Describe las casas, sus patios; un comercio emblemático del barrio: la carnicería; los cementerios de la ciudad; las plazas de sus barrios populares. Nos habla del truco, juego idiosincrásico de los argentinos; de sus antepasados, y de figuras simbólicas de la historia nacional, como el caudillo Juan Manuel de Rosas. En sus descripciones, Borges pone más peso en los sentimientos y en el mundo subjetivo del sujeto poético que en los detalles del paisaje urbano, distanciándose del costumbrismo. Ese hablante es un "pequeño filósofo" que se desplaza por la ciudad para reflexionar y para sentir sus calles. Busca intimar con la ciudad, que despierta en él intuiciones metafísicas.

En "Calle desconocida" el poeta vagabundea por el suburbio al atardecer. El poema describe una aventura espiritual. El poeta se encuentra con una "calle ignorada". El paisaje se le adentra "en el corazón anhelante/ con limpidez de lágrima". La calle le parece "lejanamente cercana". Observa en el lugar cierta extrañeza, y piensa: "es toda casa un candelabro/ donde arden con aislada llama las vidas,/ que todo inmediato paso nuestro/ camina sobre Gólgotas ajenos". En cada casa, el poeta percibe la soledad trágica del destino individual.

Los poemas tratan de demostrar que en la ciudad se puede sentir el tiempo de diversas maneras. El tiempo criollo es lento y se demora. En

---

frío del alba/ y el campo muerto de hambre, pobre como una araña." (15)

"La plaza San Martín", dice, el "sentir se aquieta/ bajo la rumorosa absolución de los árboles" y, en el "El truco", los naipes crean su propia mitología criolla, y los jugadores refrenan sus palabras con "gauchesca lentitud". El juego hermana el pasado con el presente. En "Un patio" el hombre se familiariza con el paisaje del suburbio, al que siente como algo suyo; vive en la "amistad" del zaguán y del aljibe; el cielo "se derrama" en el patio por el que "Dios mira las almas". En ese vivir detenido hay una armonía primordial.

En varios de los poemas de este libro Borges habla del amor. En "El jardín botánico" compara el abrazo de las ramas de los árboles con el de los enamorados que se buscan. Su confesión es pudorosa. Siente que el amor pleno es imposible. El deseo de unirse, dice, es un "burdo secreto a voces/ que con triste congoja nos arrastra/ y nos socava el pecho/ con la grave eficacia de una pena". En el jardín los amantes se buscan con su "carne desgarrada e impar". Otro de los poemas, "Sábados", habla del amor compartido, y está dedicado a su novia, Concepción Guerrero (Woodall 110). En ese poema confiesa "miradas felices" y siente la hermosura de la mujer "en claro esparcimiento" sobre su alma. El momento del encuentro es el atardecer y el poeta declara que le trae el "corazón final para la fiesta". Alaba su hermosura como un "milagro". Los amantes no saben como unirse y fundirse en un solo, son "soledades" que "en la sala severa/ se buscan como ciegos". Finalmente, el poeta confiesa que en ese amor "no hay algazara/ hay una pena parecida al alma".

En otros poemas, Borges describe el "asombro" metafísico. En "Caminata", el poeta visita el suburbio durante la noche, y percibe que hay allí un "tiempo caudaloso/ donde todo soñar halla cabida". Se confiesa "el único espectador" de esa calle. Dice que el sujeto es la única certidumbre en la experiencia y que "si dejara de verla se moriría". En otro de los poemas, "Amanecer", nos habla sobre la filosofía que lo llevó a creer en esa idea; dice: "...realicé la tremenda conjetura/ de Schopenhauer y de Berkeley/ que arbitra ser la vida/ un ejercicio pertinaz de la mente,/ un populoso sueño colectivo...". En el amanecer el caminante teme que esa ciudad sea solo un sueño de las almas que la habitan, y que desaparezca cuando todos despierten y dejen de soñarla. Se siente feliz cuando comprueba que eso no ha ocurrido, y "otra vez el mundo se ha salvado".

En *Luna de enfrente*, su libro de 1925, incluye poemas escritos durante su segundo viaje a Europa en 1923, como "Singladura" y "La promisión en alta mar". En "La promisión en alta mar" describe la nostalgia que siente durante el viaje de regreso a la patria. Las estrellas del mar son las mismas que las de Buenos Aires, y le parecen una promesa del reencuentro con su tierra. Son, dice, "inmortales y vehementes" (22). Al llegar a la ciudad escribe el poema "La vuelta a Buenos Aires". Testimonia con expresivas metáforas lo que siente al ver sus queridos arrabales porteños. Dice que "la ciudad se dispersa en arrabal como bandera gironada" y sus ojos "padecen las estrellas como en la cercanía de amorosa mano hay caricias" (24). Esa es la Buenos Aires de su "contemplación" y su "vagancia".

Incluye en este poemario algunas composiciones con estrofas de metros regulares, de tema histórico o personal, tratado con sentido coloquial y casi costumbrista, como "El general Quiroga va en coche al muere" y "En Villa Alvear". Estos poemas mantienen una relación irónica y lúdica con el lector, y exhiben su sarcasmo, al considerar un tema serio con desparpajo. En el poema sobre el asesinato del general Quiroga, Borges crea un ambiente funerario y fantasmal, lleno de socarronería criolla; dice que Quiroga iba a la muerte en coche, y entraba "al infierno/ llevando seis o siete degollados de escolta" (15). Es un poema narrativo en que los personajes reaccionan de distinta manera ante el peligro: los acompañantes tienen miedo a morir, pero no Quiroga, que se siente inmortal, y no puede creer que alguien sea capaz de matarlo. En el final el coche fantasmal entra en el "infierno negro" que Dios le había destinado a Quiroga. Con la arrogancia temeraria del soldado, el General comanda las almas en pena de los que murieron con él.

En el poema "En Villa Alvear", el poeta que vagabundea siente la ternura de la gente del barrio, que se parece a la de los tangos antiguos. Dice: "Mis pasos haraganes comprenden bien la calle./ Yo fui de este suburbio criollero del oeste:/ sé que en los corazones hay la ternura grave/ de los tangos antiguos y las tapias celestes" (40). En el poema que cierra el libro, "Versos de catorce", resume su trayectoria y nos explica su proyecto poético: él le canta a Buenos Aires, y recupera de ella los arrabales, las "orillas". Allí, después de volver de un largo viaje, aprendió lo que era querer y se hizo poeta. Allí oyó hablar de Rosas y de Carriego. Con sus poemas, confiesa, le va devolviendo "a Dios unos centavos/ del dineral de vida" que le puso en las manos (42).

En el último poemario de esta década, *Cuaderno San Martín*, 1929, sus poemas son más narrativos y dramáticos que líricos. En casi todos ellos el poeta tiene una historia que contar. En "La fundación mitológica de Buenos Aires" describe con excelente humor, en una especie de cuento para niños, como fue fundada la ciudad de Buenos Aires. Imita a un narrador oral que se dirige a un auditorio local criollo. Hace bromas a sus oyentes. Nos dice que el río antes "era azulejo... como oriundo del cielo", y que había, como en los mapas, una estrellita roja que marcaba el lugar "en que ayunó Juan Díaz y los indios comieron", refiriéndose con sorna al trágico fin de esa expedición, en que los españoles terminaron siendo víctimas de indios caníbales (9). La historia cambia del pasado a ese presente en que aparece mitificado su barrio: Palermo. En una animada escena, Borges ubica a sus personajes populares típicos: el compadre, el gringo del organito, el músico que toca tangos. El poeta concluye diciendo que la ciudad, a la que tanto ama, le parece eterna, sin comienzo; dice: "A mí se me hace cuento que empezó Buenos Aires:/ la juzgo tan eterna como el agua y el aire" (11).

En otros poemas describe las casas de Palermo y cuenta cómo era el barrio de su niñez. En "Elegía de los portones" exalta el barrio de principios de siglo. El arroyo Maldonado lo cruzaba; era un barrio bravo, con malevos. Le dice: "Palermo desganado, vos tenías/ un alegrón de tangos para hacerte valiente/ y una baraja criolla para tapar la vida/ y unas albas eternas para saber la muerte" (17). El barrio era el mundo de las guitarras y las tapias rosadas de los almacenes, y de los "carros de costado sentencioso". El poema rezuma ensoñación y ternura, un dejarse estar que para Borges expresa al mundo criollo suburbano.

En este libro Borges incluye un poema dedicado a su abuelo materno Isidoro Acevedo, a quien no conoció, y reflexiona sobre la muerte. Cuando de niño le dijeron que estaba muerto dice que lo buscó "por muchos días por los cuartos sin luz" (25). Imagina que su abuelo, en su última noche, soñó con dos ejércitos que se enfrentaban, y que se metió en su sueño y las sombras se lo llevaron. Así pudo morir en una patriada imaginaria. En otro poema, el poeta va a un velorio en "una casa abierta en el Sur" durante la noche. Cree que los que allí se reúnen alrededor del muerto poco saben de la muerte, y lo único que hacen es "incomunicar o guardar su primera noche en la muerte" (29).

Dedica dos poemas a los cementerios de Buenos Aires: la Recoleta y la Chacarita, el cementerio de la clase patricia uno, y el cementerio del pueblo pobre y la clase media el otro. Estos cementerios testimonian la historia de la ciudad. Imagina cómo comenzó el cementerio de la Chacarita, en el oeste de la ciudad, durante una epidemia de fiebre amarilla en el siglo XIX. Allí mora un "conventillo de almas", una "montonera clandestina de huesos", mientras el suburbio que lo rodea "apura su caliente vida", al compás de los bandoneones y de las cornetas de carnaval. El poeta está convencido de que la muerte en ese cementerio es "acto de vida" y que "la persuasión de una sola rosa es más que tus mármoles" (38).

En el último poema del libro, "El paseo de Julio", Borges evoca la vida en la zona "roja" de la ciudad. El mundo de la prostitución es una pesadilla, un espejo deformado del otro mundo de la ciudad, y tiene una "fauna de monstruos". Es, a diferencia de su barrio: Palermo, donde "los duros carros/ rezarán con varas en alto a su imposible dios de hierro y de polvo", un mundo sin dioses ni redención posible (51).

En estos libros de poemas Borges se establece como una voz renovadora de la poesía argentina: ha revisado críticamente las ideas poéticas de la vanguardia y encontrado una forma nueva para su verso; ha dado identidad en la literatura culta al mundo popular de los barrios pobres; ha introducido el tema metafísico en la poesía argentina moderna.

La última obra que cierra esta serie juvenil es su libro de ensayo *Evaristo Carriego*, 1930. Luego de ganar un premio municipal de poesía, Borges decidió escribir una biografía sobre un poeta. Su madre le sugirió a Lugones o Almafuerte, pero él prefirió a Carriego (Rodríguez Monegal 202).

En su libro sobre Carriego estudia la mitología urbana del barrio de su infancia: Palermo, e introduce sus ideas sobre la vida social argentina. El criollaje rural que hizo a la nación se había desplazado de su espacio original y se había afincado en los barrios de las orillas de la ciudad. Era un mundo de pobres, pero estaba lleno de vitalidad. El criollo defendía sus propios valores.

El impacto de la inmigración italiana estaba cambiando a Buenos Aires; modificaba la entonación del habla porteña y también su sensibilidad. El criollo iba quedando relegado ante el impacto inmigratorio y las exigencias del progreso. Borges se identifica con ese criollo y su espíritu sufrido. Lo caracteriza como valiente y desinteresado. Es distinto a los inmigrantes europeos, más ambiciosos y adquisitivos. Borges no simpatiza con el proletariado inmigrante en ascenso, que pronto conformaría una bien establecida clase media. Le disgusta el sentimentalismo de las nuevas expresiones artísticas populares. Considera que el tango-canción es un género musical comercial, y prefiere los tangos viejos y las milongas (*Inquisiciones* 104-7). En la ciudad el criollo quedó fuera de su elemento rural original, y vive en un ambiente degradado. El compadrito urbano exhibía gratuitamente su coraje individual. El populismo yrigoyenista había elevado al hombre común, y el criollaje de las orillas buscaba un espacio digno en la nueva sociedad.

En la primera parte del libro Borges cuenta la historia de Palermo. Imagina cómo evolucionó el barrio desde el momento de la fundación de la ciudad de Buenos Aires. Se detiene particularmente en el siglo XIX y en la figura de Rosas, que había tomado a Palermo por residencia. Se pregunta cómo estaban trazadas las calles en 1889, año en que nace el poeta Carriego. Habían ido apareciendo callecitas y almacenes, y el suburbio se estaba haciendo fama de bravo y cuchillero. Borges advierte que en esos momentos, 1930, el barrio iba perdiendo su aspecto criollo de antaño. Este primer capítulo del libro es una historia de la formación de la cultura popular en el barrio. Borges considera a esa cultura popular tan importante como la cultura cosmopolita del centro de la ciudad. Siendo él un poeta culto, está legitimando, al historiarla, a la cultura criolla y popular.

En el segundo capítulo cuenta la vida del poeta, muerto de tuberculosis en 1912. Carriego era amigo de su padre, compartía con éste simpatías anarquistas. Publicaba en el diario anarquista *La Protesta*, de su amigo Alberto Ghiraldo. Admiraba a Almafuerte. Borges trata de explicar cómo nació en Carriego el deseo de transformarse en un poeta de su barrio y de la gente pobre. Carriego pensaba que tenía una deuda con su barrio (35). Sus lecturas preferidas eran el *Quijote*, el *Martín Fierro*, las novelas de Eduardo Gutiérrez y los poemas de Almafuerte. Tenía amistades entre los escritores, pero también entre los guapos del barrio. Era amigo de Nicanor Paredes, caudillo de Palermo, al que también conoció Borges (40-1). Primero componía sus poemas de manera oral y recién después los escribía. Los leía a sus amigos en voz alta para ver como reaccionaban y les pedía que le dieran su opinión.

En los próximos dos capítulos comenta y explica los dos libros que escribió Carriego: *Misas herejes*, y el póstumo *La canción del barrio*. Sobre el primero, al que los críticos censuraron por melodramático y grandilocuente, Borges argumenta que expresaba bien la sensibilidad del criollo, que gustaba de las exageraciones y el colorido. Así versificaba el arrabal y Carriego era un poeta auténtico. En *La canción del barrio*, su libro más destacado, Carriego crea una imagen tierna y risueña del barrio y sus habitantes. Muestra el sentimentalismo, el humor de la gente de trabajo, la pobreza decente en la que viven, y el desparpajo de los guapos. ¿Qué es lo que rescata y valora más Borges de este poeta popular? Dice que en la historia de la poesía argentina le cabía el honor de ser "el primer espectador de nuestros barrios pobres", y "el descubridor, el inventor" de un modo poético original basado en esta temática (90).Termina el libro con un estudio del truco como juego criollo, y un análisis de las inscripciones de los carros, que eran sentencias originales que expresaban el sentir y el modo de ser del criollo.

Este libro resume la posición de Borges ante el criollismo y la cultura popular. Para Borges esa cultura del pueblo merecía estar al mismo nivel que la cultura letrada elevada. La crítica debía reconocerla por su originalidad y su valor: el antagonismo entre cultura letrada y cultura popular era artificial, ya que ambas se alimentaban mutuamente. Era tan digno estudiar la poesía de Evaristo Carriego, como la de Enrique Banchs. Podemos pensar que Borges ya había asimilado la lección que estaba enseñando: en sus libros de poemas dio a la poesía culta el espíritu popular del mundo del barrio pobre. Su personaje: el poeta que vagabundea por los barrios del suburbio al atardecer para reflexionar con parsimonia criolla, está legitimando ese mundo de gente pobre, en el que él encuentra valores, belleza y motivos de asombro filosófico. En ese barrio, Palermo, en "una calle de barro elemental", cerca del sucio arroyo Maldonado, tuvo una gran intuición metafísica y percibió la inmortalidad, como nos cuenta en "Sentirse en muerte" (*El idioma de los argentinos* 131).

La década siguiente traería numerosos cambios en la literatura de Borges. La caída del yrigoyenismo tuvo un efecto traumático en la historia argentina. Los militares irrumpieron en la política nacional, y muchos de los nacionalistas más radicales, como Lugones y Gálvez, apoyaron la nueva época con optimismo patriótico. La radicalización nacionalista desagradó a Borges. Se opuso al naciente fascismo europeo y al nacionalismo argentino (Woodall 176). Su amistad con la gente del grupo que va a fundar *Sur* en 1931 fortaleció esta posición. Victoria Ocampo mantuvo una actitud abierta y cosmopolita, si bien elitista y exclusiva, ante la cultura. Borges continuó escribiendo activamente ensayos y reseñas, pero dejó de publicar poesía durante muchos años.

Comenzó a a escribir biografías y relatos, que fueron transformándose, hacia fines de la década del treinta, en un nuevo género: el "cuento" borgeano, con el que fue reconocido como gran escritor y transcendió las fronteras de su patria. Identificado con el grupo de escritores liberales y elitistas nucleados alrededor de *Sur*, Borges se fue distanciando más de las ideas de su juventud, cuando simpatizaba con el yrigoyenismo e idealizaba el mundo popular de los pobres en el barrio. Durante la década del cuarenta observó con alarma la irrupción del fenómeno peronista en la esfera política y no simpatizó con sus reclamos sociales y laborales. La movilización política de los trabajadores alrededor de consignas progresistas creó un abismo entre los obreros y la clase media. Los escritores de la pequeña y de la gran burguesía reaccionaron con miedo y escepticismo, y vieron en el Peronismo un movimiento incompatible con sus intereses y sus aspiraciones sociales.

Bibliografía citada

Balderston, Daniel. *Out of Context. Historial Reference and the Represen-tation of Reality in Borges*. Durham: Duke University Press, 1993.

Borges, Jorge Luis. "An Autobiographical Essay". *The Aleph and Other Stories 1933-1969*. New York: Dutton, 1970. N. T. di Giovanni, Ed. 203-260.

--------. *Inquisiciones*. Madrid: Alianza Editorial, 1998.

--------. *El tamaño de mi esperanza*. Madrid: Alianza Editorial, 1998.

--------. *El idioma de los argentinos*. Madrid: Alianza Editorial, 1998.

--------. *Evaristo Carriego*. Madrid: Alianza Editorial, 1998.

--------. *Textos recobrados (1919-1929)*. Buenos Aires: Emecé, 1997.

--------. *Obras completas I (1923-1949)*. Buenos Aires: Emecé, 2009. Edi-ción crítica. Anotada por Rolando Costa Picazo e Irma Zangara.

--------. *Fervor de Buenos Aires*. Facsímil, 1923. Buenos Aires: Alberto Casares, 1993.

--------. *Luna de enfrente*. Buenos Aires: Editorial Proa, 1925.

--------. *Cuaderno San Martín*. Buenos Aires: Editorial Proa, 1929.

Molloy, Sylvia. "Flaneries textuales: Borges, Benjamin y Baudelaire". Lía Schwartz e Isaías Lerner, Eds. *Homenaje a Ana María Barrenechea*. Madrid: Editorial Castalia, 1984. 487-96.

Olea Franco, Rafael. *El otro Borges. El primer Borges*. Buenos Aires: Fondo de Cultura Económica, 1993.

Pérez, Alberto Julián. *Modernismo, vanguardias, posmodernidad*. Buenos Aires: Corregidor, 1995.

--------. *Los dilemas políticos de la cultura letrada. Argentina Siglo XIX*. Buenos Aires: Corregidor, 2002.

Rodríguez Monegal, Emir. *Borges Una biografía literaria*. México: Fondo de Cultura Económica, 1987. Traducción de Homero Alsina Thevenet.

Sarlo, Beatriz. *Escritos sobre literatura argentina*. Buenos Aires: Siglo XXI, 2007. Edición de Sylvia Saítta.

--------. *Borges, un escritor de las orillas*. Buenos Aires: Emecé Editores/ Seix Barral, 2007.

Woodall, James. *La vida de Jorge Luis Borges. El hombre en el espejo del libro*. Barcelona: Editorial Gedisa, 1999. Traducción de Alberto Bixio.

Capítulo 9

LAS LETRAS DE LOS TANGOS DE ENRIQUE SANTOS DISCÉPOLO

A Manuel Pampín

El desarrollo del tango en el Río de la Plata, a fines del siglo diecinueve y principios del veinte, fue uno de los episodios más logrados y felices de la historia de la música popular.[1] En esa misma época surgieron en varias partes del mundo diversos géneros musicales: el blues americano, el fado portugués, la copla y la canción española, la canción francesa, la ranchera mexicana, el bolero romántico, el son cubano, que, gracias al progresivo desarrollo de la industria de la grabación y la radiofonía, lograron rápida difusión entre los

---

[1] La relación del público con la música popular ha cambiado mucho en nuestro país, desde el momento en que Buenos Aires se transformó en un gran centro metropolitano, a principios del siglo XX, hasta el presente (Sarlo 179-88). El crecimiento de la ciudad permitió el desarrollo de la variedad y la riqueza de los espectáculos de entretenimiento. Los números musicales, el teatro de autor, los sainetes, el teatro de variedades, los vodeviles, fueron parte de la rica oferta artística de la noche porteña (Varela 95-101). La aparición del cine, primero mudo y luego sonoro, y durante la década del treinta, de la radiofonía, ayudaron a la difusión de las obras de nuestros autores. La grabación de la voz, y los métodos de difusión del sonido, cada vez más perfectos, dieron a aquellos intérpretes de principio de siglo acceso a un inmenso público. Hasta el día de hoy seguimos escuchando aquellas grabaciones extraordinarias, que se multiplicaron a partir de 1917, cuando Carlos Gardel cantó "Mi noche triste" y empezó el desarrollo del tango-canción.

oyentes. Nunca antes el público había tenido tan amplio acceso a la música popular de distintos países del mundo. La escuchaban en la voz de sus intérpretes más dotados, quienes, apoyándose en la tecnología, mejoraron el nivel profesional de sus actuaciones y, en muchos casos, se hicieron inmensamente ricos. Mientras esto ocurría en el ámbito de la cultura popular, la cultura letrada lograba también un brillo inusitado: había surgido en Hispanoamérica, a fines del siglo diecinueve, la generación más importante de poetas de su historia, los Modernistas, a los que siguieron, en la segunda década del veinte, los poetas de las Vanguardias.[2]

La evolución del tango estuvo estrechamente asociada al desarrollo del teatro nacional rioplatense. El teatro nacional reflejaba en sus obras la transformación social del país; testimoniaba el crecimiento cosmopolita de Buenos Aires y el impacto de la inmigración, particularmente la italiana, en su vida cotidiana (Pérez 22-33). Muchos tangos se estrenaron en los espectáculos teatrales, y formaban parte de obras musicales y sainetes. Enrique Santos Discépolo (Buenos Aires 1901-1951) fue parte de todo este movimiento cultural que tuvo lugar en el Río de la Plata: hijo de inmigrantes italianos (su padre era músico), hermano menor de Armando, autor de sainetes y creador del "grotesco" criollo, comenzó su vida en el espectáculo de la mano de su hermano, como actor y autor. A lo largo de su vida fue actor, autor, compositor de tangos, director de orquesta, director de cine. Se destacó especialmente como letrista y compositor. Casado con la cupletista española Tania, que cantaba sus tangos, formaron una pareja célebre en la noche porteña, y juntos recorrieron como intérpretes varios países.

Enrique, conciente de los problemas laborales de los artistas, militó en la vida sindical argentina. Contribuyó a crear el sindicato de autores y compositores, e integró su cuerpo directivo. En la década del cuarenta apoyó, como muchos otros artistas, el gobierno populista de Perón, que protegió las industrias del espectáculo nacional. Disfrutó de

---

2   Modernistas y Vanguardistas constituyen nuestro siglo de oro poético en Hispanoamérica: los modernistas Darío, del Casal, Martí, Gutiérrez Nájera, Lugones, Mistral, Herrera y Reissig, y los vanguardistas y post vanguardistas Vallejo, Neruda, Guillén, Paz, Parra, Cardenal, Gelman, representan la expresión poética más lograda de nuestra historia literaria hasta este momento.

gran prestigio personal y el General Perón lo consideraba el poeta
popular máximo de Buenos Aires (Pujol 370).

El tango tuvo muchos letristas extraordinarios, entre los cuales
debemos recordar a Pascual Contursi, a Celedonio Flores, a Enrique
Cadícamo, a Homero Manzi, y tantos otros, pero Discépolo comunicó
al tango una profundidad reflexiva que nunca antes había alcanzando
la música popular (Gobello 5-16). Su producción fue magra: a lo largo
de veinte años escribió poco más de treinta tangos. Una parte significativa de éstos: "Cambalache", "Cafetín de Buenos Aires", "Uno",
"Canción desesperada", "Yira… yira…", "Confesión", gozan hoy de
un prestigio incomparable. Mientras la poesía culta es un género res-
tringido a un circuito selecto y casi secreto, la canción popular se ha
transformado en nuestro tiempo en una forma poética de gran difusión.
La calidad de muchos letristas justifica el prestigio del género. Con la
industria de la grabación, la poesía ha recuperado el grano de la voz.

Los poetas cultos inscriben en sus versos la melodía y el ritmo para
su lectura silenciosa. Los sistemas métricos crean bellas armonías que
los lectores se representan mentalmente. Pero el canto ha sido capaz
de traer a la inmediatez la belleza y la emoción de la voz humana, y su
seducción sobre el público es incomparable. El tango es un producto
dilecto de la vida moderna, y E. S. Discépolo fue uno de los compositores que mejor entendió esto, y lo reflejó en las letras de sus tangos.

El primer tango de éxito que compuso Enrique fue "Qué vachaché"
en 1926. El año anterior había compuesto un tango que tuvo poca
aceptación: "Bizcochito" (Pujol 95). Para entonces Enrique era un actor
y autor relativamente bien establecido. En 1925 estrenó el grotesco *El
organito*, escrito con su hermano Armando, que fue bien recibido por
la crítica. Concibió "Qué vachaché" en Uruguay, mientras estaba de
gira con la Compañía Rioplatense de Sainetes de Ulises Favaro y
Edmundo Bianchi, y fue estrenado por la cantante Mecha Delgado en
Montevideo. Enrique era, según nos dice Sergio Pujol en su notable
biografía, un "analfabeto musical" y tenía que recurrir a la ayuda de
sus amigos músicos para pasar las melodías a la partitura (100). En el
caso de "Qué vachaché" lo ayudó Salvador Merico. En un principio el
tango no llamó demasiado la atención, pero al año siguiente lo grabó
Carlos Gardel y esto significó un gran espaldarazo para su pieza.

Enrique tomó en esa letra un tema del tango canción, que había introducido pocos años antes Pascual Contursi, tratándolo de una manera cómica y grotesca. Las letras de Contursi se popularizaron en 1917, cuando Carlos Gardel cantó su tango "Mi noche triste", que aquél había compuesto dos años antes. En 1918 lo cantó Manolita Poli en el sainete *Los dientes del perro*, de González Castillo y Weisbach, acompañada por la orquesta de Roberto Firpo (Gobello 41). Ese era el ámbito donde se presentaban los primeros tangos cantados: el cabaret y el teatro de sainetes. Alberto Vacarezza, Manuel Romero, Samuel Linning, escribieron tangos para sus sainetes.[3]

Contursi, en "Mi noche triste", cambió la problemática de la que hablaba el tango. Introdujo en el mundo del viejo tango de malevos y prostitutas una situación más sentimental, contando la vida y los amores de los personajes de la noche y del suburbio. Poco después apareció otro gran poeta y letrista, Celedonio Flores, que trajo nuevos cambios: Flores privilegiaba la "historia" en la canción, y empleaba con sabiduría el "lunfardo", la lengua del bajo mundo porteño (Pujol 98). Celedonio, al igual que Enrique, no sabía música. Las letras de "El bulín de la calle Ayacucho", con música de José Servidio, y "Mano a mano", con música de Gardel y Razzano, ambos de 1923, lo establecieron como un poeta original e innovador. Contursi y Flores eran los dos poetas del tango más logrados en el momento en que empezó a escribir Discépolo, que demostró de inmediato su talento y su originalidad. A "Qué vachaché" le siguió, en 1928, "Esta noche me emborracho". Enrique logró que la gran Azucena Maizani lo estrenara y el éxito fue inmediato. Dante Linyera saludó la aparición del compositor en un artículo de la revista *La canción moderna*, llamándolo "el filósofo del tango" (Pujol 121). Ese mismo año lo grabaron Ignacio Corsini y Carlos Gardel. Con este tango Enrique se consagró definitivamente como gran compositor, a poco de haber empezado su carrera.

---

3   Vacarezza compuso "La copa del olvido" en 1921, estrenado en el sainete *Cuando el pobre se divierte*; Manuel Romero escribió en 1922 "Patotero sentimental", estrenado en el sainete de Romero *El bailarín de cabaret*; Linning escribió "Melenita de oro", para el sainete *Milonguita*, de su autoría, estrenado en 1922.

Discépolo tenía muy en cuenta en sus tangos la credibilidad de sus personajes. En el tango el cantante dramatiza con su voz y su gestualidad la situación que refiere. Muestra con su mímica y la entonación de los versos la situación trágica que describe la letra, o su carácter burlesco y cómico. En "Qué vachaché" el personaje que habla y se queja, ridiculizando a su amante, es una mujer que, desencantada, apostrofa al hombre y lo echa del sitio donde conviven. Es una mujer del pueblo bajo que se expresa con crudeza, usando términos del lunfardo.

Muchos de los personajes de las letras son seres marginales, personas de la noche, del ambiente "artístico" de los cabarets. Viven intensamente sus romances, y su conducta desinhibida e individualista se distancia de la moral convencional de las buenas familias pequeño-burguesas y burguesas. Discépolo toma al personaje en el momento mismo del conflicto que lo lleva a reaccionar y a decir "lo que tiene que decir": su verdad. Es característico del autor en sus tangos hacer que los personajes que animan sus historias digan la verdad, por amarga que sea. Esa verdad busca concientizar al otro (y al auditorio) sobre la naturaleza de los sentimientos y el carácter del mundo. Procura sorprender al oyente, enfrentándolo a una situación inédita.

En otros tangos, como en "Esta noche me emborracho", Discépolo, en lugar de presentar una situación dramática, como había hecho en "Qué vachaché", cuenta una "historia". Llamó a estas historias las "novelas" de sus tangos: en el lapso relativamente breve de una canción, cuyo desarrollo típico es tres minutos, describía una historia que se había desarrollado en un plazo temporal mayor. Su producción tanguística se extiende a lo largo de dos décadas, y notamos en la misma una evolución y transformación, tanto de los motivos como de la forma de decirlos. Sus primeros tangos nacen asociados al sainete y al grotesco, y se desprenden poco del tipo de situación dramática que era común en esos géneros. Pronto encuentra un modo de segmentar la historia presentada en el tango en varias partes. Enrique ya descubre esto en su segundo tango, "Esta noche me emborracho".

En "Qué vachaché", quien dirá la verdad al otro es una mujer. El tango fue interpretado y grabado por Tita Merello y por Rosita Quiroga. Discépolo introduce al personaje, la mujer fastidiada por el amante "engrupido", que además se tomó "la vida en serio", en un instante puntual del conflicto amoroso. La mujer estalla en un ataque de rabia, lanzándole improperios a su amante. Esta situación de exceso pasional era común tanto en el grotesco criollo como en los tangos. Muestran a personajes del pueblo, que insultan, agreden, golpean. Los humillados se vengan de aquellos a los que consideran culpables de su situación. El personaje quiere dar al otro una "lección": está tratando de que entienda algo que no comprende, y no le permite vivir bien ni hacer felices a los demás. En el caso de "Qué vachaché", la mujer le explica a su amante cómo es el mundo moderno. La mujer ve que el hombre es poco práctico, despistado e idealista. Ella resulta ser la víctima de la situación, y por eso su explosión de rabia y frustración frente al amante. Este está destruyendo la vida en pareja, y la mujer decide echarlo del cuarto que comparten, y le dice: "Piantá de aquí, no vuelvas en tu vida" (Discépolo 41). El hombre no le da de comer, no la mantiene; habla "pavadas", es un "engrupido" o creído, y piensa que al mundo lo va "a arreglar" él. Discépolo emplea el lenguaje "lunfardo" e introduce expresiones coloquiales, dando fuerza y credibilidad al discurso de la mujer. Ella se burla del amante y provoca risa en el auditorio. Ridiculiza y rebaja al otro. Discépolo pondrá en boca de estos personajes típicos verdades sobre el mundo moderno que los letristas de tangos anteriores al suyo no habían podido expresar bien. Es la razón por la que se ganará el apodo de "filósofo del tango".

La mujer cree que su amante no entiende lo que pasa, es torpe e inoperante, e incapaz de ganarse la vida. Trata de regirse por valores que están fuera de contexto, y de "arreglar" los problemas del mundo. Discépolo pone a sus personajes bajos en una situación moral comprometida. La mujer apostrofa a su amante, que se supone está frente a ella escuchándola, aunque no le contesta, y le da una lección sobre el valor del dinero en la sociedad moderna: el dinero lo ha nivelado todo, "el dinero es Dios". En nuestra sociedad los valores religiosos han sido reemplazados por el dinero. Tampoco hay lugar en esta sociedad para los antiguos valores de la familia decente: la honradez, la buena moral. El dinero, como símbolo del mundo materialista moderno, ha arrasado con eso, y se ha transformado en medida de todas las cosas. Para el personaje "no hay ninguna verdad que se resista/ frente a dos pesos monedas nacional" (41). El pobre, para sobrevivir, tiene que volverse pícaro: necesita "empacar mucha moneda/ vender el alma, rifar el corazón,/ tirar la poca decencia" que le queda. En la sociedad contemporánea el ser humano vive acuciado por sus necesidades, sobre todo el habitante de las barriadas pobres. Esta es una sociedad que ignora los valores cristianos, sobre los que Discépolo habla en sus tangos. Al autor le preocupa mucho la situación en que está el mundo, y la critica.

Este personaje resulta víctima de su "decencia" y su honradez, y de haberse tomado "la vida en serio". Había tratado de comportarse de manera noble y elevada, lo que está vedado a los pobres. Sólo sobrevive el que no tiene valores, o los sacrifica para poder comer. Es lo que hará la mujer, y el motivo por el que echa a su amante del cuarto. La mujer toma la situación con sorna y saca su conclusión filosófica al final del tango: "vale Jesús lo mismo que el ladrón" (42). Esta es una idea clave que se repite en varios tangos del autor. El auditorio puede sonreír ante el personaje y sus burlas, pero el desencanto que muestra ante la sociedad contemporánea es algo muy serio. Discépolo señala la falta de valores morales en el mundo urbano moderno, y describe un nuevo tipo de sociedad donde el dinero iguala a la gente de una manera mágica.

La mujer dice que ella lo que realmente quiere es "vivir" y poder comer bien, por eso necesita plata. Está luchando por conseguir su libertad personal y abandona al hombre "moralista" que le hace pasar necesidad. Es una mujer vital que se va a enfrentar sola al mundo, como sin duda lo hacían las actrices y cantantes de cabarets y teatro, como Tita Merello y luego Eva Duarte, que se manejaban con gran independencia, aunque la sociedad machista y la moral de la familia pequeño burguesa las condenara por "livianas" e indecentes. Esta mujer del tango vivía con un hombre, que no era su marido, y lo echa para reiniciar su vida a su gusto. En una sociedad católica en que no había divorcio ésta era una afrenta a la moral social.

Los personajes de los tangos trascienden la moral burguesa: son seres marginales y valientes, que han abandonado conductas poco satisfactorias para la vida personal. Creen en el amor, en el sexo y en los placeres. Se rinden, sin embargo, como el personaje de "Qué vachaché", ante la realidad: el dinero. Frente a él todos los valores morales de la sociedad burguesa pasan a un segundo plano.

En "Esta noche me emborracho" Enrique halla la forma de contar una historia compleja y extensa en tres minutos: recurre al salto temporal. Tal como en "Qué vachaché" en este tango vemos al personaje conmovido por una situación emocional excepcional: se encuentra sin querer, a la salida del cabaret, con una mujer de la que había estado enamorado diez años atrás. El personaje pasa, en la descripción, del presente a los detalles de la historia que habían vivido juntos hacía diez años. El hombre desengañado cuenta la historia de una manera burlona y sarcástica, y hace reír a sus oyentes. La situación, sin embargo, es dolorosa y degradante, tanto por el estado en que ve a la mujer diez años después, en que "parece un gallo desplumao", como por la conciencia que asume de su propia decadencia (43).

El personaje no está hablando con la mujer. La historia va dirigida a quienes lo están escuchando en un bar mientras bebe. Se trata entonces de las confesiones de un borracho desengañado que cuenta la historia trágica de su amor. El encuentro de esa noche le revela al hombre una "verdad" dolorosa. Discépolo contrapone dos tiempos: el pasado del hombre enamorado, que sufrió un amor destructivo, que lo tuvo "de rodillas" y lo obligó a vivir "de mala fe", y el presente, en que "el tiempo" se venga de él: le hace "ver deshecho" lo que amó.[4] El personaje está tratando de justificarse frente a sus interlocutores, y ser comprendido, y les da una "lección" sobre el efecto del tiempo en la vida humana. Discépolo había logrado traer preocupaciones filosóficas al mundo del tango de una manera efectiva y conmovedora.

El lector simpatiza con el personaje que hace su catarsis, emborrachándose "pa' no pensar", y visualiza el cambio y las transformaciones de la vida. El tiempo ha operado cambios devastadores sobre la mujer amada, la ha literalmente destruido, transformándola en una payasa. La situación tiene un viso de justicia compensatoria: la que está mal en ese momento es ella, que tuvo poder sobre él, era bella y lo abandonó. Ha perdido su belleza y se ha transformado en un "gallo desplumao". Pero siempre en los héroes de Enrique hay un fondo de nobleza humana: el hombre, lejos de disfrutar por esa venganza, la sufre, siente

---

4   Podemos entender "Qué vachaché" como una meditación sobre el poder del dinero en la sociedad moderna, e interpretar "Esta noche me emborracho" como una meditación sutil sobre el paso del tiempo y lo efímero de la belleza.

compasión por el personaje y podemos pensar que aún la ama. Tan mal se siente que tiene que emborracharse para mitigar el sufrimiento. Pero además el personaje de la mujer le sirve al otro para verse a sí mismo: es una lección amarga, porque se ve como un fracasado.

Los héroes de los tangos de Discépolo son los seres comunes, que en la vida no han tenido suerte, han luchado y perdido. El héroe anónimo de las clases bajas no logra redimirse. No sabe superar las situaciones que enfrenta, resulta víctima del destino y de la sociedad. Algo malo le pasa y nada puede hacer, excepto reconocer su impotencia. Su manera de escapar a la situación es la de los hombres comunes: aceptar el dolor o emborracharse para mitigarlo. Este héroe o antihéroe del pueblo, sin embargo, tiene capacidad para comprender, entenderse y reconocerse en las experiencias que vive. El pueblo aprende de sus experiencias. Es un pueblo joven, enérgico, de criollos e inmigrantes que se encuentran en la urbe moderna. Son además personajes apasionados, que entregan todo por amor. Resultan sus víctimas, pero los justifica y los humaniza la intensidad de los sentimientos, y su resistencia ante el dolor. Aunque los personajes sean distintos a nosotros simpatizamos con ellos, y comprendemos "su verdad". Su filosofía deriva de las conclusiones que sacan de las situaciones traumáticas que enfrentan. Los personajes viven la vida vertiginosa de la ciudad moderna.

En el próximo tango que compone, "¡Chorra!", cuenta una historia en que una mujer, respaldada por "su familia", "pela" al hombre enamorado y lo deja "a la miseria" (45). En la canción habla el hombre engañado y bueno. Se presenta a sí mismo de una manera cómica, "grotesca". Conoció a una "mina" que le robó todo: su negocio en la feria, y también "el amor". En ese momento se considera cómicamente tan incapaz de querer, se siente tan intimidado por las mujeres que, si en la calle alguna trata de seducirlo o "afilarlo", se pone "al lao del botón", de la policía, para que lo proteja (45). Se autoacusa de ser un "gil", un tonto, aunque reconoce que si cayó en la trampa fue por la "silueta" de la bella mujer que lo sedujo.

Discépolo describe primero lo que ocurrió en los últimos seis meses, el romance fallido en que el personaje resultó esquilmado, y en la segunda parte del tango cuenta lo que "ha sabido ayer". Lo que supo es que esa mujer que lo explotó, y le fue quitando todo lo que tenía, no trabajaba sola: la acompañaba su familia, la "mamá" y el "papá". La madre, que fingía ser miembro de la clase alta, y decía que era "viuda de un guerrero", era una "chorra", igual que la hija, y el padre estaba perfectamente vivo, prontuariado como "agente e'la camorra,/ profesor de cachiporra,/ malandrín y estafador" (46). El acierto de la letra radica en gran parte en el uso de la lengua popular, tanto el lunfardo como los coloquialismos, y la situación humorística y burlesca que describe. La víctima del robo es un trabajador, y la "chorra" una mujer hermosa que es realmente un peligro. El personaje termina su denuncia advirtiendo a los otros que se cuiden, porque anda suelta, y seguro está buscando a otro "gil" para "pelarlo". El hombre siente además que su orgullo varonil ha quedado herido, puesto que ha hecho de tonto (March 49-53).

Discépolo compondrá algunos tangos más con letras cómicas, que mucho gustaron a los oyentes. En 1929 escribe "Malevaje", con música de Juan de Dios Filiberto. "Malevaje" cuenta una historia antiheroica. En ella se burla del honor y el rito del coraje del mundo criollo. El gaucho al emigrar a la ciudad se había transformado en el compadre. Este último trató de instaurar en el suburbio el mito del coraje y se hizo malevo. Discépolo cuenta la historia cómica y grotesca del malevo enamorado que se vuelve blando y afeminado al depender de una mujer. En esta letra la viril es la mujer; el hombre la ve "pasar tangueando altanera,/ con un compás tan hondo y sensual" y se siente seducido (47). Confiesa el personaje: "no fue más que verte y perder/ la fe, el coraje, el ansia e'guapear". Discépolo crea un personaje risible, en que se destaca el lenguaje coloquial del compadrito, pero procura no exagerar el "color local". Su interés es comunicar rápidamente la historia.

En este tango la aparición de la mujer provoca en el malevo una verdadera "crisis de identidad". Tanto lo cambia que ya no sabe más quién es, como confiesa al final. Le ha quitado todos los atributos propios del malevo estereotípico; dice el personaje: "No me has dejao ni el pucho en la oreja,/ de aquel pasao malevo y feroz". Lo ha transformado casi en un beato, no le falta más que "ir a misa" e hincarse a rezar. Y aún más grave: ha perdido el coraje, y por lo tanto la hombría, que es el atributo más preciado para el malevo: dice que el día anterior renunció a pelear y escapó, huyendo. Lo hizo porque no soportaba la idea de estar lejos de ella y no verla, ya sea porque perdiera la vida en el duelo o, ganándolo, terminara a "la sombra" en la cárcel. La crisis del malevo es tan grande que por las noches siente angustia y confiesa que llora. Este es un hombre que ha sido despojado de su identidad: deja de ser héroe trágico para transformarse en un payaso, en un personaje de comedia.

El tango alude indirectamente al choque experimentado por el hombre foráneo al llegar a la ciudad cosmopolita, amenazante, a la que tiene que adaptarse, sacrificando su sentido del honor y su concepto de hombría. Esta fue la historia no sólo de los viejos criollos inmigrados a la urbe, sino también la de los inmigrantes europeos, particularmente los italianos, de cuyo estrato provenían los Discépolo, que en el proceso de adaptación a la nueva patria sentían que tenían que abandonar todos sus valores más preciados y sus costumbres para sobrevivir.

Discépolo escribe otros dos tangos cómicos populares, "Justo el ¡31!" y "¡¡Victoria!!" en 1930. "¡¡Victoria!!" fue estrenado por Pepe Arias con la Compañía de Grandes Revistas en el teatro Porteño (Pujol 156). Son tangos teatrales en que se destaca el histrionismo del personaje que vive la situación. A diferencia de los tangos cómicos anteriores, en que presentaba el punto de vista de los hombres abandonados y engañados, los protagonistas de estos tangos son el "piola" y el "cachador" porteño. Hablan los "piolas" vividores, que se aprovechan de las mujeres. El móvil de la conducta de los personajes es el provecho personal. Discépolo juega con la opinión popular de que la vida en pareja, particularmente el matrimonio, es una cárcel para el varón. Estos personajes celebran el haberse liberado del yugo de la mujer, aunque de manera humillante. Para mantener su "honor" y preservar su machismo no quieren que la mujer los abandone, prefieren abandonar ellos antes.

En el mundo popular el hombre debe mantener su virilidad y su fuerza para ser respetado, y las mujeres siempre están tratando de rebajarlos. El amor es para ellos una trampa para someterlos. No es éste un mundo idealista de clase media donde el que ama triunfa y se siente realizado; es un mundo marginal y proletario, donde la vida en familia significa el empobrecimiento y la pérdida de libertad personal, el sometimiento despersonalizador. En "Justo el ¡31!" Discépolo nos da a entender que la mujer, a la que el canchero porteño abandona el día 31, lo engañaba y pensaba dejarlo a él el primero de mes, según le dijo un "amigo" suyo que le "regaba el helecho". El hombre se siente feliz de que le hagan ese "favor", porque la mujer era muy fea. La caracteriza como una "inglesa loca" parecida a un mono, que se fue a vivir a su pieza con él (51). El personaje quiere demostrar que es un porteño ganador. Teme que sus amigos del café lo "cachen" y se burlen de él. Discépolo se adentra en esta letra en la psicología popular del "piola", del "cachador", personaje típico de la calle porteña.

Parecida situación se da en "¡¡Victoria!!". En este otro tango la mujer que se va es la esposa del personaje, que se considera doblemente afortunado. "¡Cantemos victoria!/ Yo estoy en la gloria:/ ¡Se fue mi mujer!", se jacta el personaje (54). La mujer pone en entredicho su hombría, ya que se va con otro. El hombre es un "cornudo", una de las figuras masculinas más despreciadas del imaginario popular. Se considera afortunado de haber salido del yugo del matrimonio, de la "noria" repetitiva y deshumanizante, y siente pena por el tonto o "panete" que se la llevó, sin darse cuenta que la mujer era un "paquete". Trata de demostrar que él es el verdadero piola y el ganador en la situación.

Paralelamente a la creación de estos tangos cómicos, que contienen sus propias "novelas" melodramáticas, Enrique explora en otros tangos la vena trágica y seria de la canción popular, creando situaciones patéticas en que los personajes que sufren, y se ven a sí mismos como víctimas, hacen su catarsis, confesando su desesperación. El primero de estos tangos es "¡Soy un arlequín!", de 1929. Este es un tango de letra relativamente simple y breve, que antecede a creaciones como "Yira... yira", de 1930 y "¿Qué "sapa", Señor?" de 1931. "¡Soy un arlequín!" presenta como personaje a un payaso enamorado que le habla a su amada que lo engañó. Este arlequín de la vieja comedia del arte italiana es el personaje popular que reaparece como símbolo del amor inocente e incondicional en las obras de diversos artistas contemporáneos de Enrique, entre ellos Picasso y Petorutti, y en las películas de creadores del cine mudo, como Charlie Chaplin. Sergio Pujol explica que la figura del arlequín servía "a las concepciones teatrales y filosóficas en boga" en aquella época (153). Para Discépolo, se trataba de un personaje muy cercano a los del grotesco criollo, que él conocía muy bien.

En "¡Soy un arlequín!" el personaje se describe y se confiesa. Busca despertar compasión en la mujer a la que se dirige y en el auditorio. Se define como "un arlequín que canta y baila/ para ocultar/ su corazón lleno de pena (49)." El payaso siempre oculta su propio sufrimiento y el lado oscuro de su personalidad. Su objetivo es conmover y hacer reír a su público. Este era un romance de melodrama y "folletín", donde la mujer jugaba el papel de Magdalena, la prostituta que seguía a Jesús, y él el de redentor, que quería salvarla. En ese mundo bajo todo era interés y simulación, egoísmo, no había verdadera solidaridad en las parejas de amantes. El hombre dice que lo hizo porque pensó en su madre y sintió que tenía una deuda con ella. Podemos creer que siguió los dictados de su corazón y se "clavó". La mujer además era capaz de fingir y "lloraba", por lo cual fue una trampa perfecta para él.

El hombre tenía esperanza y fe. Llevados por la esperanza, los personajes discepolianos marchan a su perdición. En el mundo popular la salvación no es posible. Estos son personajes caídos y vencidos. Hacen su catarsis en un momento de extrema desesperación, y cuando ya no tienen medios para salir de la situación. El oyente siente el dolor en la voz del cantante y en su gestualidad. El cantante de tango se contorsiona y se conmueve cuando canta, hace gestos especiales para expresar el dolor. La voz sale desgarrada. Al final del tango el personaje nos confiesa el "pago" que recibió por su deseo de redimir a la mujer: la risa y la burla de los otros. La crueldad de la mujer y de los otros puede ser también la crueldad del oyente, si se atreve a reírse ante el espectáculo de un hombre crédulo que creyó que salvaba a una mujer, fue burlado y sufre. Quien habla es el bueno, que no puede sobrevivir bien en una sociedad manejada por el engaño y los intereses materiales. Le dice a la mujer: "¡Perdóname si fui bueno!/ Si no sé más que sufrir..." (49). El tango lo estrenó Azucena Maizani en 1929 y fue muy bien recibido por el público; lo grabaron ese mismo año Maizani e Ignacio Corsini.

En 1930 compuso "Yira… yira". Este tango irrumpió en el mundo de la canción ciudadana en un momento especial. En ese año cambió abruptamente la historia de Argentina. El golpe militar de 1930 depuso al caudillo radical Hipólito Yrigoyen, iniciando la que sería una larga etapa de golpes militares y gobiernos de facto, que alteraría sustancialmente la historia política del país. También concluía, influido por la crisis económica internacional, el ciclo de inmigración masiva de europeos, particularmente de italianos y españoles, en el Río de la Plata. Estos habían comenzado a llegar a partir de las últimas décadas del siglo XIX, atraídos por la activa política inmigratoria del gobierno argentino, y su participación en la vida nacional había cambiado el mundo social y político. Los Discépolo eran producto de esa inmigración. Enrique era un agudo intérprete de su entorno social y el momento le pareció adecuado para meditar sobre lo que estaba ocurriendo y sus consecuencias para el pueblo. "Yira… yira" fue estrenado por Olinda Bozán en la revista *Qué hacemos con el estadio*. Carlos Gardel lo interpretó con sus guitarristas en Radio Splendid, y lo grabó ese mismo año, consagrándolo definitivamente (Pujol 166-8). La repercusión del tango en el medio musical y cultural porteño fue inmediata: el autor y compositor había sabido entender e interpretar la crisis de la sociedad contemporánea.

"Yira… yira", como luego "¿Qué sapa, Señor?" y "Cambalache", procuran entender el estado en que se encuentra la sociedad en que vive el autor. Discépolo describe el mundo cruel de la calle, contra el que se estrellan todas las buenas intenciones. En ese mundo el hombre está solo y no encuentra solidaridad. El personaje que confiesa su desesperación es un ser desencantado, que ha sufrido el rechazo de su medio. Ese rechazo no es sentimental o amoroso: es un rechazo material, económico. En su primera parte el oyente puede fácilmente asociar al personaje con uno de los muchos desempleados que en 1930 poblaban las calles de Buenos Aires, en que no había una red de solidaridad social para contener a los desgraciados. El tango está dirigido a un confidente, al que el sujeto que canta trata de aleccionar, para que no le ocurra lo mismo que a él. Lo persuade de que no crea, y en lo posible pierda la esperanza. Una gran desilusión puede tener un efecto terapéutico, ayudar a que se defienda mejor. La música popular busca estimular al oyente. Su criterio no es estético, como en la poesía escrita literaria. Su criterio es "medicinal". Trata de ayudar, enseñar algo, alertar sobre un estado de cosas. El personaje cantor es un hombre "bueno", como Discépolo define siempre a sus héroes. Es un hombre compasivo, que quiere ayudar a mitigar el dolor que sufren los otros y expulsar de sí el propio. Los desamparados se encuentran en el dolor y en la desilusión común. El mundo, sobre todo el mundo de la calle, es el mismo para todos. La ciudad, la urbe moderna, genera su propio estilo de vida, y hace falta una filosofía especial para comprenderla y vivir en ella.

"Yira... Yira" no cae en el color local, pero el modo de expresarse del personaje es fundamental para que entendamos su origen social. Este se muestra siempre bajo un estado emocional especial, en este caso de desazón y de angustia, de desesperación. Este clima emocional se percibe fácilmente en la interpretación, y tiene un impacto fuerte y directo en el oyente. Habla un hombre de la calle, con el lenguaje coloquial de los pobres. Se confiesa ante otro hombre. Es un personaje machista, que considera que la suerte "es grela", que significa mujer en el lunfardo porteño, y lo rechaza y lo larga "parao". El personaje es un trabajador que ha recorrido la ciudad "rajándose" los "tamangos", buscando un "mango" para poder "morfar" (52). No es un hombre de la noche ni un "piola" del cabaret, como en otros tangos. Este es el hombre que "yira", que da vueltas y vueltas buscando trabajo, y al que le va mal. Es lo contrario del "flaneur", del paseante contemplativo de la poesía simbolista; es el criollo desesperado, rechazado por la urbe.

La lección que saca de eso la enuncia en la segunda parte del tango. Cuando le ocurra al otro todo eso que le explicó, entonces el otro "verá", es decir, entenderá. Desea concientizarlo de lo que va a pasar, aunque el mensaje sea terrible y no deje lugar a la esperanza. Es una situación "terminal". Lo que el otro verá en esas circunstancias es que "todo es mentira" y "nada es amor", y "que al mundo nada le importa" de él. El paisaje humano es desolador, pero el oyente siente de inmediato la autenticidad del mensaje. El letrista y poeta nos está contando una verdad de nuestra sociedad contemporánea: si no tenemos ni trabajo, ni dinero, ni un lugar donde vivir, sólo recibiremos rechazos. Lo vemos a diario en la calle, y mucho más en esos años en que la crisis económica había traído gran desempleo. En esas circunstancias se rompen las cadenas de solidaridad que pueden existir en la sociedad en otros momentos menos críticos.

En la tercera parte del tango Discépolo insiste que el otro lo entenderá cuando sufra lo que él sufrió: cuando vea que ya no tiene un "pecho fraterno/ para morir abrazao...", y cuando lo "dejen tirao/ después de cinchar", de trabajar sin descanso, mientras a su lado otros especulan "probándose" la ropa que va a dejar cuando se muera. Se define a sí mismo como un "otario", como un tonto que ha sido burlado. Es el tonto que, como un perro, un día "se puso a ladrar" (53). El cantor se compara a un perro de la calle, hasta ese punto se siente rechazado por su sociedad. Esta es una poesía popular diferente. Sus versos expresan un sentido de desesperación único. La música y la gestualidad del intérprete de tango dotan a esta música de una fuerza dramática especial. Los medios de difusión desarrollados en aquella época: el disco, el cine y la radio, ayudan a que este arte popular se comunique con un público nuevo, en un género que nació para interpretar a ese público: el habitante urbano de la Buenos Aires cosmopolita. Se inicia una época de gran crisis económica y social que se extendería por varios años más, durante "la década infame". En este tango Discépolo se transformó en crítico social, actitud que profundizaría en "Cambalache", para mostrar los contrastes y desequilibrios, y los choques del hombre común y del inmigrante con su entorno.

Después de 1930 no compone tangos con personajes cómicos y tan marcadamente antiheroicos como los de "¡Qué vachaché!" y "¡¡Victoria!!". "Yira... yira...", como vimos, introduce el tema social y "Confesión", de ese mismo año, explora el mundo del hombre solitario que fracasa en su intento amoroso por dar sentido a su vida, y trascender y redimirse a través de un amor bueno. En "Confesión" el personaje es un hombre golpeador que "se hizo" abandonar por la mujer que amaba. La mujer en esos momentos vive bien, la tienen "hecha una reina" (61). El hombre ve a la mujer después de un año, de manera casual, por la calle. Es entonces que se confiesa su amor por ella, su maldad y su culpa. El héroe de "Confesión" es un ser que vive atormentado por sus actos. Su último sacrificio fue abusar de quien amaba, para que lo abandonase y "salvarla" así, empujándola en brazos de otro. Es un amor autodestructivo. El personaje describe sus sentimientos de inferioridad, su incapacidad de ser bueno. Los héroes se mueven de forma polar entre el bien y el mal, y no encuentran el equilibrio, ni la paz, ni el amor. Viven atormentados y en constante desasosiego.

El próximo tango que compone con esta visión del amor es "Secreto", de 1932. Continúa su interpretación dicotómica del bien y el mal. El personaje es un hombre del pueblo y no puede entender sus angustias: siente un dolor absoluto y paralizante, y no sabe cómo reaccionar. Es un hombre de familia, casado y con dos hijos, y vive un amor adúltero. Víctima de un impulso destructivo, termina destruyendo también todo lo que está alrededor de él y ama. Su única escapatoria a esa situación extrema y desesperante es el suicidio. Enrique desarrolla en un breve argumento un cruel drama personal. Comienza la letra con el personaje invocando a la mujer y maldiciéndola: "Quién sos, que no puedo salvarme,/ muñeca maldita, castigo de Dios...", dice (62). Con extraordinaria capacidad de síntesis, el letrista presenta en los versos siguientes, conceptualmente, todas las preguntas que le plantea la situación: el problema de la salvación personal, la dificultad de conocer la verdadera naturaleza de esa persona amada que nos agrede y nos lastima, el sometimiento a la belleza demoníaca de la mujer, y la relación del ser sufriente y abandonado con su Dios, que parece no compadecerse de él. El personaje se mueve en un mundo fatal, del que no hay salida. La trampa fue la seducción, el hechizo de la mujer.

Las mujeres malas que presenta Discépolo son mujeres fatales, interesadas, seductoras, de las que no hay escapatoria, y que llevan al hombre a entregarlo todo por ese amor. Despiertan en el amante una pasión irrefrenable. En este caso el hombre destruyó a su familia por ese amor. Dice el personaje, autoacusándose: "No puedo ser más vil,/ ni puedo ser mejor,/ vencido por tu hechizo/ que trastorna mi deber.../ Por vos a mi mujer/ la vida he destrozao,/ es pan de mis dos hijos/ todo el lujo que te he dao (62)." El amor adúltero conlleva la ruina de la familia decente. El personaje se dispone a pagar su culpa suicidándose. Pero no lo logra: en el momento de intentar dispararse, algo lo impulsa a bajar el arma. Esa es la última humillación que puede sufrir: confiesa que no lo hizo por sus hijos, sino por miedo a no ver más a la "muñeca maldita". Es incapaz de separarse para siempre de su amante.

Está en sus manos, impotente, y ha perdido la voluntad. Ha caído en lo más bajo, en la abyección. Es un hombre humillado y agónico, impotente ante el mundo.

Otro tango, de 1933, en que aparece un héroe bueno y humillado es "Tres esperanzas". El personaje que canta su vida y se confiesa habla con su alma. Es un soliloquio, en que trata de convencer a su alma de cometer el suicidio. El argumento que ofrece para justificar la necesidad de suicidarse se funda en el gran dolor que siente, que lo destroza, en los engaños que sufrió, en la pérdida de sus "tres esperanzas": su madre, la gente y un amor. Todas lo abandonaron o traicionaron, y siente "terror al porvenir" (66). Por ser bueno e indeciso se considera un "gil", un tonto, y le llama a su alma "otaria", boba. El alma parece no aceptar su argumento, y la última razón que le ofrece para convencerla de la necesidad del suicidio es su falta absoluta de amor; le dice: "Si a un paso del adiós/ no hay un beso para mí,/ cachá el bufoso…y chau…/ ¡vamo a dormir! (67)". Este es un sujeto que habla con claridad, se dice la verdad, es sincero hasta la crueldad y tiene un sentimiento absolutamente trágico de la vida. Discépolo toma al personaje muy en serio y expresa su angustia y su desesperación. Son historias "distintas" dentro de la gran ciudad moderna, de seres que viven al límite.

En 1931 compone un tango, "¿Qué "sapa", Señor?", profundizando motivos sociales, que es un antecedente de "Cambalache" (Pujol 229). Es un tango que habla de la moral "pública", un discurso crítico sobre el estado de su sociedad. Pujol interpreta este tango como una crítica desencantada y más bien conservadora de Discépolo al "liberalismo epigonal" de los años treinta, en que expresó desilusión ante la caída de la monarquía española (212). No estoy de acuerdo con la lectura de Pujol, creo que es una lectura excesivamente literal que no tiene en cuenta la separación del autor y sus personajes. Aunque hable en primera persona el personaje no es el autor, ni sus creencias tienen por qué coincidir en su totalidad con las del autor. Discépolo estaba muy lejos de ser un hombre conservador y antiliberal, dado el ambiente en que creció junto a su hermano Armando, y el mundo del espectáculo en que se movía.

El sujeto que representa Enrique en este tango es un ser desengañado, que tiene una visión extrema del mundo. Es un hombre que desespera y muestra sus sentimientos en el momento culminante de su angustia. Siempre los sentimientos son exagerados, porque no se trata precisamente de un personaje de clase media, bien educado, sino de un personaje del pueblo bajo, que se siente la víctima no sólo de las mujeres que lo manipulan, sino también de su sociedad que lo desampara.[5]

---

[5] La poesía culta de las elites letradas de la clase media exhibe sentimientos nobles y sutiles, e ideas complejas y originales para el público lector educado y "entendido". La literatura forma parte de un ámbito culto, dominado por una clase que impone su visión. En un país poco desarrollado, dependiente y empobrecido como la Argentina, donde las clases populares padecen todo tipo de carencias, de educación, salud, vivienda, alimento y trabajo, la gran literatura argentina, producida por nuestros mejores escritores en esos años: Borges, Girondo, Macedonio Fernández, no reflejaba los intereses y la sensibilidad del pueblo bajo aunque el pueblo bajo, como en Borges, pudiera aparecer como personaje en su literatura. Era literatura de las elites intelectuales para las elites y las nuevas clases medias educadas. Surge sin embargo en esos años una literatura de los hijos de inmigrantes recientemente incorporados al mundo de la clase media que guarda mayor fidelidad a sus orígenes proletarios, como el teatro de Armando Discépolo, las letras de Celedonio Flores y Enrique Santos Discépolo, las crónicas y novelas de Roberto Arlt. Es ésta la situación que crea el enfrentamiento cultural que ha pasado a la historia de la literatura como el debate de Florida y Boedo. Cuan serio fue el debate es difícil decirlo, pero la situación social que lo hizo posible era más que real. La fractura y el enfrentamiento entre sectores sociales no ha desaparecido con los años, y se hizo más evidente durante el peronismo, porque el gobierno de Perón mantuvo una evidente simpatía hacia el proletario y el pueblo pobre, y gobernó en nombre de sus intereses. Precisamente por eso se sentiría Enrique atraído por el peronismo, como casi todos los artistas populares y los deportistas, que tenían una relación más íntima con el pueblo pobre y las masas. Los sectores liberales y los escritores de clase media en su mayoría rechazaron el populismo nacionalista de Perón, tanto por su contenido intelectual como social. El espectáculo del pueblo pobre en las calles, expresando sus necesidades y recriminando a las clases ricas el abuso que sufrían, no podía ser del agrado de aquellos sectores educados en la sutileza de las expresiones estéticas de alto orden. Sólo lo entendieron los artistas populares.
Durante el primer peronismo, Perón encontró pocos simpatizantes dentro de los sectores cultos, que celebraron su caída. No sólo escritores anglófilos, como Borges, se opusieron a Perón, a pesar de sus simpatías populistas en su juventud, sino también ensayistas liberales y progresistas como Martínez Estrada y Sábato. Esto cambió después de la mal llamada Revolución Libertadora, en 1955, que derrocó a Perón, y comenzó la abierta persecución de la clase trabajadora, y la venganza de las elites liberales contra el pueblo peronista.

El hombre del pueblo bajo no sublima sus sentimientos, como el hombre de clase media. No ha gozado de los beneficios ni de las sutilezas de la cultura liberal. Entiende la realidad como puede, en base a sus experiencias personales en un medio agresivo. Se enfrenta en situación de inferioridad a una sociedad que se enriquece explotando el trabajo de los humildes, y él está en el fondo de la escala social. Siente por lo tanto su falta de valor auténtico en ese medio y el desprecio de los poderosos.

El personaje de "¿Qué "sapa", Señor?", le habla a su Dios "alverre", al revés, invirtiendo las sílabas, con el desparpajo de las clases populares, y le dice que el mundo está enfermo y la gente está loca. La tierra, dice, "está maldita/ el amor con gripe, en cama...". La gente "en guerra grita,/ bulle, mata, rompe y brama" (56). El mundo está lejos de ser hospitalario. Todos los valores se han trastocado y el hombre ha quedado "mareao" y "no sabe dónde va...". Discépolo crea un personaje del pueblo bajo que habla con su lenguaje y expresa la que podría ser la filosofía de ese pueblo y la problemática de la modernidad, según el autor.

Este personaje, a diferencia de los que aparecen en otras canciones del repertorio popular, que solo se ocupan de problemas individuales, habla del mundo público, de su sociedad y su política, y su discurso resulta creíble. Pone en boca del hombre del pueblo, que no puede expresar bien lo que piensa y siente, sus pensamientos y sentimientos, logrando que se identifique con su discurso. Era algo similar a lo que buscaba el teatro popular de su hermano Armando, el grotesco criollo, cuando hacía hablar al inmigrante italiano de sus problemas en cocoliche, y lo que había logrado el teatro de Sánchez, presentando como personajes a los criollos inmigrados a la ciudad y a los inmigrantes extranjeros, que chocaban con un medio hostil que no entendían bien y cuyos códigos sociales no manejaban (Viñas 61-5).

El personaje de Discépolo en este tango no entiende lo que pasa, todo está muy confuso, en esa sociedad no hay valores, ni códigos

---

Muchos intelectuales como Jauretche y Hernández Arregui, y escritores como Walsh y Leónidas Lamborghini, se volvieron contra el "establishment" liberal y analizaron las relaciones de la clase media culta con los sectores populares desamparados y perseguidos.

claros ni bien establecidos, y es muy difícil sobrevivir y defenderse. Todos traicionan, no se puede creer en nadie, ni tener fe. Explica que los cambios fueron demasiado rápidos y bruscos, y es imposible acomodarse a ellos; dice: "Hoy todo dios se queja/ y es que el hombre anda sin cueva,/ volteó la casa vieja/ antes de construir la nueva...". A pesar de ser una explicación intelectual, inusual en una canción, el tango gustó y se popularizó de inmediato, contribuyendo a educar y concientizar sobre la problemática del mundo contemporáneo a sectores que nunca seguramente leían literatura, y que, gracias a los nuevos medios masivos de comunicación, particularmente la radio, en pleno desarrollo en esos momentos, podían infomarse y meditar sobre su lugar en el mundo (Pujol 211).

La buena recepción que tuvo el tango seguramente impulsó al autor a seguir profundizando en su temática y situación enunciativa, que iba más allá de lo circunstancial y privado. En el tango el hombre desencantado le hablaba a su dios, quejándose, expresándole su confusión. Era una meditación sobre una situación que afectaba a toda su sociedad. Era por lo tanto filosofía popular, basada en la experiencia del hombre en la urbe cosmopolita moderna que es Buenos Aires. Su obra cumbre, en esta vena, sería el tango "Cambalache" de 1935.

En "Cambalache" Discépolo logró una síntesis expresiva única. El éxito gradual y creciente que tenía el autor con sus letras y su música se debía en parte al modo progresivo y consecuente que empleaba para concebir sus tangos y componerlos. Era un autor meticuloso, que pensaba cuidadosamente y meditaba largamente lo que escribía en cada uno de sus tangos. No fue un compositor espontáneo: era un poeta reflexivo. Por eso sus composiciones muestran su cuidadosa evolución artística. Sus tangos se transformaron en obras únicas y excepcionales. Son verdaderos monumentos de la canción nacional argentina y joyas del arte popular.

En "¿Qué sapa, Señor?" Enrique recurría a un argumento con tintes biologicistas, y en su conversación con Dios el personaje argumentaba que la tierra estaba enferma. En "Cambalache" desaparece la referencia a la enfermedad, y el personaje no habla con un interlocutor individual específico. Se dirige a un público general, a los oyentes, a los ciudadanos. Un cambalache es un negocio de artículos de segunda mano, donde se encuentran los objetos más inesperados que la gente lleva para su reventa. El cambalache, tal como lo entiende Discépolo, es una alegoría del mundo moderno, en el que han entrado en crisis todos los valores morales: el dios contemporáneo es el dinero, el interés, y el comercio, las cosas valen por lo material solamente. Los pobres son las víctimas en ese cambalache, donde malvenden sus posesiones para que otros las compren a precios mayores. A él acuden los que no tienen lo suficiente para comprar mercancías nuevas.

El cambalache era también un símbolo de la Argentina de ese entonces: estaban en medio de la corrupción de la "décda infame", donde los militares, la iglesia y la oligarquía habían formado un frente común para controlar y dominar a la sociedad civil rebelde, a sus trabajadores indisciplinados, y a sus pobres anarquizados.[6] El mundo en el que vive el personaje de "Cambalache" es un mundo nivelado por la injusticia, en el que el papel social del individuo no se corresponde con su moral, y donde nadie es consecuente con su conducta. Es un mundo en el que todo vale. El personaje se expresa con un lenguaje coloquial típico del habla rioplatense que resulta muy persuasivo. El cantor desengañado nos muestra su visión del mundo, su cruel verdad, subrayando con desagrado su decadencia (Galasso 105). Generaliza con pesimismo su desencanto: el mundo no sólo es hoy una "porquería", sino que igualmente debe haber sido una porquería antes, y lo será mañana. Considera la crueldad social como algo invariable, afín a la naturaleza humana. Siempre "ha habido chorros,/ maquiavelos y estafaos", pero el siglo veinte renueva el sentido del mal: es "un despliegue/ de maldá insolente" (74). Esto es lo que sabe el personaje y quiere comunicar al oyente. Se trata de un mundo sin escalafones en que "los inmorales/ nos han igualao" (75). El personaje ofendido se considera moral y bueno, habla desde su indignación y denuncia la maldad de la socie-

---

[6] En esa Argentina muchos habían quedado fuera de la ley, y la justicia se había reducido a su mínima expresión. Tal como decía Hernández, también desencantado con su sociedad, en la segunda parte del *Martín Fierro*, la ley es como un embudo, al servicio del más fuerte (305). La sociedad darwiniana que describía Hernández, y la cruel lucha del pobre por sobrevivir, la vuelve a ver Discépolo, quien también se compadece del débil y del desamparado. Ambos autores defienden el campo popular, contra las razones de las elites liberales y la oligarquía.

dad. En este mundo los héroes como San Martín, el padre de la patria, y Napoleón, el gran emperador francés, que defendió la revolución durante veinte años contra las monarquías reaccionarias europeas, se han mezclado con mafiosos como Don Chicho, estafadores como el francés Stavisky y santos como Don Bosco (Pujol 231). Lo que es peor, la Biblia, el libro sagrado de nuestra religión, yace "en la vidriera" del cambalache junto a un sable y un calefón, convertido en un objeto en desuso más.

El tango termina con un final vitalista, donde el personaje recomienda a los otros hacer lo mismo que los demás: aprovecharse de la situación y sobrevivir. Después de todo es la ley de la vida. En la sociedad capitalista triunfa el más rico y el más fuerte. Estimula a los oyentes con un "¡Dale que va!", hay que seguir: nos encontraremos todos en el "horno", puesto que tanta maldad sólo puede terminar en el infierno. Conviene dejar de pensar y sentarse a un costado, mientras vemos pasar el mundo en marcha hacia la destrucción. Es una visión apocalíptica, ya que ese mundo parece no tener redención. Ante la ausencia de leyes y normas, es mejor adaptarse y seguir viviendo. Para esto es necesario resignarse y aceptar la realidad tal como es, sin idealismos.

Enrique escribirá otros tangos, tratando de explicar la situación del hombre del pueblo en la sociedad contemporánea, entre ellos "Desencanto", de 1937, que compone con Luis Amadori, y "Tormenta", de 1939, aunque "Cambalache" es considerado su obra máxima en este tipo de letra. En "Tormenta" habla con Dios, como lo había hecho en "¿Qué "sapa", Señor?". En este nuevo tango sobresale la intensidad del sentimiento religioso. En el comienzo de la composición el personaje cantor está "aullando" durante una tormenta, en que el cielo se llena de relámpagos, perdido en medio de "su" noche interminable, buscando el nombre de Dios. Le dice que su fe se tambalea y necesita "luz/ para seguir" (85). Le plantea a Dios la falla de su mensaje a los hombres: en el mundo no se sabe cuál es el bien y el que sigue sus enseñanzas "sucumbe al mal". En ese mundo el mal es más fuerte que el bien y "la vida es el infierno". Le pregunta a Dios: "¿Lo que aprendí de tu mano/ no sirve para vivir?" (85).

El motivo principal por el que le habla a su Dios, sin embargo, es para solicitarle que le devuelva la fe: no puede vivir sin ella. Le pide que le enseñe "una flor/ que haya nacido/ del esfuerzo de seguirte, ¡Dios!/ para no odiar...". Le confiesa la razón de su desazón: lo desprecian porque no es capaz de robar, como los otros. Si Dios le concede el don y el milagro de la fe, le promete que de rodillas "moriré con vos,/ ¡feliz, Señor!". Lo atormenta la duda. Muestra un sentimiento religioso profundo. En los pocos tangos que escribe Discépolo durante estos años su lenguaje se desnuda, se vuelve esencial y conceptual, y aparece en sus letras cada vez más el drama interior del hombre, su desesperación ante sentimientos y situaciones irresolubles en que eleva sus ojos a Dios, buscando consuelo para su dolor.

Vuelca también esta problemática en sus tangos de motivo amoroso. En "Martirio", de 1940, habla del sufrimiento y la soledad de un hombre que espera en vano el regreso de un amor. La situación es humillante, por cuanto no puede olvidar a la mujer, a pesar que sabe que no volverá. Es una situación terminal e insoluble. Es en ese vacío de la persona deseada y amada que siente precisamente lo que es la soledad más esencial. "¡Sólo!.../ ¡Pavorosamente solo!" –clama el cantante desesperado– "como están los que se mueren,/ los que sufren,/ los que quieren,/ así estoy...¡por tu impiedad!" (87). El personaje no entiende "por qué razón" la quiere. Vive esa situación como un castigo de Dios. Es una pesadilla a la que está condenado "hoy... mañana.../ siempre igual...". Lo que lo lleva a esa situación es la necesidad irrefrenable de unirse a ese ser que ama, esa mujer a la que no puede reemplazar con ninguna otra, y ante su ausencia está sólo en el mundo, huérfano. Esa situación lo tortura, y se cree condenado y castigado por un Dios que lo "condenó al horror/ de que seas vos, vos/ solamente, sólo vos.../ Nadie en la vida más que vos/ lo que deseo..." (87). Es el drama del hombre enfrentado en soledad a su deseo, tratando de hacer reaparecer sin éxito al ser deseado, y no logra más que profundizar su soledad existencial. Drama conmovedor, espiritual, intenso.

Escribe varios tangos de motivo sentimental en esos años: "Infamia", 1941; "Uno", 1943; "Canción desesperada", 1944; "Sin palabras", 1945. De todos éstos es posiblemente "Uno", con música de Mariano Mores, donde cristaliza y llega a una nueva altura la vena lírica de Enrique. La línea melódica que da el pianista Mores a los tangos que compone para las letras de Enrique mitiga el sentido tremendista que encontramos en composiciones anteriores. Aquí el personaje sufre pero intuimos que está sublimando ese sentimiento terrible en el canto delicado y lírico del piano. Este nuevo matiz le pareció a Enrique un gran hallazgo, porque siguió componiendo con Mariano otros tangos (Pujol 307-8). El último tango que escribe, en 1948, "Cafetín de Buenos Aires", también tiene música de Mariano Mores.

En "Uno" notamos la suavidad y la gradación del sentimiento expresado. Enrique imagina aquí la vida como un peregrinaje, donde el hombre va por el camino con un objetivo fundamental: amar. El resultado, sin embargo, es la frustración final. Los héroes de Discépolo son héroes modernos baudelerianos condenados a la incomprensión y al fracaso. Enrique le canta a la fatalidad del destino y a la imposibilidad humana. En estos tangos renueva su sentido trágico de la vida. En "Uno" el ser humano parece no estar atado a lo material: su peregrinaje es espiritual y amoroso, cristiano. El ser humano se arrastra "entre espinas" y "en su afán de dar su amor" sufre (91). Es un ser que ha sido castigado injustamente. Su falta ha sido entregar su amor a alguien que lo engañó. Ese camino espiritual que lo lleva a la perdición es irreversible y el hombre no puede salvarse. Lo que ocasiona esa cruel toma de conciencia es un hecho nuevo en la vida del personaje: tiene frente a sí a alguien que lo quiere y le promete nuevo amor. Pero el hombre ya no puede amar: está vacío. Es el drama de la imposibilidad humana ante un destino trágico que parece estar escrito.

El cantor ve en los ojos de la nueva mujer reflejados los ojos de aquella que lo engañó. Le dice: "Si yo pudiera como ayer/ querer sin presentir.../ Es posible que a tus ojos/ que me gritan su cariño/ los cerrara con mis besos.../ Sin pensar que eran como esos/ otros ojos, los perversos/ los que hundieron mi vivir..." (92). Pero eso no ocurre, el personaje ha quedado fijado en el viejo amor, y "no sabrá como quererla". Lo único que hace es lamentar su suerte. Tiene la salvación al alcance de la mano, pero no puede alcanzarla porque tiene miedo de querer. El resultado, como en "Martirio", es la soledad: Discépolo llega a la conclusión que el ser humano está irreversiblemente solo y ni siquiera el amor puede salvarlo de esa soledad radical. Dice: "Uno está tan solo en su dolor.../ Uno está tan ciego en su penar...". Es en ese momento que su alma llega a un "punto muerto" que no puede superar. La ilusión ha desaparecido para siempre. Esa es su maldición. El héroe discepoliano en este tango se queja ante dios pero no se rebela contra él. No entiende bien los designios de Dios que trae un nuevo amor a su vida cuando ya no puede sentir nada. La existencia del personaje es paradójica, hay algo de burla cruel en su destino. Su tortura es tener que vivir sin ilusiones y sin amor, en soledad.

Discépolo en sus tangos reflexiona sobre las experiencias morales del hombre, y realiza importantes observaciones psicológicas sobre el comportamiento del hombre del pueblo, que es el héroe de sus tangos. Analiza sus conflictos amorosos, su sensación de orfandad y soledad cuando sufre el rechazo de un ser querido, su enfrentamiento a un medio hostil que no muestra solidaridad ni compasión por él. Si el auditorio es capaz de relacionarse con sus letras y entender sus verdades es sobre todo por la profundidad de sus interpretaciones psicológicas de los personajes y su relación con la ciudad moderna.

La ciudad contemporánea y su espacio de trabajo han modificado la conducta y la psicología individual de los seres humanos. El tango trae precisamente esta novedad: la relación del hombre del pueblo con un entorno social inédito, lo lleva a conductas que los demás no comprenden, ni él comprende tampoco muchas veces. Origina profundas deformaciones, frustraciones y fracasos individuales. Lo llevan al borde de la destrucción. El tango canta esas situaciones límite y por eso su representatividad en la sociedad moderna.

Dentro de los tangos de motivo amoroso que escribe Enrique en estos años debemos mencionar "Infamia", porque trae al imaginario de sus letras un actor nuevo: "la gente". La gente había aparecido como destinataria anónima de sus tangos, pero no como personaje colectivo. Aquí Enrique acusa a la gente de ser cruel con el individuo, y lo hace con sinceridad. No hay que olvidar que Enrique era un hombre del espectáculo, casado con una cantante española, Tania, que había iniciado su carrera en Buenos Aires en el ambiente del cabaret y conocía bien ese mundo. La gente, particularmente la gente pequeño burguesa, de buena familia, idealiza a los artistas, pero tiene grandes prejuicios hacia ellos. Se entretiene con su vida privada como si fuesen personajes de ficción, sin darse cuenta que se trata de seres humanos de carne y hueso. Los prejuicios de la gente bien condenan a las mujeres de vida ligera, o que consideran de vida ligera.

La historia de "Infamia" es la de un hombre que encontró el amor en una mujer de la noche. Su pasado la condenaba, pero para el hombre, compasivo, como son todos los héroes de Discépolo, su "alma entraba pura a un pòrvenir" (89). La mujer quería redimirse, su amante la aceptaba, pero la condenaba la gente que, como dice Enrique, "es brutal cuando se ensaña" y "es feroz cuando hace mal". Esa gente además "odia siempre al que sueña". Los dos, dice el cantor, salieron a vivir como "payasos" en una feria. La mujer no pudo superar su sentimiento de vergüenza y lo dejó. Desde entonces su vida "fue un suicidio,/ vorágine de horrores y de alcohol" (90). En el momento que nos habla el personaje la mujer finalmente se mató "ya del todo" y el hombre está llorando su pérdida irreversible, haciendo su duelo.

El cantor condena a la gente que se burló de ellos, y la considera culpable de la tragedia. Imagina un segundo final espiritual en que logra salvar él a la mujer perdida. La suicida se presenta ante Dios, "vestida de novia" y el cantor le pide a éste que ampare "su sueño" eterno. La defiende, definiéndola como una "muñeca de amor.../ que no pudo alcanzar su ilusión" (90. Realizaba en la muerte lo que no había podido hacer en su vida.

Dentro de su selecta producción de tangos, Enrique dedicó varios a celebrar la música misma y sus instrumentos. El primero fue "Alma de bandoneón", de 1935 (el mismo año que compuso "Cambalache"), al que siguieron "Cuatro corazones", de 1939, "Sin palabras", 1945 y "El choclo", 1947. Otros compositores anteriores habían escrito composiciones sobre el tango y sus instrumentos y el tema gozaba de popularidad. En 1916 apareció "Maldito tango", de Luis Roldán, en 1926 "Viejo tango", de Francisco Marino y en 1928 "Bandoneón arrabalero", de Pascual Contursi. "Alma de bandoneón" mantiene una relación intertextual con la hermosa letra de Contursi. En "Bandoneón arrabalero" Contursi creaba un diálogo entre el ejecutante y el bandoneón, donde éste refería su encuentro con el instrumento. El bandoneón aparecía primero personificado, acunado como un niño en el pecho del hombre, y se transformaba luego en su verdadera salvación y consuelo (Gobello 136). Discépolo da una interpretación muy distinta a la relación entre el músico y el instrumento. El bandoneón, la música, no puede salvarlo. El hombre es un ser condenado y arrastra sus obras en su caída. El ejecutante cree que el bandoneón tiene alma y sufre, y lo que expresa en su canto es el dolor de ese alma. Lo caracteriza como "una oruga que quiso/ ser mariposa antes de morir" (70). El hombre siente proyectado su drama personal en el canto del bandoneón: entiende que éste quiere comunicar su fracaso. El eterno culpable que hay en el héroe de Discépolo sueña con pedirle perdón al morir y "al apretarte en mis brazos/ darte en pedazos/ mi corazón..." (71).

"Cuatro corazones" es una celebración de la milonga y el candombe, con su "ritmo de hacha –taco y tamboril–" (83). Alaba su sensualidad y su compás. "Sin palabras" es un tango sentimental complejo, donde el compositor confiesa en ausencia a la mujer que ama y lo abandonó que esa canción "sin palabras" había nacido como una prenda de unión entre los dos. Imagina que la mujer, que lo traicionó, sufrirá al escuchar la canción y le pide perdón por causarle dolor, y le dice que no fue él sino que "...es Dios,/ quien quiso castigarte al fin..." (95). Las "notas que nacieron por tu amor" son en ese momento de rechazo y abandono "un silicio que abre heridas de una historia...". Dice que sin querer esa canción trae memorias dolorosas que seguirán torturándolos con el recuerdo del amor. Discépolo así homenajea el poder de evocación que tiene la música para el ser humano. El antihéroe discepoliano es un ser masoquista que busca consuelo en el dolor mismo que produce la evocación de la pérdida.

La más ambiciosa de sus letras dedicadas a celebrar el tango fue "El choclo". El viejo tango de Villoldo tenía una letra de Marambio Catán, de 1930, pero Libertad Lamarque le pidió a Discépolo una nueva letra. Quería cantarla en la película *Gran Casino*, que dirigiría, tal como lo hizo, Luis Buñuel, en 1947 (Gobello 255). En su letra Enrique trató de hacer una historia mítica del tango, desde su nacimiento hasta ese momento. Comienza con el mito de su nacimiento. El tango "burlón y compadrito" nació en el suburbio. Este le "ató dos alas", y de allí se elevó para expresar la ambición del mundo marginado: "salió del sórdido barrial buscando el cielo" (97). Luego define lo que es el tango: es un "conjuro extraño de un amor hecho cadencia", "mezcla de rabia, de dolor, de fe, de ausencia/ llorando en la inocencia de un ritmo juguetón." Podemos considerar a ésta una definición de lo que significa en general el tango para Discépolo, y entenderla como una síntesis de lo que quiso lograr en su "arte letrística". [7]

En la próxima estrofa recrea el origen de los personajes "malos" del tango: las mujeres crueles que hacen sufrir a los hombres y los abandonan. Enrique dice que éstas "paicas" y "grelas" nacieron del "milagro de notas agoreras" de los tangos. Termina la descripción del origen e introduce al cantante-personaje en la letra: éste dice que al evocar el tango siente "que tiemblan las baldosas de un bailongo" y oye "el rezongo" de su pasado (97). El "son de un bandoneón" le trae recuerdos de su madre muerta "que llega en punta e' pie" para besarlo.

La próxima estrofa introduce a un personaje: "Carancanfunfa", que en lunfardo significa el bailarín del suburbio que es además pendenciero y rufián. Este bailarín milonguero llevó el tango a Europa y en "un pernó mezcló a París con Puente Alsina", unió espiritualmente a la gran ciudad europea con un barrio pobre de Buenos Aires. Lo define como "compadre del gavión y de la mina/ y hasta comadre del bacán y la pebeta", o sea, amigo y confidente, y también rufián de las parejas que se formaban en el cabaret entre hombres pudientes y mujeres de la noche.

En la última estrofa Discépolo habla de la relación íntima entre el lunfardo y las letras del tango: dice que fue gracias al tango que "shusheta, cana, reo y mishiadura/ se hicieron voces al nacer con tu destino…" (98). "Cana", "reo" y "mishiadura" son palabras que siguen en uso, "shusheta" quería decir petimetre y ya no se escucha en Buenos Aires. De la misma manera que el grotesco criollo había puesto en un lugar privilegiado el uso del "cocoliche" de los inmigrantes italianos, el tango dio un papel único a la lengua del suburbio y del hampa, conocida como lunfardo. Fue Celedonio Flores quien elevó a un nivel artístico superior las posibilidades expresivas de esa jerga, en tangos como "El bulín de la calle Ayacucho" y "Mano a mano", ambos del año 1923 (Gobello 67-69). Enrique resalta cómo el tango contribuyó a legitimar y difundir el lunfardo, y la importancia que tuvo éste en la

---

[7] Este "arte letrística" sería una forma análoga al motivo del "arte poética" de la poesía culta, en que el escritor explica sus ideas sobre la poesía. En este caso Discépolo nos habla sobre lo que cree debe expresar el tango.

evolución del género. Termina el poema con una serie de metáforas visuales que componen un animado cuadro; dice que el tango es una "¡Misa de faldas, querosén, tajo y cuchillo,/ que ardió en los conventillos y ardió en mi corazón!". En esta imagen final el tango aparece en una gran escena iluminada, "misa" sensual que arde juntamente en la casa pobre, el conventillo, y en el corazón del poeta.

El último tango que escribe Enrique y estrena es "Cafetín de Buenos Aires", con música de Mariano Mores, en 1948. Digno tango para terminar con su carrera de letrista y compositor. Elige como motivo uno de los espacios de culto en la vida porteña: el café. En este caso, un café de barrio, un cafetín. Para Discépolo el cafetín es la escuela de la vida porteña, el sitio donde se forma la sensibilidad del habitante de los barrios de Buenos Aires, ése que trae su mundo al imaginario de los tangos y a la cultura popular. Hay dos mundos de la ciudad, que se encuentran y se mezclan en el tango: el mundo popular de la barriada, del suburbio pobre, y el mundo del centro y los bacanes.[8] El personaje de este tango es un hombre que evoca con nostalgia su niñez y su aprendizaje de las cosas de la vida. Reconoce en el espacio y el ambiente del café su escuela. Fue un lugar acogedor, protector, una especie de "madre" urbana para él.

A pesar que se lo vio como un tango pesimista, sobre todo por su final, "Cafetín de Buenos Aires" es un tango llego de ternura y esperanza.[9] El cafetín ayuda al personaje desvalido a sobrevivir en la ciudad. El cafetín, que era "escuela de todas las cosas", le dio entre

---

[8]   El espacio de encuentro es el lugar nocturno, el cabaret, donde coinciden los músicos y cantores con los muchachos bien, donde los "cafishos" comercian con sus "paicas" ofreciéndoselas a los bacanes que pueden pagar por sus servicios. El sujeto del tango es el hombre del suburbio, y muchos de los amores que cuenta son relaciones entre paicas y bacanes, entre chicas pobres encandiladas por el dinero y señores bien que las compran y las mantienen.

[9]   Pujol cuenta que Apold censuró el tango, que había sido escrito originalmente para ilustrar una escena de la película *Corrientes, calle de ensueños*, de Luis Saslavsky, estrenada en 1949. Apold era un funcionario del gobierno de Perón que dirigía la Secretaría de Prensa y Difusión, y ejercía la censura sobre los espectáculos, y pidió que se corrigieran términos que consideraba poco convenientes. Perón, que era amigo de Discépolo, al enterarse, pidió que se restituyera la letra a su expresión original (Pujol 354-5).

"asombros" (sentimiento fundamental de la reflexión filosófica), "el cigarrillo,/ la fe en mis sueños,/ y una esperanza de amor" (99). Son éstos valores positivos que lo llevan a confiar en el mañana. El fumar era visto en esa época como un hábito placentero que estimulaba la reflexión y ayudaba a ensimismarse. Al principio del tango el chico estaba mirando desde la calle la vidriera del café, sin poder entrar aún, "como a esas cosas que nunca se alcanzan...". El niño deseaba ser grande e igual a los mayores, superar el sentimiento de invalidez que lo aquejaba en la sociedad, frente al poder de los otros. Tiempo después logró entrar y ser admitido en la sociedad del cafetín. En su evocación nostálgica de adulto define lo que aprendió en él: "filosofía...dados...timba.../ y la poesía cruel/ de no pensar más en mí" (99).

El cafetín es el refugio del muchacho pobre de barrio que se hace pícaro para sobrevivir. Es el lugar de encuentro de sectores populares: en él se juega a las cartas y sobre todo se habla, se conversa sobre cosas de la vida y el hombre de barrio crea su filosofía cotidiana. Para el pobre, esclavo de la necesidad, siempre perseguido por la escasez de recursos y dinero, es importante reconocer su entorno, defenderse de todos los peligros que lo rodean en la lucha por la vida. Aprender también a simular. El tango es el mundo de la simulación: simulan las mujeres que muestran un amor que no sienten, y los hombres que las explotan. Simulan los muchachos de barrio que van al centro fingiendo que son alguien. En el tango no vemos un verdadero ascenso social de clase: todos los cambios son ilusorios.

El café es también el centro de la sociabilidad masculina, donde se practica el culto a la amistad, que caracteriza a los argentinos. Dice en la estrofa siguiente: "Me diste en oro un puñado de amigos,/ que son los mismos que alientan mis horas" (99). Los amigos son sus iguales, sus pares, y también pueden ser su guía y fuente de consuelo. Enumera a esos amigos: "José, el de la quimera.../ Marcial, que aún cree y espera.../ y el flaco Abel, que se nos fue/ pero aún me guía..." (100).

En el final del tango el personaje sufre los desengaños de la vida; dice la letra: "Sobre tus mesas que nunca preguntan/ lloré una tarde el primer desengaño,/ nací a las penas, bebí mis años/ y me entregué sin luchar." Acaba aceptando la realidad, el mundo tal como es, y sus propias limitaciones. Ese hombre que ya no lucha es probablemente el adulto que se ha adaptado y acepta su papel en la sociedad. Enrique siente culpa ante esto. Al principio del tango había dicho que el cafetín le había dado "la fe" en sus sueños; al final, el personaje ha hecho todo un periplo vital y ha fracasado en sus deseos de cambiar el mundo. Ese es el destino común de las clases populares en la gran ciudad, con cuya sensibilidad se identificaba Discépolo.

Después de 1948 Enrique continúa trabajando en teatro y en cine, pero no presenta ningún otro tango. En 1949 escribe *Blum*, en colaboración con Julio Porter, obra que dirige y en la que actúa, logrando uno de sus papeles más exitosos en el escenario (Pujol 358-62). Hasta el teatro lo va a buscar Raúl Apold, el Subsecretario de Prensa de Perón, para que participe en un programa radial político que se transmitirá diariamente: "Pienso y digo lo que pienso". Enrique acepta, y crea un personaje que se hace célebre en la radiofonía: Mordisquito. Presenta monólogos en que discute cuestiones del Peronismo. Se burlaba de los opositores y de la vieja oligarquía antiperonista, y se hizo, como consecuencia, de muchos enemigos (Pujol 380-1). Defendió en los programas los logros económicos y sociales del gobierno peronista.

Enrique y una gran cantidad de músicos y compositores del ambiente del tango y la música popular eran peronistas y apoyaron el gobierno de Perón. Perón, casado con una mujer del espectáculo, Eva Duarte, favoreció las artes populares, particularmente la música y el cine. Fue un gran admirador de los artistas, así como de los deportistas más destacados. Antes que Enrique conociera a Perón, ya Perón conocía a Enrique Santos Discépolo, el gran autor y compositor, y lo consideraba el más grande poeta popular argentino (369-70). Enrique vio por primera vez a Perón en Chile, cuando éste era agregado militar del gobierno argentino en Santiago en 1937. Pujol relata que Perón demostró una consistente cultura tanguera en aquella oportunidad y Enrique se sintió cautivado por su agilidad mental (277). En 1937 Enrique se sumó a la junta directiva de SADAIC, la sociedad de autores y compositores, junto a Manzi, Filiberto, Canaro, Lomuto y Vedani. En 1944 realizó, junto a Homero Manzi, una gira por varios países hispanoamericanos en representación de los artistas y sus derechos, como miembro del directorio de SADAIC (319).

Según Pujol, lo que más sedujo a Enrique del Peronismo fue su política asistencial. Perón se mostró interesado en su amistad, y tanto él como Evita recibieron numerosas veces a Enrique en la quinta de San Vicente. Enrique simpatizó de inmediato con la personalidad de Evita. La visitaba en la Secretaría de Trabajo y muchas veces almorzaban juntos. Perón lo nombró director ad honorem del Teatro Nacional Cervantes, lo cual le atrajo enemigos dentro del ambiente artístico (371).

Enrique falleció el 23 de diciembre de 1951, de una enfermedad misteriosa que no lograron diagnosticar. Tenía cincuenta años de edad. Su posición en el imaginario musical y poético porteño ha quedado definitivamente enraizada. Vivió durante una época en que el tango definió su nueva personalidad madura dentro del mundo de la música popular, y él fue uno de sus artífices. Como poeta creó una obra breve y bien meditada, que está siempre presente en el imaginario de las personas de diversas edades y generaciones.

Discépolo es para mí un poeta nacional popular fundamental del siglo XX. Durante los años de su adolescencia y juventud, poetas de la talla de Pascual Contursi y Celedonio Flores se transformaron en celebrados letristas de tangos. Otros poetas de gran sensibilidad popular, como Carlos de la Púa y Nicolás Olivari, sin bien contribuyeron al imaginario de la poesía ciudadana, no lograron hacer una carrera destacada como letristas comparable a la de Discépolo y su amigo Homero Manzi. Enrique Cadícamo y luego Cátulo Castillo también comunicaron al tango gran nivel lírico.

La industria de la grabación del sonido, la radio, el cine y la televisión hicieron de la música popular uno de los más grandes fenómenos de masas. El público oyente tuvo a su alcance un repertorio internacional riquísimo de rancheras mexicanas, valcesitos peruanos, boleros centroamericanos, tangos argentinos, con compositores y poetas del nivel de Agustín Lara, José Alfredo Jiménez, Chabuca Granda, Armando Manzanero y Enrique Santos Discépolo, que pueden ser escuchados y vueltos a escuchar con la misma atención con que se lee un buen libro de poesía. Estos compositores pusieron a la poesía popular en un lugar central de la cultura, rescatando una sensibilidad que antes quedaba relativamente marginada, o a la que tenían acceso poca cantidad de personas. Lo mismo ocurre con las interpretaciones de artistas geniales como Gardel, cuya expresión cantada seguirá enriqueciendo a las generaciones de oyentes. La música popular, junto a los deportes modernos, se ha transformado en un modo prevalente de entretenimiento en la sociedad de masas.

Las letras de Discépolo permiten crear un puente entre la canción popular y la poesía culta. Los tangos son parte importante de la historia de las formas poéticas por el impacto que tienen en la memoria colectiva, gracias a sus modos de difusión y al soporte mnemónico que les provee la música. Las canciones que escuchamos en los múltiples medios de difusión se nos hacen constantemente presentes y su expresión se integra al imaginario con que representamos nuestra experiencia y nos vinculamos a la realidad.

Los lectores de literatura consideramos que este repertorio de poesía popular dialoga con la cultura letrada y la enriquece. La poesía popular tiene una comprensión del mundo social del que proviene que es única, y trae a la cultura letrada la experiencia de sectores marginales y proletarios que son esenciales para crear una cultura integrada. El arte de la canción popular es un arte de futuro, cuyo protagonismo es cada vez mayor en la cultura contemporánea. Los oyentes hemos aprendido a escuchar su repertorio, valorando su calidad y descubriendo a grandes artistas.

Dentro de los compositores de tango Enrique Santos Discépolo ocupa un lugar de excepción y mi lectura de sus letras, valoradas por la calidad de su expresión poética, espero ayude a los lectores a entender el compromiso que existe entre poesía popular y poesía culta en la literatura argentina.

Bibliografía citada

Discépolo, Enrique Santos. *¿Qué "sapa", señor?* Buenos Aires: Corregidor/Secretaría de Cultura, 2001.

Galasso, Norberto. *Discépolo y su época.* Buenos Aires: Corregidor, 2004. 1era edición 1967.

Gobello, José, editor. *Letras de tangos. Selección (1897-1981).* Buenos Aires: Nuevo Siglo, 1997.

Gobello, José; Oliveri, Marcelo. *Novísimo diccionario lunfardo*. Buenos Aires: Corregidor, 2005.

Hernández, José. *Martín Fierro*. Madrid: Alianza, 1981. Estudio preliminar y notas de Santiago M. Lugones.

March, Raúl Alberto. *Enrique Santos Discépolo Sus tangos y su filosofía*. Buenos Aires: Corregidor, 1997.

Pelletieri, Osvaldo. "Enrique Santos Discépolo". E. S. Discépolo. *¿Qué "sapa", señor?*...7-10.

Pérez, Irene. *El grotesco criollo: Discépolo-Cossa*. Buenos Aires: Ediciones Colihue, 2002.

Pujol, Sergio. *Discépolo. Una biografía argentina*. Buenos Aires: Grupo Editorial Planeta, 2006. 1ra. Edición 1996.

Pampín, Manuel, editor. *La historia del tango. Los poetas*. Tomos 17-18-19. Coordinador: Juan Carlos Martini Real. Buenos Aires: Corregidor, 1980.

Sarlo, Beatriz. *Una modernidad periférica: Buenos Aires 1920 y 1930*. Buenos Aires: Nueva Visión, 1988.

Varela, Gustavo. *Mal de tango. Historia y genealogía moral de la música ciudadana*. Buenos Aires: Editorial Paidós, 2005.

Viñas, David. *Grotesco, inmigración y fracaso*. Buenos Aires: Corregidor, 1997.

Capítulo 10

SOBRE HÉROES Y TUMBAS EN SU POLÍTICA

Sobre héroes y tumbas es la novela emblemática de la argentina de la década del cincuenta. Publicada en 1961, tuvo un lento y trabajoso proceso de gestación (Carricaburo XLVII-XLIX). Sábato consideraba a la novela el género representativo de la problemática del hombre de nuestro tiempo. La veía como un género abierto, que incorporaba múltiples estilos y discursos. Un género dinámico, que reflejaba en su trama y en sus personajes la historia, y producía su propia filosofía del hombre. Esta filosofía era puesta en juego en su escritura, que se apropiaba de nuestra comedia humana en toda su diversidad y la proyectaba al plano de la lectura. Esa era la apuesta de Sábato.

Sobre héroes y tumbas tuvo una recepción extraordinaria en su medio durante la década del sesenta. Fue una época políticamente signada por la resistencia peronista y la rebeldía juvenil. Los intelectuales leyeron en la novela múltiples problemáticas y las discutieron con la pasión que los caracteriza. (Cohen Imach 620-38). Las interpretaciones de Josefina Ludmer y los jóvenes de la revista *Contorno* testimonian el lugar central que ocupó la obra durante esa década (Foffani y Chiani 578-615).

La reciente edición crítica, dirigida por María Rosa Lojo, estudia el proceso de su recepción y asigna a la obra un lugar fundamental en la formación del canon literario nacional. *Sobre héroes y tumbas* transformó la historia de la novela argentina y revaloró el papel del intelectual en nuestra literatura. Luego de la irrupción de Borges y Sábato en nuestro mundo literario, el escritor argentino de avanzada se define como un escritor hiperculto colocado en la intersección de los saberes de la modernidad, desde donde observa el drama de la vida contemporánea y lo interpreta.[1] Es un testigo lúcido que sufre todas las limitaciones de los actores de la sociedad civil. Ve mucho pero no puede cambiar las circunstancias. Comprende pero resulta víctima de los hechos.

Trataremos en nuestro trabajo de leer *Sobre héroes y tumbas* en su política: entender en qué medida y cómo esta novela, a más de cincuenta años de su publicación, nos habla de la Historia, de las historias argentinas. Veremos si, independientemente de la voluntad y los propósitos de su autor, logra dar testimonio integral de su tiempo, y si el arte se manifiesta en su autenticidad, apelando a su propia historia, para comunicarnos su verdad. La verdad de la novela refleja el poder del género para mostrarnos un acontecer social que no podíamos ver en su complejidad y el arte del escritor hace aparente. El deseo de Sábato era reflejar esa totalidad. Esa fue la ambición de la novela de los años sesenta, que dio en nuestra literatura nacional al menos dos grandes obras: *Sobre héroes y tumbas*, 1961, de Ernesto Sábato y *Rayuela*, 1963, de Julio Cortázar.

---

[1]   Se acusó a Borges de ser un escritor escapista, que no asumía los problemas sociales de su tiempo. Muchos de sus cuentos, sin embargo, nos introducen en situaciones históricas conflictivas. En "Deutsches Requiem" se mete en la conciencia de un intelectual torturador para interpretar el por qué de la ideología nazi, y en "El milago secreto" denuncia la victimización de los intelectuales judíos durante la invasión alemana de Polonia. En "El fin" condena el racismo del personaje de *Martín Fierro*, cuando insulta y mata al negro, y escribe un nuevo final, en que su hermano lo venga y mata a Martín Fierro. En "El informe de Brodie" el personaje describe su encuentro de un pueblo "bárbaro" en Africa, demostrando su humanidad y civilización esencial. En "Historia de Rosendo Juárez" reescribe la historia de "Hombre de la esquina rosada", mostrando cómo ha cambiado el personaje, que, pasados los años, condena la violencia gratuita y aconseja vivir en paz y trabajar. Si bien Borges no creía que el escritor estuviera obligado a tener un compromiso político, su postura ética es central en su visión del mundo (Balderston, *Out of Context* 1-17).

El autor y su política en la novela

Ernesto Sábato sitúa la acción de su novela, *Sobre héroes y tumbas*, en un período crítico del primer gobierno nacional peronista: 1953-1955. El destino trágico de sus héroes se define en ese lapso de tiempo. Comienza en 1953, después de la muerte de Evita. El Peronismo sin Evita había perdido parte de su carisma y su atractivo para las masas. La gran interlocutora del pueblo, de sus mujeres y los desposeídos, ya era una mártir. Pero el impacto del Peronismo en la clase obrera y en el empresariado era un hecho innegable, así como el rechazo que la clase media y las oligarquías sentían hacia el régimen. El momento culminante de la acción novelesca tiene lugar durante el levantamiento de la Marina contra Perón y el ataque de la aviación a la casa de gobierno y la plaza de Mayo, que costó tantas vidas de civiles inocentes, en junio de 1955, y la subsiguiente movilización de los militantes peronistas y sus ataques contra la Iglesia, que había estado implicada en la insurrección militar contra Perón (Potash 114-20). Se avecina el final de la década peronista. La vida de los héroes de la novela queda enmarcada en esa etapa dramática de la historia nacional.

Sábato crea para su ambiciosa novela una compleja estructura. Va integrando distintas narraciones y episodios, procurando que estas partes interactúen y se relativicen en la experiencia del lector. Busca una forma nueva, para darle a su novela una dimensión distinta: esa "profundidad" que ambiciona y considera esencial para el género (*El escritor y sus fantasmas* 792-802). Esta estructura novedosa que concibe permite que sus personajes participen de diferentes tiempos y se sumerjan en el pasado nacional. La novela yuxtapone el pasado con el presente y se proyecta al futuro, y divide el espacio en dos: el espacio superior y el inferior. El mundo existe en dos diferentes niveles, que reflejan el bien y el mal. Fernando desciende al mundo subterráneo de la ciudad de Buenos Aires, en busca del poder secreto y tiránico que domina a la humanidad.

Sábato trabaja por separado las partes de la obra, en un lento proceso de escritura que le toma varios años (Carricaburo XVVII-XLIX). Concibe una forma abierta. Va escribiendo cada parte, organizándola, incorporándole episodios nuevos, corrigiendo. Las dos primeras partes forman una unidad y pudieran ser una novela en sí, que termina con la muerte de Alejandra. La tercera es el informe de Fernando y el descenso al mundo de los ciegos. La cuarta es una reinterpretación crítica de las dos primeras partes desde la perspectiva del personaje que escribirá la historia: Bruno. Bruno es el alter ego de Sábato, quien a través de él discute muchas de sus ideas y vuelca en su novela numerosas memorias de su vida. El autor se proyecta y proyecta su biografía en la novela. Se pone en juego dentro de la misma, en un proceso que continúa en su próxima y última novela, *Abaddón el exterminador*, 1974, donde figura como personaje, con su nombre escrito sin acento, como en el idioma italiano: Sabato.

La novela, indiqué, presenta un mundo formado por dos estratos: el superior y el inferior, el visible y el invisible. El mundo secreto inferior es el que controla al superior. Hay un poder que domina al hombre, contra el que éste debe luchar para alcanzar su libertad. Ese mundo es inestable. Las acciones voluntarias de sus personajes se combinan con situaciones imprevistas y azarosas.

Esta forma de interpretar el poder condiciona su imagen del hombre y la política. Su visión existencial está teñida del liberalismo pequeño burgués que caracteriza a la intelectualidad argentina de esa época. Hay una búsqueda absoluta y metafísica de la libertad, y también un deseo egoísta y mezquino de estar sólo y no depender de los otros. Cada uno trata de defender a toda costa su libertad cuando la siente amenazada. Desconfía de los demás y considera que todo poder es potencialmente tiránico y peligroso y debe ser limitado. Sobrevalora el derecho a la libertad individual y desconfía de las asociaciones grupales.

Sus personajes se rebelan contra las fuerzas capaces de limitar su libertad de pensamiento y su creatividad: el poder político, la razón científica, el interés material. A Sábato lo obsesiona el destino del artista, que necesita de esta libertad para poder realizarse. El artista está en el mundo y en la historia, y el autor busca en esta novela dar testimonio de su condición existencial.

Sábato concibe su novela fundamentalmente como novela de personajes. Los personajes viven la historia como parte de la sociedad civil: son sujetos de la historia, pero no (salvo el General Lavalle) actores relevantes o dirigentes. Quienes dirigen son los otros. El Peronismo tiene el poder político, y los ciegos poseen un poder secreto. Sábato crea una fantasmagoría alegórica sobre el poder oculto que rige el mundo.

El autor, que tiene una interpretación muy personal de la realidad social, nos plantea dónde está la verdad. Sábato posee una historia política e intelectual compleja: pasó por el anarquismo, el comunismo y el existencialismo. Se desplazó de la ciencia a la literatura. Estas etapas fueron experiencias absorbentes, momentos de autodescubrimiento y conversión. El hombre y la sociedad, para Sábato, están siempre en estado de crisis. Acepta que la vida es inestable. Su objetivo es entonces describir al hombre en crisis y la crisis del hombre en su contexto histórico.

Las preocupaciones y problemas de la vida privada determinan la búsqueda de los personajes. La historia gravita sobre ellos y los condiciona. Es una fuerza del presente y una fuerza subterránea, un substrato. La Argentina contemporánea del autor vive sobre los conflictos heredados del pasado siglo, los antagonismos entre unitarios y federales, entre liberales y nacionalistas. El Peronismo reactualiza ese enfrentamiento que se despliega dramáticamente durante la acción de la novela.

La política de los personajes

Sábato se mete en la vida de cada personaje y va creando una vasta comedia humana. El autor idealiza a sus personajes buenos y libertarios, Martín y Bruno, y nos presenta como a un mártir al cuestionable General Lavalle; condena a los endemoniados: Fernando, Alejandra, y a sus ayudantes: los empresarios cínicos Bordenave y Molinari. Los personajes buenos son desinteresados y antimaterialistas, los malos necesitan del dinero y del poder. El mundo que presenta es bastante maniqueo, pero crea una gran obra de arte: logra analizar y explicar las motivaciones de sus personajes, y profundizar y trabajar en el mundo de éstos.

Hay de su parte una entrega total a su oficio de novelar, tal como él lo concibe. Unió su arte a su vida y siguió un camino ascético lleno de sacrificios: renunció a la ciencia, a la seguridad, a los empleos. Podemos pensar que ése fue un proceso necesario para poder entregarse a su misión (Oberhelman 17-27).

El arte para él no es gratuito. Su noción de compromiso se parece a la forma en que lo concibieron los existencialistas: compromiso con la condición humana y, sobre todo, con su propia condición como individuo (Sartre 24-8)). Sábato cree en el individuo y busca la libertad individual. Por eso termina rechazando todas las doctrinas políticas que comprometen la libertad individual: el anarquismo, el comunismo, el fascismo. Interpreta al Peronismo, igual que muchos artistas e intelectuales liberales, como un movimiento inspirado en el fascismo europeo: totalitario, populista, nacionalista (Sábato, *El otro rostro del peronismo* 11-25).

Sábato, como profesional e intelectual pequeño burgués, vive distanciado de la experiencia de las masas y el proletariado. Pero el artista en su búsqueda de verdad procura acercarse a ellos: sitúa la acción de la novela en barrios proletarios de Buenos Aires: La Boca y Barracas. Aparecen en la novela los bares donde van los pobres, sus aficiones y sus temas: el fútbol, el amor a los padres, el tango, la amistad y el gobierno del General Perón. Quienes rescatarán a Martín, el joven recién salido de la adolescencia, de los peligros que lo amenazan, serán sus amigos proletarios: Tito, la sirvienta Hortensia y el camionero Bucich.

Las historias de la novela

Sus personajes angustiados no pueden escapar su condición existencial. Sufren la soledad y el rechazo amoroso, el amor no correspondido o pasajero, y ven el fracaso de sus ideales. Algunos son víctimas y otros victimarios. Viven encerrados en sus espejismos y en sus ilusiones, y tienen un sentido limitado de la realidad. El presente es reflejo del pasado y lo repite. Martín, después de mucho padecimiento, se va de la ciudad, buscando aliviarse de su mal. Bruno, el escritor que aún no ha publicado obra alguna, será el testigo de estas historias plurales que desarrolla la novela, tal como se las cuenta Martín y lee en el informe de Fernando. Historias que Bruno compartirá con un narrador omnisciente que lo testimonia a él.

Los personajes se cuentan mutuamente sus historias: ven y son vistos. Martín le cuenta la historia de su vida a Alejandra, Alejandra a Martín, Fernando a los lectores del Informe, Bruno a su narrador testigo (Sábato?). Las historias que cuentan no son sólo las propias, porque cada historia individual está imbricada con otras historias familiares: la de Martín con la de sus padres, la de Alejandra con la de sus ascendientes, los Olmos, y con su propia infancia, la de Bruno con la historia de Fernando y su familia en su pueblo.

Estas historias se ramifican en otras: la historia de la familia de Alejandra con la historia de las Invasiones Inglesas y la campaña de Lavalle contra Rosas, la historia de Fernando y la de Bruno con las luchas anarquistas y comunistas en Argentina, el Informe de Fernando con el poder oculto que domina a la humanidad, la historia de Martín con el mundo de los inmigrantes de La Boca, el pueblo pobre y sus pasiones. Estas historias desembocan en el presente en el que los personajes se encuentran para vivir otra historia y desencadenar el drama. En ese presente completan el cuadro las situaciones que se desarrollan tras los personajes principales para crear una comedia de la vida contemporánea: las historias de los empresarios amigos de Alejandra, de Wanda y su boutique, de Quique el crítico de teatro, la historia de Martín luego del atroz suicidio de Alejandra, la historia del ataque de los peronistas a las iglesias luego del bombardeo de la Plaza de Mayo y la insurrección militar fracasada contra Perón en junio de 1955.

El lugar del héroe

En estas historias que se imbrican Sábato se enfoca en sus héroes. Cada personaje se siente sólo frente al mundo y busca su salvación. Desean valores absolutos y no siempre entienden lo que quieren, viven en la confusión y el caos. El mundo de los personajes coincide con la historia política, que también es desesperada y caótica. El individuo está en crisis dentro de una sociedad en crisis.

Lo que guía a los personajes es su pasión. El mundo y la historia los somete a un constante sufrimiento. Dentro de ese mundo de dolor es que buscan sentido y su propia verdad. Cada uno la encuentra a su modo. Los guía su deseo, y ese deseo parece justificar el fracaso y el error. Hay una fuerza vital que los incita a luchar. Lavalle arrastra a todos en su lucha. Finalmente encuentra la muerte. Su lucha es injusta: ha matado a Dorrego y desencadenado una guerra civil. Se dejó llevar por los intereses egoístas de los que lo aconsejaban (80). El objetivo de Lavalle era luchar contra la tiranía y derrocar a Rosas. Lo derrotan pero no quiere aceptarlo, no ve la realidad.

Fernando desciende al submundo y asume su lugar como héroe del mal. Los héroes del mal crean un equilibrio con los héroes salvadores. Los dos mundos se reflejan y se sostienen mutuamente. Un mundo es reflejo (deformado) del otro.

Rebeldía e individualismo

Alejandra y Fernando son los grandes rebeldes modernos. Se rebelan contra las fuerzas que condicionan la vida y determinan la existencia. Se rebelan contra dios (Alejandra) y contra el poder de la naturaleza (Fernando). Fernando es quien se sacrifica para entender el mal, es un mártir del mal. Eligen la muerte. Están enfermos, según el narrador: Fernando es un paranoico, y Alejandra siempre se muestra alterada: tiene ataques de epilepsia y arranques de rabia.

Los rebeldes son individualistas, a diferencia de los personajes del pueblo, que muestran sentimientos de solidaridad y lealtad hacia el otro. En las escenas del bar de Chichín encontramos una visión idealizada del mundo popular; Tito, el amigo y protector de Martín, es un hombre del pueblo generoso y abnegado y se sacrifica por su amigo; los obreros peronistas, que se rebelan contra el levantamiento militar de la Aviación que masacra al pueblo en la Plaza de Mayo, y atacan las iglesias, son capaces de controlar su rabia y comprender al otro, aunque ese otro sea alguien de la oligarquía que los desprecia.

Para Sábato el pueblo es un fuerza manipulable y puede ser destructiva. Es noble y bueno, pero no ha conquistado una conciencia independiente y no conoce la verdad. Es la fuerza social que apoya a Perón y puede llegar a conformar un fascismo criollo. Perón, para él, es el gran oportunista que puede aprovecharse de la lealtad de los trabajadores.

Perón en la historia

La figura de Perón domina la historia contemporánea: todos se manifiestan en relación a él. Los pobres y la clase trabajadora están de su lado. Los amigos de Martín en el bar de Chichín son partidarios de Perón. Los obreros lideran, en defensa suya, la quema de las iglesias, en el final de la segunda parte de la novela. La sirvienta que recoge a Martín en su momento de peor crisis representa los valores de esta clase trabajadora, a la que el Peronismo da un protagonismo histórico único. Son personajes altruistas que se definen en su relación con los demás. Su finalidad es dar.

Los obreros y trabajadores forman parte de una familia. Aceptan a sus padres, como Tito (que vive con su padre) y Bucich, que habla con amor de su viejo, y se transforma en protector de Martín. Ante el héroe más vulnerable, Martín, son figuras paternas (Tito, Bucich) o maternas (Hortensia).

Los héroes de la Argentina liberal, antiperonista, que consideran a Perón un dictador, son personajes egoístas, que viven para sí. Aún si participan en partidos políticos, como en su momento Fernando y Bruno, lo hacen buscándose a sí mismos. Los guía el deseo pequeño-burgués de encontrar su verdad, como una posesión preciosa, para sentirse justificados. No les importa realmente el otro, y por eso sucumben. Admiran el altruismo de otros militantes, anarquistas o comunistas, pero ellos son egoístas: Fernando busca el poder, sin importarle las consecuencias y Bruno quiere entender a los demás para llegar a crear la gran obra de arte. Alejandra no sabe lo que quiere, y es parte del mundo y el esquema de Fernando: están atados dentro del círculo del incesto. Son personajes sin salida, que se autodestruyen y arrastran a todos los que los quieren y se vinculan a ellos. Alejandra destruye a Martín, Fernando a todas las mujeres con las que se relaciona.

Bruno, el gran testigo, es quien vive y sufre las angustias de los demás. Empieza siendo amigo y luego víctima de Fernando. Se le parece mucho. Es la parte buena de Fernando, que se salva en el arte.

Los capitalistas cínicos están dentro de este mismo esquema: son los hombres que aman el dinero, Bordenave y Molinari. Se llevan bien con el poder y sacan provecho del régimen de Perón. Con su sentido de la realidad aconsejan a Martín, y explotan y prostituyen a Alejandra.

Martín es el personaje puente entre el mundo proletario y el mundo pequeño burgués: une las dos historias de Argentina, la popular y la liberal. Al final de la novela se va al sur del país como ayudante del camionero Bucich. Se pasa simbólicamente al bando popular y peronista, que siempre fue solidario con él.

El lugar de la verdad

Los héroes del bien, Martín y Bruno, viven en un mundo en crisis, tratan de comprenderlo y luchan por encontrar la verdad. Esa búsqueda resulta ser la razón última de la novela. El conflicto es interior y exterior. Conflicto psicológico que se remonta a la historia individual de cada personaje, y conflicto exterior con el medio social. Bruno y Martín son los héroes que entienden poco y se equivocan, y por eso los héroes que representan el mal, Fernando y Alejandra, los aleccionan. Fernando le enseña a Bruno, y Alejandra a Martín. ¿Qué le enseñan? La verdad sobre el mundo y el amor desde su perspectiva.

Fernando y Alejandra viven una experiencia terrible: experimentan los extremos de la angustia. Viven torturados por sus estados mentales y por los propios desafíos que se imponen: Fernando, conocer el mal que domina al mundo; Alejandra, seguir a su padre en un círculo amoroso fatal que los destruye.

Al final de la novela el bien triunfa: triunfan Martín y su lucha, y Bruno y la literatura. Triunfa el tipo de literatura que quiere hacer Bruno, que es la misma literatura en que cree Sábato. Considera que la literatura es un proceso de autoexpresión cultural en constante estado de evolución.

Sábato encuentra un paraíso para el joven idealista que quiere amar, que busca la pureza y la autorrealización, y para el novelista que quiere dar testimonio del mundo. Este novelista, Bruno, persigue la profundidad y paga su precio. Vive la angustia de todos los otros. La condición humana es terrible, porque el hombre finalmente es una criatura condenada. Pero hay algo que tiene valor: la literatura. La literatura es la panacea del hombre sensible, del artista pequeño burgués. Es la institución del gran arte. *Sobre héroes y tumbas* es una gran novela en cada sentido: extensa, comprensiva, abarcadora, revolucionaria. Sábato escritor está buscando con ella su propio absoluto.

Las fuerzas irracionales

La explicación del mundo para Sábato no puede ser totalmente racional. Sus héroes no encuentran su verdad en la lucha política ni en el amor salvador. Los consume una pasión que no entienden del todo, en la que conviven Eros y Tánatos, el amor y la muerte. Construyen para destruir después. Son víctimas del mundo, de su afán de saber y de la fidelidad con que persiguen su propio destino. Las apariencias racionales son engañosas. El anarquismo, el comunismo, son considerados autoengaños de la razón. La verdad sólo puede ser el hombre y su existencia. Esta condición es trágica y llena a sus personajes de pesimismo. Sufren, están disconformes, no pueden ser felices. Culpan a todos de su condición: a sus padres, a los que aman, a los explotadores, al gobierno que ven como tiránico.

Lavalle, para Sábato, es un rebelde equivocado que sigue fatalmente su sino. Le inspira respeto e inspira respeto a los demás. Líder de una insurrección militar contra el gobierno federal, violó el orden institucional y mató injustamente al Gobernador Dorrego, pero Sábato no lo considera un asesino. Siente que su lucha contra Rosas lo justifica y testimonia su derrota. Le parece que actuó legítimamente.[2]

---

[2] Sábato, al juzgar el golpe militar que derrocó al gobierno constitucional de Perón, se pone otra vez de parte de los golpistas. Declara que es feliz, sirve al gobierno de Aramburu, aunque luego, por disidencias, renuncia a su puesto como director de *Mundo argentino*. Se alinea con la mayoría de los escritores liberales, que justificaron el golpe, por considerar a Perón un tirano (*El otro rostro del peronismo* 28-32).

La caída y la crisis

La grandeza del hombre, su soledad espiritual, su agonía, sólo se manifiestan en su caída y en los momentos de crisis. La crisis es consustancial, para Sábato, a la condición humana contemporánea. Esa crisis lleva al hombre a buscar una salida y luchar por encontrar su verdad. El origen de esa crisis es la falta de valores y la falta de dios: el hombre contemporáneo es un ser arrojado del paraíso. Por eso anda en medio del mal sin encontrar su salvación. Sí encuentra su perdición y su destrucción.

El héroe que sobrevive esa situación, Martín, deambula en un paisaje minado, amenazado por todo tipo de fuerzas destructivas: sin padres que lo apoyen, sin madre que lo ame, sin amante que lo quiera y lo respete y lo ayude. Sólo se compadecen de él los pobres, los peronistas, y Bruno lo escucha para escribir su novela.

La familia Olmos, de la que descienden Fernando y Alejandra, está podrida, enferma: la amenaza la enajenación y la locura. Escolástica es una demente que cuida la cabeza de su padre asesinado por la Mazorca, Bebe está loco, el abuelo Pancho sufre de locura senil, Alejandra está enferma y Fernando tiene rasgos dementes. (La huída de Lavalle ocurre también en un ambiente de enajenación: el General no acepta la realidad y marcha hacia su propia destrucción).

Martín tiene que sobrevivir en el ambiente hostil y terrible que le presenta la sociedad de su tiempo. Bruno ya ha pasado por eso y ha sobrevivido a su modo. Como Martín de Alejandra, Bruno estuvo enamorado de Georgina y sufrió su desdén. Fernando fue superior a él. Fernando era miembro del círculo familiar, y la historia de la familia Olmos se define dentro de su propio círculo: es la clase que se devora a sí misma, la antigua oligarquía venida a menos, decadente, llena de vicios. Otrora heroica, participó en la defensa de Buenos Aires, impidiendo la colonización inglesa. Durante las guerras civiles se alineó con los Unitarios centralistas contra los Federales, y luchó contra el gobierno de Rosas. El tirano pudo más que ellos.

Bruno se salva dando testimonio de lo que ha pasado. Es testigo de su tiempo. El es quien escribe la historia, y la Historia transforma la caída en lección. Ante la vista de todos está la decadencia argentina, la joven nación, víctima de sus taras históricas. La novela, gracias a él, se transforma en una gran alegoría. Es la nación que ve Sábato. Su pesimismo antiperonista y su desconfianza ante el poder del pueblo dominan su visión.[3]

La conciencia intelectual de nuestro tiempo

Si algo caracteriza a los escritores de la década del cincuenta y del sesenta es la fe en el poder intelectual y en el poder del intelectual, como artista y como vocero de los intereses de un sector social, para participar en la formación de un saber al que podemos llamar la conciencia intelectual nacional. Saber que busca concientizar y darle a cada individuo un sentido ético de la vida. Su visión de la sociedad contemporánea como sociedad en crisis les hace sentir que esa sociedad fallida necesita el remedio que sólo pueden aportar los intelectuales: las luces salvadoras. Herederos del iluminismo que fundó la revolución anticolonial e independentista argentina en el siglo XIX, los intelectuales se mueven dentro de la dialéctica de su evolución: la búsqueda del saber y la verdad, el cuestionamiento a la opresión y a la ignorancia, la búsqueda de la libertad y del lugar del hombre como individuo social.[4]

En esta novela proliferan las historias intelectuales. Cada héroe es prácticamente visto desde su historia intelectual: Bruno y Fernando,

---

[3]   Su pesimismo no se deriva del ensayo nacional de los años treinta, como creyó Ludmer: Sábato está bien instalado en el ensayo existencial de esos años. Debate otros problemas. La cuestión principal para él es la posibilidad del humanismo en tiempos que considera totalitarios. No veo a Sábato alineado con Martínez Estrada, Mallea o Murena, sino con el Sebreli de los años sesenta, el autor de *Eva Perón, ¿aventurera o militante?* (Foffani y Chiani 604-7).

[4]   En esta situación es fundamental el ejemplo que aportan los escritores franceses de la entreguerra y la posguerra europea, Sartre y Camus, que creyeron en la misión del intelectual y la ejercieron lo mejor que pudieron. Buscaron definir la figura del intelectual como militante que resiste luchando por los derechos del hombre. Este militante no se compromete definitivamente con una ideología: su guía es su propia conciencia y la búsqueda incondicional de libertad. (Sartre 53-8)

figuras antagónicas, pero también Alejandra, y muchos de los personajes menores, como el artista fracasado Vania, el obrero anarquista Carlos, el intelectual judío Max Steinberg y su madre Nadia. El narrador trata cada trayectoria vital tomando en cuenta la formación y las lecturas del personaje, dándole importancia al aprendizaje y a sus inclinaciones hacia el bien o hacia el mal, que parecen ser innatas.

El conocimiento no da al sujeto una superioridad ética, hay saber del bien y del mal, ejemplificado por Bruno y Fernando. Su visión de los seres humanos tiene elementos cristianos: los mejores son los más humildes. Los pobres son buenos, generosos. Ellos se salvan. Lo difícil es que alguien rico y poderoso pueda salvarse. El dinero es el peor corruptor de la sociedad, mensaje anticapitalista. Así, los empresarios Bordenave y Molinari resultan los peores, porque mienten y corrompen (Bordenave prostituye a Alejandra), y no tienen compasión (Molinari le niega trabajo a Martín).

El dinero es maléfico. La secta de los ciegos utiliza el dinero para dominar el mundo. La alianza entre el poder político y el poder económico crea una base de poder totalitaria.

Sábato crea situaciones que tratan de demostrar que el Peronismo convive con la ultraderecha. Así cuando Martín, junto a Alejandra, va a conocer a Bruno en un bar del centro de Buenos Aires, los miembros de la Alianza hablan en la calle por altoparlante contra la oligarquía y los judíos (138).

Sábato consideraba que el Peronismo coartaba la libre expresión y la libertad de reunión política, así que al proponer que los militantes de la Alianza tenían permiso del régimen para manifestar en público está acusando a Perón de apoyar el mensaje político de la Alianza o simpatizar con él. También en el episodio al fin de la segunda parte, cuando manifestantes armados atacan y queman la iglesia, un testigo dice que son de la "Alianza" (228). Martín interviene en la escena junto a un obrero peronista y ayudan a una mujer de la oligarquía a salvar unas casullas. Sábato presenta una situación ideológica confusa, dando a entender que grupos de derecha properonista lideraban la acción. La mujer luego le pregunta a Martín si es peronista y éste no contesta, ni afirma ni niega. Martín se siente mucho más cerca del obrero peronista que de la mujer de la oligarquía, que salva objetos de la iglesia pero afirma que hay que acabar con Perón, y no manifiesta compasión cuando el obrero le dice que la violencia contra las iglesias era una reacción por los bombardeos de la Plaza de Mayo, que habían causado multitud de muertos (234).

En su ensayo *El otro rostro del peronismo*, 1956, Sábato condena a Perón, al que considera un demagogo y un tirano, pero reconoce la importancia que las ideas de justicia social tenían para los trabajadores (40-43). Sábato expresa allí la necesidad de reivindicar socialmente a los obreros. Defiende la justicia social.

Para Sábato el intelectual está moralmente obligado a denunciar las injusticias y ser sincero, sin importarle el riesgo personal. El mismo lo hace en sus escritos y de ahí su constante conflicto con distintos sectores del espectro ideológico nacional (Foffani y Chiani 578-86). Se comporta como un intelectual sartreano.[5]

Liberalismo y vida social

La visión que presenta Sábato de su sociedad tiene resabios organicistas. Sus integrantes son seres inestables que buscan el equilibrio y la adaptación. Pueden enfermar y entrar en crisis. La locura y el desequilibrio amenazan constantemente al artista, y a todo individuo creativo, como Bruno y como Fernando.

Podemos entender *Sobre héroes y tumbas* como testimonio de la manera en que los liberales pequeño burgueses de la sociedad civil argentina vieron la vida social durante la década del cincuenta, y su interpretación de la historia nacional, repetidamente referida en la novela. Sábato da a la historia nacional un papel protagónico en el desarrollo de la trama. Tiene personajes que la representan: el joven soldado Elmtree, que llega con el ejército invasor durante las Invasiones Inglesas y se enamora de una joven criolla, cambia de nombre y da origen al apellido Olmos; el General unitario Lavalle, enemigo a muerte de la tiranía rosista; Carlos, Fernando y Bruno, que militan en el

---

5   Sartre buscaba que el intelectual escogiera, hiciera uso de su libertad y actuara. Para Sartre el hombre es lo que hace y no es otra cosa que su vida misma (*L' Existentialisme est un humanisme* 53-8).

anarquismo primero y luego en el comunismo; Alejandra, joven bella y cruel, princesa y dragón, símbolo de la Argentina; el obrero peronista que salva objetos religiosos porque íntimamente es cristiano.

Para Sábato la historia es defectuosa y arrastra sus taras y enfermedades. No cree en la interpretación dialéctica de la historia, según la cual la sociedad evoluciona hacia su perfección y liberación. Esta historia liberal lleva a Lavalle a la destrucción. Sábato superpone la visión mítica a la visión liberal. La visión mítica condena a Fernando y a Alejandra y los lleva a la muerte. La historia es cíclica y recurrente, se cierra sobre sí misma y la familia liberal no tiene salida: el padre viola a la hija y la hija mata al padre y se suicida. La familia autocrática liberal, representada por Lavalle, los Olmos, Fernando y Alejandra, se autodestruye. No entienden la realidad, viven de espaldas a ella.

Los trabajadores y obreros son íntimamente buenos y se salvan. Sus personajes, como Tito, Bucich y Hortensia, no viven en pareja, pero tienen fe en los sentimientos y en el amor. El amor filial para ellos es tan o más importante que el amor erótico. Responden a los intereses de su grupo, al que defienden. Son optimistas, creen en la vida y critican a su sociedad mezquina. El futuro es de ellos.

Sábato no cree en la salvación dentro de la Historia. Sus héroes trágicos se salvan en la lucha individual contra el destino. Son héroes adquisitivos, pequeño burgueses, que acumulan saber. Atraviesan pruebas terribles. En la novela sólo Martín y Bruno pasan estas pruebas y logran sobrevivir. Estos dos héroes permitirán a Sábato demostrar lo que es novelar y qué es la literatura: uno es el personaje que protagoniza la historia central del libro y el otro el narrador-testigo-personaje que escribirá la novela. La novela será el testimonio de la experiencia excepcional de un personaje y de la búsqueda incondicional de la verdad del otro.

La novela es el espacio que acumula el saber de la historia fallida de la modernidad y trata de ir más allá. La literatura es así una institución rica, dinámica, moderna, adquisitiva y responde a la idea de progreso de la pequeña burguesía nacional.

Podemos leer la trama de la novela como la alegoría de las luchas de la pequeña burguesía, que se enfrenta al peronismo populista y teme el poder del caudillo sobre las masas. El Peronismo parece desencadenar un fantasma histórico del inconsciente colectivo nacional: el de la barbarie. La barbarie de los caudillos como líderes de las masas populares, representada por el gobierno de Rosas, al que se enfrenta Lavalle, y la barbarie del gobierno peronista que gobierna argentina durante el período en que se desarrolla la historia de la novela.

Esta novela epitomiza el momento de ascenso de la conciencia de la modernidad en la Argentina de los años sesenta. Aclaremos que en esos años los intelectuales conciben al menos dos modelos de modernidad: la modernidad existencial representada por Sábato y la modernidad revolucionaria representada por líderes de movimientos sociales como el Che Guevara. Superar ese momento histórico, con todas las lecciones que dejó para nuestra sociedad, y pasar a la postmodernidad, requeriría resolver las contradicciones que mostramos aquí. La primera novela futura, que tendría posibilidad de ser leída en esa clave, considero, sería *Respiración artificial*, 1980, de Ricardo Piglia.

La falla de la razón

Todos los personajes pequeño burgueses de la novela son impulsados por fuerzas e intereses espirituales que los llevan a una búsqueda sin atenuantes de una verdad personal. El artista pequeño-burgués desea la realización espiritual, sobre todo dentro de su arte. Lo impulsan fuerzas que no comprende del todo y lo arrastran. Estas fuerzas son irracionales y pueden salvarlo o perderlo. Martín, el joven sensible que está en pleno momento de desarrollo y aprendizaje, se salva, a pesar de haber conocido a Alejandra, signada por la destrucción. Vania, sin embargo, termina en la locura. El suicidio, el asesinato y la locura los asecha.

El héroe, dije, busca la verdad. Para alcanzar la verdad el héroe tiene que aprender y aceptar la existencia con su carga de tragedia. En la existencia reside un tipo de verdad, que no es totalmente satisfactoria ni se basta a sí misma. Los personajes experimentan terribles sufrimientos. Los vaivenes de los grandes encuentros y desencuentros azarosos moldean sus destinos.

El arte expresa otra verdad posible. La visión del arte muestra que se puede buscar un ideal de perfección y de autorrealización. El artista pequeño burgués persigue su paraíso buscando una salida que sea a un tiempo espiritual e individual, a medio camino entre el viejo ideal colectivo de la religión y la búsqueda individual del antiguo arte burgués. El hombre no se basta a sí mismo. Está incompleto y sufre su crisis existencial.

Encontramos un nuevo sector social que expresa una verdad colectiva, no individualista: el de los obreros y trabajadores pobres. Son los nuevos actores de la política, el elemento dinámico insoslayable. Y junto a ellos el actor que caduca: la antigua oligarquía en decadencia. Su síntesis es la nueva argentina de Perón: Sábato, el artista, refleja su tiempo.

El pueblo obrero se enfrenta a la Iglesia, aliada del Ejército y de la alta burguesía antiperonista. Comienza la resistencia del pueblo peronista ante la embestida golpista. Sábato presenta el enfrentamiento de los actores políticos: el pueblo, la oligarquía y la clase media, en la quema de las iglesias, después del criminal bombardeo de Plaza de Mayo. En este punto concluye la trama política de la novela y comienza una historia nueva: la gesta del pueblo peronista que busca su liberación. La novela termina al comenzar la Resistencia. Es el final del primer Peronismo.

Desde su perspectiva la razón ha fallado. Esta es la convicción de Sábato: ya al rechazar la ciencia, en su juventud, había planteado que la razón no le servía al hombre para vivir. La razón estaba en conflicto con la vida y la vida debía prevalecer.

Este vitalismo existencialista lleva a Sábato a pensar en el papel de los grandes actores sociales, como Lavalle y Perón, en la historia. Si bien mira críticamente ambos casos, plantea la necesidad ética de la justicia para el pueblo y las masas. Las masas peronistas tienen sus razones para actuar: quieren vengarse de los ultrajes padecidos. La oligarquía, en cambio, es brutal y cínica, y aprueba la masacre del pueblo indefenso. La amenaza no es la pulsión de las masas sino el egoísmo de los capitalistas.

En un mundo sin dios los personajes sienten necesidad de buscar valores absolutos. No los pueden encontrar en su sociedad, que es el espacio de lo circunstancial y lo relativo. El único mundo capaz de albergar la necesidad espiritual del hombre, para Sábato, es el del arte. La obra de arte puede contener su propia propuesta metafísica al problema de la vida.

En el arte el hombre se salva a sí mismo y salva al hombre. El hombre, el artista, está obligado a salvar a la humanidad. Debe decir su verdad. Esta responsabilidad agobia al artista, y lo llena de culpa. Por eso su aparente pesimismo. Digo aparente, porque en realidad el artista sabatiano es un ser espiritual lleno de esperanza, todo lo espera de la vida. Este artista de la vida es realmente un humanista.

En Argentina Sábato define un nuevo tipo de humanismo no marxista, que rechaza el racionalismo lógico historicista, y busca la verdad cerca del hombre común, del hombre del pueblo.

Conclusión

La novela no busca darnos un mensaje unívoco. Sus personajes y sus historias son ambiguos y polivalentes, mostrándonos al mundo en su diversidad. Procura apartarse de una imagen esencialista del mundo. Lo que llamamos realidad no es definible en toda su complejidad, sólo podemos intentar describirla parcialmente. *Sobre héroes y tumbas* es un intento por captar la diversidad de la vida histórica y la conflictiva existencia argentina durante el primer Peronismo.

Es fiel a su tiempo y las soluciones artísticas que Sábato encuentra son sumamente efectivas. Es probablemente la novela que mejor logra presentar la problemática argentina desde la perspectiva del público ilustrado pequeño burgués que desea ver la literatura como reflejo de su tiempo.

Sábato trata de entender el populismo peronista desde su óptica liberal. Los liberales polemizaban con el sector pequeño burgués nacionalista antiliberal, al que pertenecía Perón, y que en Argentina representaban escritores como Scalabrini Ortiz y Jauretche.

En la Argentina de la época no hay otra literatura nacional que pueda competir, en calidad y reconocimiento, con la que produce la pequeña burguesía ilustrada, representada por escritores de gran prestigio internacional, como Borges, Sábato y Cortázar.[6] Nuestra literatura nacional ha tenido desde sus orígenes una élite de escritores ilustrados, como Varela, Echeverría y Sarmiento, de tendencia libertaria y jacobina, en la que vive el mejor espíritu de los enciclopedistas franceses, que han guiado nuestro pensamiento político durante más de doscientos años.[7]

Algunos escritores contestatarios disintieron con la ideología liberal pequeño burguesa y se enfrentaron a ella, como José Hernández y Rodolfo Walsh, cuya obra nos ha marcado profundamente. Estos últimos eran periodistas y estaban en contacto con su pueblo. Vieron la realidad desde otra perspectiva: la del campo, la de la fábrica, la de los barrios pobres de los trabajadores con los que se identificaron. Su obra expresa profundamente su desacuerdo con la sensibilidad liberal y la critican.

La visión política de Perón y la de Evita también difieren, por distintos motivos, con esa sensibilidad. Evita era una muchacha pobre de campo ganándose la vida en el medio feroz y competitivo del teatro comercial porteño; Perón, oficial del Ejército, había confraternizado en los cuarteles con los soldados pobres, era antiimperialista, odiaba a la oligarquía y conocía mejor la geografía política de la Argentina que las elites liberales urbanas.

Los escritores liberales no están de acuerdo sobre lo que constituye el pueblo. Para la pequeña burguesía la noción de pueblo es conflictiva: es muy diferente lo que entiende por pueblo Borges en sus primeros libros de poesía y en *Evaristo Carriego*, durante el yrigoyenismo, con el que simpatiza, que lo que entiende Sábato en *Sobre héroes y tumbas*, según la imagen que nos da de los personajes populares del bar de Chichín y de los obreros que atacan las iglesias. Estos escritores

---

[6]   Esto es lo que llamamos literatura en Argentina. La literatura nacional no trasciende nuestras limitaciones históricas e ideológicas: es literatura burguesa y pequeño burguesa, tal como se ha venido formando hace doscientos años.

[7]   Borges mira críticamente ese humanismo liberal. Tiene una visión personal y revolucionaria del arte. Su idea de una literatura reflexiva, crítica y autoconsciente transformó nuestras letras: hay una literatura nacional antes de Borges y otra después de él. Borges fue cambiando con los años: el joven Borges, criollista y populista, es distinto al Borges más liberal de la década del treinta y el cuarenta, y al Borges escéptico y políticamente conservador de su madurez.

no saben bien donde ubicar al pueblo ni cómo interpretarlo. Lo observan desde fuera de sus intereses de clase. O lo idealizan o lo demonizan.

El pueblo adquiere visibilidad política y realidad tangible con el gobierno peronista, que interpreta la política como acción y como doctrina. Perón da poder político a los trabajadores, héroes de su Movimiento. Los organiza en una confederación de sindicatos unificados, y con su gobierno los legitima. Frente a este fenómeno la clase media liberal reacciona con desconfianza y mezquindad, y comienza un enfrentamiento de clases como no se había visto antes durante el siglo XX en Argentina. Este enfrentamiento de clases lleva a la epopeya de la Resistencia peronista, que tan bien describen Pino Solanas y Octavio Getino en su película testimonial *La hora de los hornos*, 1968.

El arte liberal pequeño burgués testimonia, sin comprenderlo, ese enfrentamiento. Demuestra que en toda sociedad el arte verbal, independientemente de su intención e ideología, es producto de una situación histórica concreta. La élite liberal expresa los intereses de aquello que denominamos literatura culta, institución que se define en relación a la historia de sus pueblos y a su lengua. La literatura no es una esencia, es una práctica social, y cada uno de sus elementos es susceptible de ser entendido e interpretado con criterio histórico.

La literatura pequeño burguesa no está preparada ni sabe cómo entender ni interpretar un fenómeno social popular como el Peronismo. Los sectores sociales peronistas, sus militantes del pueblo pobre, no se sienten representados por la literatura, que es un arte de clases limitado por las aspiraciones de un grupo. Mejor los representa el arte popular: la canción popular, el cine popular y los deportes, las fiestas populares. Sus intereses políticos se expresan mejor en las marchas multitudinarias y las movilizaciones que en las reuniones partidarias. Su problemática escapa a la comprensión individualista y limitada del arte pequeño burgués. Sólo el cine documental y la crónica periodística pueden captar el fervor de estas manifestaciones. Los documentos sociales más importantes de aquella época, son la crónica de investigación *Operación masacre*, de Walsh, 1957, nuestro nuevo *Martín Fierro*, y *La hora de los hornos*, 1968, la película testimonial de Getino y Solanas que analiza el movimiento de masas que lideró el Peronismo, y deja en claro que este movimiento criollo fue totalmente distinto en su carácter y en los intereses que defendía de las movilizaciones nacionalistas del fascismo europeo.[8]

Esta novela de Sábato es un pivote que separa dos etapas de la vida argentina: la etapa del primer Peronismo y la resistencia peronista, de la etapa de las insurrecciones de izquierda y la militancia guerrillera de las organizaciones armadas, que Sábato tomaría como tema de su próxima y última novela: *Abaddón el exterminador*, 1974.

Bibliografía citada

Balderston, Daniel. *Out of Context. Historical Reference and Representation of Reality in Borges*. Duke University Press, 1993.

Carricaburo, Norma. "Nota filológica preliminar". Ernesto Sábato, *Sobre héroes y tumbas*... XVI-LXX.

Cohen Imach, Victoria. "Ernesto Sábato y los debates de un campo intelectual (1955-1961)". Ernesto Sábato, *Sobre héroes y tumbas*... 620-638.

Foffani, Enrique y Miriam Chiani. "La recepción de *Sobre héroes y tumbas* en el campo intelectual y literario de los años sesenta." Ernesto Sábato, *Sobre héroes y tumbas*... 578-619.

Oberhelman, Harley. *Ernesto Sábato*. New York: Twayne Publishers, 1970.

Pérez, Alberto Julián. "El testamento político de Perón". *Historia* 103 (Sept 2006): 28-43.

---

[8]   El Peronismo fue un movimiento social comprometido con el progreso político de las masas de trabajadores. Su ideología tiene muchos puntos en común con la democracia cristiana. Puede ser interpretado como un tipo de democracia cristiana laborista distributiva y solidaria que mantiene una posición crítica frente a las instituciones de la vida moderna en los países dependientes en desarrollo, incluidas la iglesia, el ejército y la burocracia política.

El fenómeno del chavismo en Venezuela tiene un fuerte paralelo con el peronismo, aunque el momento social es diferente y la situación geopolítica de Venezuela distinta a la de Argentina. Ambos líderes, Perón y Chávez, provienen del Ejército. Su actuación política los llevó a enfrentarse con la institución militar. El chavismo aporta a la política latinoamericana ideas socialistas que siempre interesaron a Perón, que prefirió llamar a su doctrina el Justicialismo (Pérez 28-43).

Potash, Robert. "Las Fuerzas Armadas y la era de Perón". *Nueva Historia Argentina. Los años peronistas (1943-1955).* Tomo VIII. Director del tomo: Juan Carlos Torre. Buenos Aires: Editorial Sudamericana, 2002. 79-124. Traducción de Horacio Pons.

Sábato, Ernesto. *El otro rostro del peronismo. Carta abierta a Mario Amadeo.* Buenos Aires: Imprenta López, 1956.

--------. *Sobre héroes y tumbas.* Poitiers: Colección Archivos/Alción Editora, 2008. Edición crítica. María Rosa Lojo, Coordinadora.

--------. *El escritor y sus fantasmas. Obras II Ensayos.* Buenos Aires: Editorial Losada, 1970. 453-802.

--------. *Abbadón el exterminador.* Barcelona: Editora Seix Barral, 1991. Edición definitiva. Sartre, Jean-Paul. *L'Existentialisme est un humanisme.* Paris: Editions Negel, 1957. Primera edición 1946.

Capítulo 11

LEÓNIDAS LAMBORGHINI:
PERONISMO/PARODIA/POESÍA

Introducción

L eónidas Lamborghini (1927-2009) criticó el concepto de poesía vigente en la época en que comenzó a escribir, hacia 1950. Según dijo el poeta, en aquellos años "… se confundía lírica con poesía, y todo lo que no fuese lírica no era poesía" (Zapata 99). Predominaban en Argentina dos tendencias poéticas, que insistían "en lo elegíaco-metafísico o en el lloriqueo social". El no se sentía parte de ninguna de las dos. Intentó hacer un nuevo tipo de poesía rebelde que reflejara "lo trágico (inclusive el horror) desde lo cómico", y se valió de la parodia, el grotesco y la caricatura, para expresar "la risa del bufón" (99). Consideraba a la poesía lírica un modelo "cómodamente instalado en el gusto de los lectores de poesía" (102). Hacía falta enfrentarse al lector y mostrarle que había otra poesía posible. Dado su gusto, sus intereses poéticos y su manera de entender la literatura nacional, Lamborghini decidió tomar como referencia para su propia poesía a los escritores de la poesía gauchesca decimonónica, que habían captado "la risa paisana", y trató de hacer "un gauchesco urbano" (100). Dice que tanto "la gauchesca, como las letras del tango" le sirvieron "para aprender a crecer desde un género marginal, despreciado, hacia el centro de los dominios de la llamada "poesía culta" (101).

El poeta repensó el concepto de parodia, apartándose de la visión más común, que entendía la parodia como "una imitación burlesca de una obra" (103). Para él la parodia era, de acuerdo a su sentido etimológico, un "canto paralelo". Así, vio el sistema literario "como una sucesión de cantos paralelos". A partir de esta idea, Lamborghini intentó escribir "poesía experimental", nueva. Tenemos que leer su poesía como un canto paralelo en relación a la lírica de su tiempo. Lamborghini fue contemporáneo de Olga Orozco (1920-1996) y Juan Gelman (1930-), voces mayores de la poesía argentina. Su poesía es un contracanto que se mantiene a distancia de la visión lírica de estos poetas y tiene un diálogo crítico con el género.

Lamborghini creía en el potencial lúdico de la escritura poética y decía que buscaba "el juego del Entendimiento" (*El riseñor* 48). El poeta debía ser "un combinador" que agrupase las palabras "como ellas **deseen** o **revelen desear** agruparse antes que como él **desee** agruparlas" (énfasis del original). Veía a la parodia como "un modo de resistencia cultural...frente al Modelo importado, dominante" (*El riseñor* 49). En la poesía gauchesca él podía escuchar fuertes risotadas. La gauchesca había fundado un sentido paródico local. Los poetas gauchescos concibieron una poesía paralela a la poesía lírica de su tiempo. En un ensayo publicado en 2008 dice que en la poesía gauchesca la risa estaba dirigida a enfrentar al poder político-cultural desde distintas posturas ideológicas (*Risa y tragedia en los poetas gauchescos* 14). El género gauchesco es un "arte bufonesco que se expresa en una lengua-disfraz cuya risa está entramada con los versos" (17).

La poesía paródica, tal como él la entendía, nacía del cansancio o rechazo que un poeta podía sentir hacia la poesía lírica de su tiempo. La lírica tiende a la expresión monológica, a la exaltación del yo poético, y la parodia busca quebrar esa expresión en una multitud de voces (Porrúa 19). A diferencia de los poetas líricos neoclásicos y románticos hispanoamericanos, que introdujeron los grandes modelos poéticos europeos prestigiosos de la poesía culta, los gauchescos crearon una tradición propia, original, basada en la observación de las costumbres americanas, que respondía a sus necesidades políticas y tomaba como interlocutor al pueblo bajo. Su poesía era coloquial, dramática y en lengua vulgar. Lamborghini quiso independizarse de las escuelas poéticas internacionales influyentes en su tiempo, y buscó un modo argentino de entender la poesía. La poesía gauchesca y las letras de los

tangos atrajeron su atención. Se abrió también a otras tradiciones poéticas, como la poesía barroca española y la poesía épica griega, con las
que entró en diálogo intertextual.[1]

Sus primeros poemarios: *El Saboteador arrepentido*, 1955, *Al
público*, 1957, *Las patas en las fuentes*, 1965 y *La estatua de la libertad*, 1967, contienen poemas dramáticos y satíricos. A partir de *La
canción de Buenos Aires*, 1968, Lamborghini ensayó un nuevo registro
poético experimental, al que podemos denominar "lírica anti-lírica".
Profundizó este registro antilírico en sus libros siguientes: *El riseñor*,
1975; *Episodios*, 1980; *Circus*, 1986; *Comedieta*, 1995; *La risa canalla*, 2004; *Encontrados en la basura*, 2004; *El jugador, el juego*, 2007.[2]
Lamborghini criticaba la actitud monológica de los poetas líricos, que
no daban cabida al otro en su mundo poético.[3] Proponía una poesía

---

[1] En *El riseñor*, 1975, aparecieron los poemas "la espada" y "las dos orillas", en
los que reescribió sonetos de Quevedo; posteriormente, en *El jugador, el juego*,
2007, recogió en una sección de su libro, titulada "Siglo de Oro", la reescritura
de poemas de autores del Siglo de Oro español, que incluyen los mencionados
sonetos de Quevedo, una oda de Fray Luis de León, parte del "Cántico espiritual" de San Juan de la Cruz, una estrofa del "Polifemo" y un soneto de Góngora, y una égloga y dos sonetos de Garcilaso de la Vega (21-49). En *Odiseo
Confinado*, 1992, compuso una parodia del famoso poema épico griego.

[2] En *La canción de Buenos Aires* el poeta frustra las expectativas del lector, que
puede pensar que va a leer poesía lírica. Inicia las estrofas con la frase "como
el que": no encontramos un sujeto poético lírico exaltado, elevado, idealizado, que afirma el carácter trascendente y absoluto de su identidad, sino un yo
que pretende ser otro, o se siente otro. Hay en el poema una puesta en juego
dramática del yo como yo enajenado, dividido, que se enfrenta a situaciones
extremas y traumáticas. En el poema "Hablando solo" el poeta alienado siente
que la ciudad se ha transformado en un gran "hospicio"; dice: "Como el que va
hablando/ sólo/ por la calle/ tratando de entenderse/ la ciudad es su hospicio./
Como el que está/ confesando/ su angustia a otro/ y ese otro/ es él mismo/
andando por la calle./ la ciudad es su hospicio." (*Antología personal* 68). El
poema es un canto antilírico que expone la caída del yo, y muestra su desli-
zamiento hacia la esquizofrenia y la demencia. Aquel sujeto lírico que andaba
por la ciudad moderna radicalizada, sede de la experiencia urbana liberadora
que cantaban en la década del 20 los poetas vanguardistas ultraístas, como
Borges, se ha transformado, en los sesenta, en el sujeto errático, enfermo, de
Lamborghini, para el que Buenos Aires es un gran sanatorio psiquiátrico.

[3] El reconocimiento de su obra ha sido lento, podemos pensar que a los lectores
les costó aceptar su voz y entender su mensaje (Fontanet 7-18). Era una poesía

plural y democrática, que reflejara la sensibilidad del pueblo. Dirigía su ataque contra el yo lírico narcisista, ese pequeño dios que se sentía la medida de todas las cosas. Su poesía paródica y antilírica buscaba rebajar al yo y exaltar al otro, que es la representación del pueblo.

La poesía, para Leónidas Lamborghini, era un género que debía constantemente reinventarse a sí mismo, romper todas las expectativas del lector y los automatismos de la expresión. El buscaba transgredir los modos poéticos aceptados, y comprometerse social y políticamente con su tiempo. Era consciente que su poesía política, como lo fue la gauchesca en su momento, era una respuesta a una nueva situación popular. Muchos de los personajes de su poesía pertenecen a ese pueblo que emerge y adquiere protagonismo durante el Peronismo. Son los trabajadores y los pobres que van a la plaza y meten "las patas en las fuentes".[4] Hay un nuevo sujeto histórico y un nuevo lenguaje popular (James 128-43). Lamborghini fue testigo de la transformación del pueblo argentino a partir de la década del cuarenta. Vio cómo el pueblo participó del fenómeno peronista, cómo resistió los ataques de la oligarquía, el ejército y la iglesia, cómo Perón derrotó a sus enemigos políticos evitando la contienda civil, cómo unificó la sociedad de masas y le dio identidad y participación en la vida política y cultural argentina. Lamborghini reconoció ese cambio y fue su primera voz poética. Criticó a los liberales y socialistas que apoyaron el golpe militar contra Perón y la Revolución Libertadora, y publicó sus primeros libros identificándose con la Resistencia del movimiento peronista. Desde el comienzo fue un poeta que separó su voz de la de los otros poetas vinculados a los círculos más influyentes de la cultura, que abrazaron el antiperonismo.

---

rebelde y experimental, enteramente nueva en su contenido y en su forma. El liderazgo que ha mantenido la poesía frente a los otros géneros desde el Romanticismo, sin embargo, debe mucho al espíritu rebelde de los poetas que se identificaron con el cambio revolucionario. El Modernismo y las Vanguardias también fueron movimientos radicales de ruptura.

4   Sebreli nota en su prólogo a *Las patas en las fuentes* que el "cabecita negra", o sea el inmigrante de provincia, es un ser marginal que crea nuevas formas de vida y de lenguaje, un nuevo lunfardo que será luego "una lengua poética". Según Sebreli, Lamborghini ha conseguido hablar con la voz del cabecita negra en este libro, "convirtiéndose en la expresión subjetiva del resentimiento histórico de una clase alienada" (10).

Todos sus libros publicados de 1955 a 1972, que incluyen *El saboteador arrepentido*, 1955; *Al público*, 1957; *Las patas en las fuentes*, 1965; *La canción de Buenos Aires*, 1968; *La estatua de la libertad*, 1967; *El solicitante descolocado*, 1971 y *Partitas*, 1972, forman un ciclo coherente de producción poética, signado por su relación con la política y la cultura peronista de la Resistencia. Su exilio en México, a partir de 1977, interrumpió este proceso de total inmersión en el mundo y en la cultura de su patria. Comenzó un nuevo ciclo poético, marcado por la experiencia de la separación traumática de su medio social, y su relación a distancia con el mundo de la poesía rioplatense, hasta su retorno al país en 1990. Los textos, total o parcialmente concebidos durante su exilio, son: *Episodios*, 1980; *Circus*, 1986; *Verme y 11 reescrituras de Discépolo*, 1988; *Odiseo confinado (México-Buenos Aires 1989-1991)*, 1992 y *Tragedias y parodias (México 1977-1990)*, 1994.

Su escritura volvió a cambiar al regresar al país. En 1993 publicó *Un amor como pocos*. Fueron esos los años en que el poeta, establecido nuevamente en Buenos Aires, alcanzó mayor difusión y reconocimiento público, y su nombre adquirió gran prestigio entre los poetas jóvenes. En 1999 la profesora Ana Porrúa defendió su tesis doctoral sobre la obra del poeta en la Universidad de Buenos Aires. La tesis se publicó en 2001 con el título *Variaciones vanguardistas. La poética de Leónidas Lamborghini*. Porrúa llevó a cabo un estudio bien fundado de toda su poesía, dándole al autor la proyección académica merecida.

Las patas en las fuentes

En *Las patas en las fuentes*, publicado en 1965, el poeta reunió y refundió sus primeros libros: *El saboteador arrepentido*, 1955, y *Al público*, 1957, y agregó nuevos textos (Freidemberg 203). El libro es un extenso poema de 80 páginas, dividido en dos partes. En la primera parte aparecen los monólogos de "El solicitante descolocado" y "El saboteador arrepentido". Posteriormente, en 1971, el poeta integró *Las patas en las fuentes* a *El solicitante descolocado*, incluyendo además una versión muy simplificada de *La estatua de la libertad*, de 1967, y el libro, *Diez escenas del paciente*, no publicado previamente.[5] Leónidas buscaba crear una síntesis poética, y produjo un texto-rizoma que se extendía en el tiempo e iba cambiando de forma. Yo me detendré en los que son, considero, los momentos más políticos de esta obra.

El poema *Las patas en las fuentes* (cuyo título alude a uno de los episodios de la historia del Peronismo que resultaron más traumáticos para la burguesía nacional: la marcha espontánea del pueblo peronista, que el 17 de octubre de 1945 fue hacia la Plaza de Mayo, para pedir por la liberación de su líder encarcelado, y se lavó "las patas" en las fuentes de la plaza) abre con una situación de enunciación inesperada en la poesía de su época: uno de sus personajes, el "solicitante descolocado", ruega a su "vena poética" le permita encontrar su voz para cantar.[6] El personaje se encuentra (a diferencia del gaucho de Hernández, al que este comienzo alude) en el mundo urbano, en Buenos Aires, donde hay "problemas de estado", y se detiene a "averiguar antecedentes" (13).

Eran los años conflictivos de la Resistencia peronista. La dictadura militar había proscripto al Movimiento y los trabajadores se defendían con numerosas medidas de fuerza, que incluían huelgas y sabotajes (James 112-7). En *Las patas en las fuentes* la "vena poética" le dice al personaje que no tiene "voz propia". Quiere explicarle el motivo por el que escribe, pero el personaje no está de acuerdo, polemiza con ésta, y le dice que escribe para purificarse.[7]

El solicitante descolocado se encuentra en un circo, y su canto se dirige al gran público. La situación dramática creada rompe cualquier ilusión lírica. El personaje va a pronunciar un discurso. El público del circo es variado y está integrado por "todos los órdenes y clases" (13). Su discurso cómico va dirigido al "pueblo goloso perezoso lujurioso".

---

5   En la edición del 2008 de *El solicitante descolocado*, subtitulada "poema en cuatro tiempos", agregó además poemas de *La canción de Buenos Aires* bajo el título "Ese mismo".

6   Como consecuencia de la "poblada" del 17 de octubre, el gobierno militar tuvo que liberar a Perón y llamar a elecciones presidenciales, en las que triunfó el Peronismo (James 22).

7   Ana Porrúa dice que en este poema "el discurso peronista" del autor no es monológico sino "polifónico", y "las voces del presente" son las que "articulan pasado y futuro en un collage de enunciados de procedencias diversas" (156).

El poeta parodia el discurso del buen político o gobernante, que promete y promete. Deforma la frase histórica de Alberdi, "gobernar es poblar", transformándola en el enunciado de un político charlatán: "gobernar es poblar es hablar" (14) (*Bases* Cap. XXXI: 170). En ese momento irrumpe en el enunciado un diálogo fantástico: el solicitante reconoce en el público a su maestra de la niñez, quien le increpa, recordándole que ella le había enseñado consignas revolucionarias: "la tierra para quien la trabaja" y "la revolución no se detiene nunca" (15). La maestra le levanta "la tapa" de "los sesos" para ver qué hay dentro y le pregunta si cumple o no cumple.

El solicitante describe cuáles son los problemas de la economía causados por la dominación imperial: se encuentran sometidos a los capitales extranjeros, la moneda nacional está quebrando. En ese momento el solicitante toma conciencia de su propia situación: no tiene trabajo estable, vive del "rebusque" y está pasando hambre. Se le aparece la imagen de su hermana para hablarle de su madre, su padre y su hermano, que "sigue creciendo/ y espera tu llegada" (17). De pronto pasa un carro alegórico representando al "fútbol corrompido". En una nota nostálgica, vuelve a su barrio, Villa del Parque, donde escucha simultáneamente dos poemas para recibirlo: las coplas de Jorge Manrique, y el tango "Mi noche triste".

El segundo personaje que aparece en el poema es "el saboteador arrepentido". Al saboteador, a diferencia del solicitante (un marginado que pide para sí un lugar en el mundo), le dan trabajo y poder. Va a ser gerente de una industria textil, "mitad empleado-mitad obrero" (19). El escribe en las paredes que no es "técnico", pero su patrón no le cree y le ordena que ocupe su puesto. Tiene que luchar en nombre del "capital ajeno"; dice: "Yo era control/ y era el Alto Parlante voz de mando/ infundiendo valor a mis peones/...Caudillo entre mi gente/ en medio de tan ruda batalla/...alcanzo a defender con victoria/ toda esa época/ la bandera del capital ajeno" (20).

Una primavera el pueblo lo arrastra; dice: "Yo, el ubicuo gerente/ devine popular:/ coordino y distribuyo los trabajos/ tomo y obligo" (20). La Casa Central le envía "una pantera", con dos "grandes repollos azules", una Capataza de la que se enamora. Esto lleva a la fábrica al caos, simulan trabajar en el fichero para estar juntos y los obreros se emborrachan. La patronal amenaza con echarlos. Su único interés es "tocar los senos de la pequeña Maruska", lo cual, se da cuenta, amenaza "destruir la fabricación occidental" (22). El saboteador asume la culpa de los daños que ocasiona a la empresa; dice: "Y el que había desatado/ la corrupción desorganizadora/...quiso salvar mas ya era tarde e impotente/ vio sin la antigua alegría/ -saboteador arrepentido- / bajar, bajar el nivel/ y el Costo/ ir hacia lo Altísimo" (22).

El poema vuelve a la historia del solicitante descolocado. Los dos personajes, el saboteador y el solicitante, hablan alternativamente. El solicitante trata infructuosamente de buscar trabajo. Se presenta a entrevistas. Tiene que ver a una psicotécnica que evalúa su estado mental y le dice que no vuelva a solicitar empleo. No obstante su sueño sigue siendo encontrar un trabajo estable.

En el final de esta primera parte del poema, los dos personajes, el saboteador y el solicitante, se despiden juntos de su público. Le piden al "Divino Botón" que les conceda "la tierra protegida/ dormir perfectamente en pedo/ donde florezcan/ los/ sindicatos" (26).[8] Cuando ellos se van se pone en marcha la fábrica.

La segunda parte de *Las patas en las fuentes* es un largo poema descriptivo. Su narrador es el solicitante descolocado e intervienen otros personajes. El solicitante marcha a lo largo de un camino y le ocurren diversas peripecias. Llega al "país de las maravillas", que es un mundo al revés, "la izquierda es la derecha/ lo blanco es negro" (31). El solicitante no sabe bien lo que está haciendo allí, se siente totalmente confundido, dice: "y salgo/ y entro/ pero no sé/ si estoy entrando/ estoy/ saliendo" (31). Nunca vuelve "al mismo lugar".

Hace un discurso sobre la poesía y dice que todas las generaciones están "jodidas por la estética/ cometida/ con premeditación", y que es necesario "no poetizar" más y acabar con el miedo a "pegar el cascotazo" (33).[9] Recomienda a los poetas que hablen de manera directa, espontánea, auténtica; dice: "habla/ di tu palabra/ y si eres poeta/ "eso"/

---

8 En la versión de este poema en *El solicitante descolocado*, 1971, suprime la palabra "sindicatos" (23).

9 En la versión de *Las patas en las fuentes* incluida en *El solicitante descoloca-do*, 1971, agrega un nuevo personaje: el hombre que está detrás de la barricada y le habla a los poetas. Es un buen recurso, ya que desdobla la voz del solici-

será poesía/...que tu palabra/ sea irrupción/ de lo espontáneo/ que lo que digas/ diga tu existencia/ antes que "tu poesía"/ ...que tu ritmo/ sea/ pulso de la vida/ antes que un elemento/ de la música" (33). Los poetas deben dejar atrás el prejuicio de lo bello y permitir que asome su "duro estallido/ de palabras". En medio de un país "podrido por la injusticia" es necesario golpear y golpear "en la llaga libre" de la "belleza", y que el golpe y la palabra sean su gesto (34). La poética que propone es una poética de resistencia y lucha, acorde con las circunstancias políticas por las que estaba atravesando el movimiento peronista.

Luego habla de los encuentros que se producen cada día en la ciudad entre sus habitantes, cuando viajan en colectivo o en tren (35). Un hombre pesimista les propone un juego: recordar cuántas cosas se compraban "antes" con un peso. Contesta el solicitante que "cuántos viejos/ ganaban ese peso" antes, seguramente muy pocos. Un tipo que está afuera, en la vía, vestido de harapos, se queja. El hombre del juego canturrea burlándose, diciendo que antes se compraba mucho con un peso y en esos momentos "la plata/ no vale nada". Otros personajes apoyan su visión pesimista, y se bajan todos en la misma estación (36). Otras veces va en colectivo, donde lo empujan y lo pisotean, y al llegar a su casa tiene sentimientos violentos, y se droga para calmarse. Esa violencia se proyecta en otras escenas. Ve a un galán que insulta a su mujer, y la llama "perra traidora" y "puta". Se meten en un zaguán "Corrientes abajo", que era en esos años zona de numerosos garitos nocturnos, y se golpean (40).

La extensa segunda parte va agregando nuevas situaciones dramáticas progresivamente. En la escena siguiente el solicitante entra a la Sociedad de las Vacas Sagradas (en alusión a la Sociedad Rural Argentina, institución que nuclea a los representantes de la oligarquía ganadera nacional), montando un toro Aberdeen Angus, en momentos que se elegía el Gran Toro, para coronarlo campeón, pero no gana el concurso (41).

Cambia la escena: aparece un grupo de "adictos" y otro grupo los persigue porque quiere "liberarlos". El solicitante se mete dentro de la

---

tante en otra "más autorizada": la de un hombre que está luchando y enseña con su ejemplo (26-29).

cabeza de un adicto, y se da cuenta que es peronista. Descubre escritas en su mente las tres máximas fundamentales del Movimiento Justicialista: "económicamente libres/ y socialmente justos /...políticamente/ soberanos" (41-2). Una mujer guía a los adictos. Esta lleva puesto un birrete con la palabra CONINTES, en referencia a la doctrina de Conmoción Interna del Estado (CONINTES) que autorizaba al gobierno a tomar medidas extraordinarias de seguridad, para reprimir a los revoltosos.[10] La mujer dice que fue torturada, estando embarazada, y le patearon el vientre. Tiene una visión: ve en la Gran Plaza (la histórica Plaza de Mayo, frente a la casa de gobierno en Buenos Aires), a los hombres que fueron ametrallados por los aviones desde el aire, y quedaron en el suelo mutilados; se está refiriendo al intento golpista de junio de 1955, cuando un sector del Ejército se rebeló contra Perón y los aviones bombardearon la plaza, asesinando a numerosos civiles. La escena siguiente pasa la acción a los fusilamientos en el basural de José León Suárez durante la rebelión peronista de los Generales Valle y Tanco contra el gobierno de Aramburu y Rojas en 1956, y uno de los sobrevivientes cuenta lo que sucedió. La escena regresa al colectivo, aparece un tigre que ataca a los pasajeros. El solicitante baja y logra escapar, pero los otros pasajeros mueren.

Inserta en el poema un cuento: la historia de "la casita del buen tiempo" (45). En la casita del buen tiempo habitan un hombrecillo y una mujer. Muchas veces se pelean e insultan y la casita del buen tiempo se transforma para ellos en la casita del mal tiempo, aunque lo ocultan a los demás, a quienes siguen haciendo creer que se trata de la casita del buen tiempo. Otras veces se aman, beben un agua límpida de un jarro de aluminio, o se acuestan en una hamaca y ven pasar un satélite en el cielo. Sucesivamente se acusan y recriminan por el abandono, para luego amigarse y volver a lo de antes.

El solicitante descolocado confiesa que "vomita" todos los días "... en este culo/ infectado del mundo" ubicado en Buenos Aires en "un

---

[10]   El presidente Frondizi aplicó el plan CONINTES a partir de 1960, pasando a jurisdicción militar a todos aquellos sospechosos de "terrorismo". En la práctica dirigió esta política contra la clase obrera peronista, encarcelando y torturando a sus líderes e interviniendo los sindicatos de trabajadores (James 199-208).

puntito llamado/ Llavallol" (50). Denuncia que su país es "la puta/ de América/ obligada a hacer/ la zorra" por "los Sables Corvos" (51). Acusa al pueblo de "aguantar" todo, y aceptar la "...tranquilidad/ en medio de la podredumbre". Siente que el pueblo peronista se mantiene demasiado pasivo. La dictadura militar reprime a los militantes y la resistencia del pueblo peronista parece haber disminuido.

El solicitante sigue contando historias que le dicta "la cabeza" (52). Refiere la historia del "viaje en ascensor". Mientras el solicitante sube en el ascensor ve a una mujer que le muestra sus medias negras. Ella parece estar fuera del aparato, y mientras el ascensor sube, piso tras piso, ella, a la que el solicitante llama "la Pordiosera", va quitándose la ropa. Al hombre lo consume el deseo, pero está confinado dentro del ascensor. El hombre pide a dios que le permita saciar su deseo. Dios no se lo concede y la mujer se oculta detrás de un biombo. Confiesa el solicitante: "...es el deseo/ del deseo/ lo que a mí/ me enloquece" (55). El solicitante se coloca "la cabeza/ del juglar" y recuerda tiempos mejores: los buenos tiempos peronistas. Antes se trabajaba y cobraba puntualmente, dice, y ahora trabaja y cobra "el sueldo/ que no alcanza" (56).

Comienza una "batalla electoral" y el "Cívico Instructor" fabrica trampas contra ellos: les dice que deben confiar en el cambio y en la justicia. Parece que hay gente "que no se anima a estar cómoda", explica. El solicitante sabe encontrar su lugar, pero al final el colectivo se le va, es un perdedor. Quizá, cree, la persona que debía responder se está yendo en el colectivo, era el pasajero "astuto", que soñaba con lastimar a un niño, seguramente para hacerlo mendigar.

En la próxima escena le habla el Ojo, que ve en su ojo "cólera/ y odio" (62). Le dice que es "Imposible olvidar/ lo que pasó/ no podemos/ volver a ser pasado/ pero debemos tener/ presente/ lo pasado" (63).

Aparece otra vez la Pordiosera y le anuncia que va a tener un hijo. La cabeza del juglar que lleva puesta le pregunta a la Pordiosera de quién es ese hijo, y ella le responde que "no es obra/ de hombre" (64). El solicitante luego ve un partido de fútbol "en el Estadio Donde se Siente/ Hambre de Verdadero Fútbol" (64). En el partido el hombre se demora y no tira al arco. Cuando lo hace, el tiro sale desviado. El solicitante pregunta qué hacen esos hombres. La pelota vuelve a ponerse en movimiento y renace la esperanza. El solicitante grita que nece-

sitan ese triunfo, y "el hombre que nunca/ tira/ se dispuso a tirar", pero
falló (66). Desesperado el solicitante le pide a dios "un tiro directo", y
no sabemos si dios se lo concede; dice: "entonces/ grité rugí/ oh dios
oh dios/ un tiro directo/ rujo estoy rugiendo/ exactamente dirigido/ un
gol como una bala certera/ con visión del arco/…inatajable un gol/…
un gol extraordinario/ que conmueva al mundo…" (67-8).

El solicitante pide "que se pudra/ que se seque/ el cadáver/ que no
muere", y todos lo mean, lo putean y bailan alrededor de él (68). Reconoce que nada sabe, excepto que posiblemente hará reír con su historia.
Se pregunta si se ha "inmolado". De pronto se le aparece la hora de su
muerte, y su cabeza le pide que madure, que deje de ocuparse de cosas
vanales; dice: "madurá/ maldito imbécil/ lo único que te preocupa/
saber es/ quién es/ más popular/ o si el domingo/ lloverá/ y podrás
comer/ la carne asada/ de todos los domingos" (70). Sus nervios acusan
tensión y se pregunta qué hará cuando todos sus nervios hayan estalla-
do, quedará como "un fantasma/ fofo/ desinflado" que vagará por las
calles "mirando sin ver/ oyendo sin/ oír" (71). Quiere saber si está aún
a tiempo "de conocer el sentido" o al menos adivinarlo: ése es el objeto de su búsqueda.

A continuación ve "a dos tarados/ con cabeza de pescado/ hacién-
dose el amor" (72). Explica que la verdad "puede salir/ de la boca de
un idiota", nunca hubo una época con verdadera conciencia. Se encuentra con el "Poeta del Conocimiento", quien le dice que no podremos
escapar de nosotros mismos, y cada cosa en el mundo tiene su opuesto:
el amor, su odio, y la traición, "su minuto/ floreciente". El solicitante
siente que algo "empezó a rechinar" dentro de él, lo compara "con los
quejidos/ del viejo puente/ del Riachuelo" que cruza el río Matanzas
en la Boca, en el sur de Buenos Aires, su barrio portuario y obrero.
Piensa en el chirriar del puente en medio de las pestilencias que ema-
nan del agua sucia del río, donde arrojan sus desperdicios numerosas
fábricas. Se identifica con ese paisaje, y siente que medita en el crepúsculo "la herrumbre/ de algo/ que llevo/ muy profundo/ que se levanta y/ cae/ chirriando/ rechinando/ sobre/ el nauseabundo/ olor/ del
agua/ de mi vida" (75-6).

De pronto el solicitante ve al saboteador arrepentido, que lleva
entre sus manos "una bomba casera", y grita que ya no está arrepenti-

do. El saboteador ahora cree en la acción, en la rebelión, en la resistencia. Ha aprendido su lección, pero la bomba le estalla en el vientre, y el saboteador, muriéndose, exclama: "la redención por la lucha" y "la insurrección es un arte" (76). La mujer que iba al frente pide que hagan antorchas, y el Buen Idiota declara balbuceante: "es la toma/ del poder" y meten "las patas" en las fuentes de la plaza frente a la casa de gobierno. En ese momento se ven unos rayos alusivos pentagonales, y la policía detiene al Buen Idiota, que había violado a alguien porque lo angustiaba "el imperialismo" (77).

El solicitante descolocado se encuentra con una "Válvula de Escape". La Válvula canta que cuando la presión es mucha hay que aflojar, y el comando electoral despliega sus efectivos. El Instructor Cívico anuncia que ya están las listas y triunfará la Democracia (81). Los candidatos se abalanzan "en tropel" listos para conquistar votos, prometiendo más trabajo y más pan. El Instructor Cívico dice que ahora tienen que aflojar la presión, y el solicitante grita que todo va a reventar. En ese momento estalla el globo de su hija pequeña, que se asusta. El solicitante explica que quiere cambiar su cabeza por una versión de su cabeza. Busca su realización en medio de una metamorfosis; le dicen: "-Versión/ es sería; tiene tendría/ roja/ es sería/ brillante es/ sería, hermosa hermosa hasta/ la perfección sería" (84).

El sol golpea su pobre cabeza de juglar y lo hace tambalear con preguntas. Su felicidad no es negar la política. Su hija dice que lo quiere, y él siente que ella pedirá por él cuando esté en el basural. Los obreros toman las fábricas en la ciudad de Buenos Aires, y el diario *La Prensa* "se descompone" en varias editoriales. El "Buen Idiota" dice su verdad, e invirtiendo la "verdad" peronista: los únicos privilegiados son los niños, afirma que "aquí/ los únicos privilegiados/ son los privilegiados" (85).

Introduce los episodios de la represión nacional contra los trabajadores en La Plata durante el levantamiento del General peronista Valle en 1956, citando partes de la investigación realizada por Rodolfo Walsh en *Operación masacre*, 1957. Describe la escena en que los llevan al basural y, mientras tratan de escapar, los fusilan, y algunos se salvan. Habla en esta escena el trabajador que fue herido en la garganta y se salvó, haciendo de testigo para denunciar posteriormente los hechos

(89-92). El solicitante se despierta y le pregunta a su hija si ha soñado despierto. Su hija le muestra la luna y las estrellas. El pide que se saquen las máscaras. Aparece el hombre de todos los poderes "potente en su verdad". Le pregunta a su hija cómo son las flores, y el poema concluye con su hija diciendo la palabra "a-le-lí", que el solicitante repite (94).

El poema tiene un desarrollo complejo claramente político. Estamos en los años que siguieron a la caída de Perón y los peronistas resisten los embates de la dictadura y de los gobiernos posteriores que proscriben al Peronismo. Las referencias a estos hechos se suceden en el poema. Lamborghini trabaja los hilos dramáticos y teje sus historias. Juega con el lenguaje, lo lleva al borde del sin sentido. No busca dar un mensaje totalmente racional e inteligible, no es un poeta realista. Está creando una poesía visceral y experimental a partir de su identificación con el Peronismo popular.

Es una poesía nueva y original que tiene que ir formando a su propio lector. Para los lectores resulta difícil ir siguiendo sus anécdotas. Son poemas largos, alegóricos, llenos de personajes simbólicos, cuyas acciones políticas se combinan con situaciones fantásticas.[11] En el final del poema, por ejemplo, no sabemos si el personaje ha soñado o participado en los sucesos. Los episodios heroicos del 17 de octubre de 1945 irrumpen en el poema y se confunden con las acciones de sus personajes principales: el saboteador arrepentido y el solicitante descolocado. El saboteador arrepentido cambia y se transforma en víctima heroica, mientras el solicitante descolocado se desliza de acción en acción, buscando una solución para su angustia, producto de su situación social. No habitan en un mundo absurdo, sino en un mundo pautado por la represión y las mentiras de los militares, que los obligan a la acción.

---

[11]   Si pensamos cuáles son las figuras poéticas que mejor representan la sensibilidad del nacionalismo populista y cristiano, "justicialista", que proponía el Peronismo, es probable que tanto el símbolo como la alegoría sean esas figuras. Los movimientos espiritualistas y las religiones se valen también del empleo de símbolos y alegorías para referirse a su mundo. El Peronismo mantuvo una relación de tipo espiritual entre el líder y las masas.

En *Las patas en las fuentes*, Lamborghini busca escribir un poema-síntesis y un poema total que refleje la problemática de su sociedad y de su tiempo. Une sus primeros libros de poemas en uno solo. En 1971 ampliará más el libro, integrando *Las patas en las fuentes*, *La estatua de la libertad* y *Diez escenas del paciente* en *El solicitante descolocado*.[12]

La estatua de la libertad

Luego de *Las patas en las fuentes*, de 1965, Lamborghini publicó en 1967 *La estatua de la libertad*. En ese libro el poeta imaginó un sujeto que se mete dentro de la estatua de la libertad norteamericana, la estructura de 46 metros de alto que se eleva en una pequeña isla frente a Manhattan, el centro de la ciudad de New York. Esa estatua es hueca y turistas y visitantes pueden subir por su interior y ver desde la parte superior la línea de rascacielos de la gran ciudad. La estatua, obra del escultor Frédéric Bartholdi, fue un regalo del gobierno de Francia a los Estados Unidos, y se ha convertido en un símbolo de ese país. Para el poeta la estatua es una figura alegórica que representa a Estados Unidos y su política ambigua hacia América Latina. El Peronismo denunciaba el papel depredador del imperialismo norteamericano y la singular opresión que mantenía sobre las naciones latinoamericanas. Perón se enfrentó repetidas veces con el imperialismo, a partir de lo sucedido con Spruille Braden durante su campaña presidencial en 1946, que él definió como la oposición Braden contra Perón (Russo 129-40). Braden era el Embajador norteamericano, a quien Perón acusaba de inmiscuirse en las cuestiones internas argentinas, y de atacar su candidatura presidencial. Desde ese momento la oposición a la política estadounidense fue una de las consignas claves del Movimiento Peronista.

Lamborghini abre el libro con una breve introducción o advertencia al lector. Lo invita a pasar a la Estatua, e indica que él está dentro de

---

12 Esa búsqueda del poema total, del poema mundo, versión de una posible épica contemporánea, lo lleva a escribir en 1992 *Odiseo confinado*, que ya concibe desde un principio como un libro total e integrado.

ella "y ella dentro mío", de tal manera que es un viaje por la estatua y un viaje por el interior de su propio cuerpo simultáneamente (9). El personaje del poema no sabe bien donde termina su cuerpo y donde empieza el cuerpo de la estatua, ambos se confunden. Luego descubrimos que tampoco conoce dónde empieza la personalidad de su padre y dónde la suya propia. Su identidad le resulta confusa. La relación del personaje con su padre es culposa, y mantiene con la estatua una relación compulsiva y agresiva. Dice: "Ud. Podrá verme aquí, con mi sexo experimentando hasta el éxtasis; con mis tripas ardiendo, reventando entre retorcijones frente a los expertos…" (9). Se mezcla el erotismo genital con la agresión anal. Explica que comenzó esa aventura "después de haber refrescado mis patas en las fuentes", y que una vez dentro del "armatoste enfermo" empezó a "soltar palabras" mientras los médicos lo perseguían (10).

Comienza el poema: "Cuando me metí/ metiéndome/ en la Estatua de la Libertad/ por dentro/ de ese gran hueco enfermo/ pero también mi hueco enfermo/ a través/ hacia la antorcha" (11).[13] Nos dice que ésa era: "la Estatua/ Gángster/ de la libertad" (11). Para el personaje hay una mala y una buena libertad. Y pregunta: "eres libre o no eres libre" (13). En su incursión dentro de la estatua busca la buena libertad, y lucha contra la mala libertad, representada por el imperialismo norteamericano.

Introduce a su padre como guía en el viaje. Lo llama "el Guía Paterno del Paseo en la Infancia" (12). El personaje está perdido en la oscuridad, y necesita su apoyo. Aparece en el poema una estrofa que se repite, explicando que "no podía dejar/ de hacer aquello" (14). El hacer aquello va a referirse sucesivamente al acto sexual y a la defecación. Se pregunta si su ascenso por la estatua es "un ascenso del ánima", un viaje espiritual (15). Sube por una de las piernas, que tiene una várice ulcerada con sangre pútrida. Siente un fuerte temblor y el per-

---

13 El poeta simplifica y abrevia el poema para su inclusión en *El solicitante descolocado*, en 1971. Lo reduce de 53 a 18 páginas. En la versión de 1971 el padre aparece muy brevemente y el personaje no viaja por su propio hueco, sólo el de la estatua. La relación con los médicos es poco clara. Cuando habla de las várices de una mujer, en la versión de 1971 no es explícito que se trate de las várices de la estatua. Tampoco aparecen los pobres escarbando en la mierda: es el personaje el que defeca constantemente, sin control.

sonaje adopta "la posición fetal" para defenderse (16). Habla con la estatua, a la que llama "Mujer Controladora Castradora", pidiéndole que no le muestre las várices, pero la estatua lo castiga y lo obliga a mirarlas para que pague su culpa, porque él ha hecho algo terrible (18). De pronto la várice revienta y sale sangre pútrida, y siente un gran dolor. Aparecen unos médicos que aplican una inyección y logran parar la hemorragia.

Llega a la vagina de la estatua, y un grupo de médicos lo mira desde afuera por el "agujerito" (22). Tiene que introducir su pene en una "vagina-botella" para hacer el acto. Los médicos dicen que no lo hace "adecuadamente" y que "no es la posición correcta" (24). Busca otra botella y los médicos dicen que ya la erección es suficiente. Le indican cierta posición y él experimenta. "Y goza Ud. Ahora?", le preguntan los médicos (27). Le piden que piense en una "Miss" imaginaria, y corrige las "incorrecciones", gozando, mientras le habla a la botella, preguntándole si ella también goza.

El personaje se mete en "la panza" de la estatua en el momento que "se estaba/ haciendo/ el gran sorete" (30). "Arden" las tripas de la estatua, que tiene cólicos. El también siente retorcijones. Vuelve a adoptar la posición fetal, mientras los médicos lo observan y discuten su caso. Resuenan las voces de "los millones y millones/ que tienen mucho hambre" (31). Los médicos controlan el crecimiento del sorete, su "ritmo inflacionario" y su "plan de producción" (32). Dicen que hay que "reformar las estructuras", y darle "una dosis/ de píldoras/ de cid" (33). Los que tienen hambre empiezan a escarbar en el sorete para poder comer. Ve a niños desnutridos, con la barriga inflamada, que empiezan a elevarse como globos. Uno de los que tienen hambre muere, mientras en un lugar de la panza comen "los privilegiados" (35). Los privilegiados "tienen Mando" y se entienden con los médicos expertos en "inteligencia gángster" (36).

Luego sube al "corazón-pulmón" de la Estatua. Allí los médicos le informan que habrá "que operar" a "cielo" abierto (37). Operan a la Estatua y lo operan a él, "fantoche herido". Escucha que alguien canta. Los médicos empiezan a cerrar el "corazón-pulmón" y se oscurece el cielo.

Llega a la cabeza de la Estatua. Encuentra allí un "disco rayado" (él tenía otro en su propia cabeza). Era el disco rayado "del que había/ tirado la Bomba/ en dos ciudades", en referencia a la masacre norteamericana en Hiroshima y Nagasaki en la Segunda Guerra Mundial. La brigada de Salud Mental acude a ver si puede arreglar el disco, cuando él se pone "a sacudir/ frenéticamente/ el molinete/ que estaba descompuesto/ y se había atrancado" (42). Pasa luego "al salón de los Ejecutivos", donde se mece en sillones basculantes y salta de uno a otro. Allí piensa que debería mandar su "coche doble personalidad" al psicoanalista (43).

Recuerda el caso del hombre que subido a una torre disparaba desde lo alto a los pasantes con un fusil con mira telescópica. Lo rodea "la Brigada/ de Salud Mental", y le señalan que también su disco está descompuesto. La Brigada le inyecta un gas telepático y le hace un "multitest", fotografían sus ideas y lo conectan a un detector de mentiras. Adopta la posición fetal otra vez.

Pide paz, pero los médicos anuncian que el cerebro de la Estatua ha enloquecido. El se repite que "sin libertad/ no hay libertad" (51). Tiene que pasar por el sobaco de la Estatua e ir por el brazo hacia la antorcha. Aparece allí un "Guerrillero Animador", que dice que los focos guerrilleros deben arreglarse como puedan y atacar, hasta "juntarnos todos/ en un Poder/ y ser Mando/ contra los privilegiados/ que ahora/ son Mando" (54). El Guerrillero no habla "de reformas/ de estructuras/ sino de cambio brusco/ de un salto brusco/ violento/ ejecutivo" (55). Es un cambio revolucionario que destruirá los privilegios.

Cuando llegan al lugar del "Sacrificio Divertido" habla el cadáver de un guerrillero. Los guerrilleros identifican sus propios cadáveres, mientras los que los mataron, los privilegiados, los golpean y patean (58). Finalmente van por el brazo hacia la antorcha y todos empujan y resuena el "eres libre o no eres libre". Le preguntan qué es lo que busca, y él responde que busca "la Nueva Síntesis" (60). Se libera haciendo "el Acto Imaginario" y encuentra una luz de "ánima", y pregunta "cuánto tiempo queda" (62). Escucha el canto que viene del cielo y confiesa que su verdad es que vive mal y se "está quebrando". Aparece su padre, el Guía, para ayudarlo (63). El continúa trepando por el "gran hueco enfermo", a tientas, hacia la antorcha, hacia la luz.

El poema presenta una clara lectura alegórica, y es la epopeya moderna de un viaje "interior" en busca de la liberación. Al final del mismo los guerrilleros muertos son los héroes que parecen indicar el camino. El padre, hacia quien siente culpa, es su ayudante. El personaje en un momento se transforma en sujeto de experimentación para el equipo de médicos, que lo observa mientras eyacula en una botella y luego tiene retorcijones intestinales. En el corazón-pulmón lo operan "a cielo abierto" para luego descubrir que tiene "el disco rayado". Ese disco rayado es la locura del capitalismo que es capaz de bombardear ciudades enteras matando a civiles indefensos. Los que habitan esa locura enloquecen y un tirador sube a una torre a matar a los pasantes. Al fin del viaje felizmente sale por el brazo hasta alcanzar la antorcha, es decir la luz final liberadora. El viaje es por el interior de la estatua y por su propio interior, él mismo es quien busca su liberación interior. Es una liberación revolucionaria que aspira a transformarlo todo. Es un viaje en que desafía al imperialismo, que trataba de estudiarlo y volverlo objeto de su experimentación. Finalmente supera la prueba guiado por su padre.

Diez escenas del paciente y *El solicitante descolocado*

Su próximo trabajo poético, *Diez escenas del paciente*, lo publica por primera vez como una sección de *El solicitante descolocado*, 1971. En este último libro reúne *Las patas en las fuentes*, una versión abreviada de *La estatua de la libertad* y *Diez escenas del paciente*.

El solicitante descolocado es un compendio de la mayor parte de la poesía que había escrito hasta ese momento. Es una suerte de comedia o pseudo épica moderna. Dejó fuera *La canción de Buenos Aires*, su anti-lírica. En 2008 hizo una nueva edición de *El solicitante descolocado* e incluyó poemas de *La canción de Buenos Aires*. Lamborghini veía *El solicitante descolocado* como su suma poética 1955-1971.

En *Diez escenas del paciente* el poeta creó un personaje que nos mete de lleno en el mundo de la locura. El personaje del poema es un demente que está "inclinado", "agachado", encerrado en "una casa llena de ruidos", vuelto hacia sí mismo, protestando "en silencio".

Junto a él hay una mujer que lo agrede y amenaza, le grita, y un niño que "destruye" y "sacude los cimientos" de la casa. Dice: "En la casa llena de ruidos/ yo/ el demente paciente de paciencia/ -de años hace años -/ agachado/ inclinado/ en silencio protesto" (115). Mientras protesta desovilla "el ovillo" con paciencia. Su objetivo es "recobrar el entendimiento" alguna vez. Cree que la mujer grita y el niño destruye porque no entienden. Su oído trata de adaptarse a los gritos, "aguantando" (119).

En esa casa "llena de ruidos" lee un libro incomprensible. El lenguaje es "protagonista de sí mismo" y está lleno de ruidos (120). Es un lenguaje "...que repite/ el caos/ como el niño que repite/ la destrucción" (121). El paciente se angustia porque no entiende nada. El libro empieza en cualquier parte y no termina. Es espejo de su delirio.

El paciente le escribe una carta a su "Líder" (este líder es Juan Perón, a quien no se lo podía nombrar en esa época) "al retiro/ en que medita/ de años hace años/ desovilla/ desovilla/ recobrar el entendimiento/ del Poder/ es su Tarea/ -el camino que lleva-/mi Líder/ en su retiro de años hace años..." (123). Le dice que hay que reconquistar el poder perdido. En "la casa llena de ruidos" ha tratado de "descifrar" el problema, pero no ha podido. Quiere recobrar "el entendimiento del Poder" (124). Le pide que le escriba, su respuesta le es "absolutamente necesaria" (125).

De pronto escucha una "música" que alivia su padecimiento. Una "máquina serrucha la dulzura única/ del violoncelo" (125). Su oído se niega a adaptarse bien. En esa casa llena de ruidos hay algo que resulta imposible: "Llegar a ser/ lo que se es" (129). Experimenta una pérdida total de identidad. Necesita un "crédito" en un banco. Su ser está "en la nada/ la nada en el ser" (130). Le pide ayuda al "Datero", que le dé un dato válido, pero el Datero no puede ofrecerle garantías. Ve un "caballo" que viene con una hermosa muchacha rubia, envuelta en la luz de una "foto". El caballo penetra a la muchacha, y súbitamente el paciente es el caballo, que penetra a la muchacha y la azota con la cuerda del caballo, con ferocidad, hasta sacarle sangre.

Recibe un llamado telefónico de su hermano menor. El hermano le dice que está loco y que por favor vaya a verlo a su hotel. El paciente toma un taxi y va al hotel. El hermano abre la puerta; estaba dando vueltas, violento, en su habitación. Algo lo penetraba "por detrás" y trata de clavárselo a él. El paciente le dice al hermano que hay que recobrar el entendimiento, pero el hermano, que daba "vueltas y vueltas", lo único que quería era matarlo. Le pide que no tenga miedo, mientras trata de clavarle "eso". Como él no se lo deja clavar, el hermano le grita que no elija "la inocencia" (136). El paciente saca de entre sus ropas un "electro shock" que llevaba oculto y lo ataca al otro que no se deja, y grita que era loco pero no "boludo". El le responde que hagan como cuando eran niños y jugaban a "la ceremonia del té" y se repartían el mundo. Su hermano le dice que aquello fue un accidente y que tienen que charlar. El paciente va a escapar en el taxi que lo espera afuera. El hermano se saca lo que tenía clavado atrás "de años hace años" y se abalanza contra él; el paciente saca el "electro shock" de entre sus ropas y se lo clava, "calmándolo-matándolo" (139). Luego de matar al hermano escapa en el taxi.

En la última escena del poema, el paciente sale de la casa llena de ruidos, y se mete en el subterráneo. Pone las monedas en el molinete del subte y empuja con fuerza y violencia. Al bajar se encuentra con otros pacientes, todos en silencio, "desovillando" su ovillo. Uno le dice que se siente mal. El se identifica con ellos. Les pregunta si lo conocían, les grita que "tienen que conocer/ reconocer al poeta...", que es un sujeto peligroso y paranoico (141). Algunos de ellos lo reconocen. Cuando llegan a la última estación el paciente sale y los otros lo siguen. Entre los pacientes ve a una mujer y un niño, que le dicen "vos sos el que sos" (142). Hacen un "Acuerdo General/ Para Gritar el Desacuerdo General".

Se encuentran frente a la Casa Rosada, "donde está encerrado/ el gobierno general" (142). Entran y el paciente reconoce a un amigo suyo que era General. Todos se ponen a gritar. Los miembros del gobierno dicen que desde que les pegaron "ESE/ GOLPE EN/ LA CABEZA EL CIELO ESTÁ MÁS BAJO!" (143). Los pacientes deciden salir por el agujero de la cabeza rota "de la casa rosada del gobierno general". Suben y comprenden que la paranoia es "una idea obsesiva/ delirante" que "se bifurca en otras ideas delirantes", y éstas en otras ideas que crecen y desbordan todo (144).

"Diez escenas del paciente", como "La estatua de la libertad", admite una lectura simbólica y alegórica. En el poema aparecen el paciente, una mujer y un niño en una "casa llena de ruidos" en la que no pueden entenderse. Todos buscan la liberación. El paciente le escribe a Perón pidiéndole ayuda, pero no recibe respuesta de éste. El paciente se encuentra con su hermano menor para repetir escenas sadomasoquistas de la infancia.[14] Los dos se agreden y el paciente lo mata. El paciente desciende al subterráneo donde se encuentra con otros pacientes. Pide que lo reconozcan. Allí también están la mujer y el niño. Llegan al final del recorrido, y salen a la casa de gobierno. Entran allí para protestar. Se meten en la cabeza y salen por la cabeza rota. El grupo se ha liberado porque finalmente ha entendido. La paranoia es una idea delirante que se bifurca en otras ideas y desborda a los sujetos.

Lamborghini trató de encontrar un equilibrio entre compromiso social y verdad poética. Cada poeta busca su verdad en su mundo interior y en el tejido literario de su tiempo, para poder integrar el lenguaje poético a la experiencia humana. Lamborghini se sumergió en lo político desde el lenguaje y sus pulsiones (González 20-24). Se mantuvo fiel al predicamento de las vanguardias históricas que enseñaron que el poeta debía ser revolucionario en la forma y en el contenido de su mensaje. El arte tiene que mantener su autonomía en relación al mundo social, aunque se alimente de él y lo refleje.

Lamborghini escapaba tanto de la actitud solipsista, de la que se acusaba a los vanguardistas históricos en la década del veinte, como del testimonio sumiso a los dictámenes políticos, que sacrificaba el lenguaje poético al contenido político. Su poesía no era ni realista ni conversacional. Se mantenía fiel a sus necesidades íntimas, y trataba de comunicarnos con un acento propio su manera de pensar.

---

[14] De manera bastante parecida procede su hermano Osvaldo en el relato "El fiord", 1969. Crea una trama política alegórica donde los personajes abyectos mantienen relaciones rituales sadomasoquistas (*Novelas y cuentos* I: 9-25).

Partitas

Su próximo libro, *Partitas*, 1972, es una de sus obras más políticas y contestatarias. El primer poema, "Villas", está dedicado al médico psiquiatra y revolucionario de Martinique Frantz Fanon. El poeta creó su discurso poético a partir de fragmentos del libro *Les damnés de la terre*, 1961. El tema es el mundo de pobreza de !as villas miserias. Lamborghini introduce al médico Fanon como personaje, y expone lo que dice Fanon sobre la pobreza, y particularmente sobre la situación de abandono y malnutrición de los niños. Dice: "los niños mueren como moscas/ en la sopa no ven las proteínas en la laguna el 65 por 1000/ allí juegan: las proteínas escondidas/ ...dis/ dis/ trofia/ dis/ dis/ lexia/ dificultades afacia aquí/ los niños juegan en el borde de la basura de las aguas podridas..." (*Partitas* 17). El poeta combinó la explicación médica de Fanon con el juego de palabras y los cortes del lenguaje, que asociamos a la respiración agitada del individuo angustiado, y comunica su desesperación al lector. Describe la miseria de la villa, en que los niños mal nutridos juegan en medio de la basura. El discurso de Fanon denuncia y trata de corregir el mal, y el poeta pone ese discurso en un papel protagónico.

En el poema "En la subasta" Lamborghini yuxtapone la letra del famoso tango de Romero y Gardel "Tomo y obligo" al discurso de la oligarquía ganadera, enemiga del Peronismo, en un remate en la Sociedad Rural. Ana Porrúa indica que el poeta va distorsionando progresivamente los textos de los que se apropia (68). Les da una modulación rítmica, recurre al corte de las frases y de las sílabas, dejando enunciados sin finalizar, y repitiendo ciertas palabras de manera insistente. Toma de la música popular, particularmente del jazz, el arte de la variación de un tema, de su repetición rítmica. En "En la subasta" crea un contrapunto entre la letra del tango y el remate de los toros campeones. Dice: " –el remate./ -la subasta comenzó/ -la venta./ los pastos:/ -comenzó/ la pampa:/ -comenzó/ tomo y/ obligo/ si los pastos conversaran esta pampa le diría de qué modo/ -la subasta junto al árbol deshojado/ -bajo la conducción a cargo de/ bull-rich hombre macho. Cría. Bull-rich Visconti royalty./ campeón. pedigré. senior./ vientre." (39). El sujeto poético confiesa su pena al haber sido abandonado por la que amaba y su deseo de venganza, mientras la oligarquía remata las riquezas del campo y sus productos.

Esta denuncia del vaciamiento del país continúa en la sección de este libro denominada "Diálogos". En el poema "Payada" dialogan un letrista de tangos, "El Letrista Proscripto", con "El Letrista del Sesquicentenario" (el sesquicentenario de la Revolución de Mayo se celebró en 1960).[15] El letrista de tangos se lamenta de su fracaso sentimental y evoca con nostalgia a Perón, canta partes de la marcha peronista ("qué grande eras/ cuánto valías/ mi general/ ...Gran Conductor/ eras primer/ y el corazón/ trabajador..." 79), mientras contempla a la Patria en ruinas. El Letrista del Sesquicentenario lo critica, y lo impulsa a rebelarse; dice: "-No mezclés/ más las cosas/ o te perdés/ en confusiones,/ no olvidés/ no claudiqués/ tu condición/ de varón..." (81). Es necesario reaccionar y luchar para liberar al país. Dice: "-Habrá que destapar/ el mecanismo,/ buscar qué es lo que obstruye,/...acertar la coyuntura/ de marcar esta llamada:/ "urgente/ liquidar orden caduco" (85-6). El Letrista del Sesquicentenario critica el derrotismo del Letrista Proscripto; su mensaje es claro: hay que resistir. Esta es una poesía signada por la filosofía política de la resistencia peronista de los años que siguieron a la caída del gobierno de Perón en 1955.

La pieza más original de este libro es "Eva Perón en la hoguera". En este poema Lamborghini logró fundir su voz con la de Eva Perón. Seleccionó partes de su autobiografía *La razón de mi vida*, publicada poco antes de su muerte y, distribuyendo los enunciados en la página, destacó el lirismo del texto de Eva Perón. Eva habla en primera persona y se confiesa. Es una hablante idealizada y mitificada. Expresa su amor por el General y su lealtad a la causa del pueblo. Usa un lenguaje exagerado y florido. Se compara con un gorrión y compara a Perón con un cóndor. Son metáforas que muestran el sentimentalismo del personaje. Dice el poema: "por él./ a él./ para él./ al cóndor él si no fuese

---

[15] Las voces de El letrista proscripto y El letrista del sesquicentenario aparecen por primera vez en la poesía del autor en el "Diálogo 2°" de la edición de *Al público, diálogos 1° y 2°* de 1960. En 1966 publica por separado "Diálogo 2°" en mimeógrafo con el título *La payada*, con prólogo de John William Cooke. Finalmente en *Partitas* se publica como "Payada". Debo agradecer a Teresa Lamborghini, hija de Leónidas, por haberme suministrado esta información.

por él/ a él./ brotado ha de lo más íntimo. de mí a él:/ de mi razón. de mi vida./ ...un gorrión y me enseñó: un cóndor él entre las altas. entre las cumbres:/ a volar." (55).

A diferencia del poema anterior, en que los personajes son imaginarios, aquí se trata de seres históricos: los máximos líderes del partido. Eva ha muerto joven y emana de sí un aura espcial. Puesto que son sus mismas palabras autobiográficas las que el poeta enmarca en el texto, crea una sensación de gran autenticidad. Lo que hace el poeta es subrayar y resumir los aspectos que más le interesaron del texto: la entrega de Eva a la causa de Perón, el momento en que lo conoció, que ella vive como una revelación, su encuentro con el pueblo descamisado, el momento de su prisión en 1945 en que Eva se siente morir, la lealtad de su pueblo, el sentido providencial de su gobierno, su obra de amor entre los necesitados, que empiezan a llamarla Evita, su relación visceral con los pobres y los obreros, la búsqueda de la justicia social, las cartas que recibe, sus obras, su resistencia a transformarse en funcionaria, su deseo de estar siempre junto al pueblo y su mensaje último, en el que afirma que el secreto del amor es darse. Concluye el poema: "Ya: lo que quise decir está./ pero además: darse. el amor es./ darse/ Ya. lo dicho. lo que quise. el amor. la vida es:/ dar la vida. darse. abrirse/...Ya: lo que quise. mi palabra/ está." (71) La manera de cortar y puntuar las frases da un ritmo entrecortado y jadeante a la lectura (Belvedere 68-75). Podemos sentir la agonía del personaje. Es el momento en que el poeta logra una mejor identificación mimética con la voz que enmarca, subrayando el contenido político y mesiánico del mensaje.

El mensaje populista no persuade a través de la razón intelectual: la razón de Eva era el amor a su pueblo y el amor a Perón, es decir una razón sentimental. La razón populista entra en contacto con los sentimientos religiosos de salvación y resurrección. El tono es importante para entender el sentido de oración del mensaje. También en la poesía gauchesca los poetas buscaban imitar el tono del gaucho, su manera de hablar. A diferencia del poeta lírico, el poeta dramático tiene que saber escuchar al otro y poner su voz como protagonista.

"La ovejíada": cómo definir su arte poética

Durante los años de la resistencia peronista, hasta el retorno al país de Perón en 1973 y su triunfo en las elecciones presidenciales y su muerte, Lamborghini trató el tema del Peronismo en sus poemas. Los años posteriores al golpe militar de 1976 fueron difíciles para el poeta, que se exilió en México durante catorce años, y retornó al país recién a principios de los noventa. Continuó escribiendo poesía dramática y alegórica, y escribió varias "novelas", en una prosa poética peculiar. En estas novelas, *Un amor como pocos*, 1993; *La experiencia de la vida*, 1996, y *Trento*, 2003, sus personajes son sujetos en crisis, escindidos. En su experiencia el sujeto unificado ha muerto, y los monólogos de sus personajes bucean en la agonía del yo, se autoanalizan y se confiesan. Son personajes abyectos, que expresan deseos sexuales monstruosos.

Sus máximas obras de esta nueva etapa, que no analizaré detalladamente en este ensayo, son el poema *Odiseo confinado*, 1992 y la "novela" *Trento*, 2003. Son verdaderos collages intertextuales, en que el poeta integra sus recursos expresivos. Lamborghini desarrolló a lo largo de su vida una escritura de refundición y síntesis, en que sumó los procedimientos más originales, llevándolos de un texto al siguiente. Se mantuvo en constante eclosión creativa, sosteniendo su espíritu rebelde hasta su vejez. Esta rebeldía fue marca esencial en su poesía y ha contribuido a que las generaciones de jóvenes, a principios del siglo XXI, sientan admiración por su obra y se identifiquen con el poeta.

Cuando terminó este ciclo estudiado de poesía peronista, Lamborghini inició, estando ya en el exilio, su trabajo con los textos de la poesía gauchesca, y escribió *Tragedias y parodias I*. Comenzó estos poemas en 1977 y los terminó en 1990 en México, aunque no los publicó hasta 1994, después de haber retornado a Argentina. El poeta entiende la poesía gauchesca como una poesía tragicómica, donde escuchamos la risa y la diversión de los poetas. El lleva esa risa a un extremo en su poesía, creando situaciones grotescas y un diálogo entre la literatura contemporánea y la gauchesca. En uno de esos diálogos interpreta la doma como una relación sexual. El poema se llama "La doma" y en él un gaucho trata de montar a su "forsuda sansona" (21). Según el poeta "más tira/ un pelo e'concha/...que una yunta/ e' un par

de güeyes". El gaucho se acomoda en "la pelambre" y empieza a cor-
coviar. Con una máquina de cortar pelo, una "cero", quiere pelar a "la
sansona", que no se rinde. Logra hacerlo caer "sentando al gaucho/ de
culo/ con su cero,/ dirrotao" (23). Pero, en un descuido, el gaucho "la
repeluda/ cajeta/ le rapa/ en un repelús...". Luego de eso la china queda
mansita, y el criollo se mantiene "lindamente/ sentao/ en purbis/ anjeli-
cal", y como mate y bombilla se echan los dos en brazos del amor (24).

En este libro, en clave paródica y gauchesca, el autor escribió sobre
su poesía y su poética en el poema "La ovejíada". En ese poema las
ovejas son las palabras y el poeta es como el pastor que las reúne en el
redil. El poema es una larga alegoría del acto de creación poética. Abre
el poema con este epígrafe de André Gide: "Luego me dijo que mi
error consistía en partir de una idea y que no me dejaba guiar lo bastante por las palabras" (*Tragedias y parodias I*: 45). Este es un error
que Lamborghini claramente no comete. Su poesía es siempre una
gesta de la palabra. Es la palabra la que guía el acto de creación poética. El poeta se entrega a la palabra y ésta lo lleva a la idea. Comienza
su poema hablando del juego del lenguaje. El lenguaje tiene "su propio
juego" y el escritor tiene que estar atento a éste. Dice: "Escribir de las
palabras/ que tienen su propio juego/ y que jugando se juegan/ su existir en cada apuesta." (45). Son las palabras las que nos llevan a las
ideas: "Las hace brincar un ¡sí!/ en el redil de la mente;/ saltan y rompen las vallas/ y salen a campo abierto." (45).

Lamborghini no compara la actividad del poeta a la del gaucho que
guía el ganado vacuno, sino a la de un humilde pastor con su rebaño
de ovejas. Las ovejas son sumisas, dan su carne y su lana, y los corde-
ros eran las víctimas sacrificiales preferidas en el culto judío ("Levíti-
co" 23). En su alegoría las palabras se lanzan al campo abierto, a la
"pampa infinita", en busca de libertad, y corren sin parar, perdidas.
Entreven el abismo y se detienen, hasta que aparece la luz salvadora,
como un milagro. Se meten en el redil de la hoja de papel, donde
aguarda el poeta, "el hombre de oído atento:/ atento a sus brujerías,/
eterno aprendiz de brujo." (46). A este aprendiz de brujo "el título de
poeta/ de nada y poco le sirve" (46). En esa "magia" es imposible
"graduarse", pero seguirá siempre intentándolo. Su modo de trabajar
es esperar que estas ovejas-palabras se le arrimen; una vez que lo logra
"el hombre se hace una seda;/ se recoge tembloroso/ con ellas y sus

hechizos." (47). Las ovejas empiezan a susurrarle al oído sus "voces prometedoras" hasta que el "pastor" escucha una que le llama la atención. En ese momento "sus nervios se ponen tensos/ como cuerdas de guitarra" y las escribe sobre el papel (47). De inmediato lo asalta la duda. Tiene miedo de haber escuchado mal. Debe esperar a que la palabra se acomode sola, y a veces tendrá que aguardar muchos años para descubrirlo "el escucha y escribiente" (48).

Es poeta quien escucha las voces y las escribe. La inspiración trasciende la voluntad personal, viene de afuera. El poeta tiene que ser paciente para acomodar a estas "ovejitas" y hacer "un buen rodeo". El próximo paso será aprender a combinarlas. Estas ovejitas están llenas de tretas, al punto que el poeta siente que "son hijas de Mandinga", el diablo. El poeta-pastor debe tratar de "pelarles el vellón" de lana. Lo reconocerá porque ese vellón dará "un fulgor dorado". Si no logra hacerlo "no podrá/ aprovechar la esquilada/ y al fin se lo llevará/ el Diablo y sus tentaciones." (49). Este, aclara el poeta, es el homenaje que rinde "a los Maestros del gauchesco", que supieron transformar tantos vellones en "nueva lindura".

El poema está escrito en cuartetos octosílabos, remedando el verso de la gauchesca. En la segunda parte vuelve a repetir, en un poema más conceptual, el tema de la primera parte. Dice que las palabras son la realidad para el poeta: "La apuesta es siempre la misma/ y juegan al todo o nada:/ que realidad por realidad/ la realidad ellas son." (50). En la tercera parte del poema introduce la idea del orden y el azar: "el orden juega al azar" y "el azar juega al orden" (51). El poeta tiene que interpretar esta compleja relación. Las palabras pueden sentir el orden como una cárcel y rebelarse contra él. Estas palabras-ovejas ven en el hombre "un lobo que las acecha/ disfrazado de ovejita." (51). Ahí el poeta tiene que calmarlas para seguir la esquilada. Debe ocultar el lobo que hay en él y mostrarse "humilde", así las palabras "se libran del susto/...y en el redil de papel/ el rodeo continúa." (52). Y empieza "la fiesta", que remeda el día de trabajo del gaucho de Hernández en el *Martín Fierro*: "una se ata las espuelas,/ se sale la otra cantando,/ una busca un pellón blando,/ esta un lazo, otra un rebenque..." .[16]

---

[16]   Dice *El gaucho Martín Fierro* en la estrofa 27 de la primera parte: "Este se ata las espuelas,/ se sale el otro cantando,/ uno busca un pellón blando,/ este un

El poeta tiene que desafiar al fracaso, que a veces le "anuda y frena la lengua", hasta hacérsele una llaga. Es "el miedo a no poder" que lo acecha. Ese miedo lo perseguirá a donde vaya y en el vencerlo se juega la vida. Si no lo vence lo enfermará "de la mente" (53). Su deseo es el mismo deseo de las palabras. Tiene que comportarse con heroicidad: "Si ellas juegan su existir,/ su existir él jugará". Las palabras son su instrumento y el poeta el instrumento de ellas; dice: "Instrumento de su instrumento/ el que escribe será escrito;/ será pastor y será oveja/ en el rebaño de palabras." (53). También el corral, el límite en que viven ellas, es su límite. La identificación entre el creador y su obra es total. Si uno juzga una palabra, será juzgado por ella. Juega una partida que se prolonga en el tiempo. Las palabras, sin embargo, son un simulacro y no la realidad misma: detrás de ellas se esconde un "silencio profundo" (54). Ese silencio es el "silencio de lo indecible" que vive en lo que escribe el poeta, es la otra cara de la escritura, lo que está más allá: lo sublime. Situado frente al mismo, aterrorizado, el poeta modestamente trata de hacer su rodeo de palabras. Este es el concepto de lo que es ser poeta, según Lamborghini.

Coda

Su relación con su tiempo histórico fue compleja. Nacido en 1927, el prestigio de su obra, particularmente entre los jóvenes, creció lentamente pero de forma constante. Poco a poco los lectores se convencieron de que se trataba de un escritor que buscaba renovar la poesía. "La ovejíada" nos explica su proyecto poético: nunca trató de forzar el sentido de las palabras para hacer una poesía de ideas. Las ideas surgieron en unidad con el lenguaje. Las expresó sin sacrificar su concepto de poesía. Las palabras deben conducir el acto poético y el poeta ser su amanuense. El poeta debe escuchar las voces. De esta manera las palabras y su sentido pueden alcanzar un desarrollo orgánico, sin permitir que la lógica de las ideas someta al lenguaje y al poema. El discurso poético mantiene un carácter polifónico, multívoco. Los textos

---

lazo, otro un rebenque,/ y los pingos relinchando/ los llaman desde el palenque" (26).

políticos de *Las patas en las fuentes*, *La estatua de la libertad* y "Eva Perón en la hoguera" surgieron de esas voces de que habla el poeta. En el poema de Eva Perón Lamborghini respetó la palabra misma de Eva y se valió de ella. Se limitó a subrayar algunos de los enunciados, para realzar el patetismo original del texto autobiográfico.

El discurso popular peronista se apoya más en el orden sentimental que en la razón lógica: el sentimiento guía los actos. Eva insistía en que la guiaba el amor. También Perón decía que lo guiaba el amor a la patria y el amor al pueblo. A Lamborghini lo guiaba el amor al lenguaje, el amor a la palabra poética, y el amor a esa fe social singular representada por el populismo nacionalista peronista, y su poema va de la palabra a la idea, y no viceversa. Su juego con la literatura, su parodia de la gauchesca y otras tradiciones poéticas, resulta liberador.

Lamborghini libera al canon de sus propias restricciones, lo resemantiza y lo actualiza: lo lee con criterio contemporáneo. En "SEOL" de *Episodios*, 1980, por ejemplo, toma la letra del himno nacional y la aleja de su ámbito militar, como marcha de combate, para entregárselo al pueblo justicialista (el que necesita y busca justicia), que debe ser su destinatario, con un ritmo nuevo, lo traduce a la sensibilidad y a la problemática contemporánea del pueblo.[17] Para entender la literatura peronista debemos comprender la "razón peronista" que proponía Perón, y cuyo mejor intérprete fue Eva Perón. Eva respondía a las "razones" del corazón.

Leónidas Lamborghini fue un poeta que se identificó con la lucha del peronismo durante los años de la Resistencia peronista: 1955-1973. En desacuerdo con las tendencias poéticas de su tiempo, conservó el espíritu radical de las vanguardias: el deseo de buscar siempre nuevos lenguajes y nuevos caminos para la poesía, y de romper con los lenguajes poéticos recibidos. Su relectura de la poesía nacional lo llevó a identificarse con los poetas gauchescos, que en su concepto habían

---

[17] Es una traducción política en que el sujeto poético pide al pueblo que oiga lo "roto" ("las rotas cadenas" del "Himno nacional") de la "identidad" y "el ruido de lo mortal en el trono de lo sagrado" (*Episodios* 25). El pueblo responde que oye el ruido y "las cadenas rotas de la identidad que se rompe y une". "SEOL" integró la parte 4 del poema "En el camino su" de *El riseñor*, 1975, bajo el título "oíd lo que se oye", antes de que lo publicara como poema independiente en *Episodios*, con el nuevo titulo.

creado una literatura totalmente nacional escuchando la voz del pueblo pobre. Habían contrapuesto su canto popular al canto lírico elevado de los poetas cultos: el canto de Hidalgo, Ascasubi, Pérez, del Campo y Hernández era contemporáneo al de Juan Cruz Varela, Echeverría, Mármol, Ricardo Gutiérrez y Olegario V. Andrade (*Risa y tragedia*...14-17). En la historia de la literatura argentina ese canto paralelo de la gauchesca se transformó en el canto nacional por antonomasia, y tiene un entusiasta público lector, mientras la poesía de los otros poetas se ha vuelto una rareza literaria. Lamborghini entendió que esto se debía a la forma en que los poetas gauchescos habían escuchado el habla del pueblo, y a la distancia crítica que habían mantenido con éste. Lo habían sabido observar y reír con él, apreciando su sentido del humor, y simpatizando con sus intereses. Ese es el camino que eligió para sí mismo, ligando su expresión literaria a la de los poetas populares del siglo XIX. Dado lo creciente de su prestigio y su fama podemos creer que su voz, lentamente, se ha ido imponiendo, particularmente entre los jóvenes, que son sus mejores lectores, y de los que depende la literatura del mañana.

Bibliografía citada

Alberdi, Juan Bautista. *Bases*. Santa Fe: Editorial Castellví, 1957. Prólogo y notas de Leoncio Gianello.

Belvedere, Carlos. *Los Lamborghini. Ni "atípicos" ni "excéntricos"*. Buenos Aires: Colihue, 2000.

Fontanet, Hernán. *Modelo y subversión en la poética de Leónidas Lamborghini*. Lewiston: The Edwin Mellen Press, 2008.

Freidemberg, Daniel. "Herencias y cortes. Poéticas de Lamborghini y Gelman." Noé Jitrik, director. *Historia crítica de la Literatura Argentina*. Buenos Aires: Emecé Editores, 1999. Volumen 10: 183-212.

González, Ricardo. *La poesía de Leónidas Lamborghini*. Buenos Aires: Ediciones Leos, 1998.

Hernández, José. *El gaucho Martín Fierro y La vuelta de Martín Fierro*. Buenos Aires: Editorial Sopena, 1961.

James, Daniel. *Resistencia e integración. El peronismo y la clase trabajadora argentina, 1946-1976.* Buenos Aires: Siglo XXI Editores, 2006. Traducción de Luis Justo.

Lamborghini, Leónidas. *El solicitante descolocado.* Buenos Aires: Ediciones de la Flor, 1971.

--------. *El solicitante descolocado. Poema en cuatro tiempos.* Buenos Aires: Paradiso Ediciones, 2008.

--------. *Las patas en las fuentes.* Buenos Aires: Editorial Perspectivas, 1965. Segunda edición. Prólogo de Juan José Sebreli.

--------. *La risa canalla (o la moral del bufón).* Buenos Aires: Paradiso Ediciones, 2004.

--------. *El saboteador arrepentido.* Buenos Aires: El peligro amarillo, 1955. (Plaqueta)

--------. *Al público, diálogos 1º y 2º.* Buenos Aires: New Books, 1960.

--------. *Partitas.* Buenos Aires: Ediciones Corregidor, 1972.

--------. *Episodios.* Buenos Aires: Ediciones Tierra Baldía, 1980.

--------. *El riseñor.* Buenos Aires: Ediciones Marano-Barramedi, 1975.

--------. *Perón en Caracas.* Buenos Aires: Folios Ediciones, 1999.

--------. *Tragedias y parodias I.* Buenos Aires: Libros de Tierra Firme, 1994.

--------. *El jugador, el juego.* Buenos Aires: Adriana Hidalgo Editora, 2007.

--------. *Encontrados en la basura.* Buenos Aires: Paradiso Ediciones, 2006.

--------. *Verme y 11 reescrituras de Discépolo.* Buenos Aires: Editorial Sudamericana, 1988.

--------. *Trento.* Buenos Aires: Adriana Hidalgo Editora, 2003.

--------. *Odiseo confinado.* Buenos Aires: Adriana Hidalgo Editora, 2005. (1era. Edición 1992).

--------. *Las Reescrituras.* Buenos Aires: Ediciones del Dock, 1996.

--------. *Circus.* Buenos Aires: Libros de Tierra Firme, 1986.

--------. *Risa y tragedia en los poetas gauchescos.* Buenos Aires: Emecé, 2008.

--------. *La estatua de la libertad. Buenos Aires*: Alba Ediciones, 1967.

--------. *Antología personal.* Buenos Aires: Fondo Nacional de las Artes, 2006.

Perón, Eva. *La razón de mi vida*. Buenos Aires: Ediciones Peuser, 1951.

Porrúa, Ana. *Variaciones vanguardistas. La poética de Leónidas Lamborghini*. Rosario: Beatriz Viterbo Editora, 2001.

Romero, Manuel y Carlos Gardel. "Tomo y obligo". http://www.todotango.com/spanish/las_obras

Russo, Carlos. "La Unión Democrática". Haydée Gorostegui de Torres, editora. *Historia Integral Argentina. El peronismo en el poder*. Buenos Aires: Centro Editor de América Latina, 1976. Tomo 8: 119-140.

Sagrada Biblia. Buenos Aires: Ediciones Cisplatina, 1970.

Sebreli, Juan José. "Prólogo". Leónidas Lamborghini, *Las patas en las fuentes*...9-10.

Walsh, Rodolfo J. *Operación masacre*. Buenos Aires: Ediciones de la Flor, 1994. Décimo novena edición.

Zapata, Miguel Angel. "Leónidas Lamborghini La reescritura y la parodia". *El hacedor y las palabras. Diálogos con poetas de América Latina*. Lima: Fondo de Cultura Económica, 2005. 99-103.

Capítulo 12

BOQUITAS PINTADAS: ENTRE MUJERES

L a novela *Boquitas pintadas*, 1969, de Manuel Puig (1932-1990), nos cuenta (o muestra) la vida de un grupo de mujeres en un pueblo de la campaña bonaerense. Puig describe el trasfondo competitivo y mezquino de ese medio social en apariencia tranquilo y familiar. Los personajes quedan atrapados en un mundo cruel y egoísta, que no se compadece de sus limitaciones. El autor presenta al lector las voces familiares de las mujeres de su mundo adolescente, convenientemente desplazadas a personajes de ficción.

En su primera novela, *La traición de Rita Hayworth*, 1968, Puig recreó el mundo de su niñez. Aparecía un personaje infantil que era un alter ego del autor. Puig creció en el pueblo de General Villegas, en la campaña bonaerense. En la novela dio al pueblo un nombre ficticio, Coronel Vallejos (Corbatta 30-6). En ésta, su segunda novela, situó la trama en el mismo pueblo ficticio que en su primera novela, y en el mismo período histórico, las décadas del treinta y del cuarenta. Tomó más distancia con sus personajes y no encontramos ninguno que podamos identificar directamente con el autor (Amícola 300). Se concentra en la descripción de las relaciones sociales y afectivas entre las mujeres y nos da una visión politizada del mundo rural. Puig entiende la vida privada como un espacio que refleja las tensiones políticas de su tiempo y sus intereses y conflictos de clase. En este ensayo discutiré cómo el autor presenta los personajes femeninos protagonistas de *Boquitas pintadas*, en el contexto de la sociedad y los valores de la época. Analizaré la novela como una tragicomedia erótica de costumbres y una alegoría político-social de la vida rural Argentina.

Puig escribe sobre lo que conoce mejor: es testigo y cronista de una realidad humana que vivió y sufrió de pequeño. Criado entre mujeres de pueblo, Puig fue sensible a esas voces familiares que lo sustentaron, protegieron y limitaron. Fue un niño débil y marginado, que desarrolló sentimientos homoeróticos y tuvo problemas con la autoridad paterna. En la novela se identifica con esas mujeres a las que ama y teme (Levine 33-51). Proyecta en los cuerpos, las voces y las historias de las mujeres, sus deseos y resentimientos infantiles travestidos (Riobó 78-91).

El autor, en lugar de narrar, deja que los personajes hablen por sí mismos. Empleando técnicas dramáticas (el diálogo directo) hace del lector un "espectador" de las intrigas amorosas de los personajes. El lector percibe de inmediato la autenticidad del procedimiento (Giordano 61-6).

Boquitas pintadas cuenta la historia de varias mujeres de Coronel Vallejos, que están enamoradas, son amantes, o parte de la familia del galán del pueblo, Juan Carlos Etchepare. Juan Carlos, un joven mujeriego, no es un verdadero Don Juan. En la tradición hispánica el Don Juan es un hombre fuerte, dominador, que desafía el orden patriarcal de la familia, seduce y abandona a las jóvenes y se burla de los padres. Juan Carlos, por el contrario, es un hombre débil y solo puede parecer un Don Juan cuando se vanagloria de sus aventuras eróticas y le da consejos a su amigo Pancho. En la novela prevalece el punto de vista y la psicología de las mujeres. Son ellas las que compiten y engañan para lograr lo que quieren; las que hablan, convencen y son activas. Juan Carlos es el objeto deseado elusivo. Ese objeto del deseo se desplaza, no pueden poseerlo y dominarlo como quisieran, lo cual genera en ellas una sensación de inseguridad, carencia y pérdida, que prevalece en la novela. En la competencia por Juan Carlos las mujeres recurren a sus "armas" femeninas: el chisme, la delación, la envidia, la traición, el odio a muerte.

La novela despliega un mundo cruel y altamente competitivo en que las mujeres luchan por el macho. Ven al ser deseado como alguien vulnerable y manipulable a quien deben proteger. Refuerza esta impresión el hecho de que Juan Carlos está enfermo de tuberculosis, una dolencia que lo somete a una "dulce espera": la muerte lenta se aproxima en medio de los goces que le permite el sexo. La literatura romántica presentaba al tuberculoso como una figura patética y heroica, un ser que amaba y deseaba y veía su sueño tronchado por la muerte. El personaje del tuberculoso de Puig es distinto. Juan Carlos es un antihéroe mezquino, egoísta y práctico, que busca su propio placer. Las verdaderas heroínas (o antiheroínas) son las mujeres que lo quieren y luchan por su amor. Juan Carlos es un hombre que saca provecho de cada relación. No tiene fuerza para predominar, luchar e imponerse. Su padre ha muerto y ha dejado a la familia en la pobreza. Pierde su trabajo por su enfermedad y se apoya en las mujeres. "Vive" de ellas y acepta jugar el papel de objeto, de hombre seducido. Es el muchacho que las deja hacer a cambio de un beneficio. Es una figura poco masculina. Las mujeres se realizan en él, porque les permite mostrar su poder. Juan Carlos se deja conseguir: se acuesta con Mabel, aunque sabe que ella, ambiciosa, no lo quiere como novio, prefiere al "inglés" estanciero; vive con la viuda, una mujer madura de 45 años, solo porque lo mantiene y acepta arruinarse económicamente para pagar su tratamiento médico en el clima más benéfico de Cosquín.

Las mujeres ven a Juan Carlos como el ser en que pueden confirmar la fuerza de su feminidad: Juan Carlos es bello y sexualmente potente (tiene un gran miembro sexual!); ellas proyectan en él su propio narcisismo y se envanecen tratando de conseguirlo. Tener a Juan Carlos es confirmar su propio valor. La relación que cada una mantiene con él las define como personajes: Nené es la novia abnegada y pseudo virgen (no se acuesta con Juan Carlos porque quiere casarse con él y, temiendo su rechazo, finge su virginidad, ya que tuvo una relación con un hombre maduro, el Dr. Aschero); Mabel, la joven ambiciosa que consigue lo que quiere a cualquier precio y se burla de las convenciones morales del pueblo, manteniendo relaciones sexuales secretas con Juan Carlos y Pancho; la viuda, más madura y práctica, es la mujer independiente que pasa por encima de sus rivales y se queda con el codiciado galán, como "enfermera" y amante. Junto a ellas están los familiares y amigos, que también quieren a Juan Carlos: Celina, la hermana celosa y posesiva; Doña Eleonor, la madre que se realiza protegiendo al hijo enfermo; Pancho, el amigo obrero de Juan

Carlos, amante de la Raba, la sirvienta, contraparte "baja" y "cómica" de la pareja seria del drama.

Entre todas las mujeres, Raba es la más libre y valiente. Hace lo que siente, mata al hombre que la traiciona, escapa al castigo de la justicia, y se realiza como madre y amante. Es la única que logra expresar la rabia y la violencia contenida y la encauza de una manera productiva. Junto con el personaje de la madre de Juan Carlos, abnegada e intachable, Raba es la mujer a la que Puig trata mejor en su cruel galería de personajes populares. Es auténtica, fuerte, generosa. Y la más proletaria del grupo: la sirvienta despreciada.

Puig tiene una manera inusual de contar. Su imaginación es melodramática: educado esencialmente en el cine, más que en la literatura, imagina sus novelas como escenas dialogadas. Prefiere no introducir narradores. Formado como guionista, inició su carrera literaria de manera desplazada. El desplazamiento, la metonimia, es una figura rectora en su novelística: el autor traviste personajes y los desplaza, desplaza recursos dramáticos del cine a la literatura, desplaza el poder de los hombres a las mujeres, y de la clase media al proletariado.

Mostrando una sensibilidad afín con el Peronismo, Puig simpatiza con los "cabecitas negras", con los "grasitas". Retrata a la clase media como prejuiciosa, cruel, oportunista, revanchista, pero el proletariado es capaz de pasar por encima de sus limitaciones y ser leal a lo que ama. Pancho, el albañil que se aprovechó de la Raba y no quiso reconocer a su hijo, lo visita a escondidas, le hace regalos y le muestra afecto; mantiene una relación tierna y protectora con su propia madre y sus hermanos. El asesinato de Pancho es el drama de celos de una mujer despechada: lo mata cuando descubre que se acostaba con su patrona y mientras salía éste de su dormitorio por la noche. Mabel exige a la Raba que mienta, y así la salva del castigo de la justicia, pero no lo hace para ayudar a la sirvienta, a la que desprecia, sino para proteger "su buen nombre" y lograr que nadie se entere que se acostaba con el "negro" Pancho.

Puig muestra a sus personajes en sus debilidades y miserias. Trata de desnudarlos, descubre su manera de hablar más íntima y comprometida, introduce cartas, informes, descripciones de fotografías. No encontramos en la novela un narrador, o una voz moralizante que hable sobre los personajes y las situaciones, aleccionando al lector. Esta manera casi periodística de desarrollar la historia hace sentir al lector que se trata de una crónica de sucesos contemporáneos. Las fotos, los informes, las cartas operan como evidencias y pruebas de la "verdad". Nos enteramos en detalle cómo es la vivienda de cada personaje, cómo viste, qué aspecto tiene, en qué trabaja y qué hace, a qué hora se levanta. Puig escoge personajes de la clase media y el proletariado: Nené es empleada de tienda e hija de un jardinero; Mabel es maestra y su padre es un martillero público en buena posición; la Sra. Di Carlo es viuda y luego pone una pensión; Juan Carlos es empleado municipal y su hermana Celina es maestra; Pancho es albañil y luego estudia para policía; la Raba es sirvienta.

El lector se entera con desagrado de cómo viven los pobres Pancho y Raba. La pareja proletaria protagoniza una tragedia cuando Raba, por celos, acuchilla a Pancho, que la ha rechazado. El melodrama de Puig frustra las expectativas de aquellos lectores que desean el triunfo del amor. Los personajes, que sueñan con superar sus limitaciones económicas y barreras sociales, no muestran solidaridad de clase entre ellos. Aquellos que tienen una situación económica y social más ventajosa procuran que los menos poderosos acepten su lugar como inferiores; la esposa del Dr. Aschero, patrona de la Raba, le dice que sólo salga con obreros o personas de su condición. Los miembros de la clase media procuran casar bien a las hijas y el matrimonio es la principal alianza para posibilitar el ascenso social.

Los personajes de clase media observan con envidia el mundo poderoso de la oligarquía ganadera al que no tienen acceso. Es un mundo al que aspiran, pero que está fuera de su alcance. Mabel se pone de novio con un estanciero hijo de ingleses, al que engaña con Juan Carlos. Cuando consulta su situación con la consejera de una revista sentimental, ésta le dice que prefiera al inglés y su dinero, y se aleje del tuberculoso. Su padre finalmente estafa a la familia de su novio, vendiéndole toros enfermos y ésta no respeta el vínculo entre familias y le hace un juicio.

Juan Carlos decía que descendía de una familia de estancieros. Su abuelo tenía campo, pero su tío había estafado a su padre y se quedó con la fortuna de la familia. El padre de Juan Carlos, ya fallecido, había sido Contador, recibido "en la universidad", como destaca el personaje a su novia, pero él sólo pudo terminar una escuela secundaria (107). Para estudiar en la universidad había que ir a la ciudad y su familia, empobrecida, no podía pagarlo. Un día, Juan Carlos, siendo un adolescente, decide visitar la tierra que había sido de su familia, y se encuentra allí con un niño de su edad, con quien conversa. La familia dueña del campo lo invita a comer, porque se da cuenta que era un niño de su clase y no un "negro croto" (112). Le quedan a Juan Carlos nostalgias de ese pasado de su familia, y viste con distinción, con una cara campera de cuero que identifica a los miembros de la oligarquía ganadera. El padre de Nené lo llama con sorna "el estanciero". Pero en la realidad Juan Carlos es un empleado municipal que vive de un modesto salario. La comuna lo dejará cesante de su trabajo al saber que está tuberculoso.

Esta sociedad está regida por reglas de conducta represivas y tabúes que todos aparentan respetar. Se espera la virginidad en el matrimonio, y las mujeres aspiran a conseguir un esposo solvente, que sea capaz de ponerles una buena casa. La pobreza les avergüenza, y cada "amiga" trata de demostrar a la otra su superioridad social, haciéndola sentir inferior en la medida de lo posible. La rivalidad de Celina y Nené comienza cuando en la fiesta del día de la primavera en el Club Social preparan unos números de baile y la eligen a Nené y no a ella para participar. Celina es demasiado baja de estatura y queda descalificada. La superioridad física de Nené, que es rubia y más alta, humilla a Celina, que a partir de ese momento hará lo posible por destruir a Nené. Cuando Nené se transforma luego en la novia oficial de su hermano, considerado el joven más guapo del pueblo, su odio aumenta. Celina la culpa por la enfermedad de Juan Carlos y trata, años después, ya fallecido éste, de destruir su matrimonio con Massa.

Para darle al lector un cuadro más completo de esta sociedad, además de recurrir a la presentación directa, Puig utiliza en momentos claves de la novela el monólogo interior superpuesto al diálogo o por sí mismo, y nos muestra la manera de pensar y sentir de sus personajes, casi siempre ruin e interesada. El retrato de la humanidad de Coronel Vallejos es desoladora: la familia cristiana está muy lejos de ser ejemplo de bondad. Los personajes no tienen valores altruistas, se dejan llevar por sus intereses materiales. Las mujeres utilizan su femineidad y habilidad de seducción como una máscara para encubrir y disfrazar sus impulsos instintivos y satisfacer sus deseos egoístas. Se valen del espionaje, la mentira, la intriga y la delación para luchar con sus rivales.

En *Boquitas pintadas* los hombres están en segundo plano: las verdaderas protagonistas son las mujeres. Ellas son las emprendedoras, las ambiciosas. Los hombres son manipulables y bastante tontos. La viuda define a Juan Carlos como un "cabeza hueca": es un joven voluble e ignorante, irresponsable, que tira el dinero, bebe, fuma, juega a las cartas por dinero, persigue a las mujeres (215). A pesar de su enfermedad, la tuberculosis, que lo lleva a la muerte, ni sus familiares ni sus amantes logran cambiarlo, el personaje permanece invariable en su comportamiento. Las mujeres evolucionan constantemente, pero casi todas terminan mal. Solo la Raba se reivindica. Es la única que no tiene valores de clase media. No es interesada. La guía el amor y se deja llevar por sus impulsos. El proletariado es auténtico, lucha y se impone. Al final de la novela la Raba es la gran ganadora. Se vengó y no fue presa, se casó después con un viudo, cuenta con el amor y el respeto de sus hijos e hijastros, y tiene un buen pasar, que logró con su trabajo.

Estas mujeres que compiten entre sí crecieron juntas y fueron a la misma escuela. El trabajo más digno para ellas es el de maestras. Celina y Mabel lo son, y también la esposa del Dr. Aschero. Nené quería ser maestra, pero su madre no contó con recursos suficientes para hacerla estudiar. Nené, empleada de tienda, asciende de posición al casarse. Va a vivir a Buenos Aires y no trabaja, es ama de casa. Aspira a tener una sirvienta que haga el desagradable trabajo de la limpieza. Cuando Raba va a trabajar de obrera a Buenos Aires, luego que nace su hijo, Nené no la recibe en su casa, la trata como a un ser inferior.

Las mujeres de clase media y las que aspiran a pertenecer a la clase media muestran prejuicios insuperables contra los proletarios. Celina, Mabel y Nené desprecian a Raba por ser pobre y tener que ganarse la vida como sirvienta. Juan Carlos se hizo amigo de Pancho, de condición inferior, un "negro". El afecto prevalece entre los amigos, Pancho admira a Juan Carlos, que es mujeriego, pero cuando matan a Pancho,

Juan Carlos parece no sentir mucha pena. En *Boquitas pintadas* la muerte no nivela a las clases sociales, mantiene sus diferencias, y aún las exagera. A Pancho lo enterrarán en una fosa común desagradable, donde se amontonan los cuerpos de los pobres, se descomponen unos encima de otros y nadie va a visitarlos; Juan Carlos, en cambio, será enterrado en una bonita tumba, le colocarán inscripciones de afecto y reconocimiento y le llevarán flores; Nené morirá rodeada del afecto de sus hijos y su marido, y recibirá el entierro que corresponde a la madre de una familia pudiente. Puig no concluye las historias en el momento de la muerte de los personajes, la relación entre ellos continúa después de la desaparición física. Siguen aferrados a la memoria de sus muertos. La novela se abre con la muerte del protagonista, Juan Carlos. Nené decide abrir su corazón y escribirle a la madre de Juan Carlos. En ese momento comienza la evocación de la vida pasada de los personajes que forman la trama de la obra.

Los hombres en la novela son espiritualmente vacíos. Juan Carlos en un momento trata de suplir su falta de imaginación recurriendo a los servicios de una gitana, que le adivina su futuro. Las mujeres son espirituales y su educación es limitada. El medio social no promueve el desarrollo individual. Son religiosas y creen en el más allá. Celina, Doña Leonor, Nené son católicas e imaginan un mundo en que dios las va a compensar por sus dolores y sus sacrificios. Mabel, la pragmática, que se burla de la moral social y es muy interesada y egoísta, decide confesarse antes de su casamiento y contar lo que pasó con Pancho. El cura "no la entiende" y le dice que cuente la verdad a la policía sobre el asesinato, que ella encubrió. Por supuesto que ella no le hace ningún caso al sacerdote.

Nené sueña, después de la muerte de Juan Carlos, y mientras regresaba con sus hijos en colectivo de Cosquín, donde visitó a la viuda Di Carlo, una escena con Juan Carlos en el más allá (233). Es el momento de la resurrección después del juicio final, que ella aguardaba con vehemencia para poder recuperar el rostro de Juan Carlos, el sumun de la belleza. Ese es su consuelo: quiere volver a verlo después de la muerte y estar juntos toda la eternidad, tal como lo prometen las historias de los boleros que admira (Kohan 313-9).

Para Nené, Juan Carlos fue el único amor de su vida. La viuda le aseguró que pensaba casarse con ella. De no haber sido por su enfermedad hubiera sido distinto su destino. Resignada a casarse con quien le ofreciera matrimonio, Nené se había casado con un buen hombre al que no amaba, y la convivencia se había vuelto una tortura para ella. Ni siquiera pudo amar a los hijos del matrimonio, a los que veía feos y le irritaban.

Estas mujeres ven el mundo espiritual como un modo de escapismo de su medio social opresivo. La religión no las salva, las consuela. Su creencia es simple y popular, animista. Creen en un sistema de favores y compensaciones. Creen en la familia y viven el amor individual como un pecado y una culpa. Buscan ajustarse a la norma social y consideran malas e inmorales a quienes intentan desviarse de ésta. El fruto de este sacrificio es siempre el hijo. Sin embargo, la realidad frustra sus ideas simples sobre la felicidad. Puig enfrenta sus esperanzas a la chata realidad social.

La otra fuente de espiritualidad para estas mujeres es el arte de consumo popular masivo: el folletín, el radioteatro, el cine de Hollywood. Hollywood y sus estrellas representan para ellas el pináculo del arte. Es un arte producido en serie, comercial, pero ellas ignoran otro tipo de expresión artística. La gran literatura no forma parte de sus vidas. Nené se siente transportada cuando en Buenos Aires visita el cine Astros y ve su preciosa arquitectura y su techo que imita un cielo nocturno estrellado (141). De todas ellas la que conoce más de cine y arte (según la opinión de Nené) es Mabel. Tienen una educación convencional. Su mundo se desarrolla dentro de las mediocres expectativas de la vida pueblerina. Son vulgares y muestran una sensibilidad doméstica: consumen romances, radioteatros, cine de entretenimiento y leen revistas del corazón. Buscan el amor, y no la autorrealización del arte. Sobre todo el amor que lleva al buen matrimonio, que trae prestigio y posición social. El amor romántico o erótico es un lujo y un exceso que pocas veces se pueden permitir.

Lo sexual las abisma: el sexo fuera del matrimonio es tabú y actúan en secreto, ocultando sus verdaderas motivaciones. Juegan el juego que la sociedad pueblerina espera de ellas. Son maestras del disimulo. Si tienen que elegir entre el amor y la conveniencia, el amor y el estatus, eligen la conveniencia y el estatus. Mabel abandona a Juan Carlos cuando sus padres lo critican por ser pobre y estar enfermo, y se pone de novio con un promisorio estanciero. Nené deja a Juan Carlos cuando comprende que no se recuperará de la tuberculosis y se pone de novia con un martillero público, que le promete matrimonio. Mabel, después de vivir varias aventuras secretas, en que no tiene en cuenta el origen social del amante sino el placer erótico que le proporciona, se casa con un estudiante de economía y van a vivir a Buenos Aires. Sólo la viuda, ya mayor, se permite gastar su dinero en un amante joven.

Nené será la que logre mejor posición económica: su esposo crea una empresa inmobiliaria y sus dos hijos son profesionales, uno médico, otro ingeniero. Sin embargo, ninguna de ellas consigue ser feliz. Se ven condenadas a vivir con quien no aman y sacrificar el deseo de un gran amor, que no llega, por una posición social decente. Buscan ser alguien en la sociedad. En una sociedad que les da un papel subalterno. Si bien se lamentan de su destino no se rebelan contra él. Carecen de la profundidad y la conciencia que puede darles la autocrítica. Son mujeres alienadas, no comprenden su verdadera situación. Puig no las ve como heroínas sino como anti-heroínas, parte de un sector social en el que creen y al que someten su individualidad. Transmitirán luego ese mismo sentido del deber social a sus hijos. Viven en una sociedad normalizada, en la que no hay lugar para el gran amor ni para la pasión.

La muerte de Juan Carlos, un amor "imposible", tanto por su volubilidad amorosa como por su enfermedad terminal, les señala el gran vacío al que están condenadas. Los hijos no son capaces de compensarlas. Extrañan el amor romántico con que habían soñado y sólo en parte consiguieron. Viven una profunda desilusión. Son seres comunes, mezquinos, poco inteligentes. La más culta de todas, Mabel, es también la más oportunista y pícara. La hermana de Juan Carlos, que se queda soltera, es diabólica. Solo Raba, de quien nada esperábamos, lo da todo, y la vida la compensa: amor, hijos. También le permite vengarse. Se hace justicia por su mano.

Esta es la experiencia de los personajes en la vida pueblerina. Su ambición mayor es escapar de ese ambiente opresivo, ir a la gran ciudad. Mabel y Nené encuentran una posición social mejor en la ciudad moderna y cosmopolita, donde hay menos vigilancia y no las persi-

guen las habladurías y los chismes. Raba es la única que se va a Buenos Aires a trabajar y regresa desilusionada a vivir al campo. Es una
auténtica criolla y se siente mal lejos de su tierra.

La novela de la vida de estas mujeres termina bastante mal: se
adaptan a las expectativas de la mezquina clase media. La clase media
en la visión de Puig está condenada a la mediocridad. Se guía por sus
prejuicios y sus cálculos económicos. Las mujeres, a pesar de sí mismas, parecen ser las guardianas de ese orden. Para mantener ese equilibrio sacrifican el deseo individual. El amor cede a los intereses de la
familia. Aquellas que infringen ese orden son cruelmente censuradas y
condenadas por sus pares. Los celos y las envidias entre ellas están
destinados a corregir a las infractoras.

En la escena final de la novela, en su lecho de muerte, Nené cambia
su testamento. Había soñado reencontrarse con Juan Carlos en el juicio
final, cuando Dios resucitara los cuerpos. Había solicitado al escribano
que la enterrara con las cartas de amor de Juan Carlos en su pecho
(236). En lugar de eso le pide a su marido, a quien no amó, que queme
las cartas, le ceda su alianza de casamiento, y ponga objetos recorda-
torios de sus hijos, a quienes despreció cuando eran niños, en su féretro. Ya adultos, sus hijos son valiosos profesionales, y su marido se ha
forjado una sólida posición económica al frente de una empresa inmobiliaria. En la lucha entre el amor y el dinero triunfa el dinero. La
mujer debe someterse a los intereses del grupo.[1]

---

[1]   *Boquitas pintadas* y Eva Perón
     El lector argentino asocia las vidas de estas mujeres, tan bien presentadas por
     Puig, con el destino de tantas jóvenes provincianas que van a vivir a Buenos
     Aires para buscar un futuro mejor. Logra entender cómo es ese mundo del que
     tratan de escapar, tan poco idílico, que les provoca frustración y resentimiento.
     Eva Perón salió de un medio pueblerino semejante al que describe Puig (Du-
     jovne Ortiz 43). Criada en el pueblo de Los Toldos, la familia pasó después
     a Junín, en esa época una pequeña ciudad pampeana, y a los quince años,
     deseando forjarse un destino como actriz, se fue sola a Buenos Aires. Llevaba
     consigo su vocación y su ambición de triunfo. Su educación formal era escasa.
     Como hija menor de una unión irregular, entre una mujer mantenida como
     querida y un hombre de recursos, que tenía prestigio en el mundo rural y era
     ya casado, Evita sufrió las humillaciones y el desprecio de la mayoría de los
     pueblerinos que condenaban moralmente a su familia y reprochaban a Eva su
     orgullo y su personalidad diferente. Dujovne Ortiz, en su biografía, cuenta

sobre la difícil infancia de la niña y cómo esa experiencia pueblerina la marcó para siempre (42-3). Muerto su padre cuando ella tenía siete años, su madre se ganó la vida como modista y luego puso una pensión. Evita se hizo sola y, después de trabajar con varias compañías de teatro como actriz principiante, se transformó en una estrella del radioteatro.

Sus biógrafos coinciden en adjudicar su fuerza de carácter a las experiencias de infancia, que la obligaron a sobreponerse a un medio pueblerino hostil y mezquino (Navarro 24-6). Luchó sin claudicaciones para conseguir lo que quería, y se identificó con los despreciados y los humildes. Ella representó a toda una clase de mujeres y hombres provincianos que llegaban a Buenos Aires a buscar trabajo y forjarse un futuro mejor. Perón, que quería darle alas a esa Argentina en ciernes, vio en Evita una personalidad simbólica y le confió durante su gobierno un rol asistencial representativo. Perón dio a los humildes y al proletariado un papel protagónico: organizó a los trabajadores en grandes sindicatos, que a su vez se transformaron en su base política. Canalizó las frustraciones de los trabajadores en una política nacional antioligárquica que ofendió a la clase media, que lo acusó de tirano (Nállim 92-100).

La historia de Evita fue distinta a la de esas mujeres de Coronel Vallejos que imaginó Puig. Evita no se rindió a las habladurías ni a los desprecios de sus compañeras y luchó por concretar sus sueños y sus deseos. Luego de vivir sola en Buenos Aires y transformarse en una actriz exitosa de radioteatro, conoció a los veinticinco años al Coronel Perón, que la doblaba en edad, y mantuvo una relación sentimental con él. Era una relación escandalosa y tabú, tanto para ella, por ser una joven actriz que vivía con un hombre mucho mayor que ella, prominente en la política, como para él, que, siendo ministro del gobierno, tenía una joven amante actriz, a la que exhibía en público como su mujer. Para la clase "decente" argentina y para sus compañeros de armas una actriz era sinónimo de mujer fácil y sin sólidos principios morales, pero Perón era un militar diferente, que no se sometía a los prejuicios de casta del Ejército. Eva y Perón eran dos individuos atípicos, que se enfrentaron con el sistema y se rebelaron contra él. Tenían espíritu revolucionario. Representaban, por su situación familiar y de clase, el sentimiento local, criollo, argentino. Su historia personal se reflejaba en sus aspiraciones sociales.

La oligarquía consideró a Eva una resentida. Podrá pensar el lector: mejor resentida que sometida. Si prestamos atención al mundo que describe Puig ese resentimiento está justificado. En la novela de Puig los personajes terminan en la frustración y el desencanto. La vida de Eva Perón es el triunfo de la pasión y el amor, tanto en el aspecto individual como en el social. Eva es quien logró llevar adelante su deseo de ser diferente. Sarlo la ha calificado con justicia de apasionada y excepcional (22-38). Los personajes de Puig, en cambio, son comunes y calculadores. En esas condiciones el amor no puede triunfar, porque fracasa ante los pequeños intereses de grupo y el egoísmo individual.

Boquitas pintadas presenta un mundo obsesionado con las apariencias y el qué dirán, que el autor condena. En el medio pueblerino rural los pequeños intereses familiares ahogan cualquier pasión significativa. Sólo escapan de esta determinación los criollos, que tienen su mundo aparte, y se dejan guiar por su pasión y su coraje. Los criollos han sido degradados y viven una existencia marginal. Se ha impuesto la mentalidad adquisitiva de los inmigrantes. Raba realmente ama y cuando odia, mata. A los hijos los quiere a todos por igual, a los propios y a los ajenos, que también la reconocen como madre.

La clase media pueblerina emigrada a la ciudad reproduce los patrones sociales bajo los que se crió. Puig no solo condena a la clase media rural: la urbana no es muy diferente, aunque puede escapar más fácilmente a sus condicionantes. En la gran urbe están rodeados de los espectáculos del arte de masas, dirigidos precisamente a gente como ellos. Hay grandes salas modernas de cine-teatro, en que ven a las divas de Hollywood en la pantalla, y pueden admirar en vivo a las estrellas del espectáculo nacional. El arte de masas les devuelve las ilusiones.

Puig justifica la inautenticidad del arte de masas. El radioteatro y el cine de Hollywood permiten a las amas de casa escapar por breves momentos del sometimiento de la vida cotidiana (Páez 28-31). Todas quieren encontrar el amor para formar la familia, pero terminan sacrificando el amor por los hijos y viven frustradas. El arte de masas les ayuda a sobrevivir: crea ilusiones donde hay desilusión. Es un arte catártico y saludable, aunque sea escapista. Alivia el sufrimiento. La visión de Puig es popular y antielitista, se lleva bien con el populismo y la sociedad de masas.

No sólo las mujeres necesitan los espectáculos de la cultura de masas. También los hombres buscan escapar a su vida de sacrificio y sometimiento a los intereses de la familia. El marido de Nené iba siempre a ver los partidos de fútbol con sus hijos. La vida familiar les resultaba limitante e insatisfactoria. Los espectáculos deportivos canalizaban el espíritu competitivo de los hombres en juegos multitudinarios bien regulados por los intereses comerciales.

La convivencia de la clase media para Puig es sórdida, tanto para hombres como para mujeres. Los hombres de *Boquitas pintadas* son seres vulgares y vacíos, convencionales. Las esposas quieren a sus maridos poco y mal. Ellas se dejan llevar por sus conveniencias e intereses. Ellos son instintivos y demandantes: buscan la satisfacción sexual y se sienten gratificados cuando conquistan. La conquista exalta su masculinidad. Pero la masculinidad aparece devaluada en la novela de Puig. Los seductores terminan mal. A Pancho lo acuchillan y Juan Carlos muere lentamente enfermo de tuberculosis. No es más positiva la imagen paterna. El padre de Nené muere de cáncer y a la hija no parece importarle mucho. El padre de Juan Carlos es un hombre débil que deja a su familia desprotegida al morir. La manera de seducir de las mujeres es diferente. Compiten entre ellas para quedarse con el que todas quieren. Envidia y deseo se asocian. Las mujeres se identifican con Juan Carlos: es lindo, vanidoso, superficial, débil, interesado, dependiente. Como objeto sexual es proyección de su ego.

La imagen literaria del mundo de la pampa que nos da Puig es muy distinta a la que había propuesto anteriormente la novela rural. Ricardo Güiraldes en *Don Segundo Sombra*, 1926, idealizaba la vida de la pampa. En la novela el joven adolescente Fabio, que vivía en el pueblo, bajo la tutoría de las tías, se escapa al campo para vivir la vida del gaucho y "hacerse hombre". La familia criolla aparece débil y dispersa. Don Segundo era símbolo de la masculinidad del gaucho y el patronazgo benévolo del caudillo rural "civilizado". Con *Don Segundo Sombra,* el gaucho rebelde de la novela gauchesca, que había iniciado con éxito Eduardo Gutiérrez, se vuelve hombre de trabajo. El mundo rural salvaje está domesticado. Puig se centra en la vida del pueblo. La inmigración lo ha cambiado y ha transformado sus valores. Sus hábitos de vida imitan los de la ciudad. Han surgido nuevos intereses económicos. El espíritu de la gente es más mezquino. Los dueños de estancia son los ricos del lugar que desprecian a la población que los sirve. Los estancieros se identifican con los ingleses y no con el espíritu del criollo. No se ven gauchos por ningún lado. Raba se casa con un tambero. La familia de Pancho, mestiza, literalmente se muere de hambre.

Las relaciones de clase en el pueblo aparecen intensificadas por la rivalidad personal de sus actores. Se mueven en un espacio más reducido, y en ese teatro son más aparentes las mezquindades del ser humano. Las posibilidades épicas de la vida rural desaparecen. Pueblo chico, infierno grande. El lugar de escape es la gran ciudad. Como dice Massa, el marido de Nené, el pueblo no le dio nada, es un sitio mezquino (138). Crecer, en la Argentina de la década del treinta y el cuarenta, significaba modernizarse, y la modernidad se identifica con la vida urbana. El amor es otra cosa: es la verdadera utopía inalcanzable de la modernidad.

En el pueblo las reglas de conducta son estrictas e impiadosas.[2] La sociedad pueblerina condena la ilegitimidad y las jóvenes de clase media huyen con terror de esa amenaza. En la novela sólo Raba es capaz de enfrentar la humillación que significa ser madre soltera. Raba es sólo una sirvienta, despreciada de antemano hasta por sus propias compañeras de escuela. Pancho, que también es pobre, pero está empeñado en ascender socialmente, y pasa de albañil a policía del pueblo, teme que lo castiguen por haber tenido un hijo ilegítimo. Mabel, la más inmoral y "viciosa" del grupo de mujeres, es incapaz de enfrentar la censura de sus padres y renuncia al noviazgo con Juan Carlos, pero no al sexo. Juan Carlos se pone de novio con Nené, su novia formal y "pura", decente, con quien pensaba casarse, y se acuesta por las noches con Mabel, a escondida de sus padres. Esta situación sólo termina ante el temor de Mabel de contagiarse la tuberculosis. Entonces Mabel lo reemplaza por Pancho, el morocho albañil fuerte, y Juan Carlos la reemplaza por la generosa viuda Di Carlo, que no se detiene ante nada para estar con él, aunque sabe que Juan Carlos no la quiere.

Estas mujeres que fracasan en el amor y temen enfrentar a su sociedad, y ser excluidas o condenadas, hacen lo posible por alcanzar y mantener su independencia económica. Son trabajadoras y empleadas responsables. Mantienen una conducta laboral encomiable. Las más afortunadas son las maestras. La viuda se transforma en propietaria de pensión. Raba, la sirvienta, es la que tiene una vida más dura. Puig describe el lugar donde vive, el cuarto de despensa, entre los productos

---

2   Ser hija de una pasión amorosa, como lo fue Eva Perón, cuya madre aceptó convivir con un hombre casado pudiente que tenía otra familia, y tener hijos con él, era un pecado severamente castigado por la sociedad pueblerina. Eva y sus hermanos fueron condenados a la exclusión social. Dujovne Ortiz cuenta en su biografía como los niños de la escuela se apartaban de Eva y no querían jugar con ella, ni la invitaban a la casa porque era hija de un amor ilegítimo (42).

de limpieza, y su trabajo en la casa. Su tía tiene un trabajo aún más pesado como lavandera, y sufre de artritis. Lava la ropa a mano, con agua fría, durante horas cada día.

Las mujeres son las que llevan la carga de la vida en el pueblo. Entre ellas hay muy poca solidaridad. Los únicos vínculos que se respetan son los de madres a hijas. Las madres son incondicionales de sus hijas. Fracasan en la vida amorosa pero se realizan como madres. Son malas amantes y buenas madres. Aún la egoísta Mabel, al final de la novela, ya jubilada como maestra en Buenos Aires, continúa trabajando para ayudar a su nieto paralítico. Nené sacrifica el recuerdo de Juan Carlos, el gran amor de su vida, con quien deseaba reencontrarse después de la muerte, y reemplaza sus cartas, que hace quemar, por objetos de sus hijos cuando eran pequeños. Esto asegura la continuidad de los lazos familiares, que prevalecen. La familia acaba por someter a todos los rebeldes a sus propios intereses.[3]

Puig llevó el punto de vista del cine a la novela y el melodrama a la literatura. Fertilizó un medio artístico de pasado elitista, como es la literatura, con el arte de masas. Aportó una línea literaria nueva a la literatura argentina, caracterizada por sus graves escritores intelectuales e hipercultos, como Borges y Sábato, y sus escritores periodistas más populares, como Arlt y Walsh. Puig profundizó una línea popular y populista que no se deriva del periodismo, sino del arte de masas: la

---

[3]   Eva Perón, como personaje mítico de nuestra historia nacional, representa para los peronistas la pasión y el amor. Pasión política y amor por el pueblo. Las mujeres de Puig son seres convencionales que no han podido hacerse un lugar digno para sí. Se consuelan escuchando los radioteatros. Eva era actriz de radioteatro y uno de sus mejores papeles fue el ciclo de mujeres prominentes e ilustres de la historia que protagonizó en Radio Belgrano desde 1943, poco antes de conocer a Perón (Sarlo 66-8). Esas mujeres ejemplares eran fuertes y heroicas y Eva quería ser una de ellas. Su buena fortuna se lo permitió. La fuerza de su carácter y su coraje hicieron posible que se condujera bien en su vida pública, como líder y esposa de Perón. Su muerte temprana, en la cúspide de su prestigio social, la transformó en una heroína nacional, en una figura mítica arraigada en el imaginario argentino. En ese panteón olímpico la acompañan solo aquellos que han sabido ganarse el corazón del pueblo: el cantante y actor Carlos Gardel y el revolucionario Che Guevara. Todos muertos prematuramente en la cima de su fama. Entre éstos es Che Guevara quien simboliza, como Eva, un importante ideal social.

canción popular, la novela serial melodramática y el cine de entretenimiento.[4] En su literatura los distintos sectores sociales aparecen
enfrentados. Puig describe en detalle cómo viven: su modo de pensar
y de sentir, su manera de vestir y de comer, el lugar donde habitan;
describe sus aspiraciones sociales y sus gustos sexuales.

La clase protagonista es la clase media, a la que Puig pertenece.
Describe con comprensión su dudosa moral y el fracaso de la vida de
sus personajes. Para ellos el amor no es más que una ilusión, que sacrifican ante las responsabilidades y el mandato de la vida familiar. La
clase media en esta etapa de la vida histórica nacional carece de
heroísmo, es incapaz de vivir a la altura del deseo. El amor pasional
amenaza su fundamento y los lleva a la destrucción y a la muerte.
Porque conocen su carácter fatal procuran adaptarse a las expectativas
sociales, negocian el mandato familiar, se adaptan, y viven sin pasión.
La pasión es solo para los héroes ejemplares. Y el goce es más un
recuerdo de juventud que una realidad cotidiana. Subliman sus frustraciones en el arte de masas de la época: la canción popular (el tango y
el bolero), el radioteatro y el cine de entretenimiento liderado por
Hollywood (Kohan 313-9).[5]

---

4   Amícola, siguiendo la propuesta de Piglia, considera que Puig, Saer y Walsh
     conforman tres líneas narrativas distintas en nuestra literatura. Para Amícola
     la diferencia entre Puig y Saer se basa en su actitud frente a los géneros bajos.
     También ve en Puig un cuestionamiento al canon de Borges.
     Yo veo a Borges como protagonista de una de las líneas (la más reconocida y
     destacada) de nuestra literatura. En mi interpretación tengo en cuenta particu-
     larmente la formación literaria de los escritores y el enunciado de sus discur-
     sos. Analizo a quién le hablan y en qué lenguaje. Saer (y Borges, y Sábato)
     le habla a un público intelectual bien formado estéticamente; Walsh (y Arlt),
     periodista y cronista, al gran público de la prensa; Puig a un público nuevo,
     que no frecuentaba la literatura seria: las mujeres que leen folletines o novelas
     populares sin aspiraciones literarias, el público del cine de entretenimiento, el
     de los radioteatros, ahora teleteatros (Amícola 295-8). Es importante reconocer
     que la literatura aspira a la universalidad, pero es nacional y local y responde a
     un criterio de clase. Los valores literarios que defiende la burguesía, su exclu-
     sivismo, su esteticismo, su conflicto con la literatura de masas, son parte de una
     lucha contemporánea de intereses e ideologías que nada tienen de universal ni
     de permanente.

5   Debemos notar que esta novela es de 1969, pocos años antes de que comenzara
     en Argentina la gran insurgencia revolucionaria en que la clase media tendría

El mundo imaginario de Puig refleja las preocupaciones sociales y los tabúes de su sociedad. Observador excepcional, desde su posición de hombre marginal, despreciado por su homosexualidad, se solidariza con esas mujeres a las que en el fondo compadece. En *La traición de Rita Hayworth* y en *Boquitas pintadas* trae al mundo de la ficción muchas de las experiencias de su infancia en el pueblo de General Villegas, en la pampa bonaerense. Las novelas operan como una catarsis individual en que el escritor busca exorcizar experiencias dolorosas de su niñez y adolescencia. El mundo pueblerino es un ambiente represivo y castrador, particularmente para los jóvenes.

Su novela es un espejo que muestra las desilusiones de las mujeres de pueblo, que soñaban con los romances de los radioteatros y las películas de amor. Opone al mundo de sus ilusiones, el de la chata realidad pueblerina. Es un retrato desde afuera, que sólo un hombre puede hacer. Como niño criado entre "las faldas" de las mujeres, Puig las conoció íntimamente, y en su retrato se mezclan la admiración y el resentimiento. Se identifica parcialmente con ellas y al mismo tiempo se siente distinto. Su poética se basa en este sentido de desplazamiento. Como hombre que no está seguro de su identidad Puig no se identifica con un papel definitivo, y pasará su vida buscándose a sí mismo. Los personajes de *Boquitas pintadas* se mueven en esa incertidumbre. No saben realmente quienes son. Viven en un mundo en que poco a poco van perdiendo lo que aman y necesitan: el amor, la salud, el dinero, el reconocimiento social. Mueren, y la muerte es impiadosa con ellos, y confirma su desvalorización. Sólo el cadáver de Juan Carlos recibe reconocimiento y muestras de afecto. El galán que no amaba a nadie, como le dijo la gitana, es el único idealizado y amado por los demás. Es el símbolo de un deseo imposible, no consumado, que se ha instalado en la vida de cada una de las protagonistas, como la gran carencia. Ante la imposibilidad de consumar el deseo están condenadas a vivir sin pasión. Ese vacío es el castigo que reciben los que han fracasado en el amor.

---

un papel prominente. Allí se puso a la altura de sus circunstancias, y asumió un papel heroico que no tenía desde la época de las luchas entre federales y unitarios, en el siglo XIX. Puig se haría eco de este cambio en sus novelas siguientes, particularmente en *El beso de la mujer araña*.

Bibliografía citada

Amícola, José. "Manuel Puig y la narración infinita". Noé Jitrik, director. *Historia crítica de la Literatura Argentina* Vol. 11. Buenos Aires: Emecé, 2000. 295-319.

Corbatta, Jorgelina. *Manuel Puig. Mito personal y mitos colectivos. Las novelas de Manuel Puig.* Madrid: Orígenes, 1988.

Dujovne Ortiz, Alicia. *Eva Perón. La biografía.* Buenos Aires: Punto de Lectura, 2008.

Giordano, Alberto. *La experiencia narrativa.* Rosario: Beatriz Viterbo, 1992.

Güiraldes, Ricardo. *Don Segundo Sombra.* Madrid: Editorial Castalia, 1993. Edición de Angela Dellepiane.

Kerr, Lucille. *Suspended Fictions. Reading Novels by Manuel Puig.* Urbana: University of Illinois Press, 1987.

Kohan, Martín. "Los amores difíciles". José Amícola/Graciela Speranza, compiladores. *Encuentro internacional Manuel Puig.* Rosario: Beatriz Viterbo, 1998. 313-9.

Levine, Susanne Jill. *Manuel Puig y la mujer araña.* Buenos Aires: Seix Barral, 2002. Traducción de Elvio Gandolfo.

Navarro, Marysa. *Evita.* Buenos Aires: Editorial Planeta, 1994. Edición corregida y aumentada.

Nállim, Jorge. "Del antifascismo al antiperonismo: *Argentina Libre... Antinazi* y el surgimiento del antiperonismo político e intelectual." Marcela García Sebastiani, ed. *Fascismo y antifascismo. Peronismo y antiperonismo. Conflictos políticos e ideológicos en la Argentina (1930-1955).* Frankfurt am Main: Verbuert/Iberoamericana, 2006. 77-105.

Paez, Roxana. *Manuel Puig. Del pop a la extrañeza.* Buenos Aires: Almagesto, 1995.

Puig, Manuel. *Boquitas pintadas. Folletín.* Buenos Aires: Editorial Sudamericana, 1974. 13th. Edición.

———. *La traición de Rita Hayworth.* Buenos Aires: Editorial Sudamericana, 1970. 2da. Edición.

———. *El beso de la mujer araña.* Barcelona: Editorial Seix Barral, 1976.

Riobó, Carlos. *Sub-versions of the Archive. Manuel Puig's and Severo Sarduy's Alternative Identities.* Lewisburg: Bucknell University Press, 2011.

Sarlo, Beatriz. *La pasión y la excepción. Eva, Borges y el asesinato de Aramburu*. Buenos Aires: Siglo XXI, 2003.

CAPÍTULO 13

MARECHAL, *MEGAFÓN* Y
LA RESISTENCIA PERONISTA

Megafón, o la guerra, 1970, es la novela póstuma de Leopoldo Marechal (1900-1970), que murió en el año de su publicación de un ataque al corazón. La había comenzado a escribir en 1966, luego del relativo éxito logrado con *El banquete de Severo Arcángelo,* 1965. *El banquete*...llevó a una revaloración de *Adán Buenosayres,* 1948, que había sido pobremente recibida por el público lector. Este cambio del público en la apreciación de su obra incentivó a Marechal y a los sesenta y seis años decidió ponerse a escribir la que sería su última novela. Tenía tras sí una extensa carrera literaria (Frugoni de Fritzsche 83-90). Había comenzado a publicar poesía con el grupo Ultraísta en la década de mil novecientos veinte, y colaboró en la revista *Martín Fierro* junto a Jorge Luis Borges. Igual que Borges criticó, años después, la poética vanguardista del Ultraísmo y modificó su manera de escribir, volviendo a fuentes clásicas y reintroduciendo la rima, despreciada por las vanguardias, que habían abrazado como norma el verso libre (Cavallari 71-8).

Su experiencia en el Ultraísmo y su etapa en *Martín Fierro* lo marcaron profundamente (Prieto 57-74; de Solá 45-65; Gramuglio 771-8). Los escritores martinfierristas tuvieron una manera muy original de interpretar la revolución estética vanguardista, combinando innovación técnica y renovación lingüística con una visión localista y criolla universalizante, que terminó aportando a la literatura nacional nuevos personajes y mitos rurales y urbanos (Sarlo 149-59).[1]

Marechal comenzó a escribir su primera novela durante su segundo viaje a París en 1929, pero no la terminó y publicó hasta 1948. Es una novela de experimentación y búsqueda. Marechal encuentra una forma propia de escribir ficción narrativa. Deja de lado el realismo psicológico tan utilizado en la novela, que permite una relación directa y catártica con el lector, y otros modos narrativos contemporáneos exitosos, como el monólogo interior o la experimentación con el tiempo, y adopta un modo narrativo original e inesperado: la alegoría simbólica dramática y cómica.

En *Adán Buenosayres* y en sus novelas siguientes trabajó el relato como una sucesión de cuadros dramáticos contados por un sujeto burlón e histriónico, que desacraliza las escenas y satiriza los temas presentados. Este narrador distancia al lector de una posible identificación con los personajes, que deben ser comprendidos, no desde una perspectiva psicológica, sino desde una perspectiva intelectual y "artística". Los cuadros dramáticos son composiciones grotescas y cómicas, donde encontramos sintetizados aspectos de varias de las tendencias históricas de la literatura argentina, como la literatura gauchesca y el sainete (Viñas 11-8). Introduce en los cuadros descripciones de la música que los acompaña, a veces armónica, a veces de vanguardia, y otras veces compuesta de ruidos seguidos de silencio, para que el lector la imagine. Marechal, como autor, aspira a una obra integral que reúna y exprese la totalidad de las artes. En su visión y su inventiva se destacan la riqueza imaginística y la libertad creativa. Comenzó su carrera como poeta, y la poesía será el arte madre que guíe toda su obra (Romano 618-26).

---

[1] Marechal nunca se olvidó de esta manera de ver la literatura: simultáneamente desde lo local y lo universal o global. En la fórmula de Borges: criollismo y metafísica, combinación aparentemente contradictoria que Marechal también utilizó en su obra.

   Pasada la etapa martinfierrista las personalidades de Borges y Marechal tuvieron una evolución literaria diferente. Borges experimentó con el cuento y Marechal con la novela. La aproximación de Borges a la filosofía se hizo amplia y escéptica, la de Marechal quedó signada por su profundo catolicismo.

Marechal tuvo momentos de crisis y transformación espiritual en su vida que impactaron en su creación: a comienzos del treinta pasó por un proceso de intensa experiencia religiosa. Tomó clases en los Cursos de Cultura Católica en Buenos Aires y asistió a las reuniones de los jóvenes católicos nacionalistas, lideradas por César Pico (Rosbaco Marechal 94). Estudió teología, y la vivencia religiosa y mística adquirió un papel central en su vida, integrándose a sus vivencias estéticas y a las cuestiones literarias. En 1939 publicó el ensayo *Descenso y ascenso del alma por la belleza*, donde procuró formular una teoría estética desde una perspectiva y vivencia católica.

Otro momento de profunda transformación, esta vez política, en su vida, ocurrió durante la Revolución del G.O.U. de 1943 y la llegada al poder del Coronel Perón. Marechal se hizo peronista y consideró que Perón representaba una revolución nacional y popular que iba a cambiar el país. Esto lo separó de la posición de la mayoría de los intelectuales, particularmente los que participaban en el grupo de *Sur*, donde él también publicaba. Borges, Murena, Sábato, Cortázar, Victoria Ocampo, Martínez Estrada y otros escritores liberales rechazaron masivamente al Peronismo. Lo vieron como un movimiento demagógico nacionalista de viso fascista (Jozami 85-98).

En 1943 Marechal aceptó un puesto como Presidente del Consejo General de Educación en Santa Fe, que le propuso el escritor nacionalista y ministro de la Revolución Gustavo Martínez Zuviría o Hugo Wast (Andrés 39). Luego de un año pasó a la Dirección de Cultura de la Nación. Participó con entusiasmo en la campaña presidencial de 1945. Formó parte del Comité Pro Candidatura de Perón, junto a Arturo Cancela y al joven José María Castiñeira de Dios, al que consideraba su discípulo (Rosbaco Marechal 98). Elegido Perón como Presidente, lo nombraron Director de Enseñanza Superior y Artística. Marechal se transformó en funcionario del gobierno peronista. En 1947 dictó una importante conferencia, "Proyecciones culturales del momento argentino", en donde explicó el por qué de su adhesión al Peronismo (*Obras completas* V: 131-140). Para él el Justicialismo era una doctrina humanitaria, que trataba de adecuar el "Estado a los intereses del Hombre" y mostraba un reconocimiento integral del ser humano, entendido como una unidad de cuerpo y alma. Decía que su obra de justicia social posibilitaba que el hombre tuviera acceso a la cultura y "a las formas intelectuales que le facilitan la comprensión de la Verdad, la Belleza y el Bien" (*O.C.* V: 133). El pueblo era asimilador y creador de cultura, y producía vocaciones artísticas. Los artistas formaban parte de una minoría que debía esforzarse para que la mayoría popular asimilara sus creaciones. Para contribuir a este proceso, los artistas y el pueblo tenían que identificarse y reconocerse mutuamente. El Estado facilitaría ese encuentro y mutuo reconocimiento.

En 1948 apareció su novela *Adán Buenosayres*, que recibió una pobre atención crítica. En 1951 estrenó su obra dramática *Antígona Vélez* en el Teatro Cervantes, dirigida por otro de los artistas que apoyaba al Peronismo: Enrique Santos Discépolo. Con su segunda esposa Elbia Rosbaco viajó a Europa en representación oficial del gobierno. Visitaron Madrid, Ginebra y Roma. En sus conversaciones con Alfredo Andrés, en 1968, Marechal defendió al Justicialismo, alabó la "tercera posición", que lo mantenía equidistante del "capitalismo agonizante" y el "socialismo extremo" y subrayó la importancia de armonizar la relación entre las clases sociales (Andrés 48). Para él, el legado del Justicialismo fue "el esclarecimiento y puesta en obra de una conciencia nacional y popular", que logró "convertir una masa numeral en un pueblo esencial" (Andrés 49). Luego de la contrarrevolución de 1955, Marechal renunció a sus cargos en el Ministerio de Educación y se jubiló. Vivió una vida marginal dentro de la cultura argentina hasta el año 1965. Los sectores liberales que apoyaron la Revolución Libertadora y la represión antiperonista ignoraron al poeta que había sido funcionario del gobierno de Perón (Fiorucci 177-80).

En 1965, al aparecer su novela *El banquete de Severo Arcángelo*, su situación cambió. La novela fue bien acogida por los lectores, lo que llevó a la reedición de su novela anterior, *Adán Buenosayres*.[2] A principios del sesenta la vida política y social en Argentina y Latinoamérica se estaba transformando. En 1966 el gobierno de Cuba lo invitó a participar como jurado en el premio "Casa de las Américas",

---

[2]   Esa novela ya había recibido cierta atención crítica, no siempre positiva, de los jóvenes intelectuales y profesores de la revista *Contorno*. En 1955 apareció allí un artículo de Noé Jitrik, y en 1959 Adolfo Prieto publicó un artículo sobre *Adán Buenosayres* en el *Boletín de Literaturas Hispánicas* de Rosario.

invitación que aceptó. Esta situación favorable lo motivó y comenzó una nueva novela sobre un tema contemporáneo: la Resistencia peronista.

A pesar de lo difícil que fueron para él los años que siguieron a la caída del gobierno peronista, resultaron fructíferos para su carrera literaria. Alejado de sus funciones administrativas y jubilado, pudo dedicar su tiempo a estudiar y escribir. Produjo importantes nuevas obras: su segunda novela, *El banquete de Severo Arcángelo*, de 1965, y el poemario *Heptamerón* y el libro de ensayos *Cuaderno de navegación*, publicados en 1966. En este último incluyó un importante ensayo, "Autopsia de Creso", que define su visión anticapitalista de la cultura. Veía el mundo contemporáneo dominado por los intereses económicos, que deformaban el sentido de la vida. En su interpretación la cultura había sufrido una pérdida gradual de espiritualidad. Europa, creía, había alcanzado su más grande expresión espiritual en la Edad Media, y desde del Renacimiento el creciente racionalismo estimuló el desarrollo de los estudios científicos, marginando la religión.

Ese creciente materialismo distorsionó, pensaba, la misión espiritual del hombre. La Revolución Francesa asestó el golpe de gracia a esta transformación, ya que hizo de la Razón una diosa y la cultura se secularizó totalmente. El individuo egoísta se volvió el centro de interés: había triunfado el hombre económico, el burgués materialista, que olvidó el carácter distributivo que debe tener la justicia. Se rendía culto al dinero y se había sacrificado el ser espiritual del hombre (Marechal, *Cuaderno de navegación* 51-65). A través de este ensayo podemos entender por qué Marechal creyó en el Peronismo: lo veía como una doctrina que proponía restaurar el sentido distributivo de la justicia social, y que condenaba el afán desmedido de lucro. No se debía gobernar en función del dinero: el capital tenía que estar al servicio del hombre. Este humanismo para Marechal era el fin último de la política. Criticaba también a la ciencia moderna, que había olvidado su centro espiritual y la idea de dios. Esta crítica antiburguesa, desde una perspectiva nacional, aparece claramente articulada en la obra de Marechal de estos años.

Megafón, o la guerra, su última novela, fue también la primera en que Marechal intentó una crítica política directa al sistema y al gobierno militar dictatorial antiperonista que usurpó el poder popular en 1955. Esa fecha marcó el comienzo de un movimiento social y político de Resistencia a las sucesivas dictaduras y gobiernos antipopulares que proscribieron al Peronismo y lo pusieron fuera de la ley. Ese movimiento fue muy fecundo en la vida cultural argentina, y en él participaron, además de Marechal, importantes artistas e intelectuales, como Arturo Jauretche y Rodolfo Walsh, historiadores "revisionistas", como José María Rosa, el mismo General Perón, que se transformó en un ensayista prolífico desde su exilio, y jóvenes cineastas, como Fernando "Pino" Solanas, que cambiaron la dirección de nuestra cultura nacional.[3]

Utilizando un lenguaje alegórico y cómico, Marechal disimuló y disfrazó el contenido contestatario de la novela, que salió publicada en 1970, durante el gobierno militar, escapando la vigilancia de la censura. El punto de partida de la acción novelesca es la revolución frustrada del General Juan José Valle en junio de 1956. Marechal conoció al General Valle y en su casa se hizo una de las reuniones preparatorias de la insurrección (Colla, "Cronología" 577). El escritor presenta las escenas históricas desde una perspectiva grotesca y cómica, y los personajes discuten sus ideas en cada acción. Es una sátira intelectual crítica de la vida política contemporánea y sus motivaciones ideológicas

El objetivo de Megafón, el personaje central, es elevar el nivel de conciencia del pueblo, para que comprenda la situación de su patria. La patria está representada por la imagen dinámica de una víbora que se desliza, y tiene "dos peladuras": la piel externa y la piel interior. La piel visible representa a los fantasmas del pasado, que reaparecen después del golpe de Estado de 1955 contra Perón. Bajo esta piel hay otra, que espera el momento de nacer: la peladura "del pueblo sumergido" (*Megafón* 10). El autor se incluye a sí mismo como cronista, con su mismo nombre, "Marechal", para dar testimonio de la historia. Como en *Adán Buenosayres*, el narrador se distancia de los hechos, crea un efecto de extrañamiento, recurriendo a la ironía y a la burla en la presentación de las situaciones y el tratamiento de los personajes. Sus comentarios y observaciones hacen reír al lector.

---

[3]   Pino Solanas empleó en su cine político de ficción un lenguaje alegórico y simbólico muy cercano al de las novelas de Marechal, en películas como *Los hijos de Fierro* y *El viaje*.

Sus personajes son alegóricos. Entre éstos aparecen seres humanos y animales, estatuas y retratos que hablan. Son seres simbólicos y genéricos, como el mismo protagonista Megafón, el héroe, cuyo verdadero nombre el narrador dice desconocer y al que llaman el Autodidacto o el Oscuro de Flores. Marechal practica una estética burlesca y deformante. Los personajes son grotescos y las situaciones inverosímiles. El autor nos traslada a un mundo poético en que reina el arte independientemente de la realidad y tiene total libertad para crear. Su forma narrativa alegórica simbólica resulta original y novedosa en la literatura argentina.

Para Marechal la cuestión de dios, la belleza y el bien común están íntimamente unidos.[4] Concibe la novela como obra integral "unitiva", las cosas del mundo debían tender a restaurar la unidad original. Como católico consideraba que el problema ontológico tenía prioridad sobre los otros. La pregunta más importante para él era la cuestión de dios, y como poeta y creador vivía intensamente la problemática del mundo del arte y le preocupaba la cuestión de la belleza (Bravo Herrera 39). *Megafón* es una obra dedicada a su pueblo y tiene una misión militante: una guerra encubierta se estaba librando en el país, y la población no conocía bien sus causas internas y externas. Su propósito era ayudar a que tomaran consciencia de esta situación. La acción novelesca comienza después de la represión gubernamental que siguió a la insurrección peronista cívico-militar frustrada de junio de 1956. El gobierno militar fusiló al General Valle y otros militares implicados, y masacró a obreros y civiles sospechosos en forma clandestina (Cavallari 132-4).

Designa a los personajes con nombres que refieren a conceptos o ideas (Cella 41-52). Megafón es el Oscuro de Flores, el Autodidacto, y Lucía Febrero, la mujer que encarna la perfección y la sabiduría divina, es la Novia Olvidada. Marechal se llama a sí mismo el Poeta Depuesto, explicando la marginación y exilio interior que sufrió

---

4   Marechal procuró crear una continuidad entre esta novela y *Adán Buenosayres*, ya que reaparecen personajes y situaciones de la primera novela, pero en *Megafón* la preocupación dominante es la política, mientras en *Adán Buenosayres* predomina la cuestión estética y literaria. En su segunda novela, *El banquete de Severo Arcángelo*, 1965, se concentra en la problemática religiosa.

durante el gobierno represivo antiperonista impuesto por la Revolución Libertadora. Tomó algunos personajes, como Samuel Tesler, de su primera novela, creando una continuidad autorreferencial intencionada. Quiere unificar toda su obra: su poesía, su ensayo, su teatro, su narrativa. Su estilo se enriquece y se vuelve cada vez más complejo con esta asociación. Pero para el lector es sobre todo un poeta: su imaginación es exuberante y deja fluir libremente su invención y fantasía, despreocupándose de la verosimilitud realista (Rocco-Cuzzi 476).

Su imaginación poética privilegia la presentación escénica, dramática, que centra su mundo novelesco. Su narración está conformada por el agregado sucesivo de escenas, que componen un fresco fuertemente visual. Despliega una gran comedia humana y divina, ya que integra al mundo humano el mundo celestial, la figura de dios y la cosmología cristiana. Sus personajes pueden subir hacia lo alto y descender al infierno. El mundo para él tiene tres niveles: la tierra, el cielo y las profundidades infernales, y su novela se desarrolla y progresa en los tres. Los personajes se desplazan de un mundo al otro. Los personajes alegóricos encarnan determinados principios y conceptos. Cuando estos personajes se enfrentan y luchan con otros en una "guerra", también compiten y se enfrentan las ideas.

Los personajes tienen más contenido espiritual e intelectual que psicológico, la psicología humana pasa a un segundo plano. Marechal valora por sobre todas las cosas las capacidades intelectuales del ser humano, que le parecen las más elevadas y ajustadas al plan divino, a diferencia de los aspectos considerados bajos o inferiores del cuerpo, la sensualidad y la sexualidad, condenadas y rechazadas como pecaminosas. Este rechazo del cuerpo y censura de la sexualidad diferencia su visión de mundo de la de los grandes novelistas liberales y marxistas de nuestra literatura, como Sábato, Cortázar y Puig, que toman como preocupación fundamental en sus novelas las complejidades del comportamiento y la psicología humanas, y las vicisitudes del cuerpo y la sexualidad.

Uno de los aspectos más destacados, innovadores y logrados de su narrativa es el sentido "artístico" de sus escenas en la novela. Marechal organiza el espacio como si se tratara de una puesta en escena teatral, considerando la luz, la música, el aspecto de los personajes y su expresión. Combina lo serio y lo cómico, lo grotesco y lo idealizado, muchas veces en un mismo personaje serio-cómico. Los personajes representan conceptos e ideas que compiten entre sí. Marechal juega con las ideas, se burla y satiriza a muchas de ellas. En estas escenas prevalece el aspecto estético de la composición. Presta atención a los sonidos, a la música, de pronto puede aparecer una escena con música sinfónica romántica y otra con música dodecafónica, como en el Laberinto de Venus. En *Megafón* llama a sus capítulos "Rapsodias", y busca "orquestar" integralmente las escenas. El autor se identifica más con un director escénico que con un narrador de historias.

Marechal organiza el espacio con un claro modelo cristiano, y asocia la tradición literaria secular a la religiosa. Sus personajes están en proceso de búsqueda y peregrinación espiritual. Como lo explicó en un ensayo de juventud, el alma asciende y desciende llevada por la belleza (*Descenso y ascenso del alma por la belleza* 11-21). Su esteticismo no le impide tratar el tema político. Marechal está comprometido con su militancia peronista. En *Megafón* hace una crítica comprensiva al gobierno militar antiperonista. Condena el mercantilismo materialista de la sociedad burguesa, a la que considera enemiga del artista y del religioso. Cree que vive en una sociedad decadente que niega el sentido de lo humano.

En una conferencia de 1947, Marechal explicó cuál era para él el papel que el artista debía asumir en la sociedad contemporánea. El escritor de literatura, además de una fuerte vocación, debía tener un grado muy alto de preparación y estudio para triunfar en el mundo de tradición milenaria de las letras, y sólo un grupo muy reducido, una élite, llegaba a ocupar esta posición en una sociedad en un momento histórico determinado. El escritor debía volcar su creación única en su pueblo y el alma del poeta integrarse al alma del pueblo en una comunión auténtica. Sólo entonces la obra de arte alcanzaba su cometido. De esta manera el artista entregaba su arte a las masas y las elevaba ("Proyecciones culturales del momento argentino" 136-9).

Megafón es en la novela el personaje protagónico que representa conceptualmente al pueblo. Apodado el Autodidacto de Villa Crespo, es un gran lector, un lector "salvaje", "bárbaro", autodidacto. Nacido en 1907, conoció a Marechal supuestamente en su adolescencia, cuando Marechal tenía veintiún años y era bibliotecario en la Biblioteca Popular Alberdi (4). El muchacho, que era aprendiz en un aserradero, iba a la biblioteca en sus horas libres, pedía un libro y luego se retiraba con "su presa" a leerlo como un "angurriento", con hambre de saber, y se entregaba a la "masticación intelectual". Leía desordenadamente y de todo: ciencias, artes y letras, y usaba "un método bárbaro" en su lectura "que consistía en buscar sólo aquellas nociones que sirviesen a su problemática interna" (5). Marechal lo encontró varias veces más después y las enumera: en 1927, cuando Megafón ejercía como árbitro de boxeo en el Boxing Club, en 1937, cuando Megafón lo fue a ver a la escuela donde enseñaba, y en el presente de la acción novelesca, en 1956.

Megafón cultivó su cuerpo y su alma hasta transformarse en el trabajador absoluto argentino. Había recorrido el país haciendo múltiples tareas. Dice el narrador y cronista: "Me refirió sus viajes y sus oficios: había trabajado en las zafras de Tucumán, en los algodonales del Chaco, en las vendimias de Cuyo, en los yacimientos petrolíferos de Comodoro Rivadavia, en las cosechas de Santa Fe y en las ganaderías de Buenos Aires" (6). Gracias a esos trabajos "...había sintetizado en sí mismo una conciencia viva del país y sus hombres" (7). Cuando lo visitó en 1937 se disponía a embarcarse en un barco carguero para trabajar en él y viajar a otros países, para "universalizar ... lo que ya sabía de su tierra y su pueblo" (7). Marechal, el cronista, comenta satisfecho: "el aprendiz de aserrador seguía practicando el método salvaje que guió sus lecturas en la Biblioteca Popular Alberdi" (7).

Marechal no lo vuelve a encontrar hasta casi veinte años después, en julio de 1956, cuando éste lo fue a buscar y lo invitó a su chalet en el barrio porteño de Flores. Este cuarto encuentro ocurrió después de la insurrección peronista fallida de junio de 1956, cuando el gobierno militar fusiló al General Valle y asesinó a un grupo de trabajadores en José León Suárez. Megafón era un trabajador peronista leal, y había cooperado con el levantamiento. El autor traslada al personaje de Megafón su propia experiencia personal, como conocido del General Valle y simpatizante de la insurrección. En 1956 el Peronismo enfrentaba una nueva época de lucha: la Resistencia.

La Resistencia fue una etapa fundamental en la historia del Peronismo. Recordemos cómo fue el proceso de formación del fenómeno peronista. El Coronel Perón planificó su política, en un principio, desde el poder mismo, después del golpe militar de 1943, en el que participó. Como Secretario de Trabajo organizó los sindicatos y movilizó a los trabajadores. Luego del intento de sus colegas de armas de destituirlo y alejarlo de las escena política en 1945, Perón compitió por el poder presidencial en elecciones libres que ganó frente a la oposición unificada. El 17 de octubre de 1945 fue una fecha clave en la historia del Peronismo porque ese día los trabajadores demostraron que necesitaban y querían a su líder, y eran capaces de peticionar ante el poder político y negociar la libertad de Perón encarcelado. Su caída en 1955, después de un golpe militar cruento, y su salida al exilio, se transformó en otro momento de prueba para el Movimiento. La destitución del líder y la proscripción de su movimiento político de masas no fueron suficientes para desmovilizar a los trabajadores y destruir políticamente al Movimiento: Perón siguió coordinando la actividad política de su partido desde el exilio y probando distintas tácticas de lucha. La resistencia de las masas peronistas fue minando la voluntad política de los conservadores y liberales que compartieron el poder durante los años siguientes, apoyados en sucesivos golpes de estado, que legitimaban sus acuerdos y proscribían los derechos políticos de los trabajadores peronistas.

El primer gobierno de Perón perduró en la memoria del pueblo trabajador: su partido laborista criollo había transformado la conciencia del proletariado argentino y la política nacional. La Resistencia se transformó en un acontecimiento épico, que puso a prueba la organización y la solidaridad del pueblo (Jozami 103-16). Su estrategia de lucha, coordinada por Perón desde el exilio, los llevó al triunfo y a la destitución de la oligarquía golpista e impostora pocos años después de la muerte de nuestro escritor. En esta novela Marechal creó una situación ficticia simbólica donde describe alegóricamente las batallas de los militantes de la Resistencia.

Megafón, el líder del grupo, está decidido a iniciar una guerra en defensa de sus principios. Esa guerra, indica, no puede ser frontal, ya que el enemigo es poderoso y no tienen suficientes medios: será una guerra de guerrillas. Igual procedieron los comandos peronistas que se organizaron durante esos años, cometiendo actos de sabotaje e iniciando huelgas que paralizaron progresivamente el país y fueron debilitando el poder de la dictadura militar.

Todos los personajes que integran el grupo liderado por Megafón, además de ser peronistas, son seres de profunda fe religiosa, cristianos y, en el caso de Tesler, judío místico. Megafón incluye a Tesler en el grupo comando porque consideraba bueno que en la acción estuvieran representados creyentes de los dos testamentos bíblicos. Estos individuos viven profundamente su fe, creen en la salvación y la trascendencia divina. En el centro de su mundo está siempre Dios, el "motor inmóvil".

La finalidad de la búsqueda de Megafón era alcanzar la luz, la sabiduría y la libertad, representada por Lucía Febrero, denominada la Novia Olvidada o Mujer sin Cabeza. Todas las acciones simbólicas realizadas hasta llegar a ese momento son descriptas en una serie de cuadros dramáticos cómicos que siguen un orden secuencial político (Lojo 56-68). Tienen por objetivo desenmascarar el poder gubernamental ilegítimo y represivo y se centran en varias "batallas terrestres": el "Asedio al Intendente" de la ciudad de Buenos Aires; la "Invasión al Gran Oligarca" (que muestra el papel parasitario y destructivo de la oligarquía terrateniente nacional); el "Psicoanálisis del General" (donde analizan la política antinacional de un General recientemente destituido de su cargo mediante una intriga de sus compañeros en el poder); la "Biopsia del Estúpido Creso" (donde interpelan a un representante de la burguesía nacional, acusándolo de egoísmo y explotación de los trabajadores); la "Payada con el Embajador" (en que denuncian el papel del imperialismo Yanqui en la desestabilización del gobierno peronista). Concluidas estas acciones terrestres comienza el "Operativo Caracol", parte de la batalla celeste, que concluye la novela. El Obscuro de Flores entra con sus hombres en el Chateau de Fleurs en el delta del Tigre para liberar a Lucía Febrero de los poderes infernales.

Cada escena de las batallas crea situaciones dramáticas cómicas, verdaderos "sainetes" con personajes exagerados y grotescos que integran el grupo comando de Megafón, como los mellizos Domenicone, dos guapos y matones de comedia; Barrantes y Barroso, dúo de ex periodistas; el afilador Capristo; el filósofo loco Samuel Tesler, personaje al que Marechal ya había introducido en *Adán Buenosayres*; Patricia Bell, esposa de Megafón. En las batallas participan "ayudantes" diversos, como el loquero Cerrutti, cuando van al manicomio de Buenos Aires a rescatar a Tesler, y el Pampa Casiano III, en la acción comando contra el Gran Oligarca. Lo que Marechal denomina batallas son incursiones sin violencia física, en que los beligerantes asedian verbalmente a una persona elegida, para juzgarla por sus actos y sentenciarla. Son pequeños simposios que tienen la misión de concientizar al lector sobre cada problemática moral que plantea el autor.

En cada uno de estos sainetes el grupo de "soldados" se enfrenta a una galería de personajes vivos y muertos, ya que Marechal anima a los fantasmas de los muertos para hacerlos opinar sobre el tema que discuten. Cuando luchan contra el Gran Oligarca, el octogenario Martín Igarzábal, invaden su vieja casa señorial en San Isidro. Llevan con ellos al historiador revisionista Dardo Cifuentes, encargado de hacer las preguntas históricas que prueban la traición de la oligarquía al pueblo argentino. Igarzábal es un estanciero de la provincia de Buenos Aires que Marechal había conocido de adolescente, cuando pasaba los veranos en el campo de su tío en Maipú. Es el modelo del estanciero conservador, que vive cómodamente de rentas, disfrutando su riqueza.

En la sala donde ocurre el encuentro hay retratos de los ascendientes del estanciero que intervienen en el diálogo. Así conocemos el origen de la fortuna familiar. El miembro fundador de la familia fue un militar heroico que luchó en las guerras de Independencia; su hijo, militar también, se benefició del triunfo de los liberales a la caída de Rosas y participó en la Campaña del Desierto, que despojó a los indios de sus tierras en beneficio de las elites; la hija del General fue la única, entre varios hermanos ("rastacueros" que dilapidaron su fortuna en viajes al extranjero), que permaneció en la tierra y trabajó las propiedades rurales. Don Martín, el Gran Oligarca, su hijo, es un estanciero reaccionario. Censura la política inmigratoria que trajo al país una invasión de inmigrantes pobres europeos, que llegaron a la Argentina para corromperla con sus ideas. Tiene un valet y sirviente indio, el Pampa Casiano III, que le habla en francés. Marechal participa en la "batalla" y discute con el Oligarca: afirma que los inmigrantes y sus hijos se argentinizaron y son el verdadero pueblo de la patria, y que los descendientes de los viejos soldados de la independencia se transformaron en una clase depredadora, parasitaria.

Marechal explica que ese patriciado no fue capaz de liderar al pueblo en la lucha por la conquista de su soberanía, para legar a las generaciones del futuro una nación independiente; se vendió al gran capital internacional y traicionó a su patria. Para Megafón, Don Martín es el "finalista" de un ciclo histórico que se cierra y muere ante una Argentina nueva. La vida de un pueblo, dice, se parece a una víbora que se despliega "en una espiral abierta y creciente" (156). Esa víbora es la patria. Cree que hay dos Argentinas, una está lista para suceder a la otra, y no hay un "enfrentamiento" real. Estaba emergiendo un país nuevo.

Luego de demostrarle al Oligarca que su clase está derrotada, el comando se va de la mansión a continuar luchando en otros dos operativos, a los que llaman "el Psicoanálisis del General" y "la Biopsia del Estúpido Creso". Estas batallas los llevan a revisar importantes estamentos e instituciones de la sociedad argentina. Marechal entiende que el Ejército, la Iglesia y el Estado son instituciones necesarias en la sociedad moderna, y no se puede culpar a las instituciones en su totalidad por la conducta de sus miembros en un momento histórico dado: hay buenos y malos soldados, buenos y malos sacerdotes, buenos y malos políticos, y hace una crítica moral a estas instituciones, censurando a los malos y premiando a los buenos. En el episodio del Gran Oligarca critica el papel de la oligarquía en la política nacional, en el del Psicoanálisis del General censura a los militares golpistas que persiguen al Peronismo, y con el personaje del Estúpido Creso denuncia el papel destructivo de la burguesía mercantil voraz en el desarrollo nacional. Son males que para él amenazan el desarrollo futuro de la nación.

En el episodio del Obispo Frazada, un sacerdote de mérito que ayuda a los pobres y defiende a los obreros, ataca el papel servil que ha tenido la Iglesia, que se puso al servicio de los intereses de los ricos propietarios y respaldó al Ejército golpista. El conflicto del Obispo militante con el Cardenal comenzó en la procesión de Corpus Christi de 1955, cuando sectores de la Iglesia la utilizaron para atacar al Peronismo. El Obispo se negó a entrar en la procesión y el Cardenal, luego de una diputa, destituyó al Obispo que ayudaba a los pobres. Cuando Megafón lo visita en un conventillo cerca del Riachuelo, el Obispo estaba convaleciente, la policía lo había golpeado y lastimado cuando marchaba al frente de una columna de trabajadores en huelga. El Obispo dice que pone a Dios por testigo de sus actos porque "el Cristo es la vanguardia eterna, y lo encontrará otra vez en el Juicio Final" (282). Marechal critica severamente el papel de la jerarquía eclesiástica y su falta de amor a los pobres. Defiende la política del Peronismo y la lucha de los trabajadores durante la Resistencia. El Obispo es un aliado efectivo de los obreros en huelga, que arriesga y pierde su alta posición eclesiástica para defender a los trabajadores. Su modelo es el Cristo vivo, noción en la que insiste Marechal repetidamente: Cristo para él fue una lección de vida y hay que renovar el Evangelio viviéndolo junto a los pobres y a los trabajadores.

Dedica dos importantes "operaciones" de la novela a criticar y atacar a la alta burguesía empresarial y comercial, a la que considera destructiva de la espiritualidad nacional: "Operación aguja" y "Biopsia del Estúpido Creso". En "Operación aguja" Megafón ve como someten a un paciente a un proceso brutal de adelgazamiento en una cámara de vapor, obligándolo a transpirar hasta perder muchos quilos de peso. El paciente elegido es un rico propietario obeso, a quien acusan de "capitalista en bruto y explotador de hombres" (93-4). Le ordenan al gordo comerciante que sude "las pancetas del alma".

En "Biopsia del Estúpido Creso" Megafón y sus amigos conocen a Creso o el empresario Salsamendi, el rico del Evangelio condenado por Jesús. Lo apodan el "Chancho Burgués". Salsamendi los hace bajar al sótano, donde está su loro Nick, que grita que su patrón está matando de hambre a la República (245). Allí ven la cama-jaula de Creso y su máquina de sumar. Creso los invita a la Ultima Cena. Pide que el Pobre Absoluto se siente a su derecha. La cena consiste en pan duro y en espinas dorsales de pescado, que tienen que chupar. Creso se declara el último rey de la tierra. Megafón argumenta que él transformó su pasión por la materia en una filosofía que tiene un patrón único: el Oro, que es como un Dios. Pero su religión no tenía ni Paraíso ni Infierno. Creso contesta que los tiene: su paraíso es la Estabilidad

Monetaria y su infierno la Inflación. Para castigarlo Barrantes y Barroso proponen "estacarlo" al suelo a la manera criolla.

Para combatir la dictadura militar Megafón y su grupo planean una operación comando, a la que denominan "Psicoanálisis del General". Deciden atacar al Presidente de la Nación, el General González Cabezón, alter ego del General Aramburu, en la residencia gubernamental. Poco antes del ataque, el "Gran Malambo de los Generales" lo depone. Dada esta situación, forman una patrulla, que incluye al Mayor Troiani, y van a ver al Presidente depuesto a su casa. Allí comienzan a cuestionarlo. Troiani lo acusa de ser "militar" y no "soldado". El soldado no era un técnico de la guerra como el militar; lo guiaba su fortaleza, prudencia, templanza y sentido de la justicia (196). Megafón lo culpa por la "tragicomedia" que les hicieron vivir, donde se derramó sangre de compatriotas. El General dice que la represión contra el General Valle fue "justicia militar". Megafón le recrimina el haber fusilado a un soldado como si fuera un delincuente, en la penitenciaría, deshonrándolo. El General confiesa que por las noches escucha un coro de plañideras que lloran y ve a un grupo de hombres, civiles y militares, que le hablan de la sangre y entre ellos está el General Valle. González Cabezón cuenta que a veces se le aparece Eva Perón; el Mayor Troiani le pregunta qué hicieron con su cadáver, al que profanaron. Se ponen a discutir sobre la idea de patria, que para el General es la tierra donde se ha nacido, mientras para el Mayor Troiani es la "nación" o el conjunto de hombres que la integran y que son sus hermanos. Las Plañideras se lamentan y dicen que no se recuperará el honor hasta que no regresen los verdaderos soldados. Los militares habían cometido fratricidio, con el pretexto de luchar contra el "enemigo interior" (206).

El último episodio alegórico de crítica política de la novela es la "Payada" de Megafón con el Embajador norteamericano en la Embajada. Megafón finge ser un dirigente gremial, Barrantes y Barroso trabajadores apaleados y Marechal un político de enlace. Los payadores hablan como "indios", deformando los verbos. El Embajador Hunter les dice que si no le entregan el petróleo crudo enviará a los Boinas Verdes. Megafón le pregunta "cómo el niño llamado Sam fue un Tío antes de ser un sobrino". El otro responde que el Ganso Energético lo impulsaba a la acción, fabricó un imperio y se convirtió en el Tío Sam. El Embajador los llama "aborígenes", y dice que les enseñará cómo ser ricos, a cambio de la soberanía. El Tío, dice Megafón, ignoró que para trascender a "otro" hay que conocer al "otro en tanto otro", en lugar de creerlo parte de "sí mismo" (268). Hunter empieza a cantar las glorias del Tío Sam; Megafón no responde y pierde la payada (273).

La gesta del héroe Megafón no puede estar completa hasta que no alcancen el objetivo final: la conquista de Lucía Febrero, la Mujer Sin Cabeza o Novia Olvidada. Lucía es la mujer celestial y su búsqueda es la "médula espinal" de lo que Megafón llamó su "batalla celeste" (Coulsón 111-5). Megafón va de aventura en aventura, hasta el episodio final de su muerte y descuartizamiento. La batalla celeste debía lucharse junto a la batalla terrestre, en paralelismo interior. Megafón envía a sus agentes para que la localicen, pero todas las pistas que le llegan son falsas. Alguien le informa que Lucía vive en Lomas de Zamora en la residencia del alemán Siebel, anticuario en marfiles. Los amigos van a su residencia y descubren que Siebel es un falso alquimista. Posee en su casa la imagen alegórica de un andrógino y siete cuadros que, según Tesler, tienen las figuras alquímicas del judío Abraham. En la torre de la casa encuentran a la supuesta Lucía rezando y se dan cuenta que no es la persona que buscan (175).

La reunión con la verdadera Lucía no se producirá hasta casi el final de la novela. Los agentes de Megafón le anuncian que Lucía está cautiva en el "Chateau de Fleurs", en El Tigre. El Chateau era un edificio de una sola planta, de arquitectura híbrida, con un único acceso. Se trataba de un gran prostíbulo disimulado. Entraban a él hombres y mujeres en ropa de soirée y se escuchaba música durante la noche. Su propietario era el griego Tifoneades. Megafón forma un comando para entrar al sitio a buscar a Lucía. En la expedición no participará Marechal, el cronista, quien cuenta lo que le refirió Tesler.

El edificio era una espiral centrípeta que conducía a sus visitantes hacia un dormitorio central. Allí se ocultaba una mujer de gran valor, que no era hija de hombre. Los visitantes iban al chateau a buscarla, pero ninguno era capaz de alcanzarla y el negocio de Tifoneades era infinito. Llaman al edificio el Caracol de Venus. El arquitecto Leparc, su constructor, y en esos momentos enemigo de Tifoneades, les recomienda que lo asalten por agua, ya que el fondo del chateau daba al río Luján. Convencidos, los amigos buscan la ayuda del piloto Coraggio, amigo de Samuel Tesler, quien acepta llevarlos en un pequeño crucero. Van en la expedición Megafón, Tesler, el duo Barrantes-Barroso, los mellizos Rómulo y Remo Domenicone y cuatro delanteros de Liniers Juniors.

Llegan al Chateau por la noche en el momento más intenso de la fiesta y luego de entrar comienzan el ascenso por el Caracol de Venus. En esta aventura es donde el autor despliega mejor su imaginación alegórica. Los personajes pasarán sucesivamente por varias estancias hasta llegar al centro del caracol. Es un ascenso iniciático en busca de la divinidad. En cada estancia los recibe una madame y encontrarán diferentes personajes y situaciones. En la primera estancia ven mujeres desnudas encima de unos pedestales: son las Venus. La madame les dice que esas mujeres hacen de todo y tienen que pagar sus tickets para estar con ellas. En la segunda estancia observan la ruptura del "yo" separativo y descubren un colectivismo liberador. El profeta e Imán Adbul Emín les enseña la ciencia de los derviches, que distinguen 28 sexos diferentes. Cada ser es un poliedro y al apagarse las luces tienen que girar y buscar en los otros las caras unitivas.

Por un caño flexible que se contrae como un intestino pasan a la tercera estancia. Los recibe una madame militar, fraulein Olga, quien afirma que no hay sexos absolutamente definidos (322). El sitio parece una gruta marina, con música de serruchos y roces de objetos. Encuentran allí a mujeres candelabros: son unas gordas desnudas que tienen una vela sobre las nalgas. En unas valvas aparecen efebos desnudos que se mueven al compás de una música ululante. Las mujeres apagan las velas y entran Machos Robots con sus vergas mecánicas en ristre y caen sobre los efebos.

Escapan a la cuarta estancia, donde "hay átomos del sonido que perdieron su forma unitiva" y los barre el viento (327) Ven sombras chinescas proyectadas en los muros, que combinan formas de hombres y animales. Unas bailarinas danzan al compás de una murga de barrio. Se amotinan contra ellos y tienen que escapar. Un telón de seguridad los protege. Entran en la quinta estancia. Los recibe la Sra. Pietramala, que sube a un estrado y les dice que han pasado la prueba, están en la cámara central y les va a presentar a una joya de mujer. Creen que van a ver a Lucía Febrero. Descorre una cortina y muestra a una mujer desnuda, que reúne belleza y sabiduría. Le hacen preguntas extravagantes y acierta todas (334). La Sra. Pietramala anuncia que la subasta con una base de 80.000 dólares. Megafón dice a sus amigos que no hagan posturas, que los están engañando, esa no es Lucía Febrero ni están en la Cámara Central del Chateau.

Huyen los cuatro y salen a una galería corva. Pietramala acciona los timbres de alarma llamando a los guardias. La galería se divide: Barranes y Barroso van por la izquierda, Megafón y Tesler por la derecha. Por una puerta de cuatro hojas de hierro, cobre, plata y oro Tesler y Megafón ingresan al centro del Caracol. Aparece en un pedestal una Mujer Encadenada. Es la Novia Olvidada. Megafón llora. Lucía es un canto a la libertad. Ella lo mira, lo saluda y le habla. Entran tres matones con cachiporras. Megafón está en éxtasis sonriendo ante Lucía Febrero y no se defiende. Le pegan hasta que lo matan. Luego atacan a Samuel, le pegan en un hombro y se hace el muerto. Entra al recinto un hombre enano vestido con una túnica griega: es Tifoneades. El héroe Megafón ha muerto. Traen al carnicero Trimarco para que lo descuartice.

Tesler aparece tirado al día siguiente en los bosques de Palermo, y pocos días después encuentran partes del cuerpo de Megafón en diferentes puntos de la ciudad. Patricia, su esposa, se propone reconstruir el cuerpo y devolverle la unidad, pero le falta el falo. Hace esculpir un falo de terracota y lo entierran. Asiste sólo un grupo de amigos. Samuel Tesler no pudo levantarse de su lecho de enfermo. En el entierro recitan un poema que dice que Buenos Aires recompensa a sus héroes con el exilio y la muerte. El fin de Megafón significa el fin también para Patricia, su mujer. Su alma comenzó "un movimiento de rotación" y no se encontró a sí misma (346). Megafón había partido y ella quería seguirlo. Patricia dice a sus vecinos y amigos que ella sale de viaje al valle de las sombras de la muerte. Más allá de las sombras buscará al Novio Eterno. Patricia muere rodeada de sus amigos.

Una semana después Samuel Tesler, el filósofo, llama a Marechal, el cronista, para avisarle que ha decidido morir en un plazo de 72 horas y lo nombra empresario de su muerte. Su muerte debía ser "popular y cantada" y con testigos. Tesler, en camisón blanco, reúne a sus amigos y dicta sus "lamentaciones". Siguiendo el orden del alfabeto hebreo cuenta toda su vida. Dice que desde un comienzo tuvo delante la cara del Autor, supo que debía romper el esquema de la Gran Ilusión y que iba a construir el Mundo en la Balanza. Los seres humanos rechazaron su mundo, se volvieron contra él y lo persiguieron. Le habló a su creador y le dijo que era Adán. Escribió el Epitafio de la Libertad, asesinada por "cien hijos de puta". Se siente ridículo en su "sublimidad... manifestación imposible de lo Absoluto no manifestable". Confiesa que le gusta la Casa pero más el Arquitecto. Pide a Marechal que le registre la propiedad intelectual del texto.

Tesler afirma que todo está en movimiento continuo, pero que "el problema del hombre no está en el movimiento, sino en la inmovilidad" (358). Los testigos le preguntan sobre el futuro, y Samuel les responde con una versión propia de la parábola del hijo pródigo: el padre tenía dos hijos, uno se quedó con él y otro partió y después de un tiempo regresó. Se pregunta si el que partió no cumplió una misión. Cree que hay un tercer hijo que vuelve a la casa del padre, muerto y resucitado, y el padre lo sienta a su derecha, porque ése es el hijo que redime. Samuel se levanta de su cama, baila y cae al suelo. Lo acuestan y poco después muere.

El cronista Marechal es el encargado de cerrar con sus palabras la novela. Ya narró las dos batallas de Megafón, la terrestre y la celeste, y hay dos sectas iniciáticas en Buenos Aires, en Villa Crespo y Flores, que estudian su doctrina y su praxis. Buscan el falo ausente que probablemente esté oculto en el gorro frigio de la República, o en la Pirámide de Mayo, o en el Obelisco. Afirma que todo está en movimiento y hay agitaciones de parto. Es necesario recomenzar otra vez.

El héroe ha muerto y comienza el mito de Megafón (Lojo 62). La gesta ha durado un año. Han concluido sus dos batallas. Marechal ha integrado los dos mundos: el material y el espiritual. Une su búsqueda religiosa y espiritual a su búsqueda estética de altura, asociando el mundo inferior al mundo superior. En Lucía Febrero el héroe encontró el sentido extático y la libertad. Megafón ha visto a la divinidad: muere libre, ha completado su ciclo. Su cuerpo, ritualmente descuartizado, regresa al mundo en comunión. Patricia, su esposa, reúne sus partes para recobrar la unidad y darle a la gesta un sentido trascendente.

Marechal integra su visión mística y estética en un plan político, que busca unir la patria dividida. Su símbolo es la víbora en movimiento, que tiene dos pieles. Debe quitarse su vieja piel para que emerja la piel nueva. Megafón y sus comandos han luchado en varias batallas denunciando a la oligarquía, al militarismo reaccionario, a la Iglesia aliada de la oligarquía, al capitalismo voraz y al imperialismo norteamericano. Marechal defiende su visión peronista: quiere una sociedad nacional integrada, sin antagonismo de clases, cristiana y popular. El autor está buscando concientizar al pueblo, estimularlo para que luche por su libertad.

Megafón, o la guerra es una novela peronista de denuncia. Marechal es fiel a la ideología nacional, popular y cristiana del Peronismo e idealiza la misión del artista. El compromiso peronista es un compromiso heroico, espiritual y material, de alguien que propone el propio sacrificio para salvar al pueblo. Sólo así logrará resucitar en comunión con éste.

Bibliografía citada

Andrés, Alfredo. *Palabras con Leopoldo Marechal*. Buenos Aires: Carlos Pérez Editor, 1968.

Bravo Herrera, Fernanda Elisa. "Los asedios y las batallas en *Megafón, o la guerra* de Leopoldo Marechal". *Centro Virtual Cervantes*. AISPI. Actas XXII (2004): 39-49.

Cavallari, Héctor Mario. *Leopoldo Marechal. El espacio de los signos*. Xalapa: Universidad Veracruzana, 1981.

Cella, Susana. "La redención en Buenos Aires". *Revista de Literaturas Modernas* No. 33 (2003): 41-52.

Colla, Fernando. "Cronología". Leopoldo Marechal, *Adán Buenosayres...* 565-80.

Coulsón, Graciela. *Marechal. La pasión metafísica*. Buenos Aires: García Cambeiro, 1974.

De Solá, Graciela (G. Maturo). "La novela de Leopoldo Marechal: *Adán Buenosayres*". *Revista de Literaturas Modernas* No. 2 (1960): 45-65.

Fiorucci, Flavia. *Intelectuales y Peronismo 1945-1955*. Buenos Aires: Editorial Biblos, 2011.

Frugoni de Fritzsche, Teresita. "Leopoldo Marechal: una literatura transcendente." *Cincuentenario de Adán Buenosayres*. Buenos Aires: Fundación Leopoldo Marechal, 2000. 83-90.

Gramuglio, María Teresa. "Retrato de escritor como martinfierrista muerto". Leopoldo Marechal, *Adán Buenosayres*...771-806.

Jitrik, Noé. "*Adán Buenosayres*, la novela de Leopoldo Marechal". *Contorno* No. 5-6 (Sept. 1955): 38-55.

Jozami, Eduardo. *Dilemas del peronismo. Ideología, historia política y kirchenismo*. Buenos Aires: Grupo Editorial Norma, 2009.

Lojo, María Rosa. "La mujer simbólica en la narrativa de Leopoldo Marechal". *Ensayos de crítica literaria. Año 1983*. Buenos Aires: Editorial de Belgrano, 1983. 9-112.

Marechal, Leopoldo. *Megafón, o la guerra*. Buenos Aires: Planeta, 1994.

--------. *Adán Buenosayres*. Madrid: ALLCA/Colección Archivos, 1997. Edición crítica de Jorge Lafforgue y Fernando Colla.

--------. *Descenso y ascenso del alma por la belleza*. Buenos Aires: Ediciones Ceterea, 1965.

--------. *Cuaderno de navegación*. Buenos Aires: Editorial Sudamericana, 1966.

--------. "Proyecciones culturales del momento argentino". Leopoldo Marechal, *Obras completas*. Buenos Aires: Perfil, 1998. Tomo V: 131-141. Compilación de Pedro Luis Barcia.

Prieto, Adolfo. "Los dos mundos de *Adán Buenosayres*". *Boletín de Literaturas Hispánicas* No. 1 (1959): 57-74.

Rocco-Cuzzi, Renata. "Las epopeyas de Leopoldo Marechal". Sylvia Saítta, directora del volumen. *Historia crítica de la Literatura Argentina. El oficio se afirma*. Buenos Aires: Emecé, 2004. Vol. 9: 461-482.

Romano, Eduardo. "La poesía de Leopoldo Marechal y lo poético en *Adán Buenosayres*". Leopoldo Marechal, *Adán Buenosayres*... 618-653.

Rosbaco Marechal, Elbia. *Mi vida con Lepoldo Marechal*. Buenos Aires: Editorial Paidós, 1973.

Sarlo, Beatriz. "Orillero y ultraísta". *Escritos sobre literatura argentina*. Buenos Aires: Siglo XXI, 2007. Edición de Sylvia Saítta. 149-59.

Viñas, David. *Grotesco, inmigración y fracaso: Armando Discépolo*. Buenos Aires: Corregidor, 1997.

CAPÍTULO 14

EL AVIÓN NEGRO: PERÓN VUELVE

E *l avión negro*, del Grupo de Autores –integrado por Roberto Cossa (1934-), Germán Rozenmacher (1936-1971), Carlos Somigliana (1932-1987) y Ricardo Talesnik (1935-)– fue una obra colectiva polémica que se estrenó en el Teatro Regina de Buenos Aires en julio de 1970. El año anterior la sociedad argentina había vivido una profunda crisis política. Una serie de huelgas obreras y estudiantiles paralizaron las ciudades de Córdoba y de Rosario. Durante el "Cordobazo" y el "Rosariazo", los trabajadores y los estudiantes se rebelaron y lucharon contra el régimen militar, debilitando su poder y provocando indirectamente la caída de su General más reaccionario, el católico y nacionalista Onganía, que gobernaba el país desde el golpe de estado de 1966 (Cosentino 32). Los líderes del Ejército, en junio de 1970, lo destituyeron, y nombraron presidente al General Levingston.

Era un momento de nuestra historia cultural en que muchos actores, directores y dramaturgos creían en un teatro y en un cine político y colectivo, que representara el espíritu de lucha de su comunidad. Dos años atrás Pino Solanas y el Grupo de Cine habían revolucionado el mundo del cine documental con la presentación de su película sobre la historia del Peronismo, filmada en la clandestinidad, *La hora de los hornos*.

El teatro y el cine fueron las expresiones artísticas que mejor testimoniaron y se integraron a las luchas revolucionarias. Los dos se complementaron para llevar al gran público su mensaje político. El teatro, por su vínculo directo con la palabra oral y con el espectador, no quedaba atrapado en el proceso de lectura diferida que caracteriza a las artes verbales, como la narrativa y la poesía culta. La propuesta del dramaturgo recibía una respuesta inmediata en la sala de teatro.

El público del teatro era más selecto y especializado que el del cine. Era un fenómeno urbano, la mayoría de los teatros estaban radicados en la capital y en las grandes ciudades de provincia. El teatro en vivo "de autor" no llegaba a las capas rurales, como lo hacían el radioteatro y el teleteatro. El cine nacional se proyectaba en todas las salas del país, tanto en las ciudades como en los pueblos de campaña. Los movimientos revolucionarios en Argentina surgieron en las áreas urbanas y en ellos participaron sobre todo obreros y estudiantes. Eran capas bien informadas de la población, y muchos de los militantes valoraban la literatura. Mantuvieron esa alianza que ha existido siempre en la cultura argentina entre política, historia y literatura.

Además del circuito de teatro comercial y de entretenimiento, que siempre tuvo gran auge, existía en Buenos Aires en la época un importante movimiento de teatro literario de autor. El teatro de autor se había desarrollado considerablemente desde la década del treinta, cuando Leónidas Barletta fundó el Teatro del Pueblo y comenzó el movimiento de teatro independiente.

Muchos escritores desde entonces participaron en el nuevo movimiento teatral, entre ellos Roberto Arlt, Raúl González Tuñón, Alvaro Yunque y Nicolás Olivari (Mogliani 171-80). La generación del sesenta, a la que pertenecían los dramaturgos que integraron el Grupo de Teatro, fue, según la opinión del crítico e historiador Osvaldo Pelletieṛi, la generación más destacada e influyente del siglo veinte, y renovó las propuestas teatrales en Argentina.

Los dramaturgos que integraron el Grupo de Autores y escribieron *El avión negro*, según nos informa en el "Prólogo" Ricardo Halac, habían comenzado su carrera unos pocos años antes, en 1964, y ya contaban con importantes logros: Cossa había escrito *Nuestro fin de semana*; Rozenmacher, *Réquiem para un viernes a la noche*; Somigliana, *Amor de ciudad grande* y Talesnik, *La fiaca* (Halac 7-10). Fueron obras que alcanzaron popularidad con el público teatral. Sus escritores eran jóvenes y provenían de sectores pequeño-burgueses que cuestionaban y criticaban a la clase media. Propusieron una poética teatral original, a la que Osvaldo Pelletieri denominó "realismo críti-co" (Pelletieri, "Introducción" 26-30). Tuvieron luego (excepto Rozenmacher, que falleció como consecuencia de un accidente en 1972) una extensa carrera teatral. Debemos incluir también como miembro del Grupo de Autores a Ricardo Halac (1935-), que escribió el prólogo de *El avión negro* pero no intervino en su escritura. Fueron autores prolíficos de la escena teatral nacional que hicieron importan-tes propuestas culturales y dejaron testimonio de diversos procesos políticos ocurridos en el país durante varios decenios.

Según Pelletieri, en la década del sesenta aparecieron dentro del teatro culto de autor en Buenos Aires dos tendencias renovadoras que polemizaron entre sí: la del "realismo crítico", liderada por estos auto-res, y la del "teatro del absurdo", en la que se destacaba Griselda Gambaro, autora de *El desatino* y *Los siameses* (Pelletieri, "El teatro argentino del sesenta..." 130-133). Estas tendencias nacionales refle-jaban a su vez cambios e innovaciones de la escena internacional: el realismo crítico, el drama de Bretch y el teatro de crítica social del norteamericano Arthur Miller, y la corriente del absurdo, el teatro europeo de Ionesco y Beckett. El realismo crítico se basó en las pro-puestas actorales de Stanislawski, y del norteamericano Lee Strasberg, director del influyente Actor's Studio de New York, y utilizó las ideas escenográficas de Bretch, combinando textos y canciones.

Los autores del realismo crítico analizaron y censuraron en sus primeras obras las limitaciones y "vicios" de la clase media: mostraron su mundo rutinario, la pobreza de sus expectativas sociales, la falta de grandes ideales, su convencionalismo, sus limitaciones espirituales y culturales. La pequeña burguesía era una clase servil de profesionales al servicio del sistema político de turno, de trabajadores de "cuello blanco" que negaban ser parte del proletariado, de pequeños comer-ciantes dignificados que aspiraban a un mejor nivel de vida. Estos pequeños burgueses, liberales y antiperonistas en su mayoría, se con-sideraban los representantes de la "cultura" en Argentina, disfrutaban de las oportunidades artísticas que brinda la vida urbana, y eran los principales clientes de las salas de teatro. Apoyaban o justificaban a la "Revolución libertadora", que había derrocado a Perón en el 55, y se sentían amenazados por el posible retorno del régimen peronista.

Temían la venganza de los excluidos: el extenso sector proletario de los "cabecitas negras" y los trabajadores peronistas, que conspiraban en esos momentos para que regresara al país el General exiliado.

La dictadura militar había proscripto al Peronismo, y esa decisión arbitraria y torpe había provocado gran inestabilidad en el país, ya que excluía de la vida política a la masa de la población (Plotkin 29-54). Los jóvenes dramaturgos de clase media que formaron e integraron el Grupo de Teatro tomaron conciencia de esta situación, y se propusieron denunciar y discutir esa realidad política distorsionada e injusta. Hasta ese momento habían logrado reflejar en sus obras los problemas personales y espirituales de la clase media. Querían ir más allá, testimoniar sus vivencias y aprehensiones políticas, y mostrar la manera en que esta clase vivía e interpretaba los problemas sociales de su país. En lugar de trabajar individualmente y de manera aislada, prefirieron compartir un trabajo colectivo y formaron un grupo. Todos eran autores jóvenes que vivían y trabajaban en la capital, y compartían su visión de mundo.

En *El avión negro* se propusieron hacer tomar conciencia a su público de la peligrosa situación política por la que estaban pasando (Buchrucker 3-28). Muestran en la acción dramática los temores de la oligarquía y la clase media ante un posible retorno de Perón. Esos sectores sociales creían que el retorno de Perón alteraría las relaciones de poder entre las clases y llevaría a una crisis de valores. Los jóvenes autores condenan a aquellos que pretenden negar toda legitimidad política a la masa de trabajadores peronistas. Es evidente que los integrantes del Grupo de Autores, si bien formaban parte de la clase media liberal, simpatizaban con los acontecimientos revolucionarios que se estaban desarrollando en esos momentos en Argentina y en otras partes del mundo.

Durante la década del sesenta, la Revolución Cubana había recibido amplio apoyo entre los sectores más radicalizados de la juventud, y en los medios intelectuales. El Che, que había sido capturado en combate y asesinado en Bolivia por orden de la CIA en 1967, era el modelo moral del revolucionario, capaz de dar su vida por una causa. Distintos partidos revolucionarios abrazaron los ideales guevaristas, y los grupos guerrilleros se organizaban en Argentina y se disponían a combatir. Esta situación contribuyó a radicalizar a sectores de la juventud, que se prepararon para abrazar la lucha armada revolucionaria. Montoneros comenzó sus operaciones poco antes del estreno de *El avión negro*. Varios sectores políticos marxistas creyeron indispensable trabajar junto a las masas peronistas, que vivían en un estado de movilización política permanente desde 1955, conspirando contra el régimen militar.

Durante los últimos años del sesenta y la primera mitad del setenta, la sociedad argentina entró en un agudo proceso político, que transformó drásticamente la vida nacional. Esta obra apareció en un momento crítico, que presagiaba las luchas políticas revolucionarias que ocurrirían en los próximos años. La actitud valiente y comprometida de los integrantes del grupo influyó en otros autores, que en esos años buscaban participar con su teatro en el proceso de politización de la sociedad argentina. Entre éstos debemos citar a Ricardo Monti, autor de *Historia tendenciosa de la clase media argentina*, 1971; a Mauricio Kartún, que estrenó *Civilización... ¿o barbarie?* en 1973, y a David Viñas, que ganó el Premio Nacional de la Crítica con *Túpac Amaru* en 1973 (Pelletieri, "Introducción" 75).

El avión negro es una obra organizada en una serie de "sketches" o escenas separadas (Kaiser-Lenoir 5-11). Cada escena propone una situación distinta y tiene sus propios personajes (Batchelder 17). La primera escena introduce al obrero peronista Lucho en el cuarto del conventillo donde vive. Es de noche y está esperando que alguien llegue. Lucho comienza a tocar un bombo. Imita con su boca el ruido de una multitud que avanza. Finalmente su invocación da resultado y aparece un fantasma, al que saluda: es el General Perón. Lucho le habla. Evoca el pasado glorioso del General durante sus mandatos, cuando las multitudes se reunían en la Plaza de Mayo, frente a la casa de gobierno, para escucharlo y él se dirigía a ellos desde el balcón.

Lucho le hace una propuesta al General: él conducirá a los compañeros en una manifestación peronista. Saldrán a la calle para intimidar a sus enemigos, la oposición "gorila" de derecha. Tocando su bombo, símbolo de las marchas del pueblo peronista, Lucho guiará la manifestación, que irá aumentando su número a medida que se acerquen a la histórica plaza. Los muchachos esperan una señal del General, lo necesitan. Será una marcha multitudinaria, como las de antes, cuando gobernaba. El acuerdo queda sellado, y Lucho se prepara para organizar otro 17 de octubre.

Los autores utilizan canciones que enuncian los objetivos e intenciones de los militantes para separar las escenas. La primera canción es la del "nuevo diecisiete": una murga canta que las masas peronistas marchan, como el 17 de octubre de 1945, a la Plaza de Mayo, a pedir por el regreso de Perón, y que no se irán de allí hasta que no se haga presente el amado líder. Lucho preside la manifestación y va marcando el paso con su bombo. Los descamisados que participan están felices, son parte de una gran fiesta popular. Las escenas siguientes muestran cómo van reaccionando los distintos sectores sociales, a medida que avanza la temida multitud por las calles.

En el primer sketch que continúa esta introducción aparecen en el escenario un señor y una señora de clase media. Están en su casa y sienten, alarmados, que se avecina la manifestación. Los manifestantes gritan que ha vuelto Perón y muchos vecinos salen a la calle a ver qué pasa. Nuevas personas se incorporan a la marcha, que se hace cada vez más numerosa. La familia tiene una sirvienta que está allí con ellos. Los esposos hablan entre sí y toman conciencia de que su sirvienta seguramente es peronista y simpatiza con los de la marcha. Calculan cómo reaccionar frente a ella, y deciden mostrarle, con hipocresía, un interés y respeto especial. Imaginan que Perón va a restablecer su gobierno, ilegítimamente derrocado por los militares golpistas en 1955, y temen represalias.

En la escena siguiente un dirigente sindical conversa con un arquitecto que trabaja para el Sindicato. El arquitecto está encargado de construir un cementerio para la obra social del gremio. El sindicalista, un dirigente corrupto, aprovecha la situación para desviar fondos en su provecho. Se hace construir en su casa una pileta de natación con el dinero del sindicato. Su beneficio económico parece ser su único interés. Cuando llega un afiliado a buscarlo para avisarle que "los muchachos están en la calle", el sindicalista se muestra sorprendido, y responde con incredulidad y desagrado. La llegada de Perón interrumpía la paz provechosa de su mundo en que, jugando el juego del buen sindicalista, no hacía nada y se quedaba con fondos del sindicato. La escena termina con el sindicalista tratando de calmar a los obreros movilizados, pidiéndoles que abandonen la marcha. Habla por teléfono al ministro del gobierno militar para denunciar la manifestación, traicionando a los trabajadores.

La próxima escena presenta a un empresario nacional, el Sr. González, en trance de hacer un negocio provechoso con un capitalista norteamericano. Está ya por firmar con él el contrato, pero la marcha, los ruidos, las bombas de estruendo, asustan al norteamericano, que dice que están todos locos. La escena es cómica y grotesca: observamos el esfuerzo del empresario para aprender el inglés para, su picardía ante el americano, a quien insulta sin que éste se dé cuenta, porque no comprende el castellano. Finalmente éste se va sin firmar. El empresario argentino, desesperado y frustrado, dice que lo siente "por el país", que ha perdido un buen negocio (28).

A medida que progresa la acción de la obra aumenta el clima de violencia. La segunda canción, "Esta marcha se formó…", explica que la decisión del pueblo argentino de salir a la calle es consecuencia de las "promesas no cumplidas", que generaron "bronca y resentimiento" (29). Ese es el momento cuando el pueblo dijo basta. Avanza la manifestación y el poder dictatorial reacciona; busca la manera de detener la marcha y controlar la situación.

En la escena titulada "El orden", un funcionario interroga a alguien que no parece tener nada que ver con la marcha. Le pregunta si "está en algo". Ante la respuesta negativa del hombre, un individuo de clase media sin ninguna filiación política, el funcionario comienza a tergiversar sus palabras y lo intimida. El interrogado se defiende, afirmando su neutralidad, y el otro lo acusa de estar implicado en la rebelión y ser un activista encubierto. El funcionario hace la apología del gobierno militar golpista, diciendo que debe creer en ellos, porque son "revolucionarios" y al mismo tiempo "democráticos", "nacionalistas" y "liberales", todo en su justa proporción (32). Luego de darle esta explicación a su interrogado, que es claramente inocente, lo hace detener "por las dudas". La escena hace comprender al espectador que en la situación política que están enfrentando nadie se puede considerar al margen, porque para la dictadura los que "no se meten" también son sospechosos: el poder militar es desconfiado y paranoico, y no cree en la buena fe de la población civil.

Gradualmente las escenas se van volviendo más cómicas. Los Autores deforman las situaciones de manera grotesca, para hacer reír al espectador, pero también para instruirlo sobre la realidad que enfrentan. La próxima, el "Comité Central", es una sátira que se burla del partido comunista argentino, demostrando su incapacidad para ponerse a la cabeza de cualquier movimiento de reivindicación obrera, como el que se estaba gestando en esos momentos a la vista de todos. Sus personajes, el Gallego, el Tano y el Ruso, defienden las consignas de los partidos comunistas de sus países de origen, y hacen su propia interpretación de la situación argentina. Cada uno entiende el comunismo a su modo. No saben qué hacer en esos momentos en que la masa ha salido a la calle. No intentan ponerse a la cabeza para liderarla, y debaten estérilmente entre ellos sobre la posibilidad de publicar un manifiesto. Dicen que deben formar un "frente amplio". El frente amplio era una vieja estrategia de alianza de clases, entre el proletariado y la burguesía, que defendía el P. C. ruso. Sus dirigentes son ridículos y viejos y están fuera de la realidad. No comprenden lo que pasa alrededor de ellos.

El próximo episodio nos introduce en el consultorio de un dentista que está atendiendo a una paciente pobre, cuando escuchan que se acerca la marcha. La paciente proletaria se muestra feliz. El dentista se pone tan violento y hostil ante la situación, que no se da cuenta que está aplicando demasiada presión con el torno y está matando a la paciente. La escena termina con un monólogo defensivo de autojustificación del dentista, que afirma a los gritos que es un hombre culto y sensible, que ve películas de Bergman y lee "La Prensa".

Los autores tratan de demostrar que nada puede detener al pueblo, ni siquiera la violencia más extrema, una vez que éste sale a la calle a reclamar y pelear por sus derechos. Perón es reconocido como justiciero. No en vano su partido se llama "Justicialista". El objetivo del Peronismo era restablecer la justicia social, devolviendo sus derechos a los que generaban la riqueza: los trabajadores. La oligarquía se había adueñado del poder para gobernar en beneficio propio, victimizando a los obreros. La clase trabajadora veía a Perón como un líder que defendía a los pobres de los abusos que cometían los poderosos y les devolvía su dignidad.

La siguiente canción de la murga que lidera la marcha de las masas peronistas: "Este es el pueblo...", exalta el temple de los trabajadores y su lucha por sus reivindicaciones. Los obreros amenazan a la oligarquía, y le exigen que dejen de explotar al pueblo y "larguen el queso". Si bien quieren la paz, están dispuestos a hacer la guerra si los provocan.

En la próxima escena intervienen "los gorilas" antiperonistas para defender al régimen militar. Los gorilas son dos viejos oligarcas violentos. Los acompaña Rosato, un esbirro joven y obediente, armado con cachiporras y manoplas. Uno de ellos anda en silla de ruedas, y tiene conectado un frasco de suero. Lo atiende una enfermera. Los dos viejos sienten que ha llegado su hora, y están listos para defender al país de la turba peronista que marcha por la calle y avanza. Son varios miles, pero ellos se han propuesto detenerlos. Rosato ensaya su odio torturando a un muñeco "descamisado", al que golpea y estrangula y finalmente muerde. Los viejos tratan de pararlo pero no pueden. Se dan cuenta que ya tienen entre ellos a quien defienda a "la verdadera Argentina" (44). Finalmente la multitud se acerca y preparan las armas de fuego. Van a proteger su estilo de vida y sus tradiciones. Todos disparan al mismo tiempo.

La escena concluye y queda el escenario a oscuras. Este cambio de escena divide formalmente la obra en dos partes. Aparece Lucho con un grupo de trabajadores peronistas. Los trabajadores van a hablar con un dirigente, buscando su apoyo. El dirigente sindical no es capaz de asumir su obligación histórica y conducirlos. Trata de pararlos. Dice que el General ha dado la orden de que "desensillen hasta que aclare", que están rodeados de provocadores e infiltrados. Pero nada puede detener la fuerza de la masa en marcha, ni siquiera las falsas declaraciones del dirigente en nombre de Perón. Prácticamente se lo llevan por delante, lo dejan gritando solo.

La murga de Lucho avanza y reaparece el fantasma del General Perón. Lucho le pide al General que mire lo que ha logrado: le había prometido un nuevo 17 y lo está cumpliendo. Van a celebrar la gran fiesta de los peronistas. Todos se dirigen a la Plaza de Mayo. Sólo falta que salga él, como en el pasado, montado en su caballo pinto, para acompañar a la multitud, y que luego se instale en la casa de gobierno y empiece a firmar decretos (48). Perón aprobará leyes progresistas para los trabajadores. La ley decisiva, le dice Lucho, será la que ordene: "prohibido joder a los negros".

Las esperanzas de Lucho no se concretan. El fantasma de Perón desaparece y el pobre Lucho se queda solo con su murga. Cantan que son ellos "los que vienen del montón", nadie los quiere ni ellos quieren a los otros. No los quieren los políticos, ni los artistas, ni los "milicos", ni los dirigentes gremiales (51). Son despreciados por todos, pero empiezan a cansarse, porque saben que ya no tienen nada que esperar.

En el próximo cuadro los Autores denuncian la hipocresía social. Los representantes del poder enmascaran sus intereses y engañan a los trabajadores. En esta escena la sociedad hipócrita se quita literalmente sus máscaras. Aparece en el escenario un actor que habla al espectador sucesivamente en nombre de varios personajes. Después de decir cada monólogo, se quita el traje que lo identifica. Abajo tiene otro y continúa hablando en nombre del nuevo personaje. Primero es un Obispo, luego un General, un burócrata de traje gris, un tecnócrata en mangas de camisa y, finalmente, un hombre desnudo. Todos estos personajes tratan de justificar a su grupo social, y amedrentar y engañar a las masas. Manipulan y mienten. El Obispo incita a los trabajadores a olvidar las "rencillas fratricidas". El General les dice que no tolerará a los infiltrados que quieren confundir al pueblo argentino. El burócrata de traje gris les advierte que antes de pensar en distribuir los beneficios es necesario "desarrollar las empresas" (53). El tecnócrata argumenta que toda esa crisis aparente no es más que un "problema técnico" por resolver. El hombre desnudo, finalmente, dice que no entiende bien qué quieren los trabajadores, porque la Argentina es un país en que hay abundancia de todo.

En la escena siguiente la marcha a Plaza de Mayo amenaza la seguridad de una familia burguesa. Los trabajadores invaden una casa, y los miembros de la familia no saben cómo reaccionar. El padre deja que tomen a su mujer y sus hijos y abusen de ellos, no los defiende, prefiere cuidar sus bienes materiales. Sólo él se pone a salvo de la invasión de los "negros". El egoísmo y la cobardía de la clase media es apabullante.

La masa obrera "profana" a sus enemigos: los trabajadores están embriagados, y cantan la canción del "chupe, chupe". Dicen que van a quemar e incendiar Barrio Norte y Palermo Chico, el Jockey Club y el Plaza Hotel, y que van a violar a "todas las pitucas", les van a devolver el mismo odio que recibieron ellos. Pero cuidado: la oligarquía está lista para atacar. En la última escena el Malo y el Bueno, y un enfermero que los asiste, agarran al muñeco "descamisado" que había aparecido antes en el sketch de "los gorilas" y lo empiezan a torturar para que hable. Le preguntan "quién es el del bombo". Buscan al instigador de la rebelión y la marcha peronista. La amenaza del retorno de Perón y el desenfreno del pueblo les produce pánico.

En una sesión de violencia salvaje el Bueno y el Malo le arrancan la cabeza al muñeco y le extraen el corazón. Le dicen a la audiencia que "las cosas no pueden cambiar de sitio", deben seguir siendo como son. En la Argentina no habrá ni "caos...ni libertinaje, ni subversión..." (66). Ellos son los garantes de la paz. La oligarquía y sus aliados consideran que el pueblo está resentido, lleno de odio, y es peligroso. Por eso persiguen a los trabajadores y los torturan. Los trabajadores juran vengarse de los atropellos sufridos pero, al final, son ellos las víctimas de la violencia del sistema. La obra concluye y el pueblo continúa con su lucha.

En la obra los personajes burgueses odian y desprecian a los proletarios, y no reconocen sus malos sentimientos y sus prejuicios. Creen que son los trabajadores los que los odian, y que ellos, al atacarlos, sólo se están defendiendo. Los descamisados esperan el retorno de Perón, porque fue el hombre que le dio identidad a la clase obrera. El Grupo de Autores legítimamente retrata la situación de opresión y esperanza del pueblo peronista. Es la primera vez que ese pueblo en esa época aparece en el escenario de un teatro.

Los autores del Grupo son valientes, y se comprometen con su realidad social. Esa realidad es difícil de interpretar, y así lo testimonian en la obra. Muestran las limitaciones de la pequeña burguesía, con su bagaje intelectual liberal y marxista, para entender el fenómeno del populismo peronista. No es un fenómeno lógicamente explicable en toda su complejidad. Los conflictos de clase que se plantean no necesariamente se resuelven y llegan a una síntesis. En los gobiernos populistas la historia parece que vuelve y se repite. El fantasma de lo reprimido aflora en el subconsciente colectivo. Se levanta sobre la explicación del Peronismo una dimensión mítica. Nadie parece tener un control de la realidad, ni siquiera el mismo Perón, que se muestra cansado y superado por los hechos. El protagonismo principal lo tiene la fuerza de la masa, que no retrocede ante nada. La muchedumbre proletaria desborda todo como un río de lava. Amenaza quemar el mundo si no le dan el espacio que necesita para vivir. La burguesía teme esa catástrofe y la vive como un apocalipsis destructor. Quiere comprenderlo y justificarlo, pero no puede.

Este joven Grupo de Autores, tan influyente en el teatro argentino, es generoso. Su explicación se detiene en el punto en que ellos dejan de comprender. Su actitud ante la historia es crítica, pero también poética. Su realismo es limitado. Lo que buscan es dar un testimonio de su asombro ante lo que está pasando frente a ellos. Viven en una sociedad prerrevolucionaria, y las fuerzas sociales desatadas están listas para lanzar la revolución. Las fuerzas políticas se preparan para entrar en la historia. Pronto comenzaría la batalla más abierta entre los grupos de izquierda y los sectores reaccionarios. Los autores sienten esto, tienen gran intuición social. Pueden ver desarrollarse ante sí el teatro de la historia como un fantasma. Es un fantasma que abarca el pasado, el presente y prepara el mañana.

El avión negro es una propuesta que excede lo que habían planteado en teatro hasta entonces los autores del denominado "realismo crítico". Estos dramaturgos, al unirse, lograron superar sus límites personales y crear una identidad colectiva, un nuevo "autor". Pasaron por el mismo proceso que había enfrentado antes el grupo de Cine Liberación de Pino Solanas. Este no es un ejercicio de autocompasión o crítica a la pobreza moral e intelectual pequeño burguesa, como habían sido las otras obras de estos autores antes. *El avión negro* es la catarsis de un grupo de jóvenes autores de la pequeña burguesía capitalina ante el fantasma amenazante del Peronismo que retorna, cuando ya su clase creía haberlo exorcizado de la historia.

Como pieza de teatro, su teatralidad es "impura": en el escenario se mezclan los recursos dramáticos de cada autor (Pelletieri, "El teatro paródico al intertexto político…" 34-5). En la historia del teatro queda como un "experimento" de teatro político impulsado por una situación histórica real. Es el testimonio de un grupo de escritores que cuestionan a su sociedad, y quieren ir más allá de su individualidad, que los encasilla y los limita. Es valiosísimo que esto haya ocurrido en Argentina en 1970, nos permite comprender mejor el hecho revolucionario que vivió la sociedad en esa época. Los autores se sometieron a una práctica de grupo para acercarse al pueblo, a la masa peronista.

La burguesía argentina sabía que el pueblo era peronista. No terminaba de entender por qué, pero lo consideraba evidente. ¿Qué hacer con el Peronismo? La historia argentina se preguntó eso muchas veces. ¿Por qué un movimiento populista, con una doctrina mínima, tenía un lugar más importante en la historia argentina, que otros movimientos políticos con complejas y ricas doctrinas burguesas, conservadoras o liberales, que gobernaron el país, y que los partidos marxistas, con sus utopías revolucionarias de redención? ¿Qué era el populismo? Esa pregunta subyace, sin respuesta, como un misterio, en el planteo de esta obra. De eso se trata, de procurar entender el populismo, sin lograrlo. De plantear la pregunta y enfrentar el "hecho maldito" de la historia argentina.

El populismo es una práctica política criolla americana que se ha venido gestando desde el comienzo de la experiencia colonial española en América. Quizá los primeros populistas fueron los monjes que aprendieron lenguas indígenas y defendieron a los indios del escarnecimiento de los militares esclavistas que enviaba la corona. El Peronismo, como lo explicó claramente Perón, es de raíz cristiana. Perón consideraba que su doctrina política tenía muchos puntos en común con la democracia cristiana (Pérez 28-43).

El populismo establece la primacía de la experiencia social americana sobre la teoría política europea, derivada de una experiencia imperial y colonial devastadora. Es la versión impura criolla y mestiza de la política americana. Su objetivo es defender y salvar al hombre de América, de ahí la identificación del americano con el populismo. Nace de la compasión de los sectores criollos ante el hombre producto de la experiencia colonial europea en América.

Bibliografía citada

Batchelder, Norma W. "*El avión negro*: The Political and Structural Context". *Latin American Theatre Review* 20: 2 (Spring 1987): 17-28.

Brennan, James P., Editor. *Peronism and Argentina*. Wilmington: Scholarly Resources, 1998.

Buchrucker, Cristián. "Interpretations on Peronism. Old Frame and New Perspectives." J. P. Brennan, Editor, *Peronism and Argentina*...3-28.

Cossa, Roberto. *Teatro 2*. (Buenos Aires: Ediciones de la Flor, 1989).

Cosentino, Olga. "El teatro de los '70: una dramaturgia sitiada." *Latin American Theatre Review* 24: 2(Spring 1991): 31-39.

Grupo de Autores (R. Cossa, G. Rozemacher, C. Somigliana, R. Talesnik). *El avión negro*.   Roberto Cossa, *Teatro 2* (Buenos Aires: Ediciones de la Flor, 1989). 12-66.

Halac, Ricardo. "Prólogo". Roberto Cossa. *Teatro 2*...7-10.

Kaiser-Lenoir, Claudia. "*El avión negro*: de la realidad a la caricatura grotesca." *Latin American Theatre Review* 15: 1 (Fall 1981): 5-11.

Mogliani, Laura. "El teatro en la política cultural del primer y segundo gobierno peronista." *Assaig de Teatre* 42 (2004): 171-180.

Pelletieri, Osvaldo. "El teatro argentino del sesenta y su proyección en la actualidad." Osvaldo Pelletieri, coordinador. *Teatro argentino de los 60. Polémica, continuidad y ruptura*. Buenos Aires: Corregidor, 1989. 75-98.

--------. "Introducción". Osvaldo Pelletieri, editor. *Teatro argentino breve (1962-1983)*. Biblioteca Nueva: Madrid, 2003. 9-90.

--------. "El teatro paródico al intertexto político en Buenos Aires (1970-1972)". *Latin American Theatre Review* 30:1(Fall 1996): 33-42.

Pérez, Alberto Julián. "El testamento político de Perón". *Historia* 103 (September 2006): 28-43.

Plotkin, Mariano. "The Changing Perceptions of Peronism. A Review Essay." J. P. Brennan, Editor, *Peronism and Argentina*...29-54.

CAPÍTULO 15

JUAN GELMAN:
LIBERTAD/POESÍA/REVOLUCIÓN

1. Introducción

La poesía de Juan Gelman (Buenos Aires, 1930) ha quedado inextricablemente unida a las vicisitudes históricas de su tiempo. Su adolescencia y su juventud transcurrieron durante los años del gobierno popular nacionalista de Juan Domingo Perón en Argentina. En aquel entonces Gelman se sintió atraído por los ideales universalistas del marxismo y su promesa de liberar a la humanidad de la explotación, y se afilió al Partido Comunista (Montanaro y Turé 17).

Durante sus años de militancia en el Partido, Gelman escribió para el semanario *Nuestra Palabra* y el diario *La Hora* (Montanaro 51). En 1955 fundó con los poetas Héctor Negro y Juana Bignozzi, también vinculados al P.C., el grupo "El Pan Duro". Daban recitales de poesía y le publicaron su primer libro, *Violín y otras cuestiones*, en 1956. Raúl González Tuñón, el prestigioso poeta comunista, le escribió el prólogo. Gelman apreciaba en Tuñón "...su concepción de la poesía como comunicación, el trabajo poético de lenguaje cotidiano, la ciudad, lo porteño" (Montanaro y Turé 40). Su gusto poético se alimentó tanto de la poesía culta como de las expresiones del arte popular: admiró la poesía ultraísta de Borges y las letras de tango de Enrique Santos Discépolo.

La concepción del arte que proponía el comunismo: el realismo socialista, influyó mucho en su poesía durante sus años de militancia.

Dejó el Partido en 1964, y a partir de ese momento su poética cambió. Mantuvo su espíritu revolucionario: su búsqueda poética abarcaba la imagen, el lenguaje y la idea (Dalmaroni 80-90). El poeta debía participar en la experiencia histórica de su tiempo, asumir el desafío y luchar heroicamente por su sociedad (Milán 8-9).

El comunismo mantenía una visión materialista de la vida. Si bien el poeta aceptó la filosofía política de su Partido, tenía hondas necesidades emocionales y espirituales, que no se manifestaron plenamente en su obra hasta después de su ruptura con el P. C. En los poemas que escribió durante sus años de militancia sentimos que vivía bajo un proceso psicológico de autocensura. Al dejar el partido comenzó a ensayar nuevas voces y a usar máscaras. Fingía que era un poeta de otra lengua y cultura: inglés, japonés, norteamericano, y hablaba desde la perspectiva del mundo interior de esos poetas. Su trabajo más logrado en aquellos momentos fue *Los poemas de Sidney West,* de 1969. Allí su imaginación vuela y seduce, y emergen sus preocupaciones espirituales junto a las sociales: la crítica a la decadencia capitalista y el tema lírico de la muerte y la agonía social.

Poseía una sensibilidad trágica especial, se identificaba con el sufrimiento de los demás y se solidarizaba con ellos. Luego vivió en carne propia sucesos históricos fatales y traumáticos. Hacia fines de los sesenta Gelman comenzó a militar en las Fuerzas Armadas Revolucionarias (FAR), movimiento de izquierda peronista que en 1973 se fusionaría con Montoneros. La crisis política latinoamericana y argentina precipitó los desenlaces. Periodista reconocido y prestigioso, trabajó en revistas y periódicos nacionales de primer nivel, como *Panorama*, *La Opinión* y *Crisis*, y en 1974 el Movimiento Montonero lo nombró jefe de redacción del diario que representaba su tendencia, *Noticias*. Un año después la Triple A (Alianza Anticomunista Argentina) lo amenazó de muerte, y Gelman, que era miembro de la dirigencia de Montoneros, tuvo que exiliarse en Europa (Montanaro-Turé 21-22).

En 1976 los militares derrocaron al gobierno constitucional en Argentina y se desató una gran represión contra los sectores de izquierda, particularmente contra las organizaciones guerrilleras del Ejército Revolucionario del Pueblo (ERP) y Montoneros (Lewis 147-62). Ese mismo año secuestraron al poeta Miguel Angel Bustos, al novelista Haroldo Conti, mataron a su amigo y compañero de armas, el poeta Paco Urondo, en Mendoza, y secuestraron a su hija y a su hijo en Buenos Aires. La hija fue liberada poco después, pero el hijo permaneció desaparecido, y se descubrió años después que había sido asesinado. Su exilio se hizo permanente. Primero se instaló en Roma y trabajó para la agencia noticiosa "Inter Press Service", denunciando los crímenes perpetrados por el estado argentino contra los militantes políticos. En 1976 se presentó a un concurso de oposiciones en la UNESCO y ganó un puesto de traductor que le aseguró un trabajo permanente y bien remunerado. En 1977 mataron a su otro amigo, periodista y militante, Rodolfo Walsh, autor de *Operación masacre*.

Su producción poética reflejó las luchas políticas y los acontecimientos vividos por él y su sociedad durante estos años. *Relaciones,* (Buenos Aires, 1971-1973) lo escribió en la etapa de triunfo de la lucha armada e idealismo revolucionario; *Hechos,* (Buenos Aires - Roma, 1974-1978) cuando su movimiento político se repliega y sufre numerosas bajas. Los Montoneros fueron acorralados y derrotados por el Ejército en el campo militar. Para él fue catastrófico, porque lo perdió todo: su país, su trabajo en el periodismo nacional, su familia, sus amigos. Tuvo que aceptar la derrota y el exilio. Afloró en su poesía un sentimiento patético y trágico. Se volcó a la lectura de la cábala y los místicos españoles. Escribió *Comentarios* en 1978-1979, reelaborando motivos de la poesía de Santa Teresa y San Juan de la Cruz para expresar su dolor personal.

Esa temática elegíaca se prolongó en la década siguiente. Gelman no se recuperó de esos golpes, y su poesía quedó signada por el sentimiento trágico de pérdida. Entre 1983 y 1985 escribió *Dibaxu,* un poemario en idioma sefaradí, de poesía amatoria, en que el hombre maduro une el sentido de exaltación propio de la poesía amorosa al tono elegíaco y doloroso, para meditar sobre los seres queridos, y el sentido de abandono que experimenta el exiliado.

2. Su poesía social durante sus años de militancia comunista

Gelman entró en el Partido Comunista siendo un adolescente, en 1944, y renunció formalmente a su filiación partidaria en 1964. Para ese entonces ya había publicado *Violín y otras cuestiones*, 1956; *El juego en que andamos*, 1959; *Velorio del solo*, 1961 y *Gotán*, 1962. Su próximo poemario, *Cólera buey*, de 1965, incluyó una cantidad de poemas escritos antes de 1964. Estos libros conforman una parte muy importante de la obra de Gelman y sobre ellos descansaba en aquel momento su prestigio como poeta. En 1971 publica una edición ampliada de *Cólera buey*, donde agrega sus "traducciones" de supuestos autores de otras lenguas. Con éstos comenzó su experimentación formal para buscarle nuevas modulaciones y tonalidades a la que había sido su voz prevalente como poeta social durante los años precedentes.

Como lo vio González Tuñón, la poesía de Gelman fue siempre muy original y si bien trató de acercarse al modelo de la poesía social comunista, dejó también volar su imaginación y su fantasía (Montanaro y Turé 39). La estética socialista proponía una obra de contenido histórico, educativa, que elevara la conciencia de las masas, preparándolas para la lucha de clases. Se debía utilizar un lenguaje claro, referencial, lo suficientemente simple como para que el mensaje pudiera llegar al proletariado. Si miramos la temática de sus primeros poemarios, observamos en el título de varios poemas el deseo de hablar sobre el mundo desde su perspectiva de militante: "Oración de un desocupado", "Niños: Corea, 1952", "Oficio", "Llamamiento contra la preparación de una guerra atómica", "Huelga en la construcción", "Estado de sitio", "Entierro del niño", "Los camaradas".

Su empleo de un lenguaje poético rico y variado, capaz de expresar los más diversos matices sentimentales, signa desde el comienzo su producción. A fines de los setenta, cuando el desgarramiento personal le hace necesario encontrar un lenguaje nuevo, capaz de mostrar su dolor y su sentido de derrota y de pérdida, se vuelca a favor de un agudo experimentalismo formal. En ese entonces su poesía se volverá apocalíptica.

Durante sus años de juventud, el poeta se muestra más esperanzado, idealista, que en su poesía de los años maduros. Confirma su compromiso social y expresa su asombro ante el mundo. Trata de escribir una poesía que refleje la experiencia de la gente común de la ciudad, a la que homenajea constantemente. Ya Borges y González Tuñón habían explorado con gran sensibilidad el tema urbano. Gelman asimila el uso de la expresión coloquial, unida a la ternura familiar, de la poesía del primer Vallejo de *Los heraldos negros*.

En poemas como "El caballo de la calesita" de *Violín y otras cuestiones*, Gelman ensaya una voz poética cercana a la poesía ultraísta juvenil de Borges; su lenguaje es buscadamente simple, recogiendo la lección de poetas populares como Evaristo Carriego (Freidemberg 188-9). Parece querer combinar el tono reflexivo de Borges, con la simpatía de Carriego por las clases populares; dice: "Trajín, ciudad y tarde buenos aires./ Aire de plaza, ruido de tranvía./ (Galopando una música de tango/ gira el caballo de la calesita.)/ Los hombres van y vienen. Una vieja/ vende manzanas en aquella esquina" (*Gotán* 12). Observa a la gente de la calle: un industrial, un vago, una pareja, un suicida. Se trata de ese mundo social cotidiano que cantaban también los letristas de tango: Cátulo Castillo, Homero Manzi, con sensibilidad, colorido y sentimiento (Martini Real 3697-3702). Introduce en el poema una historia maravillosa: una tarde caminaba solo y triste por la ciudad, y el caballo de la calesita supo entender su soledad y hacerse su amigo. Así el espíritu popular, inocente y juguetón, se alía al ansia del poeta de cantar a su pueblo; dice: "Iba sin luz, sin una rosa./ Sin un poco de mar, sin un amigo./ Me vio el caballo de la calesita./ Me vio tan solo que se fue conmigo./ Y ahora en mi corazón y desde entonces,/ transitado de niños y de risas,/ prisionero en mi música voltea,/ gira el caballo de la calesita" (*Gotán* 13).

Esta nota soñadora y optimista no era común en los poemas de Gelman, que tendía a observar detalles sombríos del mundo social. En otros poemas asume una voz parecida a la de Vallejo en *Poemas humanos*: el poeta defiende a los débiles, es aquél capaz de entender el sufrimiento propio y el ajeno. Dice en "Viendo a la gente andar": "Viendo a la gente andar, ponerse el traje,/ el sombrero, la piel y la sonrisa,/ comer sobre los platos dulcemente,/ afanarse, sufrir, correr, dolerse,/...digo, no hay derecho/ a castigarle el hueso y la esperanza/...viendo, sí/ como la gente llora en los rincones/ más oscuros del alma..."(*Gotán* 19). Gelman prefiere creer que el ser humano puede ser redimido, y que llegaremos a alcanzar la felicidad.

En esta etapa, él, como poeta, no quiere ser considerado más que un obrero del verso, y estar cerca de los trabajadores. Pero pide que lo acepten, que le permitan cantar; dice en "Oficio": "...óigame, amigo,/ cambio sueños y músicas y versos/ por una pica, pala y carretilla./ Con una condición: / déjeme un poco/ de este maldito gozo de cantar" (*Gotán* 36). Quizá éste sea el temor más grande del poeta revolucionario: consciente del prejuicio que pueden sentir los trabajadores pobres no educados hacia el poeta, teme sentirse despreciado, o que le quiten o le nieguen el privilegio de cantar, de expresarse, de ser quién es.

En "Oración de un desocupado" el trabajador desocupado ruega a Dios, le habla; al principio le pide que descienda de los cielos, de ese sitio elevado, privilegiado, y baje junto a él a la tierra, para ver el sufrimiento, lo que es estar sin trabajo. El personaje confiesa su frustración y su rabia, sus ganas de rebelarse y golpear. No reconoce falta en él mismo, sino en aquellos que lo han llevado a esa condición; concluye el poema: "... ¿qué han hecho/ de tu criatura, Padre?/ ¿Un animal furioso/ que mastica la piedra de la calle?" (*Gotán* 25).

En su próximo poemario, *El juego en que andamos*, 1959, introduce la temática amorosa. Habla del amor como de un sentimiento doloroso. Emplea un tono patético. Era un registro que ya había manejado magistralmente Neruda en sus composiciones juveniles. En sus poemas encontramos imágenes de una belleza violenta y original; dice en "Alouette": "Bendita la mano que me cortara los ojos/ para que yo no vea sino a ti./ Y si me cortaran la lengua, su silencio/ cantaría lleno de ti./ Y si me cortaran las manos, su memoria/ sabría acariciarte a ti./ Y si me cortaran las piernas, su vacío/ me llevaría hasta ti./ Y si luego me mataran/ aún quedaría todo mi dolor de ti." (*Gotán* 61). El poeta ofrece su sacrificio como prueba de su amor. Su sentido gira sobre varias ideas: silencio, memoria, vacío, dolor. Sus círculos semánticos se amplían y quedan resonando como palabras misteriosas y provocadoras, que parecen conectarnos con algo trascendente. Ese exceso semántico nos conmueve. Gelman explora la mayor cantidad posible de matices en su expresión.

Emplea un lenguaje y una imagen poética inteligibles, quiere ser comunicativo con el lector. No ensaya rupturas formales aún, como lo haría durante los años de exilio. Respeta la sintaxis. Procura convencer al lector de que el poeta vive para la comunidad, no para sí mismo, y de que él no es un poeta egoísta, sino un poeta social. A lo lejos aguarda un ideal de comunión grupal; dice en "Referencia, datos personales": "A mí me han hecho los hombres que andan bajo el cielo del mundo/...Me han enseñado a defender la luz que canta conmovida/ me han traído una esperanza que no basta soñar/ y por esa esperanza conozco a mis hermanos./ ...En ustedes mi muerte termina de morir./...la asamblea del mundo será un niño reunido." (*Gotán* 79)

Esta poética socialista del joven Gelman continúa evolucionando y enriqueciéndose hasta *Gotán*, de 1962, que es cuando, en mi concepto, alcanza una mayor fuerza expresiva. Son los años también de la revolución cubana, el poeta viaja a La Habana en 1961 y 1962, y su corazón revolucionario rebosa de ilusión y alegría (Montanaro y Turé 76). Aparece en este libro un tipo de imagen asociada al humor absurdo, la imposibilidad humana es vista con optimismo, curiosidad y burla. Gelman continúa dentro de esta línea después de romper con el Partido Comunista, cuando se siente más libre para explorar otros caminos poéticos. Esa imagen contradictoria y absurda, vinculada a la revolución surrealista, alcanzará su mayor libertad y realización en *Los poemas de Sidney West,* 1968-1969.[1]

En "Anclao en París", de *Gotán*, dice que en París él tomaba café con el león del zoológico, al que hacía mucho que no veía y lo extrañaba. En la fábula el león es transformado en un señor elegante de la ciudad, al que el poeta habla de Carlitos Gardel. En otro poema, "Opiniones", un hombre deseaba a una "mujer", quería "volar" y buscaba la "revolución"; entonces el hombre se sube a un muro y desde allí "... agitaba violentamente a una mujer,/ volaba locamente por el techo del mundo/ y los pueblos ardían, las banderas" (*Gotán* 144). El poema se

---

[1]   André Breton, el líder surrealista, se encontró en México con León Trotsky, el gran revolucionario ruso exiliado, enemigo de Stalin, cuando éste estaba asilado en casa de Diego Rivera, y firmó un manifiesto identificando el ideal revolucionario del surrealismo con la idea de la revolución permanente de Trotsky (Bradu 112-122).

resuelve con un "tour de force" imaginario: emprendiendo el vuelo, asumiendo su libertad, observando como los pueblos arden.

"Gotán", el poema que le da título al poemario, es uno de los más bellos. Gelman propone un modo distinto de belleza, y en esos momentos su ideal estético se está modificando, se vuelve más personal, más libre. Dice el poeta: "Esa mujer se parecía a la palabra nunca,/ desde la nuca le subía un encanto particular,/ una especie de olvido donde guardar los ojos,/ esa mujer se me instalaba en el corazón izquierdo" (*Gotán* 127). La mujer lo va invadiendo, se mete dentro de él y luego estalla y llueve sobre sus huesos. El poema concluye con el poeta matándose en un momento supremo de gozo: "Cuando se fue yo tiritaba como un condenado,/ con un cuchillo brusco me maté,/ voy a pasar toda la muerte tendido con su nombre,/ él moverá mi boca por la última vez." Aquí la razón poética va más allá de la razón material, la poesía establece su propia verdad a contracorriente de la lógica: morir es algo hermoso, especialmente si se muere por amor, y si la muerte se confunde con el placer y el éxtasis.

En 1963 el gobierno proscribe al Partido Comunista en Argentina y José Luis Mangieri y Juan Gelman son encarcelados (Montanaro 15). Sus amigos editan una antología de poesía en su homenaje: *El pan duro*. Así y todo su relación con el Partido Comunista ya estaba debilitada y al año siguiente se alejó definitivamente de él, y se sumó a la redacción de la revista *La rosa blindada*, que dirigían José Luis Mangieri y Carlos Alberto Brocato.

3. Periodismo, peronismo y revolución

A fines de los años sesenta se desarrolla en Argentina un movimiento periodístico innovador, surgen revistas culturales con nuevas propuestas, y periódicos de gran nivel. Gelman es uno de los periodistas líderes de ese movimiento: a partir de 1969 es jefe de redacción de la revista *Panorama*, escribe en *Primera Plana* y *Los libros*; en 1971 lo nombran secretario de redacción y director del suplemento cultural de *La Opinión* (hasta 1973), el notable diario de Jacobo Timerman; en 1973 (hasta 1974) lo designan secretario de redacción de la revista

Crisis, la revista cultural más destacada de esos años, y en 1974 es jefe de redacción del diario del Movimiento Montonero *Noticias*. En 1975, amenazado de muerte por el grupo paramilitar de derecha Triple A (Alianza Anticomunista Argentina) se aleja del país por decisión política de Montoneros, y viaja a Roma, donde va a trabajar para la agencia de noticias Inter Press Service (Montanaro 25-7). A partir de ese momento Gelman vivirá permanentemente en el extranjero, en varios países europeos, y a fines de los ochenta se radicará definitivamente en México, con su nueva esposa, Mara Lamadrid.

Esta fue una época intensa en la vida de Gelman, tanto por su labor política como por su trabajo en el periodismo. Fue reconocido, junto con Rodolfo Walsh, Miguel Bonasso y Horacio Verbitsky, como uno de los periodistas radicales más destacados y meritorios. Luego de dejar el Partido Comunista, Gelman había iniciado un cuestionamiento personal sobre sus ideas políticas. Los primeros años de la década del sesenta fueron conflictivos para la militancia comunista en Latinoamérica; después del triunfo guerrillero cubano las ideas foquistas revolucionarias empezaron a extenderse por el continente, generando disenso dentro de los partidos (Gilman 35-56). Esta situación enfrentó a la dirección política de los P.C. que no aceptaban el foquismo como estrategia, con sus militantes más combativos; el guevarismo planteaba la necesidad de iniciar una ofensiva armada revolucionaria en el corto plazo, como el mismo Guevara lideró luego en Bolivia. También fueron años en que la dirigencia comunista rusa entró en conflicto con la dirigencia comunista china liderada por Mao. A partir de 1962 algunos sectores juveniles del P.C. argentino se enfrentaron con la dirigencia, lo que llevó a una ruptura formal en 1964, cuando Gelman fue expulsado del partido, luego de veinte años de militancia.

A partir de 1963 nuestro poeta se desempeñaba como corresponsal en Argentina de la Agencia de Noticias Nueva China. Luego de su expulsión del Partido Comunista continuó su búsqueda ideológica dentro del maoísmo y el guevarismo revolucionario. En 1966 viajó otra vez a La Habana y a Praga, Checoslovaquia. En ese mismo año la agencia china Sin Jua lo nombró corresponsal (Martínez 188). A fines de los sesenta se acercó a las Fuerzas Armadas Revolucionarias, donde militó hasta 1973, en que el partido decidió disolverse y se integró al Movimiento Montonero.

Esta época de militancia política, en un ambiente revolucionario, donde la violencia cegaba las vidas de muchos de sus amigos y familiares y amenazaba la propia, y de brillante liderazgo periodístico en los medios más progresistas y militantes del país, fue clave para su actividad poética. La poesía ha sido en Hispanoamérica, desde el Romanticismo, un género revolucionario, en su contenido y su forma. Sostuvo siempre su prestigio como género líder de los cambios literarios. Gelman vivió su militancia, en momentos en que parecía posible el triunfo de una revolución radical proletaria en Argentina, integrada a su búsqueda y concepción revolucionaria de la poesía. Estos fueron años de liberación poética para Gelman, que sintió que los sueños utópicos de tantos latinoamericanos iban a concretarse en la práctica: los jóvenes se habían levantado en armas junto a su pueblo y se disponían a tomar el poder. De haber triunfado la revolución armada, Gelman hubiera ocupado un papel eminente en la reorganización política de su nación; derrotada la guerrilla, pasó a ser un fugitivo y un desterrado, sufrió un sino doloroso y trágico, perdiendo a su joven hijo y viviendo fuera de su patria desde entonces. Exilio, derrota y duelo marcaron su vida y su producción poética posterior a 1976, y lo transformaron en otro poeta, con otro lenguaje, que se lamentaba de su suerte ante un mundo muy distinto.

4. Su poesía de los años revolucionarios

A fines de la década del sesenta Gelman creó, con singular suceso y reconocimiento, voces poéticas imaginarias. Entre éstas, la más memorable fue la de su libro de supuestas "traducciones" *Los poemas de Sidney West*, en 1968-1969 (Gomes 656). Fue el momento en que Gelman se decidió más abiertamente por una solución poética surrealista, apelando a la imaginación más alocada (Sillato 25-37). Paralelamente a los procesos insurgentes latinoamericanos se estaba desarrollando un proceso de resistencia de los jóvenes rebeldes en Estados Unidos. Los poetas Beatnicks iniciaron una revolución poética, las juventudes rebeldes Hippies popularizaron las consignas contra el "establishment" norteamericano, y todo ese movimiento de libertad y rebeldía que vivió Estados Unidos se reflejó en su música popular, el rock and roll, en los movimientos de libertades civiles de negros, homosexuales y mujeres feministas, en sus tendencias políticas radicales, en las marchas antibélicas, oponiéndose a la guerra imperialista de Vietnam, en su consigna extraordinaria a favor de "la paz y el amor" y, en general, en la resistencia de la sociedad civil, rebelándose contra las imposiciones de una sociedad excesivamente normativa, burocratizada, y un estado omnipresente que resultaba opresivo.

Gelman, generosamente, al crear a este poeta ideal norteamericano, imaginó un poeta hippie, rebelde, que criticaba a la burguesía urbana rutinaria y conformista. Este poeta ideal está haciendo una aguda crítica al sistema de vida norteamericano. Cada poema es una elegía que nace de un acto de rebeldía de un personaje. Este decide hacer algo grande, que resulta absurdo para la sociedad limitada en que vive. Esta reacciona atacándolo y destruyéndolo. El poeta se lamenta de su muerte, y comenta con sorna sobre su destino. Es un acto de justicia poética en que el poeta castiga la mediocridad de esa sociedad y rescata la rebeldía y la imaginación. Su esencia es: la imaginación al poder, lema verdaderamente revolucionario de los jóvenes en aquellos años. Esta manera de entender la situación poética se repite en poemas como "Lamento por la tórtola de Butch Butchanam", "Lamento por los que envidiaron a David Cassidy", "Lamento por la niña blanca de Johnny Petsum", y otros. Cada poema recibe el título de "lamento". Son elegías cómicas y burlescas sobre una sociedad decadente e injusta que Gelman desea que desaparezca o se corrija.

El humor y la imaginación disparatada y absurda dan una gran riqueza a estos poemas. En "Lamento por la tórtola de Butch Butchanam", por ejemplo, el personaje que muere es un pobre hombre que había dedicado su vida a cuidar una tórtola ciega, a la que amaba. Butchanam es la esencia del ser soñador, vivía como un poeta. La sociedad lo rechaza y no lo comprende; es cruel con él y lo hace su víctima. Al saber que va a morir el personaje deja escrito que lo entierren de espaldas al cielo y cara a la tierra. Cuando muere la gente miserable del pueblo degüella a la tórtola que él amaba y se la come, mientras Butchanam observaba desde el plato "con el recuerdo de sus ojos" (18). En estos poemas Gelman introduce personajes excéntricos que se rebelan inútilmente, y muestra la idiotez de la sociedad que no los comprende y los castiga. La solución poética es liberadora: resuelve cada poema dejando volar la imaginación, por medio de una imagen hermosa y absurda, disparatada. Son poemas de profundo contenido moral y el mensaje se funde con la solución poética en una unidad.

Gelman traslada las ingeniosas soluciones poéticas de este poemario a los próximos que escribe, *Fábulas*, 1971, y *Relaciones*, publicado en 1973, cuando era secretario de redacción de la famosa revista cultural *Crisis*. Estos dos poemarios, junto con *Los poemas de Sidney West*, presentan una unidad poética notable (Porrúa 43). En esta época Gelman buscaba introducir una anécdota, una historia en cada poema, o, como él le llamaba, una "fábula". Son fábulas sobre el mundo contemporáneo, sus injusticias y sus anhelos. En estos dos libros que siguen a *Los poemas de Sidney West*, Gelman crea varias historias sobre sucesos latinoamericanos y argentinos. Busca desplazar su mirada observadora de la imaginaria sociedad norteamericana a su propia sociedad y tiempo. Entre éstos llaman la atención poemas dedicados a personajes históricos como Artigas y Emilio Jáuregui, y otros a figuras literarias, como Leopoldo Marechal y el uruguayo Conde de Lautreamont, y a personajes creados, como Joaquín y Urbasi.

En esos tiempos revolucionarios, el poeta siente que todos sus sueños libertarios, sus deseos de cambiar su sociedad, de crear al hombre nuevo, pueden materializarse si la lucha llega a buen fin. Los poemas de *Fábulas* son elegías que cantan a la vida y la muerte poética de los personajes. Son vidas que han dejado un ejemplo moral a su sociedad, como la del militante izquierdista y periodista asesinado en 1969 Emilio Jáuregui, a quien dedica un poema.

En el poema Jáuregui está más allá de "las banderolas banderitas/ con que cada uno quiso/ apoderarse de su vida/ apoderarse de su muerte" (*Anunciaciones y otras fábulas* 32). Su vida y su sacrificio tienen valor para su pueblo y una mano "...escribió en el techo del mundo/ "viva el Emilio para siempre"" (*Anunciaciones...*33). El personaje aparece en el cielo "...repartido/ entre el sueño y la realidad". Identifica al militante y periodista con la fuerza y la belleza del "caballo", símbolo de energía y nobleza militante en su imaginario poético. No lo impulsaba en su lucha el resentimiento, sino el amor al pueblo.

La simbología religiosa cristiana del amor y el sacrificio seducen al poeta. Gelman, que creció en un hogar judío, se acerca al cristianismo; se identifica, durante su exilio, con autores místicos, tanto judíos como cristianos. Idealiza el espíritu de los muertos, e interpreta, con un criterio cada vez más religioso, la lucha política en que estuvo empeñada la sociedad argentina durante esos años.

Busca nuevas maneras de trabajar el lenguaje poético y la estructura del verso. Juega con el género de las palabras, sorprendiendo al lector con neologismos que a veces son poco eufónicos, y feísmos que distorsionan el lenguaje, e imitan una mueca de dolor ante las frustraciones de la lucha. Al final del poema el personaje sacrificado está en el cielo, en la luz, y regresa para pedir por los que han quedado, y dice el poeta: "...por los pedazos de noviembre/ volvió el Emilio una vez más/ y no dejó que nadie muera/ en su lugar y les pedía/ que detuvieran la tristeza/ la sufrimiento, la dolor/ la gran escándalo del mundo" (*Anunciaciones* 35).

En los años siguientes continuará usando este recurso, distorsionando el lenguaje de manera grotesca, alterando la sintaxis, usando preguntas exageradas y cortando arbitrariamente los versos con barras [/] que crean campos semánticos conflictivos y disonantes. Era su manera de expresar su gradual conflicto con el mundo. La lucha armada de su partido revolucionario peronista tuvo resultados trágicos y dolorosos para él (Rodríguez Nuñez 153-4). En esa lucha perdió a sus mejores amigos y a su propio hijo, permanentemente lamentado en sus poemas.

Gelman disintió con la conducción política del partido. En 1979 lo expulsaron y lo condenaron a muerte, por sus continuas críticas a la dirección política, empeñada en una lucha suicida contra la junta militar gobernante, que llevaría a la desaparición física de la mayoría de los cuadros militantes. A partir de ese año Gelman se quedó sólo, sumido en su propio dolor. No pudo regresar a su país hasta 1989, como consecuencia de las causas judiciales que pendían sobre él y amenazaban su libertad. Durante todos esos años su vida se repartió entre diversos países de Europa e Hispanoamérica y Estados Unidos, en un exilio dorado, como traductor de las Naciones Unidas y periodista independiente, que él no parecía gozar en absoluto. Había sufrido pérdidas irreparables. Gelman, el periodista estrella, militante, poeta admirado, considerado una de las plumas más brillantes de la poesía de su país, se transformó en un paria, un desterrado que arrastraba la sombra de su dolor a todos los sitios donde iba, y la expresaba en su poesía.

En *Relaciones*, poemario de 1971-73, que el poeta recoge posteriormente, junto a su obra hasta el año 1983, en dos antologías que oportunamente titula *Interrupciones 1* y *2*, homenajeó a sus compañeros de lucha (Giraldo Dei-Cas 83-110). En "Sucesos", por ejemplo, muestra a los militantes que enfrentan la tortura y se sacrifican por los demás. Sabe que lo hacen por un mundo mejor, porque "la sociedad de clases divide al hombre en grupos que se combaten entre sí/ separa al uno del otro levanta/ paredes entre uno y otro achica/ la vida espiritual el sentimiento el pensamiento..."; es necesario soñar con un mundo más justo y "tirar abajo las paredes que separan al uno del otro" (*Interrupciones 1*: 31). Al pueblo pueden torturarlo, pero "no habla". Ese heroísmo popular, señala, es algo de todo los días: el pueblo está listo para la lucha y el sacrificio cotidiano y no se arredra ante nada. Por eso conquistará su lugar en la historia. Este optimismo heroico desaparece gradualmente de los poemas de 1974-78, que titula *Hechos*. Esas composiciones registran la transición que va de la lucha armada a la derrota y la dispersión del Movimiento Montonero (Fondebrider 26).

5. La derrota y el exilio

En esos años su poesía se vuelve preferentemente elegíaca. Su tono es personal y trágico. Ha perdido muchos amigos y familiares en la lucha. El poema "Descansos" está dedicado a su amigo Paco Urondo, "Ausencias" se lamenta de la muerte de varios compañeros, y "Sábanas" está dedicado a su propio hijo. En "Sábanas", como en otros poemas de esta época, nos presenta una personificación alegórica de la muerte. Gelman combina la forma de la canción de cuna, el "duerme hijo mío duerme...", con el lamento fúnebre (*Interrupciones 1*: 88). Para el poeta "...la muerte/ es una novia fea con la que hay vivir en estos días". El rostro de su hijo se le aparece como una luz, un "fulgor"; dice: "tu rostro hijo mío es un fulgor en la noche/...de los verdugos/...y por él vivo y muero en estos días". Las figuras ascienden. La luz fulgurante del rostro contrasta con la oscuridad de la noche. Su cuerpo queda enmarcado en un plano heroico, mítico y religioso. El poema había empezado como una canción de cuna en que el hijo dormía entre las sábanas, y termina como una meditación en la noche del padre, también entre sábanas, pero esta vez "sábanas de fierro". Mientras el hijo dormía, el padre, que sufre y lamenta la pérdida irreparable del hijo, no puede dormir.

Sus próximas composiciones, *Notas*, son de 1979. Incluyen varios poemas sobre los compañeros caídos. Introduce críticas a la conducción política revolucionaria, que con sus juicios errados y temerarios había precipitado la derrota y provocado la pérdida de tantas vidas. Su voz se llena de nostalgia, nos habla de sus sueños. Su memoria le trae una y otra vez la tragedia de la revolución. Tiene conciencia de la derrota y de la pérdida, y el tiempo y la historia lo van alejando de los hechos. Se va distanciando de ese proceso histórico en el exilio y critica lo que sucedió. El poeta reconoce la crisis profunda en que está sumido, dice:

> ¿a la memoria le falta realidad/a la
> Realidad le falta memoria?/¿qué hacer
> Con la memoria/con la realidad
> En la mitad de esta derrota o alma?/
> Del olvido nace una flor gorda marrón/
> Resignaciones nacen/sujeciones/
> Pudriciones/de la memoria nacen resistencias/
> Agravios/daños/padeceres/todo
> Lo que el alma no puede perdonar/nacen bellezas...
>
> *Interrupciones 1*:108

La realidad va desplazando ese pasado y abandona la esperanza de la revolución para su país. Continúa el poema: "¿la/ realidad tacha/ habida cuenta/ de ignorancias mezquindades/cegueras/ de la Revolución.../ ¿tacha/ la realidad de la memoria/la memoria de la realidad?" (*Interrupciones 1*:109).

Su poemario *Carta abierta*, de 1980, está enteramente dedicado a su hijo. Cada uno de sus poemas reitera el dolor del poeta, es un prolongado duelo ante la pérdida irreparable del hijo amado. Como dice en el primer poema, el proceso de escribir sobre él es una manera de tener al hijo y no tenerlo, de recuperarlo ilusoriamente y llorar la pérdida: "hablarte o deshablarte/dolor mío/ manera de tenerte/destenerte..." (*Interrupciones 1*: 131). "Tenerte/destenerte" forma un término compuesto, por cuanto el poeta separa y une al mismo tiempo las palabras con una barra, no dejando un espacio entre la barra y la palabra siguiente.

Este doloroso proceso de pérdida de los seres amados, pérdida de las esperanzas revolucionarias, pérdida de la patria, sume al poeta en una gran crisis y agonía espiritual. Esta crisis lo lleva a leer y a buscar consuelo en los místicos cristianos San Juan de la Cruz, Santa Teresa y Hadewijch, en poesías que considera "comentarios" o "citas", y son en realidad versos propios escritos a partir de una identificación espiritual con los poetas místicos, glosas extendidas (*Citas y comentarios*, 1982; *Interrupciones 1*: 189-307). El poeta reconoce su deuda con ellos y les cede la iniciativa en la autoría. Es un alma convaleciente que necesita la fe de los poetas cristianos para reparar las enormes heridas sufridas. Dice en "Comentario XVI": "sos remedio de vos?/¿enfermedad y cura?/¿calor/ que enseña el frío de vos?.../ ¿justicia/ que pone paz en la memoria?..." (*Interrupciones 1*: 208).

En este libro su búsqueda y experimentación formal se extrema. Crea neologismos, corta las frases arbitrariamente varias veces en cada verso. Está tratando de expresar en el poema su quebrantamiento interior. Lucha por recomponer la unidad, unir las partes rotas, fragmentadas de su mundo, pero en vano. La imagen se deforma, se vuelve fea, grotesca; su sintaxis es sincopada, busca un ritmo propio alejado de la perfección sonora. No quiere gustar, ni resultar agradable al oído. Habla constantemente de "padecimiento", de "dolor". Varios poemas son diálogos entre el cuerpo y el alma, en que el poeta confiesa que busca amor: solo el amor puede resultar un consuelo. Dice en "Cita XIX (santa teresa)": "y todo el cuerpo dolorido/frío/ el corazón enfriado como si/ alma ya no tuviera.../durar así días y días/...palabra tuya/ venga de lo interior/no traiga pena/ no acobarde mi piel/no me muertee/ no me desastre/no me disemine/ o sea quereme vos/quereme vos" (*Interrupciones* 1: 281).

Durante estos primeros años de exilio la actividad poética de Gelman es intensa. En 1980 escribe en Roma una colección de poemas en prosa, textos confesionales cargados de lirismo, que titula *Bajo la lluvia ajena (notas al pie de una derrota)*. Gelman trata de explicarse el pasado inmediato y salir de la prolongada crisis en la que se encuentra sumergido. Reflexiona desde el exilio, que condiciona y limita su punto de vista, y así lo expresa; dice: "Es difícil reconstruir lo que pasó, la verdad de la memoria lucha contra la memoria de la verdad. Han pasado años, los muertos y los odios se amontonan, el exilio es una vaca que puede dar leche envenenada, algunos parecen alimentarse así...La necesidad de autodestruirse y la necesidad de sobrevivir pelean entre sí...Pasa el tiempo y la manera de negar el destino es negar el país donde se está, negar a su gente, su idioma, rechazarlos como testigos concretos de una mutilación..." (*Interrupciones* 2: 11). Son reflexiones amargas, él las llama reflexiones de una derrota. Es una manera de situarse frente a su pasado y explicar la difícil y estéril situación del exiliado, que sabe que ha perdido su lugar de pertenencia en el mundo, su casa, y no logra encontrar un nuevo espacio, una nueva lengua, otro pueblo que lo comprenda como lo comprendió el propio, al que no puede regresar.

Gelman se siente profundamente traicionado, le han quitado a sus amigos, a su hijo, y le han destruido sus sueños revolucionarios (Ponce 9-25). El mundo para él ya es otra cosa, no volverá a ser lo que fue. Les escribe cartas a sus amigos muertos, medita sobre Europa, cuyo capitalismo se alimentó del sudor y la sangre de los pueblos explotados de América y otras regiones dominadas. En el poema XXVI escribe: "En realidad, lo que me duele es la derrota./ Los exiliados son inquilinos de la soledad (39)." Esta soledad persistirá en la poesía de Gelman, lo acompañará durante gran parte de su producción en los largos años de exilio. El poeta vive extrañado de aquellos afectos íntimos que tanto significaban en su vida, en un ambiente ajeno y enrarecido. Su búsqueda se vuelve más intelectual; su poesía, más reflexiva y filosófica. Habla de lo que ya no tiene, de los seres y lugares ausentes. Es el momento en que se siente identificado con esos otros poetas espirituales, los místicos, cuyo deseo no era de este mundo.

En esta época recurre nuevamente a la creación de poetas imaginarios. A fines de los sesenta la intervención del poeta norteamericano Sidney West había sido un verdadero descubrimiento. La poesía norteamericana de los poetas "beatnicks" fue el modelo para escribir poemas que reunían la crítica a la vida contemporánea burguesa, la sátira social y el modo irreverente y libre del verso surrealista, con imágenes chocantes, cómicas y disparatadas. Los autores que crea ahora representan sus preocupaciones de ese momento: se trata de dos poetas imaginarios asesinados durante la dictadura militar en Argentina, en 1976 y 1978, José Galván y Julio Grecco (Ezquerro 55-63). En ambos casos, tal como había ocurrido en el pasado, cuando adoptara heterónimos, busca nuevos registros para su voz: intenta composiciones más largas, "fábulas", cuenta anécdotas e historias, amplifica las imágenes. Se libera un poco de su dolor personal y lo proyecta. Ahora son otros los que sufren, y él los observa desde una relativa distancia. Vuelven los momentos poéticos más logrados del poemario de Sydney West: las imágenes descriptivas del mundo, incluyendo el cielo y la tierra, enumeraciones en que el poeta logra una aparente totalidad.

Los poemas de Sidney West eran burlescos, cómicos; se trataba de un poeta contestatario norteamericano, cultura por la que un argentino de los años sesenta sentía bastante desconfianza y resentimiento; estos otros son poetas argentinos, guerrilleros que fueron asesinados, como había sido asesinado Paco Urondo, su amigo del alma. Son poemas trágicos, llenos de dolor, pero explicativos del mundo y un homenaje a los que dieron la vida y la poesía por una patria que no fue, porque resultaron derrotados. En el poema "13" del imaginario poeta secuestrado y desaparecido por los militares en 1978, José Galván, Gelman asume la voz esperanzada de un hombre que lucha y cree en la revolución. En este poeta proyecta quizá una historia que hubiera querido propia: la de ser un revolucionario mártir, como lo fueron Walsh y Urondo, que murieron con su fe incólume, con el mundo de sus esperanzas entero, y no conocieron la desilusión y el vacío que tuvo que enfrentar Gelman en su vida.

El poeta en el poema tiene una verdadera iluminación: se levanta por la noche a escribir y desfilan ante él una serie de imágenes: "pasa la reina de baal vestida de caballo/ pasan los versos de vallejo montados de infinito/ pasa el hombre que come su pedazo de pan/ pasa el cielo de mi país agujereado..." (*Interrupciones 2*: 91). En medio de ese desfile nocturno aparece la palabra poética como testigo ante la oscuridad del mundo; el objetivo es hacer lugar a la belleza por venir y que ésta "...sea igual a la palabra mundo". Lograr una plena identificación entre belleza poética y mundo, precisamente lo que Gelman no pudo alcanzar en su vida, porque la derrota que sufrió destruyó tanto su ideal de belleza como las esperanzas de vivir en una sociedad justa.

Cuando Gelman habla con su propia voz se lamenta de un mundo atroz, en el que perdió a su hijo y del cual fue expulsado por sus propios compañeros de militancia; cuando imposta su voz y finge que es otro poeta, suena como el Gelman que hubiera querido ser: entero, luchador, heroico hasta el final. El poeta se perdona a sí mismo el haber aceptado la derrota, se hace justicia poética. La poesía restaura el orden y la idealidad que el mundo no tiene; para eso sirve el arte: para restablecer el equilibrio, la vida, el amor, la esperanza. La poesía así es una fuerza espiritual imparable. Su deseo, dice, es que pasen frente a él "...la victoria herida de tinieblas/ la Revolución cantando y bailando/ la Revolución vestida de caballo/ la Revolución montada de infinito/ pase la oscuridad convertida en palabra/ pasen los compañeros brillando como astros..." (92).

El deseo de este poeta devuelve al mundo a lo que debería haber sido: revolucionario y victorioso. Después "pasa un árbol cuyo fruto es el Che" y aparece el Che "iluminando la noche clandestina donde intentamos crecer". El Che mantiene un silencio "lleno de dolor y ternura" y "...está al mando de los hombres que usan el alma para limpiar la vida" (92). Es una imagen redentora del guerrillero, que queda idealizado y elevado, santificado casi con su aureola. El Che está tratando de salvar a la humanidad al frente de su ejército guerrillero. Le dice que "la Revolución queda aquí": en el final triunfante la revolución fue posible. Es un poema exaltado y lírico, de triunfo, contrapuesto a la terrible realidad que enfrentaron los guerrilleros y revolucionarios argentinos en su patria.

Era difícil reponerse de la derrota, reconocer que el mundo iba a seguir siendo como era antes de que ellos quisieran cambiarlo: injusto, dividido en explotadores y explotados, lleno de desigualdad y pobreza. No hubo salvación para Latinoamérica, su revolución no fue posible, no al menos en la medida que la querían los revolucionarios de las décadas del sesenta y del setenta. El triunfo hipotético que canta Gelman es la última voluntad del guerrillero desaparecido José Galván, el poeta imaginario al que Gelman hizo cantar antes de morir.

6. Una nueva búsqueda poética

Durante las décadas del ochenta y del noventa Gelman se adapta y se resigna a su vida de expatriado. Busca nuevas maneras de recrear y enriquecer su voz poética, para reflejar los cambios de su experiencia y encontrar nuevas salidas espirituales a su dilema humano. Entreteje su voz con la de poetas venerados, como los místicos judíos, a los que toma de inspiración y punto de partida de su propia poesía. Es un juego intertextual inteligente y libre. Aclara en un "exergo" de *Com/posiciones*, fechado en Paris 1984/1985, que escribe poniendo cosas de él en textos de poetas del pasado medieval, como Yehuda Halevi y Samuel Hanagid, y que ésa es una manera de dialogar con estos poetas que, como él, vivieron en el exilio (*Interrupciones 2*: 163). Todos forman parte de una torre de Babel y están unidos por el amor.

El poemario *Dibaxu*, 1995, lo escribió en idioma sefaradí, y pertenece a una época en que el poeta se identificaba con la diáspora judía de origen español. Son poemas de amor, con imágenes del mundo natural, meditaciones serenas, llenas de una bondad que antes no encontrábamos fácilmente en sus poemas. Dice en el poema XXII, publicado en sefaradí y español: "en la noche/ tu vientre detiene astros/ respira como tierra/ tu vientre es tierra/ en el trigo de tu vientre/ vuelan pájaros/ que cantan/ en lo que va a venir/" (*Salarios del impío y otros poemas* 95). Su lenguaje se imposta y dulcifica, y canta con voz juvenil. Son composiciones que celebran la fertilidad, empleando símbolos que reflejan una imagen trascendente del ser humano, como parte de una familia hermanada; dice en el poema XXVII: "mirando el manzano/ vi a mi amor/ crece/ no dice por qué/ no dice nada/ el manzano/ como astros/ arde/" (105).

Gelman se siente atraído por la serena espiritualidad o el encendido misticismo trascendente y elevado de esos poemas del medioevo y el Renacimiento. En otros poemas de esta época, que publica en *Incompletamente*, 1997, ensaya cambios en la forma poética, buscando una expresión personal contenida, y escribe sonetos. En un reportaje explicó que esa etapa de su búsqueda era parte de su manera de vivir la poesía ya llegado a la vejez (Martínez 191). Su aproximación al soneto es idiosincrásica, personal, adaptada a su gusto. Lo que él llama soneto tiene sólo matices del soneto clásico; Gelman ordena su poema en catorce versos, sin respetar rima ni ritmo. Cruza el soneto con sus habituales marcas de separación/unión, que no dejan espacio entre palabras. Las leemos como simultáneamente separadas y unidas. Es su manera de crear una relación peculiar, propia de él, su marca tan deseada de identidad poética, para hacerse reconocible en toda su originalidad.

En estos poemas encontramos esa voz habitual personal que distingue la poesía firmada por él con su nombre: sincera, confesional, patética, dolida, reflexiva, pesarosa del mundo y la condición humana. Suma a esa voz poética cierto fatalismo y tono metafísico, producto de sus reflexiones sobre la vida hechas en el camino de la vejez. Dice sobre el "desconsuelo" en un poema de *Incompletamente* : "el desconsuelo activo piensa/ en lo que nunca fue/fantasma/ de lo que va a venir/ estalla/ en el fondo de la calle de fiebre" (*Salarios del impío...*163). Aclara en el siguiente cuarteto que este desconsuelo es "el refugio del paraíso", y "la sombra de la entrada a las aguas del alma" que van a destejer "la palabra muda". Termina llamando a la noche, que ya no podrá irse sin más a la nada.

En varios poemas Gelman regresa a la pregunta metafísica sobre la finitud humana (Semilla Durán 81). Lo hace desde la perspectiva serena de un poeta que ha vivido, que ha amado, que ha sufrido, y para quien la vejez es una etapa esperada. Se pregunta sobre la muerte, sobre el límite, habla al amor desde la perspectiva distanciada de aquél que mira hacia un pasado y medita sobre la vida. La memoria del hombre mayor reconstruye su historia y da especial importancia a su niñez. En uno de los poemas se declara un convaleciente de una "enfermedad que no se tiene" y mira atrás "sin saber/ cuándo fue el sueño" o "lo que se lleva de esta vida/ a la tierra común" (*Salarios del impío*...156). Al final del poema recuerda la lluvia de su infancia, "la lluvia que cayó en un otoño/ cuando el niño miraba/ espantos por venir/."

En otro de sus poemas de esta época imagina un encuentro con su padre que "dicta su ley"... "en la separación de la palabra", separación que adquiere significación en esta confesión poética, ya que sabemos su obsesiva costumbre de separar/unir palabras en sus poemas (*Salarios del impío*...155). En el poema, el padre es "pesadilla que espera" y el poeta es "el otro de sí mismo", una especie de parodia del padre. El padre parece no aceptarlo, aunque "cumple promesas que/ nunca hizo". Al final del poema "el padre vuela" sin prestar atención "al ocaso".

Su visión del mundo familiar infantil no es trágica, está observando su vida desde la ensoñación, como si estuviera tras un vidrio oscuro; dice en otro poema: "tu imagen entre el ser y el mundo/ me devuelve a la luz angosta/ del sueño" (*Salarios del impío*...157). Es un mundo poblado de fantasmas, más que de sombras, con los que el poeta juega. Su poesía se vuelve relativamente hermética, su significado no se abre al lector con facilidad. Gelman no muestra todo, sugiere, ilumina parcialmente, dejando aspectos de la imagen en penumbra. En su concepto, la poesía no debe entregarse por completo al deseo del lector (Boccanera 237). No busca una claridad racional explicativa. Se mueve entre tonos menores, ha perdido la agresividad y la amargura que ostentaba en su juventud. Quizá ha sufrido demasiado y en la vejez puede finalmente perdonarse a sí mismo. Tuvo sueños grandes, enormes, desmesurados. Sueños personales y colectivos. Su generación, que todo lo dio, todo lo perdió. Muchos, como su hijo, dieron la vida. A él dios le dejó el don de la vida, pero transformó los años posteriores a 1975 en un triste peregrinaje, en que sufrió las privaciones emocionales del exilio, teñidas del sentimiento de culpa de la derrota.

Su nombre ha entrado con letras mayúsculas en la historia de la poesía hispanoamericana. En el año 1997 se le otorgó el Premio Nacional de Poesía argentino por el trienio 1994-1997. En el año 2000 recibió el Premio de Literatura Latinoamericana y del Caribe Juan Rulfo, en 2005 se le concedió el Premio Iberoamericano de Poesía

Pablo Neruda, ese mismo año recibió también el Premio Reina Sofía de Poesía Iberoamericana, y en el 2007 el Premio Cervantes de las letras. Su búsqueda poética ha sido innovadora, tanto en lo temático como en lo formal. Declaró que su poeta más reverenciado fue César Vallejo (Viau 204). Podemos pensar que el peruano dejó una gran lección de poesía y humanidad en los revolucionarios del sesenta, como Gelman, que tanto lo admiraron. Les enseñó a ser profundos, patéticos, espirituales, a ser sensibles hacia las necesidades de sus hermanos y del pueblo, a luchar por las causas justas y compadecerse de los que sufren. Vallejo dejó una gran lección poética y una gran lección moral. Su modo de ver la poesía vive en Gelman. Sabemos, sin embargo, que esta buena ascendencia no valida por sí sola la poesía del poeta argentino. Hace falta crear un lenguaje propio para ser considerado un gran poeta. Gelman hizo un aporte original a la poesía de la segunda mitad del siglo XX.

Gelman unió, como poeta, la experimentación y la búsqueda formal de impulso vanguardista, con el cuestionamiento ideológico y moral: deseo de redención social (el marxismo, el peronismo) y redención espiritual (su acercamiento a los poetas místicos). Mantuvo un equilibrio entre la imagen inventiva y libre del surrealismo, la preocupación filosófica social de los poetas socialistas y el cantar cerrado, la imagen oscura de los primeros vanguardistas. Se proyectó como poeta sufriente y condenado, heredero de los poetas malditos del siglo XIX, cuyo imaginario se ha enraizado en Hispanoamérica. Su experiencia revolucionaria trágica lo llevó a buscar consuelo y profundizar en las raíces místicas judeo-cristianas. Su poesía emociona y resulta catártica. Cuando el poeta expresa sus experiencias dolorosas, el lector, en un proceso de empatía, sufre y se libera con él.

La búsqueda de libertad ha sido el valor más permanente en la vida y en la obra del poeta. Quería que poesía y vida marcharan juntas, aunque los sucesos trágicos que signaron la lucha armada peronista impidieron que profundizara su línea política. Mostró coraje en su vida y en su poesía: en su vida, exponiéndose en la lucha revolucionaria armada, y en su poesía, persiguiendo siempre el cambio y la innovación, buscando escribir una poesía revolucionaria. Su lema puede ser entonces "poesía y revolución": para él se implicaban mutuamente.

Revolución, cambio poético, transformación constante de la palabra poética.

No privilegió el empleo de la metáfora, figura que reivindicaron durante los años veinte poetas vanguardistas históricos como Neruda y Borges. Prefirió crear imágenes descriptivas simbólicas, muchas veces absurdas, distorsionadas, grotescas; o imágenes líricas, elevadas, que fueran un reflejo de su estado espiritual. Experimentó con los sujetos poéticos, tratando de romper la cárcel del yo, inventando heterónimos que le permitían impostar la voz y hablar con otros matices o desde perspectivas distintas de las que lanzaba su poderosa primera persona poética. En su extensa carrera literaria, Gelman ha sido muchos poetas: el poeta socialista de sus años juveniles, el poeta guerrillero de los sesenta y setenta, el poeta trágico y furtivo de los años de derrota, haciendo duelo constante por la muerte de sus amigos y seres queridos, el poeta místico que se refugia en la tradición espiritual judeo-cristiana, el poeta reflexivo de sus años maduros, que escribe sonetos en secreto homenaje a la poesía de su lengua. Todas estas voces han dejado una marca indeleble en la poesía hispanoamericana y argentina, y han acrecentando el caudal histórico de ese basto y rico fenómeno que llamamos nuestra literatura.

Bibliografía citada

Boccanera, Jorge. *Confiar en el misterio. Viaje por la poesía de Juan Gelman*. Buenos Aires: Editorial Sudamericana, 1988.

Bradu, Fabienne. *André Breton en México*. México: Editorial Vuelta, 1996.

Dalmaroni, Miguel. *Juan Gelman. Contra las fabulaciones del mundo*. Buenos Aires: Almagesto, 1993.

Ezquerro, Milagros. "*Interrupciones 2*: inventario de formas". Giraldi-Dei Cas y Guillemont, coord. *Juan Gelman, écriture, mémoire et politique...*55-63.

Fondebrider, Jorge. "Introducción". Juan Gelman. *Antología poética*. Buenos Aires: Espasa Calpe, 1994. Edición de Jorge Fondebrider. 13-34.

Freidemberg, Daniel. "Herencia y cortes. Poéticas de Lamborghini y Gelman". *Historia crítica de la Literatura Argentina*. Buenos Aires: Emecé, 1999. Vol. 10: 183-212.

Gelman, Juan. *Gotán. (Violín y otras cuestiones. El juego en que andamos. Velorio del solo. Gotán).* Buenos Aires: Seix Barral, 1996.

————. *Cólera Buey*. Buenos Aires: Seix Barral, 1994. (primera edición 1971).

————. *Los poemas de Sydney West. Traducciones III (1968-1969).* Buenos Aires: Seix Barral, 1994 (1era edición 1969).

————. *Interrupciones 1. (Relaciones. Hechos. Notas. Carta abierta. Si dulcemente. Comentarios. Citas).* Buenos Aires: Seix Barral, 1997.

————. *Interrupciones 2. (Bajo la lluvia ajena. Hacia el sur. Com/posiciones. Eso).* Buenos Aires: Seix Barral, 1998.

————. *Anunciaciones y otras fábulas. (Fábulas. La junta luz. Anunciaciones).* Buenos Aires: Seix Barral, 2001.

————. *Salarios del impío y otros poemas. (Salarios del impío. Dibaxu. Incompletamente).* Madrid: Visor, 1998.

————. *País que fue será*. Buenos Aires: Seix Barral, 2004.

————. *Valer la pena*. México: Ediciones Era, 2001.

————. *Mundar*. Buenos Aires: Seix Barral, 2007.

Gilman, Claudia. *Entre la pluma y el fusil. Debates y dilemas del escritor revolucionario en América Latina.* Buenos Aires: Siglo Veintiuno Editores, 2003.

Giraldi Dei-Cas, Norah y Michèle Guillemont, coordinadores. *Juan Gelman, écriture, mémoire et politique.* Paris: Indigo, 2006.

Giraldi Dei-Cas, Norah. "*Interrupciones*, poética de un lúcido entredós". *Río de la Plata 31/Texturas* 19 (2007): 83-110.

Gomes, Miguel. "Juan Gelman en la historia de la poesía hispanoamericana reciente: neorromanticismo y neoexpresionismo". *Revista Iberoamericana* No. 181 (Octubre-Diciembre 1997): 649-664.

Lewis, Paul. *Guerrillas and Generals The "Dirty War" in Argentina.* Westport: Praeger Publishers, 2002.

Martínez, Tomás Eloy. "La voz entera: entrevista a Juan Gelman". Giraldi-Dei Cas y Guillemont, coord. *Juan Gelman, écriture, mémoire et politique...* 185-91.

Martini Real, Juan Carlos. "Homero Manzi, poeta nacional". *La historia del tango. Los poetas (3)*. Buenos Aires: Corregidor, 1987: 3697-3702.

Milán, Eduardo. "Prólogo". Juan Gelman. *Pesar todo Antología*. México: Fondo de Cultura Económica, 2001. 7-18.

Montanaro, Pablo. *Juan Gelman Esperanza, utopía y resistencia*. Buenos Aires: Ediciones Lea, 2006.

Montanaro, Pablo - Turé (Rubén Salvador). *Palabra de Gelman (en entrevistas y notas periodísticas)*. Buenos Aires: Corregidor, 1998.

Ponce, Néstor. "Memoria, referentes históricos y textuales en *Interrupciones 2* de Juan Gelman". *Río de la Plata* 31/ *Texturas* 19 (2007): 9-25.

Porrúa, Ana. "Las bodas incontables: una historia de la imagen". *Quimera* 277 (Diciembre 2006): 40-49.

Rodríguez Núñez, Víctor. "*Relaciones* y *Hechos* de Juan Gelman: "Disparos de la belleza incesante." *Revista Iberoamericana* 194-195 (Enero-Junio 2001): 145-159.

Semilla Durán, María Angélica. "Las señales del pájaro constante: *Incompletamente*, de Juan Gelman". *Juan Gelman, écriture, mémoire et politique*. Paris: Indigo, 2006. Coordinado por Norah Giraldi-Dei Cas y Michèle Guillemont. 81-93.

Semilla Durán, María Angélica y Néstor Ponce, directores. *Río de la Plata* 31/*Texturas* 19 (2007). *Juan Gelman: poesía y resistencia/nuevas lecturas críticas*.

Sillato, María del Carmen. *Juan Gelman: las estrategias de la otredad. Heteronimia, Intertextualidad, Traducción*. Rosario: Beatriz Viterbo Editora, 1996.

Vallejo, César. *Obra poética completa*. Bogotá: Editorial La Oveja Negra, 1980.

CAPÍTULO 16

RESPIRACIÓN ARTIFICIAL: EL ESCRITOR Y EL TERRORISMO DE ESTADO

E n la novela *Respiración artificial*, 1980, Ricardo Piglia, nos presenta una serie de historias fragmentadas y diaspóricas (De Grandis 280).[1] La novela tiene dos partes bien diferenciadas: la

---

[1] *Respiración artificial*, 1980, de Ricardo Piglia ha tenido una notable recepción crítica. La crítica universitaria la ha elegido como una de las novelas favoritas de esa década y los estudios sobre la obra aumentan continuamente. Entre éstos, hay dos trabajos pioneros que merecen especial atención y son los más referidos por la crítica: la reseña-artículo que el filósofo José Sazbón publicara en la revista *Punto de vista* en 1981, y el artículo de la profesora Marta Morello-Frosch de 1985. El trabajo de Sazbón es riquísimo, y hasta este momento, uno de los mejores artículos escritos sobre la obra. Sazbón argumenta que la apuesta de Piglia es "mostrar que la morfología de la historia es no siempre visible" (Sazbón 119). Indica que su "metáfora fundacional" es el archivo de la historia (121). Señala también Sazbón el empleo de procedimientos de duplicación en la narración de la historia, que asocia al procedimiento constructivo de Onetti, que tiene "en los dos lados y en los desplazamientos de uno al otro, su principio estructural" (129). Señala también el homenaje admirativo de Piglia a Borges, Joyce y Arlt (130).

Marta Morello-Frosch titula a su artículo "Significación e historia en *Respiración artificial* de Ricardo Piglia". Señala que los mensajes en la novela tienen más presencia que los cuerpos, y habla del "espacio privado" en que operan las prácticas culturales (151). Según ella el eje de la novela gira "en torno al problema de cómo narrar o…de cómo crear significaciones a partir de dos tipos de experiencia: la actuación histórica y la experiencia literaria a través de la lectura" (152). Dice que en la segunda parte Piglia crea un sistema de lecturas cruzadas que "asocian textos que no estamos por lo general acostumbrados a

primera compuesta de cartas y la segunda de diálogos entre personajes. La vida y personalidad del profesor Marcelo Maggi, el personaje historiador, relaciona las historias individuales de los personajes entre sí e influye en los acontecimientos y desencuentros que viven. Las historias buscan un centro y su verdad, pero no lo encuentran. Se asocian a otras realidades de manera discontinua y aparentemente casual. Vinculan épocas lejanas en el tiempo, como la tiranía de Rosas con la década del setenta. Conforman una morfología narrativa conceptual novedosa que crea una alegoría histórica transnacional.

El narrador principal, Emilio Renzi, que enmarca los otros relatos, cuenta en 1979 hechos sucedidos a partir de abril de 1976, al mes siguiente del golpe militar que cambió la historia de Argentina.[2] La

---

leer juntos", lo cual resulta novedoso y relativiza la seriedad de los mismos, creando un estilo "casi paródico" (161). Para Morello-Frosch, Piglia enriquece con sus formas narrativas las posibilidades de la lectura y plantea de una forma original las relaciones entre literatura e historia.

En 1997 Nicolás Bratosevich publicó el libro *Ricardo Piglia. Una cultura de la contravención*, y desde ese momento se sucedieron los libros dedicados enteramente a su obra. En 1999 aparece el excelente libro de Laura Demaría, *Argentina-S. Ricardo Piglia dialoga con la Generación del 37 en la discontinuidad*, 1999. En el año 2000 Jorge Fornet, uno de los mayores especialistas en su obra, reúne en un libro, *Ricardo Piglia*, los artículos más destacados publicados hasta ese momento sobre el autor, incluyendo los dos citados y artículos de Rita de Grandis, José Emilio Pacheco, Daniel Balderston y Kathleen Newman, entre otros. En 2004 aparece el volumen compilado por Adriana Rodríguez Pérsico, *Ricardo Piglia: una poética sin límites*, con colaboraciones de Francine Masiello, Cristina Iglesia, Julio Premat, Isabel Quintana y Graciela Speranza. En 2007 se publica el estudio monográfico de Jorge Fornet, *El escritor y la tradición. Ricardo Piglia y la literatura argentina*. En 2008 Jorge Carrión edita *El lugar de Piglia. Crítica sin ficción*, y en 2012 aparece *Homenaje a Ricardo Piglia*, editado por Teresa Orecchia Havas, que compila los artículos del coloquio internacional celebrado en la Universidad de la Sorbona en 2008. Nos encontramos ante un autor que ha recibido una atención crítica extraordinaria. La crítica ha dialogado sin cesar con su obra, enriqueciendo su lectura.

2   Ese golpe militar concluyó un capítulo de cincuenta años de intervenciones militares en la sociedad civil, que había comenzado en 1930, con el golpe del General Uriburu. Distintos sectores políticos promovieron y apoyaron los golpes militares: el golpe de 1930 fue un golpe conservador, en que el Ejército se alió a la oligarquía argentina reaccionaria, para derrocar al gobierno popular de Yrigoyen; el golpe del GOU de 1943 fue un golpe realizado por los secto-

trama contemporánea de la novela se desarrolla en una sociedad dominada por el terror de Estado, sometida a una "pacificación" brutal, que
prohíbe todo tipo de reunión y asociación política. Los personajes se
mueven en un mundo clandestino y subterráneo. Se escriben y se visi-
tan y narran historias de su pasado. Estos encuentros son privados y los
personajes están conscientes de la vigilancia del poder oficial. Tanto el
novelista como los personajes deben disimular: hablan de manera alu-
siva e indirecta, dando claves y pistas, pero sin enunciar claramente
sus razones. No llegamos a saber por qué Marcelo Maggi se desprende
de su archivo, ni qué secretos contiene; qué papel tuvo él en la resistencia contra el régimen militar, y por qué desaparece. Estos son enig-
mas que plantea la novela sin resolverlos, y que sólo podrá dilucidar
en un futuro su sobrino Emilio Renzi, que al final de la novela se lleva
el archivo. El lector sospecha que Maggi era un revolucionario encubierto bajo una fachada respetable pequeño burguesa; él sabía que el
Ejército lo estaba buscando y quería entregar esos documentos en
forma segura.

Piglia articuló un triángulo narrativo alegórico, en el que participan
Maggi, su sobrino el novelista Emilio Renzi, y su amigo el filósofo
polaco Volodia Tardewski. En ese plano alegórico asumen el liderazgo
narrativo sucesivamente el escritor Renzi, el historiador Maggi y el
filósofo Tardewski. Cada uno tiene historias que contar, y las historias
iniciales, siguiendo un modo narrativo voluntariamente disgresivo, se
multiplican en otras historias. Los personajes no operan en un vacío
crítico: son constantemente vigilados por el régimen, a través de un
censor y espía, Arocena, que interfiere su correspondencia, buscando
pistas de actividades subversivas.

---

res progresistas del Ejército, liderados por Perón, contra los conservadores; el
golpe de 1955 fue un golpe pseudo liberal contra el gobierno peronista, con
amplio apoyo de la Iglesia y la clase media, en que el Ejército atacó a los sectores populares y el sindicalismo organizado, y el último golpe de 1976, fue un
golpe militar reaccionario contra la clase obrera y la izquierda revolucionaria,
con apoyo de la Iglesia, parte de la clase media y los sectores más conservadores de la oligarquía, con la intención de implementar una "solución final" genocida contra la población, para extirpar cualquier posibilidad revolucionaria
o rebelión organizada en la sociedad argentina.

El ambiente sofocante refleja las ficciones de Kafka, pero dando a la narración una perspectiva crítica joyceana (Sazbón 134). Kafka y Joyce son referencias necesarias explícitas, dentro de un sistema de alusiones y citas literarias que forman parte del marco concebido. El autor los hace aparecer como personajes en las discusiones literarias, ya que Tardewski conoció a Joyce, e hizo un importante descubrimiento literario sobre Kafka que cambió radicalmente su vida (Broichlagen 189-203). Las historias se van entrelazando y reflejándose en forma amplificada: la opresión del universo kafkiano refleja los delirios genocidas de Hitler, que éste luego hizo realidad, y el mundo opresivo en que vive Maggi durante la tiranía militar del Proceso es un reflejo del sistema opresivo bajo el que vivió Enrique Ossorio, miembro de la Generación del 37, durante la tiranía de Rosas. Ossorio y Maggi aparentan apoyar la dictadura, o ser civiles inocuos; sin embargo, conspiran y espían para los revolucionarios y la resistencia. Ossorio tiene que escapar a Montevideo para huir de Rosas, y luego a Brasil y Chile, y Maggi, que vive apartado en Concordia, en una especie de exilio interno, también escapa. Ossorio se suicida y pasa su archivo y su legado a Alberdi, y Maggi, sintiéndose acosado, pasa su archivo y su legado a Renzi.

Alberdi y Renzi no son hombres de acción. A diferencia de los miembros más decididos y militantes de su Generación, como Sarmiento y Mitre, que regresaron a Argentina a la caída de Rosas, Alberdi prefirió permanecer en el exilio y dejarle el campo político a los otros (Demaría 81-115). Es un disidente que va a criticar a sus compañeros de generación, pero vive en el extranjero. Renzi está demasiado preocupado por las cuestiones estéticas y los asuntos familiares, como le dice su tío a su amigo Volodia; Maggi cree que cuando supere estas cuestiones podrá entender un poco mejor lo que pasa (142). Renzi no es el observador ideal: la literatura lo obnubila. Tendrá que buscar el significado para restablecer la experiencia. Es un hombre de letras, un esteta, para quien cualquier cuestión literaria tiene precedente sobre otra realidad. Su tío lo elige como albacea seguramente porque no está implicado en cuestiones políticas, y la tiranía no va a desconfiar de él. Es la manera de Piglia de plantear el conflicto entre política y estética, en el cual la literatura va en ayuda de la política.

Maggi, Renzi y Tardewski entienden el mundo desde perspectivas distintas: uno desde la historia, otro desde la literatura y el último desde la filosofía. Cada personaje explica al otro las cosas según su punto de vista y sus intereses. Todos ellos son intelectuales y ven la realidad desde los libros. Pero, cree Piglia, lo que los intelectuales y artistas conciben y sueñan, puede influir en el mundo. Los sueños racistas de superioridad y venganza de Hitler, el artista resentido, cambiaron trágicamente la historia de la humanidad. Kafka entendió esto: existe un vínculo explícito entre las utopías y la marcha de la historia. Su literatura, en lugar de testimoniar la historia, la anticipa (Quintana 80-83).

La Generación argentina del 37 fue la generación utopista que pudo implementar su proyecto político: varios de sus integrantes ocuparon importantes cargos en el gobierno después de la caída de Rosas. Mitre y Sarmiento llegaron a la presidencia, y fueron instrumentales en los cambios políticos de la época post-rosista, y en el proceso de transformación y modernización del país. Dentro del grupo hubo disidentes. Alberdi, después de apoyar al gobierno de Urquiza, criticó a sus compañeros de generación. El personaje de la novela que vive en esta época se identifica con Alberdi, a quien nombra su albacea, y no con Mitre y Sarmiento, cuya política centralista de modernización dejó postergados a sectores rurales y populares que había protegido el rosismo (Demaría 107). Piglia resucita la polémica y el debate entre Alberdi, Mitre y Sarmiento, y toma partido por Alberdi.

Historias cruzadas

La primera parte de la novela está dominada por la relación epistolar entre Emilio Renzi, que vive en Buenos Aires, y su tío Marcelo Maggi, que vive en Concordia, Entre Ríos. La única acción en esta parte es la visita de Emilio al senador inválido Luciano Ossorio. Sin bien Emilio no conoce a su tío en persona, ya que éste sólo lo visitó cuando era un niño de meses y no lo vio más, Emilio había investigado sobre su vida para escribir la novela *La prolijidad de lo real*. El tío simbólicamente encarna el peso de lo real, de la historia, en *Respiración artificial*.

Renzi refiere que en su familia su tío era una especie de héroe. Tuvo una vida extraña y exótica. Se casó con una mujer de la oligarquía, Esperancita, y a los seis meses la dejó para huir con una bailarina de cabaret, la Coca. Le robó todo el dinero a su mujer, ésta lo denunció, lo apresaron y pasó tres años en la cárcel. Una tarde la Coca visitó a su mujer y luego le empezó a enviar el dinero que se le debía. Esperancita solía visitar a su familia. Años más tarde se murió y su tío no lo supo. Esperancita dejó una carta donde dijo que lo del robo había sido una mentira. Es sobre esta historia que Renzi escribe su novela. Lo atrajo su "aire faulkneriano" (15).

Poco después de aparecida la novela en abril de 1976, Renzi recibió correspondencia de su tío, que la había leído. Comienza allí la historia que Emilio, como narrador, cuenta a los lectores de *Respiración artificial*. Si bien el tío vivía en Concordia y, ni el lector ni Renzi llegarán a "verlo", el lector logra conocer por medio de las cartas importantes aspectos de su mundo personal y su manera de pensar. Este retrato se completa con los testimonios de aquellos que lo trataron, como el senador Ossorio y el filósofo Tardewski. En la segunda parte Emilio va a la ciudad de Concordia a visitar a su tío, pero éste no está en su casa. Mientras aguarda su regreso, Emilio conversa con Tardewski, que le refiere su vida. Tardewski le cuenta cosas de su tío que él no conoce. Le describe la importante charla que mantuvieron cuando Maggi fue a verlo y le pidió pasar la noche en su casa, antes de irse. La visión que tenemos de Maggi es siempre indirecta, mediada por la escritura, o por el informe o la versión de otra persona que habla de él. Maggi, el historiador, se transforma en un sujeto historiado, y su sobrino trata de reunir todos los testimonios que puede sobre él.

En sus cartas Maggi le cuenta a Emilio su verdadera historia y rectifica los errores de su novela. Las cartas son confesionales y escritas desde la perspectiva de un hombre mayor a alguien mucho más joven. Maggi era un hombre de más de sesenta años mientras su sobrino pasaba los treinta. Puesto que Piglia nace en 1940, la edad de Renzi coincide con la del autor. Los lectores entendemos que es su alter ego. La biografía del personaje tiene puntos en común con la de éste. Renzi, igual que Piglia, estudió en La Plata. Piglia observa y parcialmente censura al personaje, que, como él, es novelista. El tío afirma que, limitado por su visión esteticista, Renzi tiene dificultades para entender la historia. Piglia, que estudió historia y fue profesor de Historia Argentina en la Universidad de La Plata, considera ésta una falta grave en un escritor.

Respiración artificial es una novela de ideas, o novela filosófica.[3] El escritor juega con los géneros. Los personajes se relacionan por carta, pero cuestionan el valor de la novela epistolar. La novela crea varios niveles de significación, que el lector tiene que analizar e interpretar. Valiéndose de un procedimiento hermenéutico, debe penetrar las distintas capas textuales (Mattalia 122). Piglia trata de cifrar en su obra su visión de la literatura.[4] Crea personajes verosímiles y, como Borges, inserta biografías en sus tramas. Es un procedimiento descriptivo sintético. Evita la expresión farragosa, amplificada o innecesaria. Lo bueno, si breve, dos veces bueno.

En la novela Maggi discute cuál es el valor y el sentido de la historia, Tardewski se preocupa por la filosofía, y Renzi explica sus ideas sobre literatura. Las tres disciplinas entran en diálogo, interactúan y se cuestionan mutuamente. Los sucesos de la novela en un principio parecen ocurrir en un espacio intelectual aislado de las necesidades de la vida inmediata, pero esta calma es aparente, todo el organismo social está amenazado. Dada la situación histórica de emergencia, los personajes viven en un estado virtual de reclusión y sólo se comunican por cartas y visitas ocasionales. Son personajes que están solos, sienten un gran vacío y permanecen aislados, reflexionando sobre su pasado. Han sido todos ellos víctimas de la Historia: Maggi, Tardewski, el Senador Luciano Ossorio. Una situación similar vivió Enrique Ossorio, miembro de la Generación del 37, en la historia paralela de tiranía y perse-

---

[3]   Esta es una novela sobre la historia y su relación con la literatura y la filosofía. Piglia ha separado sus puntos de vista en tres personajes. Sazbón consideró que estos desdoblamientos mostraban en el novelista una intención paródica (Sazbón 128). Yo realmente no veo esa intención. Piglia utiliza la ironía, pero no la parodia. Los personajes dicen una cosa y dan a entender otra, le hacen guiños al lector, buscando su complicidad. La parodia es un procedimiento genérico. A nivel de género veo un tratamiento conceptual de los personajes, no mimético, y esto acerca la novela más a la alegoría que a la parodia.

[4]   Esto, pienso, lo aprende de Borges, que ha sido el gran maestro contemporáneo del arte de la alusión y la cita.

cución que cuenta la novela. Todos resisten a su modo. Tardewski es el escéptico que parece más pesimista, y el Senador Ossorio, inválido y postrado, es quien, a pesar de las circunstancias terribles, lucha más y jamás se entrega a su suerte.

Renzi hace literatura a partir de la historia familiar. El historiador Maggi dedica todo su esfuerzo intelectual a escribir la biografía de Enrique Ossorio como autobiografía. Maggi finge que Ossorio cuenta su propia vida, y mediante este recurso el historiador noveliza la biografía de otro. Lo mismo, comprendemos, hace Renzi en su relato cuando nos habla de Maggi, y Piglia con su novela cuando nos presenta a estos personajes para mostrarnos, simbólicamente, la situación del intelectual y del artista durante los años del terrorismo de estado. Al leer *Respiración artificial* entendemos que el artista estaba condenado a ser casi un recluso, sin verdadera libertad de movimiento, sometido al espionaje y la censura, amordazado.

Enrique Ossorio, el miembro de la Generación del 37, que escribía, fue un hombre perseguido, y dejó sus escritos a su mujer. Estos escritos forman parte del archivo, en poder del Senador, que pasa a manos de Maggi y finalmente a manos de Renzi. Maggi agrega al archivo sus propios escritos y en ese archivo su sobrino deberá encontrar la verdad de todo. En esos escritos la identidad de Ossorio y la de Maggi se confunden, ya que Maggi escribe su biografía en primera persona.

Las ideas y las discusiones intelectuales, en esta atmósfera, toman verdadero protagonismo. En la novela los personajes no pueden hacer mucho, están limitados en sus movimientos. Renzi visita al Senador, que anda en silla de ruedas, en Buenos Aires, y luego va a Concordia a ver a su tío, que ha escapado. El resto son las historias que cuentan y las ideas que refieren. Ahí es donde la novela como género incorpora la crítica y el ensayo.

Piglia habla constantemente en la novela sobre las influencias de Borges y de Arlt en nuestra literatura. Hay, sin embargo, un autor mayor del que Piglia no habla y que, yo entiendo, es una referencia necesaria, si queremos entender esta novela en el contexto de la literatura nacional: Ernesto Sábato. La literatura en Argentina ha sido y es una práctica partidaria, en la que se defienden ciertos nombres e influencias y se ocultan otros. El escritor, más que buscar la verdad, trata de persuadir al lector de sus ideas, y de crear genealogías literarias excluyendo de éstas a sus enemigos o a los escritores que él y su partido consideran indeseables o equivocados.[5]

Sábato, en *Sobre héroes y tumbas*, 1961, introdujo también extensas discusiones sobre Borges y Arlt, y asoció el presente a la historia

---

[5] Piglia mantuvo buena relación con el medio académico argentino, particularmente con los intelectuales y profesores de *Contorno*. Podemos pensar que ha sido uno de los pocos escritores aceptados y favorecidos por los miembros de ese grupo. Los contornistas han ejercido gran influencia en la vida intelectual argentina, a partir de sus modestos comienzos en la década del cincuenta, alrededor de la revista que fundaron durante el Peronismo en 1953 y se mantuvo luego de su caída hasta 1959. La revista mantuvo una posición de apoyo crítico parcial al Peronismo, una posición izquierdista abierta, no partidaria, y una actitud polémica y agresiva, parricida, hacia su entorno literario. El grupo siguió asociado como generación intelectual joven y tuvo una prolongada participación e influencia en la vida académica durante la década del sesenta y el setenta. Esta influencia continuó luego en el ochenta, al volver el país a la democracia, cuando varios miembros del grupo y sus allegados y discípulos ocuparon puestos académicos y proyectaron su influencia dentro de aparato burocrático cultural. Dirigieron importantes publicaciones de gran gravitación en la educación literaria nacional. Esta influencia se mantuvo hasta bien entrado el siglo veintiuno.

Ha sido uno de los grupos culturales que ha logrado proyectar un poder cultural de manera más eficiente en la vida argentina, sobre todo en el área de Buenos Aires y el litoral. Sus miembros, particularmente Noé Jitrik y David Viñas, fueron autores de ficción y de crítica de moderado reconocimiento, pero mantuvieron gran prestigio intelectual. Conformaron una especie de partido político cultural y académico y defendieron ideas conflictivas y polémicas, tratando de revisar el canon literario, incluyendo y excluyendo escritores (Katra 48-67). En un primer momento Borges estuvo entre los excluidos, cuando Adolfo Prieto publicó su estudio declarándolo un escritor prescindible y ajeno a los intereses nacionales; luego fue atacado Sábato. Elevaron el papel de Arlt, como representante y símbolo de una literatura de origen proletario y popular; fue uno de los pocos escritores proletarios que tuvo esta fortuna ya que en general la literatura en Argentina ha sido una práctica de la clase media letrada erudita, que ha subestimado y rechazado la literatura y el arte nacido del campo popular. La actitud del grupo hacia Borges cambió, pero no la posición ante Sábato, pese a haber sido éste un escritor comprometido, que pasó por el comunismo y el existencialismo, y con el retorno de la democracia participó en la comisión de investigación de las desapariciones de personas y redactó el informe *Nunca más* (Fiorucci 184-6).

del rosismo (Pérez 97-9). Eligió a Lavalle como personaje, en lugar de imaginar a un miembro intelectual de la generación del 37. Lavalle fue el General unitario que luchó contra el rosismo y fue derrotado. En la novela de Piglia, Ossorio pasa a ser secretario de Rosas, pero espía para los unitarios, le envía información secreta a Félix Frías en Montevideo, y colabora en la conspiración de Maza, que es descubierta y reprimida, obligándolo a escapar y esconderse.

La visión de Sábato es liberal y sarmientina. Piglia mantiene una posición alberdiana, contra Sarmiento y Mitre. La novela de Sábato es una novela de personajes y su personaje central, Alejandra, representa a la nación. Sus personajes viven intensamente su pasión existencial durante el primer gobierno peronista. La novela de Piglia es una novela de ideas, los personajes están al servicio de éstas y discuten el problema de la nación y la historia en el contexto de la dictadura militar que tomó el poder en 1976. En ambas novelas las ideas tienen gran protagonismo, y los autores se deslizan hacia la crítica literaria y el ensayo, y hacia la historia intelectual.

Piglia asocia la historia de la Generación del 37 y su política antitotalitaria, con el problema nacional principal en el momento que escribe la novela: la represión de la junta militar contra la población civil. Hace un paralelo con lo ocurrido en Europa durante el nazismo. La cuestión nacional sobrepasa los límites territoriales nacionales: la representan exiliados y emigrados de distintos países y diferentes ideologías. Por eso prefiero llamarla novela transnacional o postnacional.

En la novela ni Enrique Ossorio ni el polaco Tardewski buscan regresar a su país. Tardewski y Maggi comparten sus charlas con otros dos amigos exiliados: el ruso tzarista Tokray, que sueña con la caída del comunismo y la restauración del imperio, y el nazi Maier, que se lamenta de la caída del nazismo. Maggi vive un exilio interno y cree en la verdad y la justicia. Es miembro del Partido Radical, y simpatizante del dirigente yrigoyenista Amadeo Sabattini. El lector sospecha que Maggi probablemente estuviera vinculado en secreto a una organización revolucionaria.

En su primera carta Maggi le habla a su sobrino de cómo era el partido Radical durante su juventud, una época "heroica" en que, dice, "defendíamos a tiros el honor nacional y nos hacíamos matar por la

Causa" (17). Esta época concluyó en el 43, con el golpe de Rawson y los oficiales del GOU, en que el papel del Radicalismo cambió.

En contraste con la novela de Sábato, en que Alejandra, la mujer autodestructiva pero seductora y genial, es, según el narrador, la Argentina irresistible y bella, en la novela de Piglia el personaje que clama ser la Argentina es el Senador Ossorio, un miembro de la Unión Conservadora, oligarca, paralítico, morfinómano (21). Maggi reconoce que el país que él encontró en el 46, cuando salió de la cárcel después de tres años, era muy distinto al que había conocido antes, y todo estaba tan cambiado que "yo parecía...una especie de dandy de la generación del ´80" (25). Ese fue el momento cuando triunfó el populismo peronista, y el Radicalismo quedó definitivamente desplazado de la arena política como partido progresista o revolucionario.

A fines de esa década Maggi se va a vivir a Concordia, solo, y conoce a los expatriados europeos. El autor no dice por qué el gobierno militar podía perseguir a un abogado radical y profesor secundario de Historia Argentina en Concordia. Dado que Enrique Ossorio, que aparentaba no oponerse al gobierno de Rosas, era espía y conspirador, y un "traidor", como él declaraba, Pigilia nos induce a pensar que Maggi estaba en una situación similar, y a pesar de su papel aparentemente marginal tenía vinculaciones con los grupos revolucionarios.

El censor Arocena, empleado de Investigaciones, descubre un mensaje cifrado sobre una tal Raquel que llega al país. Supuestamente la información contenida en ese mensaje le da al gobierno militar la pista que lo conduce a Maggi y lleva a su desaparición (100). Maggi no puede hablar abiertamente con su sobrino sobre su militancia, porque sabe que Investigaciones lee sus cartas. Probablemente Renzi encontrará la verdad sobre esto al leer el archivo que su tío le deja y el lector no conocerá.

La novela introduce pocos personajes femeninos: Esperancita, la mujer abandonada y vengativa, hija del Señador Ossorio, que envía con una mentira a Maggi a la cárcel, y Coca, la cabaretera de Rosario de la que se enamora Maggi y que, cuando ella se va a vivir a Salto, en Uruguay, la sigue, se establece en Concordia, y la visita cada tanto, aunque ella no parece quererlo. En la novela florecen las pasiones intelectuales, pero falta el amor. Son muy importantes los sentimientos de amistad entre los hombres. Sobresalen la amistad que une a Maggi con su suegro, el Senador, a quien conoció antes que a su hija; la amistad de Maggi con Tardewski, y la de éstos con Maier y Tokray; la amistad de Tardewski con Wittgenstein; la amistad epistolar de Maggi con Renzi, a quien éste lega su tesoro más preciado como herencia: el archivo de Enrique Ossorio y su biografía (que es también su autobiografía).

Los hombres se expresan sentimientos de admiración. Muchos de ellos se consideran discípulos de los otros, y son de edad desigual. Son amistades paternalistas y protectoras. Tras ellos, amenazantes, están los enemigos y opositores: Marconi, el enemigo intelectual de Renzi, y Arocena, el espía y censor que los acosa, lee sus cartas y los persigue. Piglia presenta una sociedad estructurada y jerarquizada, donde los hombres establecen entre ellos relaciones de poder.

La historia de los Ossorio recorre la trama. El autor asocia los ideologemas de la historia nacional, caracterizada por las oposiciones de civilización y barbarie, liberalismo y nacionalismo, con los de la historia europea, tejidos alrededor de los enfrentamientos entre liberalismo, nazismo y comunismo. En el centro de esa trama está el artista burgués, que busca expresarse en un ambiente de libertad, y es coartado por el totalitarismo opresor. Ante los sucesos de la Historia el escritor no puede hacer mucho. Está cercado por un poder castrador que amenaza su identidad. Los literatos se apoyan en los historiadores y teóricos de la política, más militantes: Ossorio se alía a Alberdi y Renzi idealiza a Maggi. Maggi y Alberdi sufren la represión del sistema. Alberdi es un miembro disidente de su generación. Es un símbolo del intelectual honesto y sacrificado que no silencia su crítica ante nada, y se opone a la política de sus compañeros que llegan al poder máximo del Estado: Mitre y Sarmiento.

La historia de los Ossorio representa la evolución de la clase política hegemónica en la Argentina en sus distintas etapas: Enrique Ossorio es el representante de la Generación liberal del 37, que se opone a la dictadura nacionalista de Rosas, aliada a los intereses de los propietarios rurales; su hijo representa a la Generación del 80 y el Roquismo; y su padre, el Senador, es miembro de la oligarquía conservadora y terrateniente del Centenario. Son sujetos problemáticos, que no defien-

den bien sus intereses de clase; son autocríticos y tienen mala conciencia. Enrique Ossorio se siente un traidor. El Senador se alía a los
radicales, y se hace amigo de un radical sabattinista: Marcelo Maggi,
a quien le da su hija en matrimonio y su archivo de familia. Maggi
confía ese legado político a su sobrino Emilio, que dice ser apolítico,
y cuyo principal interés son los problemas de la literatura. El novelista
resulta ser el último depositario de la historia política de los Ossorio.

El Estado totalitario es violento y represivo y los personajes se
oponen a él. Enrique Ossorio se rebela contra el rosismo y los emigrados luchan contra la dictadura del Proceso. Los desterrados europeos
que viven en Concordia: Tokray, Maier y Tardewski, escapaban también de la represión estatal. Son de muy distinto signo político: Tokray
es un aristócrata ruso anticomunista; Maier es nazi y bibliófilo y cree
en la ciencia racista; y Tardewski, el personaje que adquiere más protagonismo entre ellos, es un filósofo emigrado de Polonia. Tardewski
elabora una compleja interpretación sobre la relación entre la literatura, el arte y la política. Cree que Kafka entendió correctamente cómo
el pensamiento utópico podía influir en la política y el imaginario
social, ya que previó que de un artista delirante y frustrado como Hitler
podía emerger un líder político totalitario y genocida (205). En su
concepción el artista anticipa el futuro. Dice: "Las palabras preparan
el camino, son precursoras de los actos venideros, las chispas de los
incendios futuros" (201).

Las ideas y el lugar del saber

Las ideas son centrales en el desarrollo de la novela, y el registro
ensayístico termina siendo tan o más importante que el ficcional.
Piglia procede de manera distinta a Sábato, que integraba el ensayo a
la novela de personajes. En las novelas de Sábato las relaciones afectivas entre los personajes y sus vínculos emocionales con el mundo
prevalecen sobre las ideas. Piglia, en cambio, limita el papel del personaje mimético, siguiendo en esto las lecciones de Borges, y asigna
un papel protagónico a las ideas y las luchas de ideas. Sábato trató de
crear en *Sobre héroes y tumbas* una novela abarcadora y total, mientras

Piglia no tiene esta intención en su novela. Prefiere formas más breves y conceptuales. Las dos novelas son experimentales y están pensadas con un criterio estructural, pero difieren en el uso de la mímesis. Sábato se acerca más al realismo psicológico, que Piglia rechaza.

Piglia enfrenta unas ideas con otras. Esto posibilita una interpretación alegórica. Cada personaje de la novela de Piglia representa un determinado saber: la historia, la filosofía y la literatura, en relación a un oyente o a un contrincante, como ocurre en la polémica entre Renzi y Marconi. La idea más importante de Maggi, el historiador, es su concepto de "mirada histórica", que consiste en entender los hechos del presente como si éstos ya hubieran pasado, reconociendo que el presente no es permanente, y los hechos fluyen en el tiempo, que los relativiza y los transforma (18). La mirada de Piglia sobre la historia es esperanzadora, ya que hace prever un futuro mejor. Tardewski defiende una posición similar a la de Maggi en relación a la filosofía: sólo tiene sentido "lo que se modifica y se transforma" (23). Tardewski presenta a Wittgenstein como a un filósofo del cambio que, primero, agota el ciclo del positivismo filosófico y, luego, concibe otra filosofía que reabre la posibilidad de filosofar. Piglia cree en la necesidad de una renovación constante. Esta idea guía su literatura: es un autor reflexivo que trabaja lentamente en su obra, tratando de no repetir sus temas ni procedimientos narrativos y genéricos (Sinno 103-12).

Tardewski analiza la naturaleza del arte y de la literatura y las compara a la política. El arte genera sus utopías y esas utopías impulsan el cambio histórico. Maggi parece guiarse por estas ideas cuando interpreta el papel de los miembros de la Generación del 37 en la historia argentina. El personaje Tardewski cree que los delirios del joven artista frustrado Hitler determinaron trágicamente la historia de Alemania y Austria. Las utopías son potencialmente peligrosas y sus consecuencias últimas son poco previsibles: los miembros de la Generación del 37 lograron crear un gobierno liberal modernizador y eurocéntrico en la Argentina, mientras que Hitler condujo a Alemania a la guerra total, el genocidio y la destrucción.

Los personajes expresan ideas literarias originales. El Profesor Maggi cree que los intelectuales europeos emigrados han tenido en la cultura argentina un papel fundamental. Estos intelectuales se consideraban representantes del "saber universal". Maggi interpreta que integran pares juntos a escritores locales, en una relación simbólica, a un tiempo complementaria y polémica: De Angelis-Echeverría; Groussac-Miguel Cané; Soussens-Lugones; Hudson-Güiraldes; Gombrowicz-Borges (Blanco Calderón 27-43). Termina la serie con dos personajes de la novela: Maier y Arregui, su discípulo argentino (116-7). Según Maggi, esos intelectuales europeos eran individuos mediocres, "copias fraguadas" de modelos prestigiosos, cuya misión fue autenticar la fe en el europeísmo de nuestra cultura (124). Para él, el más importante de estos intelectuales había sido el francés Groussac, que cumplió un papel "de árbitro, de juez y de verdadero dictador cultural". En Groussac confluían, dice Tardewski que sostenía Maggi, "los valores de toda una cultura dominada por la superstición europeísta" (124).

Renzi atribuía un papel central a Borges y Arlt en nuestra literatura nacional (Bracamonte 456-68). Para él Borges "es un escritor del siglo XIX" que se propuso "cerrar e integrar las dos líneas básicas que definen la escritura literaria": el europeísmo y el nacionalismo populista (129). Según Renzi, Borges parodia en su obra la erudición europea, mostrando una erudición "ostentosa y fraudulenta" e integra, junto a la corriente europea, la otra corriente, la nacional y populista, que viene del *Martín Fierro*, escribiendo su final y clausurándola. De esa manera la obra de Borges "está partida en dos". Sus cuentos, "Hombre de la esquina rosada" y "Pierre Menard, autor del Quijote", representan esas dos líneas, y su obra se desarrolla por caminos separados. Sólo logra unirlos en "El Sur", que Borges considera su mejor cuento, en que confluyen las dos líneas (130).

Renzi sostiene que Arlt "escribía mal": la suya era una "escritura perversa" (131). Arlt tenía "un estilo criminal" y hacía lo que no se debe: escribía contra la idea de estilo literario y contra el "escribir bien". Según Renzi, la idea de estilo la impuso en Argentina el modernista Lugones, con la intención de purificar el uso de la lengua, ante la amenaza de corrupción que representaba la inmigración, y Arlt trajo a la lengua nacional la mezcla de lenguajes. "Para Arlt –dice– la lengua nacional es el lugar donde conviven y se enfrentan distintos lenguajes, con sus registros y sus tonos" (134). Arlt, cree, es un gran escritor "a pesar de su estilo" (135). La discusión se centra en estos dos escritores, que para Piglia parecen definir el carácter de la Literatura Argentina.

Renzi es quien enuncia también la idea sobre el valor de la parodia en la vida moderna. Para él en el mundo moderno ya no es posible tener aventuras y experiencias originales. Repetimos el pasado de manera distorsionada. Renzi es un esteta que entiende la vida y la política desde la perspectiva de la literatura, y cree que la parodia ha substituido a la historia (110).

Tardewski, discípulo de Wittgenstein, el filósofo que imaginó haber terminado con la filosofía y luego volvió a encontrar motivos para filosofar, explica cuál era la situación de la filosofía en el país al llegar él en 1938. El personaje se burla de los filósofos españoles preferidos por los argentinos en esa época: Ortega y Gasset, al que llama el Asno Español I, y García Morente, el Asno Español II. Denigra a Keyserling, admirado por los intelectuales locales, a quien llama el "Deutsche Asno", mientras exalta al filósofo italiano Mondolfo, y al argentino, discípulo de Heidegger, Carlos Astrada (166-8). Tardewski consideraba el ambiente filosófico de Buenos Aires en esa época totalmente despreciable.

Tardewski tenía sus propias ideas sobre el nazismo. No coincidía con pensadores como Lukacs, que creía que el nazismo era la culminación del irracionalismo y había comenzado en la filosofía alemana moderna con el pensamiento de Schopenhauer y Nietzsche; para él el nazismo era la culminación del racionalismo europeo, porque Hitler en su argumentación era racionalista y construyó un sistema férreo de ideas; en su sistema no entraba la duda, era la inversión del sistema cartesiano (Pacheco 141-8). No le extrañaba que Heidegger hubiera visto en el führer "la concreción misma de la razón alemana" (*Respiración artificial* 188).

Kafka fue el artista que supo escuchar y entender a Hitler, e interpretar sus delirios; era un escritor que escribía en medio de los más grandes obstáculos, y se enfrentó a "la imposibilidad casi absoluta de escribir" (209). Joyce, en cambio, era el esteta vanguardista, el estilista genial. Según Tardewski, que lo encontró una vez, a Joyce "le importaba un carajo del mundo y de sus alrededores (144). También Renzi, al principio de la novela, le había confesado a su tío que no le interesaba la historia (19). Maggi le decía a Tardewski que a su sobrino lo único que le importaba era la literatura, pero que alguna vez se le iba a pasar (142).

Piglia defiende el valor de la cita en el discurso propio. Fue Borges quien legitimó este recurso en nuestra literatura y atacó la idea de la originalidad autoral, basando sus ficciones en otros textos, a los que ponía en el centro productivo de sus historias, como en "Pierre Menard, autor del Quijote" y en "El Inmortal" (Rodríguez y Becerra 232-4). Piglia enmarca su novela en los escritos de la Generación del 37, la obra de Joyce, la de Kafka, la de Borges, la de Arlt y propone, a través de Tardewski, su propia teoría sobre el valor de la cita. Tardewski es el personaje que consideraba que la cita había reemplazado a la creación. El sentía que era un individuo hecho de citas (210).

La novela se desarrolla dentro de una atmósfera de indagación intelectual y los personajes comunican una sensación de fracaso vital. Estos personajes, con la excepción de Emilio, son viejos. El Senador tiene noventa años, Maggi y sus amigos más de sesenta. Emilio se aproxima a los cuarenta. Son solitarios, viven sin amor. Este ambiente de pesimismo y fracaso identifica a gran parte de la literatura argentina, tanto la popular como la culta. Lo encontramos en el tango, en el sainete criollo y en la novela. En *Sobre héroes y tumbas* aparecen numerosos héroes fracasados y autodestructivos. En *Respiración artificial* sus héroes o antihéroes se enfrentan a la imposibilidad de hacer. Esta marginación es sintomática del papel que tuvo que asumir la clase media durante el Proceso, coartada en el ejercicio de sus derechos civiles. Fueron años de terror de Estado. En la novela encontramos muy poca referencia al Peronismo (aparece el tema en una carta de un padre a su hijo en el extranjero, mencionando la situación del campo en esos momentos y cuánto mejor estaba durante el gobierno de Perón) (84-5). La discusión política se centra mayormente sobre la dictadura de Rosas y el gobierno radical de los años treinta.

Tardewski es el personaje que mejor elabora una teoría sobre el fracaso. Según él, el fracaso contribuyó a formar su personalidad y constituye un tipo de filosofía de la vida (164-6). El personaje estuvo muchas veces a punto de triunfar. Fue estudiante doctoral de Wittgenstein y, en Buenos Aires, como joven filósofo, tuvo la oportunidad de acceder a un trabajo como profesor en la Universidad. Tardewski se siente bien en el fracaso y en la pobreza, los necesita como una forma de autorrealización. Está instalado en la conciencia que tiene de sí mismo y en su relación con la vida y la realidad. Filosofa a partir de este sentimiento de minusvalía.

Los personajes viven en una realidad urbana en la que poco pueden hacer. El régimen político persigue todo tipo de resistencia. Son constantemente vigilados por el censor y espía Arocena. Los personajes buscan salvarse y resisten como pueden frente al régimen totalitario y opresivo. Todos son testigos conscientes y víctimas de situaciones históricas que los superan: Enrique Osorio, el Senador, Tardewski, el Profesor Maggi. Renzi, preocupado por las cuestiones literarias, parece en un principio ajeno a lo que pasa, pero va cambiando durante la obra y, con él, el lector, que comparte su punto de vista. Al final resulta el depositario de la verdad de la historia de su tío.

En esta novela Piglia plantea de manera dramática y angustiosa la situación que tuvo que soportar el escritor durante la represión que siguió al golpe de estado de 1976. Los personajes crean un paralelo entre la dictadura rosista y la situación de emergencia que vivió el intelectual durante el Proceso. Piglia revisa la historia nacional desde una perspectiva crítica. Los personajes extranjeros, los argentinos que salieron del país, los exiliados internos, forman una diáspora enriquecedora de múltiples voces. El coro polifónico de personajes se enfrenta a los gobiernos totalitarios represivos que destruyen las libertades y amenazan la vida. La independencia y la vida del escritor están en peligro. Los intelectuales están listos para sacrificarse. La trama se desarrolla en un mundo de ocultamientos, donde todo debe decirse con un lenguaje indirecto.

Con esta novela se cierra una época para el género en Argentina, y otra se abre. En 1983 cae el gobierno de la junta militar, y comienza la etapa de la novela en democracia.[6] En esta nueva época la novela

---

[6]   El fin del gobierno de la junta militar significó la conclusión de un proceso político dictatorial centrado en las oposiciones comunismo/anticomunismo, y conservadurismo/ liberalismo/ peronismo. Su desarrollo tomó muchas décadas y el país que emergió durante de la década del ochenta, luego de la tiranía militar, fue sensiblemente otro. Terminó el ciclo de intervenciones militares

denunciará abiertamente los crímenes de Estado cometidos por la dictadura y renovará sus lazos con otras literaturas dentro y fuera de su lengua. La visión de la nación también cambiará. Habrá libertad de expresión para publicar lo que se desee y comenzará la revisión del pasado.[7] Se reanimarán las luchas políticas en la nación: ¿peronismo o anti-peronismo; liberalismo o populismo; conservadurismo o modernización? La nueva producción artística va a dar testimonio de esas búsquedas.

Bibliografía citada

Blanco Calderón, Rodrigo. "Piglia y Gombrowicz: sobre el fracaso y otras estrategias de escritura." Jorge Carrión, Editor. *El lugar de Piglia. Crítica sin ficción*. Barcelona: Editorial Candaya, 2008. 27-43.

Bracamonte, Jorge. *Los códigos de la transgresión*. Córdoba: Jorge Sarmiento Editor/Editorial F.F. y H., 2007.

Bratosevich, Nicolás y Grupo de Estudio. *Ricardo Piglia y la cultura de la contravención*. Buenos Aires: Atuel, 1997.

Broichlagen, Vera. "Piglia, lector de Kafka". Teresa Orecchia Havas, compiladora. *Homenaje a Ricardo Piglia*. Buenos Aires: Catálogos, 2012. 189-203.

Carrión, Jorge, editor. *El lugar de Piglia. Crítica sin ficción*. Barcelona: Editorial Candaya, 2008.

---

autoritarias en el gobierno de la sociedad civil, y los grupos políticos revolucionarios abandonaron la rebelión armada en lo inmediato. Comenzó una etapa de desarrollo institucional ininterrumpido que tuvo grandes efectos, a pesar de los vaivenes políticos, en la educación, el gobierno, la justicia y, por supuesto, la cultura. En esa etapa emergieron nuevos actores y el peronismo popular y nacional demostró una vitalidad extraordinaria que lo transformó en un movimiento político hegemónico.

[7] Surge un nuevo fantasma para la literatura: el comercialismo La compra de las editoriales locales por compañías transnacionales supone una gran presión para los autores. La importación de estándares extraños al medio limita la libertad del artista. Si el capitalismo internacional ha ganado e impone sus intereses, y no hay otras opciones políticas, como la había durante la época de enfrentamientos entre capitalismo y comunismo, el arte se empobrece: falta la dialéctica, la lucha, las utopías enfrentadas. El consenso ideológico es peligroso para el arte.

Corral, Rose. "Los "usos" de Arlt". A. Rodríguez Pérsico, *Ricardo Piglia*... 248-58.

De Grandis, Rita. *"Respiración artificial* veinte años después". A. Rodríguez Pérsico, compiladora. *Ricardo Piglia: una poética sin límites*... 275-92.

Demaría, Laura. *Argentina-S. Ricardo Piglia dialoga con la Generación del 37 en la discontinuidad.* Buenos Aires: Corregidor, 1999.

Fiorucci, Flavia. *Intelectuales y peronismo. 1945-1955.* Buenos Aires: Editorial Biblos, 2011.

Fornet, Jorge, editor. *Ricardo Piglia.* Bogotá: CASA, 2000.

Fornet, Jorge. *El escritor y la tradición. Ricardo Piglia y la literatura argentina.* Buenos Aires: Fondo de Cultura Económica, 2007.

Katra, William. *Contorno. Literary Engagement in Post-Peronist Argentina.* Cranbury: Associated University Presses, 1988.

Mattalia, Sonia. "La ficción paranoica: el enigma de las palabras". Daniel Mesa Gancedo, coordinador. *Ricardo Piglia. La escritura y el arte nuevo de la Sospecha* ... 109-126.

Mesa Gancedo, Daniel, coordinador. *Ricardo Piglia. La escritura y el arte nuevo de la sospecha.* Sevilla: Universidad de Sevilla, 2006.

Morello-Frosch, Marta. "Significación e historia en *Respiración artificial* de Ricardo Piglia". Jorge Fornet, editor. *Ricardo Piglia*... 149-62.

Orecchia Havas, Teresa, compiladora. *Homenaje a Ricardo Piglia.* Buenos Aires: Catálogos, 2012.

Pacheco, José Emilio. "El Proceso, El Castillo, las alambradas". Jorge Fornet, editor. *Ricardo Piglia*...141-8.

Pérez, Alberto Julián. "Una magnífica obsesión literaria: Sábato frente a Borges". *Imaginación literaria y pensamiento propio.* Buenos Aires: Corregidor, 2006. 86-107.

Piglia, Ricardo. *Respiración artificial.* Buenos Aires: Editorial Sudamericana, 1988.

--------. *Crítica y ficción.* Buenos Aires: Seix Barral, 2000.

Pons, María Cristina. *Más allá de las fronteras del lenguaje. Un análisis crítico de Respiración artificial de Ricardo Piglia.* México: Universidad Nacional Autónoma de México, 1998.

Quintana, Isabel. *Figuras de la experiencia en el fin de siglo.* Rosario: Beatriz Viterbo Editora, 2001.

Rodríguez, Virginia y Eduardo Becerra. "La traición en el filo entre narración y experiencia: acerca de la obra cuentística de Ricardo Piglia." Daniel Mesa Gancedo, coordinador. *Ricardo Piglia. La escritura y el arte nuevo de la sospecha...* 227-37.

Rodríguez Pérsico, Adriana, compiladora. *Ricardo Piglia: una poética sin límites.* Pittsburg: Instituto Internacional de Literatura Iberoamericana, 2004.

Sábato, Ernesto. *Sobre héroes y tumbas.* Caracas: Biblioteca Ayacucho, 1986.

Sazbón, José. "La reflexión literaria". Jorge Fornet, editor. *Ricardo Piglia.* CASA: Bogotá, 2000. 119-39.

Sinno, Neige. *Lectores entre líneas. Roberto Bolaño, Ricardo Piglia y Sergio Pitol.* México: Editorial Aldus, 2011.

El cine documental peronista

CAPÍTULO 17

LA HORA DE LOS HORNOS:
CINE Y LIBERACIÓN

Pino Solanas y el Grupo Cine Liberación

L a película documental *La hora de los hornos. Notas y testimonios sobre el neocoloniasmo, la violencia y la liberación*, 1968, del Grupo Cine Liberación, fue dirigida por Fernando "Pino" Solanas, con guión de Solanas y de Octavio Getino. Gerardo Vallejo fue asistente de dirección. El Grupo presentó en este film la historia política del Peronismo con un lenguaje artístico renovador y vanguardista, y logró una síntesis cinematográfica ideológica y formal revolucionaria. La propuesta transcendió largamente sus circunstancias históricas, y se transformó en modelo de cine político.

Formaron el Grupo Cine Liberación Solanas, Getino y Gerardo Vallejo. Este último fue estudiante del Instituto de Cinematografía de Santa Fe, dirigido por Fernando Birri. Birri, director de *Tire dié*, 1960 y *Los inundados*, 1961, se había formado en el Centro Sperimentale di Cinematografía de Roma y proponía hacer un cine testimonial y documental. Vallejo dirigió luego una película documental con el Grupo, *El camino hacia la muerte del Viejo Reales*, 1971, en la que Solanas fue coguionista y productor. Getino, coautor del libro de *La hora de los hornos* junto a Solanas, tuvo, ya concluido el ciclo del Grupo Cine Liberación, una larga y fructífera carrera como profesor e investigador de cine, y dirigió una película, *El familiar*, 1973. Pino Solanas, el que más se destacó como realizador cinematográfico, dirigió varias películas de ficción política luego de su participación en el Grupo Cine Liberación, como *Los hijos de Fierro*, 1975; *Sur*, 1988; *El viaje*, 1992; y varios documentales, como *Memoria del saqueo*, 2004 y *La dignidad de los nadies*, 2005. Los tres, Solanas, Getino y Vallejo, filmaron en 1971 dos extensas entrevistas a Juan Domingo Perón: *La Revolución Justicialista* y *Actualización política y doctrinaria para la toma del poder*. Getino y Solanas consideran que estas entrevistas a Perón fueron los últimos trabajos que hicieron como grupo. Cine Liberación se mantuvo en actividad de 1966 a 1971 (Solanas y Getino 185-9).

Otros grupos de cine que se organizaron en esa época prerrevolucionaria, de grandes luchas políticas, fueron: Realizadores de Mayo, conformado en 1969, del que también participaron Solanas, Getino y Vallejo, junto a otros directores, y Cine de la Base, en 1973, grupo liderado por Raymundo Glayzer, director de *Los traidores*, 1973, vinculado al Partido Revolucionario de los Trabajadores (Mestman, "Raros e inéditos del Grupo Cine Liberación" y "La exhibición del cine militante. Teoría y práctica en el Grupo Cine Liberación" y Halperin 13-15). Estos realizadores fueron parte de un movimiento latinoamericano de jóvenes cineastas revolucionarios que buscaron transformar el cine en la década del sesenta. Entre éstos se destacaron, además de los argentinos, el cubano Gutiérrez Alea, director de *Memorias del subdesarrollo*, 1968; el brasileño Glauber Rocha, creador de *Deus e o diablo na tierra do sol*, 1964, y *Antonio das Mortes*, 1969; el chileno Miguel Littin, director de *El chacal de Nahueltoro*, 1970, y el boliviano Jorge Sanjinés, director de *Yawar Malku* (*Sangre de cóndor*), 1969 y *El coraje del pueblo*, 1971.

Glauber Rocha, desaparecido prematuramente, fue fundador del movimiento Cinema Novo, y concibió un cine formalista y de vanguardia, con una visión mítico-alegórica del Brasil. Javier Sanjinés desarrolló un cine indigenista y popular revolucionario (del Sarto 78-89). Gutiérrez Alea trabajó en un cine social intelectual y crítico. Littin hizo un cine realista socialista comprometido. Estos directores, junto a Pino Solanas y los integrantes del Grupo Cine Liberación, y a Raymundo Glayzer, conformaron una vanguardia política y experimental original y renovadora del cine latinoamericano. Se replantearon cuáles eran los objetivos del cine como arte, y analizaron su relación con el público y con las masas trabajadoras. Buscaron hacer un cine para el pueblo, procurando elevar su conciencia moral y política. Son directores militantes y revolucionarios que quisieron contribuir con su cine a la creación de un movimiento de liberación continental.

La proyección de *La hora de los hornos* provocó un intenso debate político en el país y en el extranjero. La película tomó su título de la frase de José Martí: "Es la hora de los hornos y no se ha de ver más que la luz", que el Che Guevara colocara como epígrafe en el mensaje que envió a la revista *Tricontinental* en 1967, poco antes de su muerte, donde llamaba a crear "Dos, tres... muchos Vietnam..." (Guevara, "Crear dos, tres...muchos Viet-Nam, es la consigna" 94). Dedicada "Al Che Guevara y a todos los patriotas que cayeron en la lucha por la liberación indoamericana", *La hora de los hornos* recibió importantes premios internacionales, en la Mostra Internazionale del Cinema Nuovo, Pesaro, Italia, 1968; en el Festival Internacional de Manheim, Alemania, 1968; en el Festival de Mérida, Venezuela, 1968 y en el Festival de Cannes, Francia, 1969.

Solanas y Getino dieron numerosas entrevistas al periodismo y escribieron artículos críticos sobre el cine revolucionario, discutiendo problemas prácticos y teóricos con los que se enfrentaban, como "La hora de la censura", "Hacia un tercer cine", "El cine como hecho político", "Cultura nacional y cine", que recogieron y publicaron como libro con el título *Cine, cultura y descolonización* en 1973. Sus ideas sobre el Tercer Cine resultaron novedosas y revolucionarias. Querían crear un cine alejado de los modelos comerciales de Hollywood y del cine independiente pequeño burgués europeo (Solanas y Getino 69-90). Ese Tercer Cine tenía que representar las inquietudes de los cineastas de los países colonizados y neocolonizados que estaban luchando por su liberación. Era un cine insertado en la realidad política y social del Tercer Mundo.

Solanas y Getino consideran a *La hora de los hornos* una obra de "cine-ensayo" (Solanas y Getino 159). El guión que escribieron es un ensayo político extenso y bien pensado, que analiza y discute varios aspectos de las luchas políticas en Latinoamérica y Argentina. La película tiene tres partes: una primera doctrinaria; una segunda histórica, dividida en dos secciones que narran las luchas del pueblo peronista, desde el 45 al 55, y desde el 55 hasta el 66; y una tercera parte inconclusa o abierta, sobre las luchas que tendrán que encarar los pueblos oprimidos en el futuro para liberarse. [1]

A la conquista de un nuevo lenguaje

El grupo contó con la colaboración del excelente fotógrafo Juan C. Desanzo para *La hora de los hornos*. Solanas se encargó de la cámara. Había trabajado en el cine de anuncios comerciales (Rombouts, "Ver este trabajo me hace entender que valió la pena"). Incorporó lo aprendido en el cine comercial a su trabajo autoral.[2]

---

[1]   Solanas, luego de trabajar con el equipo de Cine Liberación, tuvo una larga carrera como director. Creó un cine alegórico-poético muy original. Su primera película de ficción fue *Los hijos de Fierro*, 1975. En este film, poético y alegórico, Perón reencarna en el personaje de Hernández para guiar a sus hijos perdidos en la lucha por la liberación.
Escribió y dirigió películas como *El exilio de Gardel* y *Sur*, en que introduce personajes y situaciones simbólicas, e integra la música y el baile en escenarios sugerentes, con gran sentido plástico de la luz y la imagen. Creó una obra cinematográfica intelectual y "lírica" (compuso además canciones y música para sus películas). Comparte esta aproximación al hecho cinematográfico con otro gran realizador peronista: Leonardo Favio, también ensayista y "poeta" del cine, director de películas como *Romance del Aniceto y la Francisca*, 1967 y el extenso documental sobre el peronismo, *Sinfonía del sentimiento*, 1999 (Getino 56).
Ni Solanas ni Favio manejan en sus films el tiempo narrativo con un criterio lineal y progresivo, realista, como lo hace, por ejemplo, el director Héctor Olivera en sus grandes obras de cine político-testimonial: *La Patagonia rebelde*, 1974, y *La noche de los lápices*, 1986. Cuando cuentan historias recurren a la síntesis de ideas, a la alegoría política y al símbolo poético. Prefieren dividir la obra en secciones o partes. Su manera de proceder con la narración cinematográfica de ficción nos recuerda al modo como planteó sus novelas el escritor peronista Leopoldo Marechal, autor de *El banquete de Severo Arcángelo*, 1965 y *Megafón o la guerra*, 1970, que contaba las luchas políticas de manera alegórica. Mitifican la historia y sus personajes y tienen una imaginación netamente heroica.

[2]   El director de avisos comerciales tiene limitaciones en cuanto al tema que desarrolla, pero disfruta de considerable libertad formal. Dada la brevedad del género, debe recurrir a escenas llamativas y sensacionalistas para atrapar la

Utilizó los recursos formales del cine comercial como base de su "poética" cinematográfica. En *La hora de los hornos* las imágenes superpuestas de corta duración se suceden rápidamente y crean una sintaxis narrativa discontinua, a saltos. El relator articula las escenas entre sí, guiando al público en su interpretación. La metáfora central que guía la película es la imagen del fuego que, tal como lo anuncia el título, simboliza la fuerza transformadora de la revolución. La película se abre con la llama de una antorcha que avanza en la noche hacia el espectador, y se cierra con la misma imagen.

Los integrantes del Grupo se enfrentaron con dificultades para acceder al material filmado y para filmar, dado que trabajaron en la clandestinidad. Hicieron un meticuloso trabajo de recopilación de materiales de archivos, sobre todo noticieros y entrevistas. Solanas empezó a recolectar filmaciones sobre el Peronismo a partir de 1960 y, desde 1965, recorrió gran parte del país, filmando con una cámara Súper 8, inspirado en el ejemplo del director Fernando Birri (Rombouts, "Ver este trabajo me hace entender que valió la pena"). Utilizaron filmaciones de manifestaciones políticas y de enfrentamientos de obreros y militantes con la policía y el ejército, y grabaron, cuando carecían de material filmado, dramatizaciones en que participaron los mismos obreros.

Solanas trabajó las imágenes y el sonido por separado, y en la mayor parte del film superpuso el sonido a la imagen previamente grabada (sonido asincrónico). Hizo un gran trabajo de montaje. Introdujo sobre las imágenes la voz del ensayista que explica y analiza la situación histórica para el público militante, a quien va dirigida la película. En ocasiones el sonido aparece en directo, sobre todo en entrevistas y reportajes.

Solanas y Getino en su guión argumentan persuasivamente, demostrando a su público la verdad de su causa. Cuando hacen entrevistas a sindicalistas y militantes revolucionarios, particularmente en la segunda parte de la película, destacan la valentía y espíritu de sacrificio de

---

atención del espectador y comunicarle "su mensaje". Emplea el "clip" de imágenes gráficas combinadas y superpuestas, y crea "metáforas visuales". Sus collages de imágenes forman contrastes y antítesis, hacen múltiples alusiones y proyectan un sentido simbólico.

la gente, y cuando entrevistan a personajes de la oligarquía, ironizan y se burlan de ellos. A veces sacan los comentarios fuera de su contexto, y critican en "off" a los entrevistados después que dan sus opiniones. Los cineastas mantienen un punto de vista histórico crítico que polemiza con el de los actores sociales. En la primera parte de la película, por ejemplo, la cámara graba la presentación de un libro de Mujica Lainez, en la que el escritor habla sobre su amor por Europa. El camarógrafo se pasea por el salón donde se hace la recepción mostrando a las elites cultas en un ambiente superficial y vanal. Mientras tanto el relator contradice lo que afirman los personajes en un contrapunto crítico, ridiculizando el afán imitativo y la falta de originalidad de los intelectuales europeístas y oligárquicos argentinos, que no entienden nada del país.

En la tercera parte, la más breve, Solanas recurre a dramatizaciones para presentar las ideas y críticas que les plantean los militantes que les envían cartas, e introduce escenas filmadas de las guerras revolucionarias de otros países. Combina sonido y movimiento, creando imágenes coreografiadas de gran plasticidad. Su ritmo cinematográfico, la progresión temporal de las secuencias, logran mantener el interés y la atención del espectador. Su deseo es movilizar al público, para tratar de que participe y dé sus puntos de vista, y abre el debate en momentos claves del film. Concibe una obra abierta, que busca concientizar al pueblo, para que asuma su propia liberación. Considera esta película un "acto" revolucionario.

Solanas es un director formalista, y compone imágenes de gran fuerza y belleza. Busca el equilibrio de las formas. Esta perspectiva estética es parte esencial de su estilo cinematográfico. Procura integrar su visión estética y su búsqueda revolucionaria. El uso del blanco y negro le ayuda a resaltar las líneas y los contrastes lumínicos en las imágenes. Aprovecha al máximo el potencial dramático de cada situación, y trata que el espectador se identifique con su punto de vista.

Cine y ensayo

Solanas y Getino, el co-guionista, son, en derecho propio, pensadores e intelectuales que utilizan el cine como vehículo de sus ideas. La fuerza dialógica del cine los seduce. En esta película se consagran como comunicadores sociales. Escriben el texto después de un concienzudo proceso de investigación. Su ensayo interpreta la situación política latinoamericana desde una perspectiva nacional y socialista. Ambos tienen la convicción de que están viviendo en una sociedad pre-revolucionaria. La revolución social se avecina y es inminente, y el nuevo cine que hacen ellos tiene como objetivo ayudar en ese momento histórico a que se realice la revolución social liberadora. Para esto, las masas argentinas deben tomar conciencia del estado de opresión social en que viven. Tratarán de convencerlas de que tienen que defenderse de las fuerzas que las oprimen y tomar las armas.

Solanas y Getino, jóvenes intelectuales revolucionarios, simpatizan con el guevarismo (Mestman, "*La hora de los hornos*, el peronismo y la imagen del Che"). Creen que la creación de focos de resistencia y lucha en Latinoamérica y Argentina, la creación de dos, tres, muchos Vietnam, como pidió el Che Guevara, obligará al imperialismo a combatir en varios frentes, y los países neocolonizados y colonizados terminarán derrotándolo. Los cubanos anticastristas que invadieron Cuba fueron vencidos en Playa Girón y el ejército revolucionario vietnamita se estaba enfrentando con éxito creciente a los norteamericanos y sus aliados locales.

Solanas y Getino piensan que el nacionalismo conducirá al socialismo. Las masas van aprendiendo de sus experiencias de lucha. La sociedad nacional no puede dar respuesta a todas sus demandas, que resultan excesivas. Las clases terminarán enfrentándose. La burguesía no va a suicidarse ni autodestruirse y las masas, por lo tanto, tendrán que arrancarle el poder para crear una sociedad más evolucionada: esa sociedad es la sociedad socialista. Las declaraciones políticas de Perón con respecto al Socialismo parecen apoyar también este punto de vista (Pérez, "El testamento político de Perón" 28-43).

Solanas y Getino demuestran en la primera parte del film que Latinoamérica era víctima histórica del colonialismo. Vivían en una situación política de opresión, que la conducta de los sectores dirigentes empeoraba. Los intelectuales en los que respaldan su punto de vista aparecen citados profusamente en la película. Acompañan su explicación con carteles de citas, que se mantienen ante el espectador el tiempo suficiente para que pueda leerlos con comodidad. Citan a intelectuales antiimperialistas como Raúl Scalabrini Ortiz, a filósofos marxistas y antiimperialistas como Jean Paul Sartre, a luchadores y pensadores nacionalistas marxistas como Frantz Fanon, Juan José Hernández Arregui, John W. Cooke y Jorge Abelardo Ramos, y nacionalistas antiimperialistas como Arturo Jauretche y Juan Domingo Perón (Pérez, "Perón ensayista: *La hora de los pueblos*" 329-51).

La interpretación política de Solanas y Getino integra marxismo y revisionismo histórico (Ferrari 125). Hacen amplio uso de sus fuentes, creando un contrapunto intelectual rico en matices. Emplean material fílmico de realizadores que admiran y los preceden, incluyendo secciones de películas de Fernando Birri y Humberto Ríos, entre otros. Se dirigen a un público nuevo, activo y participativo. Su concepción del director cinematográfico es anti-individualista. Los miembros de Cine Liberación crean en equipo, comparten las tareas de filmación y ninguno considera que tiene la última palabra, ni se ve a sí mismo como un creador genial e imprescindible. Atacan el mito del autor burgués. Reconocen que el cine es arte y el arte revolucionario tiene que inventar, sin servilismos. Así logran unir un mensaje político liberador con una forma artística vanguardista y revolucionaria. No hay gran director, hay equipo de trabajo. No se busca ganar dinero con la película: se busca liberar al hombre. No hay espectador pasivo porque no hay espectáculo: intentan mostrarle al público su propia situación social, concientizarlo de su opresión, para inducirlo a la acción revolucionaria. El cine quiere ser espejo de la existencia. El ser humano tiene que autodescubrirse para humanizarse. Cine Liberación desea enseñar a luchar por la propia libertad.

Solanas descubre en este film el valor artístico de los personajes colectivos. El hace cine histórico, cine épico. El ser humano se define por su papel social y su inserción en la historia. La subjetividad individual pasa a segundo plano. Los objetivos morales, el "deber ser", guían al hombre. Solanas es un humanista que ve a cada individuo

como parte de una gesta social colectiva. Los individuos forman parte
de un grupo, de una clase. Es legítima la conducta de aquellos que
llevados por sus ideales buscan transformar la sociedad. Así puede
justificar ideas controversiales, como la utilización de la violencia en
la lucha por la liberación.

Si bien los guionistas citan profusamente a intelectuales argentinos,
hay dos personalidades de otros países que resultan esenciales para su
argumentación: Frantz Fanon, nacido en la colonia francesa de Marti-
nica y activo militante del Movimiento de Liberación de Argelia, y el
educador Paulo Freire, de Brasil. Fanon, médico psiquiatra, en su obra
Les damnés de la terre, publicada en 1961, hace un agudo y genial
análisis de las consecuencias que la opresión colonial tiene para el
mundo psíquico de los colonizados. Demuestra que la violencia colonial distorsiona las ideas que los colonizados tienen sobre su realidad
y sobre sí mismos; explica que para liberarse de esa violencia del
colonizador, el colonizado tiene que ejercer una violencia equivalente
contra sus opresores (Sartre 17-36). La lucha, para Fanon, humaniza al
hombre, le da dignidad. El aceptar la situación colonial lo deshumani-
za. Por lo tanto, luchar para liberarse es una cuestión existencial de
primer orden.

Fanon analizaba en su ensayo el caso de Algeria, sociedad coloni-
zada norafricana, que estaba luchando contra el gobierno francés para
liberarse e independizarse cuando él escribió el libro en 1961. El caso
de los países de Latinoamérica era diferente al de Algeria. Latinoamérica sufría en esos momentos pocas situaciones de ocupación colonial
directa. Quedaban ocupadas por poderes extranjeros las Guayanas, las
islas Malvinas y varias islas del Caribe. La mayor parte del continente
se había liberado del colonialismo europeo a principios del siglo XIX,
y los intentos de Inglaterra y Francia de colonizar nuevos territorios
fracasaron ante la firme decisión de sus pueblos y la actitud sacrificada
de sus ejércitos populares. Solanas y Getino adaptan varias de las
valiosas ideas de Fanon, como su análisis sobre el papel del espontaneísmo en la lucha anticolonial, a una situación distinta: en Argentina
y en la mayoría de los países latinoamericanos no nos encontramos
con una sociedad colonial, sino neocolonial.

La sociedad neocolonial es aquella que se considera independiente, como la Argentina, pero sufre la influencia opresora de países poderosos, como lo fue primero Inglaterra, durante la primera mitad del siglo XX, y Estados Unidos después, con quienes tuvo un trato económico privilegiado. Estos países interfieren en sus cuestiones internas y tratan a estas naciones dependientes como verdaderas colonias, limitando su soberanía política y su libertad económica, e interviniendo militarmente en sus territorios. Perón fue uno de los gobernantes que con más energía y determinación se enfrentó al imperialismo de Inglaterra y Estados Unidos. Denunció a los ejércitos nacionales que se sometían al vasallaje, y actuaban como fuerzas de ocupación de sus propios países, al servicio del imperialismo, y luchó por crear un movimiento político autónomo de los países neocolonizados o dependientes, para formar una Tercera Posición (Pérez, "Perón ensayista: *La hora de los pueblos*" 329-51).

Paulo Freire, autor de *Educação como prática da liberdade*, 1967, fue el intelectual que teorizó sobre la "pedagogía del oprimido", que resultó esencial a Solanas y Getino para entender y explicar el problema de la educación, y el papel del intelectual y del artista, en un país dependiente. De acuerdo a Freire no toda educación es liberadora, el sistema de educación en los países neocolonizados perpetúa la dependencia. En el seno de su sociedad hay un grupo de intelectuales que atentan contra la liberación del hombre. Son los intelectuales colonizados y dependientes, que repiten fórmulas foráneas que demuestran la inhabilidad de los colonizados para ser independientes y la falta de valor de lo nacional. Solanas y Getino critican sin piedad a los intelectuales colonizados que quieren perpetuar la opresión del hombre. Su cine busca lo contrario: liberar al hombre. Desde su posición política como cineastas peronistas procuran ejercer un papel pedagógico liberador, denunciando la opresión y el vaciamiento ideológico a que ha sido sometido el pueblo, y reinterpretan la historia nacional, demostrando el papel que han tenido las masas en el desarrollo de la nacionalidad y en la formación del Movimiento Peronista.

La hora de los hornos: cine documental y épica

La hora de los hornos es la gran épica del Peronismo revoluciona-rio. Los personajes y héroes del documental son héroes colectivos. Representan al pueblo y las masas trabajadoras. Perón es el líder ele-gido por los trabajadores para conducirlos y Evita la abanderada del Movimiento Peronista, el símbolo de la masa militante. El levanta-miento popular del 17 de octubre de 1945, cuando los trabajadores reclaman por la libertad de su líder encarcelado, legitima a Perón y su política. Los años de la Resistencia, después del golpe de 1955, reva-lorizan la relación del líder con las masas. Los trabajadores demues-tran su voluntad de seguir unidos y, luchando, transforman el Movi-miento en una fuerza política temible.

Los sindicatos se vuelven los focos políticos de resistencia contra la dictadura militar. El pueblo se enfrenta contra un enemigo superior estando su líder en el exilio. Aprenden a organizarse y a luchar con valor y sacrificio. Ese pueblo es la razón superior de la política. Sola-nas y Getino lo idealizan y nos presentan una descripción de sus luchas de liberación inconclusas, proponiendo continuarlas. El Peronismo es un movimiento nacional revolucionario y en esos momentos, 1966-1968, está combatiendo contra el enemigo interior: la oligarquía y el ejército nacional "cipayo" al servicio del imperialismo, y exterior: el imperialismo norteamericano, que interviene militar y políticamente en Latinoamérica, controlando su economía y empobreciendo a la región.

En la película no participan actores profesionales: Solanas transfor-ma a los protagonistas de las luchas políticas en actores de su propia historia. Obreros, militantes e intelectuales evocan y cuentan sus expe-riencias. El director les agradece su participación y colaboración en la introducción del film. Varios de esos participantes, como Ortega Peña y Julio Troxler, caerían asesinados por la Alianza Anticomunista Argentina pocos años después. La película se hizo en la clandestinidad y no la pudieron exhibir públicamente en Argentina hasta 1973, ya concluida la dictadura militar y comenzado el proceso de apertura política que llevó a Perón a la Presidencia.

Solanas y Getino titulan la primera parte del film "Neocolonialis-mo y violencia", y explican a su público que presentarán sus ideas sobre las consecuencias del neocolonialismo en la Argentina y los otros países del continente que aún no se han liberado, excepto Cuba, a la que declaran "el primer territorio libre de América". Esta extensa primera parte, de 90 minutos de duración, dedicada "Al Che Guevara y a todos los patriotas que cayeron en la lucha por la liberación indoa-mericana", está a su vez subdividida en trece secciones. Solanas utili-zará esta manera de presentar su material narrativo en todas sus pelí-culas. Las organiza en cuadros integrados. Cada cuadro o sección presenta su propio tema y argumento. Primero introduce el tema a su público y luego lo va desarrollando.

Solanas y Getino empiezan la primera parte de esta película con la historia del neocolonialismo y luego analizan y describen la situación de Argentina. Los temas siguientes de esta primera parte del film son la violencia cotidiana, la ciudad puerto, la oligarquía, el sistema, la violencia política, la dependencia, la violencia cultural, los modelos, la guerra ideológica y, por último, la opción, donde hablan de la nece-sidad de armarse y luchar por la liberación del país. Consideran que la guerra de liberación será larga.

El desarrollo de cada uno de los temas recibe un tratamiento pare-cido en todo el film. Comienzan con la presentación de epígrafes y carteles, donde citan frases representativas de los ideólogos cuyas ideas siguen. Acompañan esta presentación con imágenes llamativas y música. Van preparando el clima para la intervención próxima del relator, que le hablará en "off" a su público.

Cuando hacen la introducción general a la primera parte del film, por ejemplo, escuchamos música de tambores y bongó, y aparece la llama de una antorcha en la noche. De inmediato vemos una lucha callejera entre policías y manifestantes. Los hombres llevan banderas con consignas pintadas. Y leemos el cartel siguiente: "La patria gran-de. América Latina: la gran nación inacabada". Luego ponen una cita del poeta antillano Aimé Césaire: "Mi apellido: ofendido. Mi nombre: humillado. Mi estado civil: la rebeldía." Estos textos van intercalados con imágenes que forman un collage. Vemos soldados que patean a civiles. La junta de generales se cuadra y hace la venia. Leemos el siguiente texto de Scalabrini Ortiz, uno de los intelectuales claves del Peronismo: "Es falsa la historia que nos enseñaron. Falsas las riquezas que nos aseguran. Falsas las perspectivas mundiales que nos presentan. Falsas las creencias económicas que nos difundieron. Irreales las libertades que los textos proclaman."

Este texto de Scalabrini sienta una actitud crítica revisionista de la historia argentina. Los ensayistas que escriben el guión tratarán de demostrar por qué la historia que aprendimos es falsa, y presentar la verdadera historia del pueblo argentino según ellos la entienden. Introducen varias consignas que guiarán el resto del film y son también la clave ideológica de los autores: "Liberación", "Inventar", "Organizar nuestra revolución". Solanas y Getino muestran al pueblo cómo fueron sus luchas, para que tomen conciencia de su papel en la historia. Mientras los marxistas ortodoxos piensan que la lucha de clases puede adoptar formas similares bajo diferentes latitudes, y que la revolución ocurrirá cuando las contradicciones objetivas del sistema capitalista creen las circunstancias para la lucha armada y la toma del poder del proletariado, Solanas y Getino piensan que el pueblo es capaz de trazarse, a partir de sus experiencias, con creatividad y originalidad, su propio camino de liberación.

La experiencia peronista ha sido esencial para el pueblo argentino. Bajo Perón la clase trabajadora se organizó y actuó de manera colectiva. Perón impulsó la organización de sindicatos y buscó unificar a los trabajadores. Caído Perón, esos sindicatos mantuvieron su organización y fuerza política, y continúan apoyándolo. Los jóvenes integrantes del Grupo Cine Liberación se formaron durante el período político de la Resistencia y pudieron ver la capacidad de lucha e improvisación del proletariado, así como el papel político asumido por los sindicatos ante el vacío de poder. Los autores analizarán y explicarán en el film cuidadosamente esta situación, y mostrarán el dilema que plantea la militancia sindical en el proceso revolucionario: creen que la virtud y la fuerza mayor de la clase obrera argentina es su espontaneísmo, pero que este espontaneísmo tiene sus limitaciones. La propuesta de ellos será ir más allá, organizar a los trabajadores para luchar, no ya por mejoras sindicales, sino para la conquista y toma del poder.

La revolución nacional socialista

El Peronismo no es un partido sólo de la clase obrera, es un movimiento de masas policlasista. Solanas y Getino atribuyen un valor providencial al pueblo. Creen que el pueblo, esa colectividad integrada por distintas clases sociales, posee un saber intuitivo y es capaz de tomar decisiones por sí mismo en el momento adecuado. El pueblo sabe seleccionar intuitivamente a sus propios líderes. Los intelectuales tienen que ponerse al servicio del pueblo, seguirlo, estar junto a él como "ayudantes" y colaborar en su esclarecimiento ideológico.

A diferencia del marxismo, que posee una doctrina política compleja, basada en las investigaciones económicas de Marx, y en su interpretación de las experiencias históricas, la doctrina política del Peronismo es relativamente simple y directa, derivada de la situación política en que se formó el Movimiento.[3] Al único líder providencial y necesario que reconoce el Peronismo es al General Perón. El pueblo demostró su lealtad a Perón en la jornada del 17 de octubre de 1945, cuando exigió su libertad. Solanas mantendrá estas ideas también en su primera película de ficción: *Los hijos de Fierro*, 1975, alegoría política en que Perón es el fugitivo Martín Fierro.

Mientras el marxismo o materialismo dialéctico es considerado una doctrina política científica y objetivista, el Peronismo es un movimiento político popular y subjetivista. Es difícil por lo tanto unir Peronismo y marxismo. Tanto Solanas como Getino insisten, en su argumento final, que el país y el Peronismo tienen que evolucionar hacia el socialismo, pero sus ideas sobre el tipo de socialismo que buscan no son muy precisas, como tampoco lo son las propuestas de Perón sobre el tema (Pérez, "El testamento político de Perón" 28-43). Los guionistas

---

[3]   Los partidos marxistas revolucionarios reconocen un papel exclusivo al partido político y a sus dirigentes en la conducción de la lucha de clases. La organización del partido marxista descansa sobre la formación de un núcleo de dirigentes y de cuadros de militantes bien preparados e instruidos. Estos guiarán al proletariado hacia la revolución cuando exista una situación histórica objetiva prerrevolucionaria. Los líderes y el organismo colectivo que dirige la política del partido siguen las enseñanzas revolucionarias de Marx y las experiencias de los grandes líderes revolucionarios, como Lenin y, según la línea política de cada organización, Trostky, Mao, etc.

adhieren a ciertos aspectos del guevarismo, a su voluntarismo heroico, y a la posición foquista sobre la lucha armada, defendida por el Che. Este consideraba posible crear revoluciones sociales a partir de la implantación de focos guerrilleros de insurrección local, que luego se irían extendiendo a otras áreas del territorio, a medida que la clase trabajadora fuera haciendo propias sus consignas revolucionarias. Los guionistas hablan con admiración del proceso peronista, de cómo el pueblo fue encontrando su camino político y aprendiendo de sus experiencias. En 1971 el Grupo Cine Liberación filmará dos notables documentales de entrevistas a Perón, en que el líder hablará sobre cómo surgió el movimiento, y discute sus ideas revolucionarias y sus propuestas políticas específicas para volver al poder.

En *La hora de los hornos* Solanas y Getino demuestran que Perón, llevado por su patriotismo, impulsó una revolución nacional con consignas sencillas y lemas claros: soberanía nacional, justicia social e independencia económica, que fueron entendidos por el pueblo. Perón creó un gran movimiento con una doctrina simple y efectiva, práctica y comprensiva. Fue justamente esta capacidad de interpretación política y de síntesis la que hicieron de Perón un gran líder. Su carisma y su amor al pueblo le permitieron mantener una relación dinámica con la clase trabajadora y lograr la lealtad de sus seguidores. Con esas consignas logró articular un gran partido de masas.

El movimiento de liberación y la violencia

Los ensayistas indagan el papel de la violencia (tanto la violencia que sufre el pueblo como la que utiliza para defenderse o atacar) en la evolución de la lucha de liberación. Partiendo de las ideas de Fanon, de que el mundo colonial produce violencia, porque el colonizador mantiene su poder mediante un régimen represivo, y obliga al colonizado a responder a la violencia con violencia para no sucumbir y perder sus valores y su humanidad, Solanas y Getino sostienen que es esencial en Argentina luchar por la liberación con todos los medios disponibles y recurrir, si es necesario, a la violencia. Incorporan esta idea en la introducción general al film, donde citan el lema de Fanon:

"El precio que pagaremos por humanizarnos. Un pueblo sin odio no puede triunfar. El hombre colonizado se libera en y por la violencia."

Antes de comenzar la primera sección de la primera parte: la historia del neocolonialismo, los autores del guión resumen su posición, como corolario de la introducción. Dice la voz en off del relator: "América Latina es un continente en guerra: para las clases dominantes, guerra de opresión; para los pueblos oprimidos, guerra de liberación." Esta gran cuestión justifica también el nombre del grupo de cine que integran: Cine Liberación.

Getino y Solanas proponen en su sección histórica una interpretación nacionalista revisionista de la historia argentina: parten de la idea de que la independencia latinoamericana "fue traicionada en sus orígenes". La traicionaron las élites de las ciudades puertos que, bajo el lema de la libertad de comercio, gestionaron grandes empréstitos con Inglaterra, creando una situación económica de dependencia que comprometía su soberanía y su libertad. Las burguesías nativas terminaron reemplazando al amo colonial y explotando a su pueblo, creando una situación nueva de colonialismo interno. Los ingleses promovieron esta política, que convenía a sus intereses, balcanizando el continente, dividiéndolo tanto como pudieron, para debilitar políticamente a los países y hacerlos fácil presa de sus ambiciones de dominio. Nacía así el neocolonialismo, en que las potencias extranjeras lograron dominar a los países con la ayuda de sus propias clases dirigentes, que se convirtieron en verdaderas fuerzas de ocupación al servicio de intereses foráneos. El papel de Estados Unidos en el norte y en Centro América complementó el papel de los ingleses en el sur, creando un mundo latinoamericano dependiente y sometido. Concluyen este tema resumiendo: "En lo que va del siglo, los EEUU realizaron en Latinoamérica 41 intervenciones armadas. Hoy, la impunidad de esa agresión se encubre tras la OEA" y "Balcanización antes, panamericanismo ahora, sirven a una misma política: neocolonialismo".

Centralismo y oligarquía

En la segunda sección que introducen en esta parte, "El país", hacen una descripción geográfica de la Argentina, mostrando sus grandes riquezas naturales, y analizan sus desequilibrios: Buenos Aires tiene un papel dominante en el país, la oligarquía criolla sometió a los indígenas (defensa del indio y actitud indigenista que se mantiene en todo el film), los más pobres son los más explotados, y la clase media, a pesar de estar bien educada y ser brillante, ignora las necesidades del interior.

Las clases dominantes someten a su pueblo de manera violenta. El principal instrumento de la violencia neocolonial es la explotación laboral y los bajos salarios, que condenan a la población a la pobreza extrema. La población padece la injusticia de vivir en un país rico donde la propiedad de la tierra está en manos de unas pocas familias, donde los niños están malnutridos, donde se carece de una vivienda digna y de servicios indispensables. De estos males, aclaran, sufre toda Latinoamérica y no solo Argentina. El contraste entre el nivel de vida de estos países y el nivel de vida de los habitantes de los países ricos e imperialistas es evidente.

A continuación Solanas y Getino muestran el alto nivel de vida que disfruta la gente de Buenos Aires, ciudad rica y casi extranjera en un país pobre. La definen como "ciudad de funcionarios, profesionales, administradores de colonos, intermediarios de colonos, capataces de colonos. Cuna de la gran clase media, el medio pelo...". Atacan a la clase media, que conocen muy bien y a la que pertenecen. Dicen que había sido la clase protegida de la oligarquía y en esos momentos mostraba su confusión. La pequeña burguesía era la "eterna llorona de un mundo perturbado". Consideran a Buenos Aires una ciudad de espaldas al país, una ciudad que ha traicionado el cometido histórico de la patria.

Hablando con tono irónico y burlón, caracterizan la manera de ser de la oligarquía y hacen un cuadro sociológico de esa clase. Abren la sección "La oligarquía" con el remate de un precioso toro en la Sociedad Rural Argentina y muestran el esnobismo y la cursilería de la famosa clase alta. Los definen como: "Los dueños del país. Ayer aferrados al monocultivo y al capital inglés, hoy asociados con la alta burguesía industrial y el capital financiero americano". Escuchamos declaraciones de señores y señoras que defienden el sentido aristocrático de su clase, a la que comparan con la nobleza inglesa, e insisten en su patriotismo criollo y su amor a la tierra. Muestran actitudes esnobs ridículas, hablan sobre las maravillas de París y la superioridad de Europa, critican a los pobres y defienden al gobierno militar golpista del General Onganía, que quiere "poner orden".

Presentan un desfile de autos de la "Belle Epoque" en Palermo y dice la voz en off: "En su propia patria se saben foráneos, aquí evocan sus años de oro, éstos son…Ayer alardeaban de su límpida ascendencia española, hoy del mestizaje con Europa y Estados Unidos…Con el atuendo liberal exterminaron a la población indígena y ensangrentaron al país más de una vez. Estos son…autores de la violencia cotidiana que padece el pueblo…". Señalan a la oligarquía como enemiga del pueblo y la acusan de ser una clase parásita que traiciona a su patria. La sección termina con una visita a las lujosas tumbas del cementerio de la Recoleta. Dice el relator, mientras la cámara se pasea por las calles del cementerio y enfoca ricas y bellas estatuas de mármol: "La Recoleta, éste es su cementerio…Cristalizar la historia, detener el tiempo, convertir el pasado en perspectiva…he aquí el supremo sueño oligárquico."

Neocolonialismo y ejército nacional

La próxima sección de la primera parte continúa con la descripción del "sistema" neocolonial. Demostrarán que la Argentina no es la única víctima del neocolonialismo: es un sistema de dominación internacional. Las potencias imperiales se alían a las oligarquías locales. El ejército nacional, olvidado de sus luchas por la independencia de América, se comporta como un ejército de ocupación al servicio del capital internacional para someter a su propio pueblo. En la situación colonial el pueblo toma conciencia fácilmente del abuso y la explotación del que es víctima, porque es un poder extranjero el que invade el país por la fuerza y lo domina; en el neocolonialismo, en cambio, la situación es más confusa, porque es el enemigo interno el que le abre la puerta al capital extranjero, para que éste venga a saquear al país y el pueblo no siempre es consciente de esto. El poder imperial llega acompañado de diversas "misiones culturales" para seducir al pueblo: cuerpos de paz, misioneros de varias religiones, organizaciones sindicales sumisas a sus intereses, representantes de sus universidades que ofrecen becas y subsidios a los intelectuales. El verdadero objetivo de estas embajadas, dicen, es "corromper la conciencia nacional". Denuncian la violencia política que sufre el pueblo argentino. En América Latina, sostienen, los pueblos no tienen la posibilidad de cambiar sus destinos por la vía democrático-burguesa. El Ejército destruyó el proceso democrático y proscribió al pueblo, a pesar de ser el Peronismo un movimiento mayoritario. ¿Qué busca el hombre latinoamericano con sus luchas? La respuesta es contundente: la restitución de su humanidad. Dicen que los hombres de los países neocolonizados son tratados por las naciones dominantes como subhombres, y que esa explotación es discriminatoria y racista.

La oligarquía argentina, afirman, despreció siempre al pueblo. Bajo el lema de Sarmiento de "civilización o barbarie" se atacó a los gauchos y rebeldes montoneros. En esos momentos se sigue discriminando al pueblo: se le llama "mersa", "cabecita", porque "...al pueblo siempre se le quiso restar categoría humana". Filman en una ranchería de indios matacos y escuchamos cómo éstos se quejan del racismo. La cámara se detiene en los rostros acongojados de los indios, y pregunta el relator: "Pero el colono, ¿admitirá alguna vez que la sangre del colonizado es igual a la suya?". Se escucha una canción indígena que expresa dolor y pena, y el relator dice que a los indios de todas las etnias se les niega el reconocimiento de su humanidad, se los considera inferiores.

Penetración cultural y dependencia

Todos los países latinoamericanos sufren un agudo proceso de dependencia económica, política y cultural, que deforma totalmente su identidad. Son víctimas de un interminable saqueo colonial, liderado en esos momentos por Norteamérica. De esa manera les resulta imposible desarrollarse. Desde el gobierno de Bartolomé Mitre (1862-1868), en adelante, el país ha mantenido una política de sometimiento a las potencias extranjeras. Esa explotación es la causa del atraso y la miseria, y las riquezas que se llevan las potencias extranjeras financian el alto nivel de vida de sus países. Esas potencias extranjeras y sus aliados nativos controlan la totalidad de la economía nacional agraria e industrial.

Los países latinoamericanos padecen una altísima tasa de analfabetismo y sus pueblos son víctimas de formas sutiles de penetración cultural. Esta penetración cultural, dicen los autores del guión, siguiendo las ideas del pedagogo brasileño Paulo Freire, es una "colonización pedagógica" que deforma el concepto de cultura, y encierra una forma encubierta de violencia que el imperialismo ejerce contra la población local. En los países neocolonizados esa penetración cultural es tan efectiva, que los poderes dominantes que la utilizan pueden prescindir de la policía colonial. Es una violencia más sutil. Creen que esa penetración ideológica va dirigida sobre todo a las clases medias y a los estudiantes universitarios. La universidad, para ellos, no es una "isla democrática", sino "un órgano del poder político vigente destinado a formar conciencias adictas al sistema" para legalizar la entrega del patrimonio nacional. La universidad censura el pensamiento "auténticamente nacional" y forma una intelectualidad "...desvinculada del pueblo-nación, ajena en su gran mayoría al país real."

La cámara nos lleva luego al "salón Pepsi-Cola", donde el escritor Manuel Mujica Lainez presenta su último libro. Solanas y Getino toman a Mujica Lainez como ejemplo del artista colonizado. El relator recoge los diálogos superficiales y esnobs de las personas que asisten a la presentación. El escritor hace diversos comentarios y declara que está totalmente desencantado con Argentina, y que desearía vivir en Europa. Concluye el relator: "El pensamiento de Mujica Lainez es ejemplo de una intelectualidad sumisa al poder neocolonial, una elite que traduce al castellano la ideología de los países opresores."

¿Cuáles son los modelos de estos intelectuales colonizados? Dedican una sección a responder a esta pregunta. La abren con el epígrafe de Fanon que dice: "No rindamos pues compañeros un tributo a Europa, creando estados, instituciones y sociedades inspirados en ella. La humanidad espera algo más de nosotros que esa imitación caricaturesca y en general obscena...Hay que inventar...hay que descubrir...". Solanas y Getino sostienen que la pretendida cultura "universal" imperialista que los intelectuales colonizados toman como modelo no es realmente universal, es cultura europea o norteamericana, cultura colonial, y creer en su universalidad es uno de nuestros mitos. Encandilado por el prestigio de esta cultura imperial, el intelectual o el artista neocolonizado espera el reconocimiento de sus grandes metrópolis. Se conforma con ser traductor, intérprete, espectador. Pero la cultura, sostienen, solo podrá ser verdaderamente universal cuando hayamos destruido al imperialismo y no exista más una sociedad de clases. El intelectual latinoamericano ha renunciado a su capacidad de búsqueda e invención, es un ser desarraigado, escapista y traiciona a la cultura de su país. Su cosmopolitismo cultural es vacío.

Denuncian el papel mistificador de la religión, que instiga a los pobres a creer en el más allá y a resignarse a las miserias de este mundo. Los sacerdotes desorientan al pueblo y son instrumentos de las clases dominantes, que utilizan la religión para crear falsas esperanzas.

Es esencial que el hombre latinoamericano inicie una "guerra ideológica" contra la violencia del sistema de dominación neocolonial, combatiendo las campañas de desinformación y la propaganda, que el imperio y las oligarquías lanzan contra los pueblos utilizando a los propios artistas e intelectuales locales neocolonizados. ¿Qué opción tienen estos pueblos arrasados por la violencia y la pobreza, condenados a la miseria y el hambre? Para los ensayistas tienen una sola opción: luchar. En un momento conmovedor cumbre del film la cámara enfoca por largos segundos la imagen del Che Guevara muerto, con los ojos abiertos, como vigilando y mirando con detenimiento a la platea. Sentencia el relator: "Elegir con su rebelión su propia vida, su propia muerte; cuando se inscribe en la lucha por la liberación la muerte deja de ser la instancia final. Se convierte en un acto liberador, una conquista..." (Mestman, "La hora de los hornos, el peronismo y la imagen del Che").

Con esta escena, Solanas y Getino terminan la primera parte, doctrinal y teórica, del film, en la que tratan de orientar al espectador en una visión amplia y latinoamericana de lo nacional. Lo nacional, demuestran, tiene que integrarse a lo latinoamericano, y el nacionalismo continuarse en el socialismo, para que la liberación sea completa y perdurable. Y dejan abierta la pregunta, ¿cómo luchar?

Después de un intermedio, en que los espectadores pueden hacer comentarios y preguntas sobre lo que vieron en la primera parte, continúa la segunda parte, la más extensa, de dos horas de duración. Si la primera parte era teórica y conceptual, la segunda es más práctica y está orientada a lo que ellos llaman la "acción": es un "Acto para la liberación". La primera parte contenía numerosas "notas" sobre el neocolonialismo y referencias a las ideas de los líderes del movimiento de liberación dentro y fuera del país; en la segunda parte, abundan los "testimonios" que anunciaban en el subtítulo de la película.

El Movimiento Peronista y los trabajadores

Encabezan la segunda parte con una dedicatoria a los trabajadores: "Al proletariado peronista, forjador de la conciencia nacional de los argentinos." A lo largo de esta parte describirán las experiencias históricas de los trabajadores y sus luchas. Abren la sección con numerosos acápites: citan al Che, a Fanon, a Castro. Escriben consignas como: "El nacionalismo de los países oprimidos es la negación del nacionalismo de los países opresores" y "La victoria de los pueblos del tercer mundo será la victoria de la humanidad entera". Dice el relator: "Esto no es solo la exhibición de un film ni es solo un espectáculo. Es antes que nada un acto, un acto para la liberación argentina y latinoamericana, un acto de unidad antiimperialista." Ese no es un espacio para "espectadores", ni para "cómplices del enemigo"; buscan que los asistentes a la proyección se convenzan que es necesario participar como "protagonistas" del proceso que el film testimonia.

Solanas y Getino proponen el diálogo y el debate político entre los asistentes. Quieren rendir homenaje a todos los pueblos y sus vanguardias armadas, que en esos momentos revolucionarios están combatiendo contra el imperialismo y el colonialismo en los tres continentes. Terminan la introducción a la segunda parte citando a Fanon: no hay espectadores inocentes, todos deben ensuciarse las manos. Quien quiera ser sólo un espectador, es en el fondo un cobarde, o un traidor.

En esta parte presentan la historia del Peronismo de 1945 a 1966.* Explican que los movimientos nacionales fueron los que dieron la oportunidad a los pueblos latinoamericanos para irrumpir en la historia como tales y empezar a luchar contra la servidumbre neocolonial. Esos movimientos empezaron en Argentina a principios del siglo XIX, con los caudillos populares, continuaron en 1916 con el yrigoyenismo y emergieron definitivamente con Perón el 17 de octubre de 1945, cuando el pueblo se manifestó en la Plaza de Mayo coreando la libertad de su líder, que había sido encarcelado por un sector del Ejército. Poco después nace el liderazgo de Evita, la perfecta interlocutora de Perón, la portaestandarte del pueblo militante y explotado.

Solanas y Getino demuestran que en 1945 el Peronismo era un movimiento nacional de avanzada. Aún no habían empezado las grandes luchas de liberación anticolonial en Asia y Africa. El Peronismo fue "un hecho precursor", dicen. La intelectualidad, como en el pasado, ante Rosas e Yrigoyen, no entendió al Peronismo, porque éste rompía todos sus esquemas: no lo dirigía una vanguardia esclarecida sino un militar, no se alzaban banderas rojas sino la bandera argentina. Para la intelectualidad local los únicos que contaban eran los modelos revolucionarios europeos. Las capas medias apoyaron a esa intelectualidad, vieron en el Peronismo una confabulación "nazi-facho-falangista" y participaron en la creación del frente de la Unión Democrática contra Perón, en que militaban partidos liberales, conservadores y marxistas. Así, el Movimiento se desarrolló sin el respaldo de una intelectualidad nacional que lo acompañara y diera apoyo ideológico a las masas; la intelectualidad no estuvo a la altura de las circunstancias ni supo entender la nueva realidad política.

Las masas terminaron enfrentadas con los movimientos marxistas que las traicionaban y se aliaban al imperialismo norteamericano, aunque, aclaran los guionistas, "el comunismo, el marxismo y el socialismo auténtico" no tuvieron culpa alguna, fue una traición de sus líderes, sostenidos por la Unión Soviética que, liderada por Stalin, se había transformado a su vez en un poder imperialista.

El Peronismo buscaba ocupar una "tercera posición", equidistante de los dos imperialismos: el Norteamericano y el Soviético. El Peronismo equiparó la política exterior de la Unión Soviética, estado comunista, burocrático y deformado, con la de los Estados Unidos, la máxima potencia capitalista. Desde el punto de vista del Peronismo, Norteamérica y la Unión Soviética eran igualmente imperialistas. Los países que buscaban liberarse de su poder debían conformar un tercer polo político, una tercera posición, independiente de ambas potencias. Los fallos de la Unión Soviética, aclaran Solanas y Getino, no invalidaban por sí el modelo socialista. El socialismo mantenía toda su vigencia como filosofía revolucionaria y guía ideológica necesaria para crear una sociedad nueva.

Fue un gran mérito del Peronismo, creen los autores, desplazar del poder a la oligarquía y denunciar y combatir al imperialismo. Durante la primera parte del siglo XX surgió en Argentina un proletariado industrial que no encontraba un espacio político dentro de los partidos tradicionales, y Perón supo cómo formar con ellos un frente nacional, integrado por los trabajadores, el Ejército, sectores de la burguesía industrial, la Iglesia, la clase media del interior y la peonada rural. Unificado por sus tres banderas: independencia económica, soberanía política y justicia social, el Peronismo fue la tentativa de dejar de ser una "semicolonia pastoril", para transformarse en una "nación independiente". Aclaran que Perón no partió de una ideología preestablecida, la teoría no precedió a la práctica: fue un gran improvisador e intérprete de la voluntad de su pueblo. Eso hizo de él un caudillo popular y encabezó el proceso de liberación. Así, el pueblo peronista pudo vivir diez años de democracia nacional.

Enumeran los cuantiosos logros de ese primer Peronismo: repatriación de la deuda externa, centralización del comercio exterior, protección de la industria nacional, altos salarios, plena ocupación, nacionalización de los bancos, los ferrocarriles, el gas, los teléfonos, los servicios públicos, el crédito bancario. Evita lideró el movimiento femenino que dio el voto a la mujer por primera vez y Perón promovió la creación de una central sindical única de trabajadores, transformando a éstos últimos en la columna vertebral de su Movimiento. Sin embargo, dicen Solanas y Getino, el Peronismo acumuló cada vez más contradicciones y pronto se encontró ante graves limitaciones: era un movimiento policlasista y existían diferencias entre las clases que lo integraban, la burguesía industrial era acomodaticia, muchos de los peronistas eran aliados de la oligarquía. El Peronismo no llevó a fondo su revolución nacional, osciló "entre una democracia del pueblo y una dictadura de la burocracia". Como consecuencia de esto, a partir de 1950 entró en crisis. Sus estamentos dirigentes se fueron burocratizando y eso debilitó al Movimiento. Este proceso se aceleró después de la muerte de Evita, líder radical y carismática que tenía gran ascendencia sobre los militantes peronistas. En el seno del Movimiento se libraba una lucha de clases que lo deterioraba cada vez más. En 1955 termina de quebrarse el frente nacional y Perón se va del poder sin dar lucha. Lo habían traicionado una parte del Ejército, la Iglesia y la burguesía.

La caída de Perón y los gorilas

El Partido Justicialista ya no contaba con una dirección revolucionaria y resultó fácil blanco del enemigo. El 16 de junio de 1955 la Marina bombardeó la Plaza de Mayo y la casa de gobierno, a mediodía, masacrando a cientos de personas. Perón no castigó suficientemente el genocidio, de lo que se arrepintió públicamente luego en una entrevista que aparece dentro de la misma película. No dio armas a los trabajadores ni descabezó a la camarilla militar golpista. El 31 de agosto renunció a la presidencia y el pueblo ganó las calles, pidiendo a su líder que retirara su renuncia. Perón accedió pero, desgraciadamente, estaba aislado. Desde la Plaza de Mayo denunció a los traidores que querían retrotraer la situación política a 1943, cuando el país era gobernado por la oligarquía conservadora. Poco después el Peronismo cae sin lucha. Alrededor de él todos claudican, incluidos los burócratas del partido. El Ejército "gorila" ocupa la ciudad. Perón justificó después su actitud pacifista: su gobierno había sido elegido pocos años antes por segunda vez con una mayoría abrumadora de votos, tenía gran apoyo popular y hubiera podido llamar a los trabajadores a las armas, pero no quería que hubiera una guerra civil y corriera la sangre.

Y preguntan los autores al público: "¿Es un error de Perón el no armar a su pueblo?".

Solanas y Getino nos muestran "la fiesta de los gorilas". La clase media eufórica se lanza a las calles a celebrar la victoria de la "Revolución Libertadora". La curia embandera las iglesias. La intelectualidad argentina saluda la caída de Perón y aclama a los "libertadores". El comunismo celebra el fin de un "gobierno dictatorial". El Radicalismo se proclama como "la única solución" a los males del país.

La reacción gorila descarga su violencia contra el pueblo y empieza la venganza. Comienza "la década violenta". Se disuelve el Congreso y se proscribe al Peronismo. Quieren borrar de la memoria del pueblo diez años de historia. Raúl Prebisch diseña un plan económico, apoyado en el "libre cambio", para entregar la economía nacional al imperialismo. El FMI será el verdadero orientador de la política económica futura, desnacionalizando la economía. Derogan la Constitución del 49, que garantizaba los derechos del trabajador, de la familia, de la ancianidad y proclamaba el derecho del pueblo a la educación y la cultura.

La caída de Perón será una gran lección para el proletariado: demostrará que "la lucha por la liberación nacional es inseparable de la lucha de clases" y que "no hay revolución nacional triunfante si al mismo tiempo ésta no se transforma en revolución social". Solanas y Getino consideran que el Peronismo era un movimiento progresista que actuaba de acuerdo a lo que le permitían sus circunstancias. Para comprobar esto bastaba con observar lo que pasaba en esos momentos en Latinoamérica. El imperialismo yanqui invadía Guatemala y acosaba a Vargas en Brasil, empujándolo al suicidio. Era una política concertada contra los pueblos que buscaban liberarse. La situación internacional favorecía al imperialismo, pero eso cambiaría muy pronto, porque muchos pueblos en Africa se preparaban para iniciar su guerra anticolonial de liberación y Castro se disponía a invadir Cuba poco después para comenzar la guerra de guerrillas y derrocar a Batista, el dictador impuesto por los norteamericanos.

Desde aquel entonces habían pasado varios años. Están en esos momentos en 1968 y deben unirse todos: peronistas, marxistas, cristianos, para formar un movimiento de liberación que derrote definitivamente al enemigo. El film se interrumpe y permite que el auditorio debata. Luego recomienza con la entrevista que Perón, desde España, concedió a Solanas y a Getino el 11 de septiembre de 1968. En esa entrevista, Perón va a reconocer que cometió "un grave error" al no reprimir violentamente a los líderes de la insurrección militar en 1955, y al no haber movilizado al pueblo para que luchara por el Movimiento.

La Resistencia peronista

Con esa entrevista termina la crónica de los años de gobierno peronista y comienza la sección políticamente mejor lograda de la segunda parte: el análisis de los años de la Resistencia. El relator explica que cuando se propusieron informar al público sobre "las luchas sostenidas por nuestro pueblo a partir de 1955", se encontraron con que gran parte de esa información había sido "tergiversada por el sistema", y fue suprimida de los archivos oficiales y las filmotecas. Las organizaciones sindicales tampoco contaban con buenos registros de lo ocurrido durante esos años. Era parte de una lucha en la que todos estaban empeñados: el futuro estaba aún por definirse. Esas experiencias históricas, sin embargo, no habían desaparecido del "subconsciente colectivo". Los actores de los sucesos se habían transmitido sus experiencias en forma oral y eran parte de la memoria colectiva. Decidieron recurrir a ellos.

Hablaron "con obreros de base, activistas, dirigentes sindicales y políticos, campesinos, estudiantes y empleados". Tuvieron que hacer el trabajo en forma clandestina. La dictadura del General Onganía era un régimen represivo y violento. En el proceso muchas veces sintieron la desconfianza de sus interlocutores. Comprendieron cuán lejos se habían mantenido los intelectuales de su pueblo. Trataron de hacer entender a esos entrevistados que existía también en el país una capa de intelectuales nacionalizados, que ellos representaban. Esta parte es una de las más originales del film: los guionistas no se limitaron a acumular datos, sino que investigaron e indagaron el por qué del drama político y lo interpretaron con sentido revolucionario. Los testimonios de los militantes poseen una gran fuerza persuasiva. Estos hablan de sus luchas contra el régimen, explican cuáles son sus aspiraciones y hacen su propia interpretación de la situación social.

La voz del relator sostiene que a partir de 1955 han aparecido en escena actores institucionales, enfrentados entre sí, que compiten por el poder sin la intermediación de los partidos políticos: el Ejército y los Sindicatos. Los obreros actuaron espontáneamente muchas veces, y ese espontaneísmo, que era una de las grandes virtudes de las masas trabajadoras, fue también, con el paso del tiempo, una de sus grandes limitaciones. Los trabajadores luchaban para reconquistar el poder perdido, y anteponían la acción directa a la formulación teórica. Esa acción era en sí una búsqueda que mostraba la capacidad creativa del pueblo. Entrevistan a varios militantes obreros. Se enfocan primero en el período que va de los años 1955 a 1958, luego en el del 58 al 62, y por último en el del 62 al 66, y en la lucha que se estaba librando en esos momentos.

Martiniano Martínez, del gremio automotor, dice que la patronal no cumple las leyes laborales y persigue a los obreros. Estos últimos organizaron su propia defensa y así comenzaron las huelgas. La de los metalúrgicos duró cincuenta días y 30.000 trabajadores fueron despedidos. En junio de 1956, el gobierno masacró en los basurales de José León Suárez a varios militantes populares. En 1958, con la ayuda de los votos peronistas, Frondizi ganó las elecciones. Una vez en el poder, Frondizi claudicó ante las corporaciones internacionales, y la central obrera desató una huelga. Intervenida la CGT por el gobierno, los trabajadores se reorganizaron y formaron las 62 Organizaciones que aprobaron en La Falda un programa de demandas, que incluía la liquidación de los monopolios extranjeros, la expropiación del latifundio, la nacionalización de las fuentes fundamentales de la economía y el control obrero de la producción.

Solanas y Getino explican el papel que tenían los sindicatos en esos momentos. Los sindicatos se transformaron en una escuela de militancia para el proletariado. Los dirigentes sindicales ocuparon muchas veces el lugar que dejó vacante la vanguardia intelectual. Juegan un papel gremial y político. Los sindicatos suplen la insuficiencia política de muchos partidos de izquierda. Entrevistan a importantes dirigentes peronistas, como Angel Perelman y Raimundo Ongaro, Secretario General de la CGT. Aparece un cartel que resume la conclusión de los ensayistas: "En ninguna parte como en un país dependiente los intereses gremiales están tan unidos a los intereses políticos." Los sindicatos son la base de la resistencia popular contra la dictadura.

Frondizi le jugó una mala pasada al proletariado: con el pretexto de lograr un desarrollo rápido para el país, quiso ponerlo "a la cola de los nuevos sectores industriales". Lo consideran un oportunista, que buscó en Estados Unidos un "protector", como la antigua oligarquía lo había buscado en Inglaterra. Abrió la puerta al capital extranjero, privatizó empresas estatales y liquidó la pequeña industria; se sometió a los dictados del FMI y reprimió al pueblo. Los trabajadores resistieron su política entreguista y distintos gremios se declararon en huelga. A partir del 59 el Peronismo combinó la lucha sindical con el sabotaje y el terrorismo. Aparecieron en la provincia de Tucumán las primeras guerrillas. El gobierno aplicó el Plan Conintes, que desencadenó una ola de represión y tortura contra el Peronismo. Sin embargo, la combatividad del Peronismo no se detuvo, y aunque no había logrado aún reconquistar el poder, "quiebra entre el 59 y el 62 la trampa integracionista del frondizismo". Afirma el relator: "El movimiento de masas... comenzaba a romper el frente antinacional...".

Este fue un momento clave del desarrollo político, porque a partir de entonces empezó a afirmarse, dentro de las capas intelectuales y la clase media, un pensamiento nacional. Numerosos intelectuales testimonian esto: Franco Moñi critica al intelectual argentino de izquierda, que no entendió el proceso peronista, y Ortega Peña hace un profundo análisis histórico de la relación de los liberales con los líderes de masas, a quienes acusan de totalitarios, separando a los sectores medios del movimiento de masas, y participando en la contrarrevolución, muchas veces con mala fe. Moñi dice que el intelectual argentino tiene que hacer humildemente su aporte al pueblo trabajador, sin pretender que éste lo siga como a un líder iluminado. Debe servirlo y ayudarlo a que se apropie de una ideología que lo guíe en la lucha. Tiene que ser peronista y estar al servicio del pueblo.

Al analizar el proceso militar de 1962-1966, Solanas y Getino sostienen que el Ejército argentino no puede ser considerado como una institución monolítica, porque la historia nacional demuestra que hubo dos Ejércitos: uno nacional-revolucionario y otro antinacional-contrarrevolucionario. Censuran el antimilitarismo abstracto de los liberales y la "pseudoizquierda". Perón fue un líder militar nacional-revolucionario, y los sectores del Ejército que lo derrocaron fueron contrarrevolucionarios. Ese sector reaccionario del Ejército fue el encargado de reprimir al pueblo.

A partir de 1962 Frondizi ya no pudo detener el empuje de la clase trabajadora. El Ejército intervino y sacó a Frondizi del poder. Se derrumbó la fachada de la democracia burguesa. Los sindicatos iniciaron una nueva forma de lucha: las ocupaciones fabriles. En 1964 la CGT profundiza el plan de lucha y por primera vez en Latinoamérica son ocupados simultáneamente 11.000 establecimientos. En las ocupaciones participaron 3.000.000 de trabajadores, un hecho verdaderamente revolucionario. En 1964 Perón intenta regresar al país, pero el Pentágono hace detener su avión en Brasil y lo obligan a volver al exilio. Ese mismo año aparece en Salta un nuevo brote guerrillero que es derrotado antes de entrar en acción. En el 65 triunfa nuevamente el Peronismo en las elecciones. El Ejército da otro golpe en 1966 y de factor de poder pasa a convertirse en el poder mismo. El general Onganía proscribe los partidos políticos e interviene las universidades. Así quiere contener la radicalización de partes importantes de los sectores medios.

Solanas y Getino analizan el proceso de radicalización que está transformando a la pequeña burguesía, a la que ellos pertenecen y en la que depositan gran esperanza. Creen que la pequeña burguesía contribuirá mucho en la revolución que se avecina y que piensan va a triunfar. Si bien hasta ese momento las luchas estudiantiles habían sido lideradas por liberales reformistas y los estudiantes habían apoyado en el 55 a la oligarquía, a partir del año 64 y 65 eso cambió, y muchos estudiantes se unieron a las luchas antiimperialistas. Entrevistan a varios dirigentes estudiantiles que testimonian sobre estas luchas, entre ellos a Bárbaro, dirigente de la Liga Humanista y a Bravovich, dirigente del Frente Estudiantil Nacional. Coinciden en que el golpe de estado del 66 obligó a los universitarios "a abandonar su isla". Sus dirigentes vienen de distintas corrientes: marxismo, peronismo, cristianismo, y todos creen en la necesidad de luchar "con el pueblo por la liberación nacional". Reconocen que la clase obrera es el eje del movimiento popular, y tienen que revalorizar ellos al Peronismo y entender su significado para la clase obrera. Rechazan el peronismo de los burócratas y abrazan el de las masas, y reconocen el camino revolucionario que ha abierto el ejemplo de la revolución cubana, que marca el derrotero del camino nacional hacia el socialismo.

La ocupación de las instalaciones fabriles fue una experiencia fundamental en el proceso de evolución política de la clase trabajadora, consideran los autores. Esas ocupaciones dieron a los trabajadores una nueva conciencia. Entrevistan a diversos obreros, como Cirilo Ramallo, de Siam, y a una joven obrera delegada de La Bernalesa, una fábrica textil. En estas ocupaciones los obreros se enfrentaron con heroísmo y decisión con la patronal y la hicieron retroceder. En el caso de La Bernalesa las obreras tomaron el control de la fábrica y dirigieron la producción, sin la patronal, manteniendo la calidad, durante varios días. En estas experiencias los obreros adquirieron conciencia de su capacidad y su potencial revolucionario. El relator explica que las ocupaciones de fábricas son hechos violentos, en que los obreros luchan contra la colonización y se humanizan. Pero esta manera de resistir tiene sus limitaciones: son respuestas espontáneas que carecen de una dirección revolucionaria. Pronto se agotan, porque los sindicatos han dejado de ser el eje de la resistencia. Con el heroísmo no basta para vencer al enemigo. Si no se profundiza la revolución, la iniciativa fracasa y el enemigo vuelve a tomar control de la situación.

Eso es lo que está ocurriendo en ese momento del presente en que viven y militan los guionistas. Deben plantearse y plantear al público qué hacer. Piensan que América Latina está en guerra con el imperialismo, y que las masas han ganado experiencia y conciencia en esa guerra, pero que el imperialismo también aprende y rápido. El Pentágono entrena activamente en Panamá a oficiales de los ejércitos latinoamericanos para usarlos como verdaderas fuerzas de ocupación de sus países. "Sobre América Latina –afirman– se ha lanzado una silenciosa escalada militar entrenada para el genocidio." Sin embargo, consideran, un ejército imperial no es invencible, como lo han demostrado Argelia, Cuba y Vietnam. Para derrotarlo hay que oponerle un ejército del pueblo. Concluyen: "El lenguaje de las armas es en nuestro tiempo el lenguaje político más efectivo." El pueblo debe prepararse para esa lucha.

Está por terminar la segunda parte y piden a la audiencia que participe en el debate. Explican que sus consideraciones nacen de la observación de la situación nacional y de la experiencia acumulada por las masas en esos años de resistencia. Todos los dirigentes entrevistados coincidieron en que debían cambiar sus objetivos, luchar por el poder para tener un gobierno obrero y popular. El relator dice que el proletariado aún no ha encontrado la organización revolucionaria capaz de conducirlo a la victoria. Instan al público, a los "compañeros", a que saquen conclusiones cuanto antes para poder pasar luego a la acción directa. Ellos tienen la palabra.

El hombre nuevo y las luchas revolucionarias

La tercera parte de la película, "Violencia y liberación", es la más breve, 45 minutos, y Solanas y Getino la dejan voluntariamente inconclusa. Está dedicada "Al hombre nuevo que nace en esta guerra de liberación". Se inicia con las declaraciones de un anciano testigo de las luchas y las masacres de la Patagonia y el Chaco en la década del veinte. Luego leen una carta de un militante, que cuenta la historia de un mal sindicalista, y un grupo de actores obreros la dramatiza. Este sindicalista, desilusionado, había abandonado la lucha obrera; el autor de la carta no cree que el sindicalista sea el único responsable por esta conducta, porque lo habían formado para negociar salidas legales y para esperarlo todo del sistema; no se puede confiar más en el sistema, concluye el militante, hay que responder a los atropellos con una política revolucionaria. Cuando el pueblo no tiene el poder, los crímenes del neocolonialismo quedan impunes. Lo dominan mediante la violencia. Un cartel cita palabras de J. W. Cooke: la violencia reaccionaria continuará hasta que la derrote "la violencia revolucionaria".

Hacen luego un reportaje al militante peronista Julio Troxler, sobreviviente de los fusilamientos de José León Suárez en junio de 1956; recorren el basural donde tuvieron lugar los fusilamientos y

Troxler cuenta cómo ocurrieron. Culpa a los militares que gobernaban, particularmente a Aramburu y Rojas, por lo ocurrido y los considera responsables de la masacre. Un año después de los sucesos fue detenido y torturado por la misma gente. Explica que es un militante peronista, con cargos en el Comando Táctico y en el Estado Mayor Combinado del Movimiento, y que fue torturado por ejercer sus derechos políticos y por luchar contra el imperialismo. A pesar de eso, afirma no tener miedo. Está dispuesto a continuar su militancia, e imitar el ejemplo de los hermanos de los países asiáticos y africanos que luchan por su liberación. Troxler sería uno de los primeros militantes peronistas asesinados por la Alianza Anticomunista Argentina en 1974.

El relator lee otra carta de un militante que afirma que no podrá comenzar la revolución hasta que no venzamos al hombre viejo, amedrentado, colonizado, que llevamos dentro nuestro. El valor del militante, dice, se mide por sus actos, por lo que éste arriesga y no por sus palabras. Los intelectuales nacionales deben participar en esa lucha porque en ese tiempo de América Latina "no hay espacio ni para la pasividad ni para la inocencia". Tienen que luchar por la liberación nacional. Aquellos que no combaten al régimen se vuelven sus cómplices, y no hay opciones intermedias.

La lucha, explica el relator, ya tiene numerosos mártires. Muchos militantes han sido asesinados, y ése es el precio que otros todavía pagarán por la liberación y para humanizarnos. Esa violencia forma parte de la violencia que sufre el pueblo en la vida cotidiana. Cita a Fanon, que decía que el colonialismo sólo mantenía su poder por medio de la violencia. Un cartel aparece con palabras de Perón, afirmando que la violencia, cuando está en manos de los pueblos, "no es violencia, es justicia". El relator dice que ese film queda inconcluso y se espera lo continúen los compañeros, aportando sus propias experiencias. Otra carta de un guerrillero explica que se lo acusaba de haber robado bancos, y que quien lo acusa es un gobierno que asaltó todos los bancos del país y destruyó la economía nacional y proscribió al pueblo.

La cámara muestra grupos de guerrilleros en África entrenándose para combatir, y se escucha la canción "Violencia y liberación", que dice que hay que preparar el fusil y estar dispuesto a luchar contra el opresor, sacrificarse y resistir. Aconseja: "Prepara el combate,/ prepara el fusil,/ prepara tus cosas para combatir,/ prepara tu mente para renacer,/ prepara tu cuerpo para resistir...". Reconoce que esa guerra será larga y cruel, pero gracias a ella veremos renacer la patria y nuestra humanidad.

El sacerdote uruguayo J. C. Zaffaroni dice que "sólo los hipócritas" condenan la violencia de los oprimidos, y que a la violencia del odio de los opresores hay que oponer la violencia del amor de los combatientes, que es "una forma sublime de amor a la verdad". El relator afirma, de acuerdo con el ideario guevarista, que la acción revolucionaria y el armarse y prepararse para la lucha "genera conciencia, organización y condiciones revolucionarias" (Guevara 94-101). La consigna es crear muchos Vietnam, diversificar los frentes de combate para debilitar al imperialismo. Los países insurgentes deben unirse entre sí para enfrentarlo. "América Latina –asegura– será el Vietnam de la próxima década." Una declaración del Frente Revolucionario Peronista sostiene que "la coexistencia pacífica es el opio que permite al imperialismo expoliar a la humanidad impunemente" y que los pueblos del Tercer Mundo tienen un solo camino para seguir: la guerra revolucionaria, la guerra a muerte contra el imperialismo. Ante el avance de los movimientos revolucionarios el imperialismo recurre al crimen, pero están convencidos de que no podrá derrotar a los pueblos.

Llegando ya a las reflexiones finales, Solanas y Getino concluyen que "la liberación de cada país es siempre un hecho inédito, una invención". El revolucionario debe tener la creatividad del artista. A la revolución nacional deberá seguir la revolución socialista. Reconocen que en Argentina en esos momentos se vive una situación de guerra encubierta. El pueblo sufre la violencia cotidiana del sistema. Ante esa situación es necesario que cada uno se inserte en cualquiera de los frentes de lucha e invente su revolución. Dicen que todos son protagonistas de esa búsqueda revolucionaria e incitan a los espectadores a participar. Hay que pasar a la acción, proponen los carteles finales, mientras la canción "Violencia y liberación" llama a que tomen las armas. "Romper el orden", "Soltar al hombre", leemos, y una antorcha encendida viene hacia el espectador del film-acto que termina. La luz simbólica en medio de la noche, que había aparecido también en las imágenes de la introducción, nos refiere en el final a la frase de José Martí, que es el lema de este documental: "Es la hora de los hornos y no se ha de ver más que la luz."

Este documental-ensayo del Grupo Cine Liberación, escrito por Solanas y Getino, y dirigido por el talentoso Solanas, se integra a esa corriente de pensamiento del ensayo nacional que analiza la problemática de la dependencia cultural, política y económica del país. En la década del cuarenta, luego del auge del ciclo de ensayos sobre la identidad nacional, que iniciaran en la década del treinta el primer Scalabrini Ortiz, con su libro *El hombre que está solo y espera*, 1931 y Martínez Estrada, con *Radiografía de la pampa*, 1933 y que continuó con los aportes de ensayistas liberales como Mallea, *Historia de una pasión argentina*, 1937, apareció un nuevo tipo de ensayo, preocupado con el problema de la dependencia y la liberación nacional. Lideraron este proceso los jóvenes radicales del grupo FORJA, tendencia juvenil revolucionaria del Partido Radical fundada por Scalabrini Ortiz, junto a Jauretche y Manzi. Scalabrini Ortiz publicó en 1940, *Historia de los Ferrocarriles Argentinos*, obra seminal en que se pregunta sobre las consecuencias del imperialismo británico en la Argentina. Este fue uno de los grupos de intelectuales que más apoyaron al Peronismo durante su administración.

Durante la Resistencia, Scalabrini Ortiz y Jauretche utilizaron el ensayo como arma de combate y motivaron a una nueva generación de ensayistas. El General Perón se transformó en el exilio en un prolífico ensayista. Poco después de su caída empezaron a aparecer importantes libros. Perón publicó *Los vendepatria*, 1956; Jauretche, *Los profetas del Odio y la yapa*, 1957; Hernández Arregui, *Imperialismo y cultura*, 1957; Abelardo Ramos, *Revolución y contrarrevolución en la Argentina*, 1957, obras que estudian cuáles son los sectores que conspiran contra la nación, las consecuencias de la dependencia argentina, el problema del imperialismo, y proponen liberarse de las fuerzas adversas que detienen el desarrollo nacional. Todos estos ensayistas fueron muy importantes en la formación intelectual de los miembros de Cine Liberación, que continúan en su cine-ensayo la labor de sus maestros.

En 1968, el año del film *La hora de los hornos*, Perón publicó el libro de ensayo *La hora de los pueblos,* cuya perspectiva de crítica al imperialismo coincide con la posición política que sostienen Getino y Solanas en el documental. Los jóvenes cineastas habían alcanzado gran madurez intelectual, y habían logrado integrarse al pensamiento de liberación nacional.

Los miembros del Grupo Cine Liberación señalan la importancia de nuevos pensadores que han aparecido en países oprimidos y dependientes, como Freire y Fanon, cuya obra es resultado de sus experiencias políticas y de sus luchas contra la pobreza y el colonialismo. Estos pensadores les aportan una visión más amplia del problema neocolonial, y les ayudan a profundizar en su comprensión de las luchas políticas de los países del tercer mundo, en un momento crítico de la historia argentina.

Las fuerzas revolucionarias se habían afirmado y posicionado en todo el continente, preparándose para la lucha, durante esa década. El enfrentamiento con el poder militar y el imperialismo era inminente. Durante los años siguientes entraron en acción diversos grupos guerrilleros peronistas y marxistas en Argentina. Regresado Perón al país en 1973, su influencia no logró detener la lucha entre las fuerzas revolucionarias y las fuerzas contrarrevolucionarias (Page 462-76). Muchos militantes combatieron y muchos cayeron. Los peronistas revolucionarios lucharon con heroísmo. El movimiento armado guerrillero fue derrotado. El Ejército, apoyado por el imperialismo y el poder económico de la oligarquía, bañó al país en sangre, pero las luchas políticas del Peronismo no cesaron. Si algo ha caracterizado al pueblo peronista es su fuerza para luchar, resistir y transformarse.

El Movimiento Peronista, en las décadas que siguieron a los revolucionarios años sesenta y setenta, no ha hecho más que diversificarse y multiplicarse, para terminar dominando como fuerza casi exclusiva la vida política argentina. Ya sin Perón, el Justicialismo ha profundizado su influencia sobre los sectores intelectuales y la clase media, que antes lo rechazaban y rehusaban verlo en toda su complejidad. Nadie puede acusar al Peronismo de intolerancia y totalitarismo, porque, históricamente, ha sido la principal víctima de la intolerancia y la violencia.

A pesar de la fe que mostraron Solanas y Getino en la revolución armada, no fue gracias a ella que triunfó el Movimiento. Su fuerza deriva de lo acertado de su doctrina y de su legitimidad política, que sus militantes han sabido conquistar en arduos años de lucha, apoyada incondicionalmente por el pueblo, y del ejemplo de madurez y moderación que dio Perón al evitar una guerra civil. Perón continuó con su lucha política desde el exilio, confiando en la verdad de su doctrina y en la lealtad de los trabajadores.

La hora de los hornos queda en la historia del cine como una película faro que iluminó a sucesivas generaciones de militantes y renovó el cine documental. Lanzó además la carrera en el cine de Fernando "Pino" Solanas, uno de los directores más destacados del continente. Representa a toda una generación revolucionaria que, si bien no llegó al poder político, mostró con su sacrificio y su entrega el coraje y la capacidad de lucha de sus militantes.

Bibliografía citada

Del Sarto, Ana. "Cinema Novo and New/Third Cinema Revisited: Aesthetics, Culture And Politics". *Chasqui* Vol. 34-1 (2005): 78-89.

Fanon, Frantz. *Les damnés de la terre*. Paris: La Découverte, 2002. 1era. Ed. 1961.

Ferrari, Jorge Luis. "Ser nacional, marxismo y antiimperialismo: el nacionalismo en Juan José Hernández Arregui". *Anuario* No. 5- UNLPam (2003): 125-136.

Freire, Paulo. *Educação como prática da liberdade*. Rio de Janeiro: Paz e Terra, 1989. 1era. Ed. 1967.

--------. *Pedagogia do oprimido*. New York: Herder & Herder, 1970.

Getino, Octavio. *Cine argentino entre lo posible y lo deseable*. Buenos Aires: Ediciones Ciccus, 2005. 2da. Edición actualizada.

Grupo Cine Liberación. *La hora de los hornos*. 4:08 hs. 1968. DVD *Página/12*.

Guevara, Ernesto "Che". "Crear dos, tres…muchos Viet-Nam, es la consigna". París, abril-mayo 1967. *Cuadernos del Ruedo-Ibérico* No. 12: 94-101.

Halperin, Paula. "Historia en celuloide: cine militante en los '70 en Argentina". *Cuaderno deTrabajo* No. 32 - Buenos Aires: Centro Cultural de la Cooperación: 2004. hhtp://www.elortiba.org

Meastman, Mariano. "Raros e inéditos del Grupo Cine Liberación." 2009. http://www.grupokane.com.ar

--------. "*La hora de los hornos*, el peronismo y la imagen del Che". 2002. http://www.docacine.com.ar.

--------. "La exhibición del cine militante. Teoría y práctica en el Grupo Cine Liberación". 2009. http:// bibliotecavirtual.clacso.org.ar.

Page, Joseph. *Perón A biography*. New York: Random House, 1983.

Pérez, Alberto Julián. "El testamento político de Perón". *Historia* 103 (September 2006): 28-43.

--------. "Perón ensayista: *La hora de los pueblos*". *Alba de América* 49-50 (2007): 329-51.

Rombouts, Javier. "Ver este trabajo me hace entender que valió la pena". *Página/12*, 14/10/2007.

Sartre, Jean Paul. "Préface à l'edition de 1961". Frantz Fanon. *Les damnés de la terre*…17-36.

Solanas, Fernando y Octavio Getino. *Cine, cultura y descolonización*. México: Siglo XXI Editores, 1973.

Solanas, Fernando "Pino". *Los hijos de Fierro*. 133 minutos. 1975. DVD *Página/12*.

ÍNDICE

Tercera parte

EL CINE DOCUMENTAL PERONISTA

COLECCIÓN
NUEVA CRÍTICA HISPANOAMERICANA

- *Imaginación literaria y pensamiento propio. Ensayos de Literatura Hispanoamericana* - Alberto Julián Pérez
- *Intermitente recurrencia: la ciencia ficción y el canon literario hispanoamericano* - Luis C. Cano
- *Invenciones urbanas: ficción y ciudad latinoamericanas* - Marcy Schwartz
- *Islas imaginadas. La guerra de Malvinas en la literatura y el cine argentinos* - Julieta Vitullo
- *Juan José Saer: arte poética y práctica literaria* - Jorgelina Corbatta
- *La escritura poética de Olga Orozco. Una lección de luz* - María Elena Legaz
- *La idea del mal en el siglo XIX latinoamericano* - Esteban Ponce Ortiz
- *La poética de Rubén Darío. Crisis post-romántica y modelos literarios modernistas* - Alberto Julián Pérez
- *La reformulación de la identidad genérica en la narrativa de mujeres argentinas de fin de siglo XX* - Hólmfrídur Gardarsdóttir
- *La sonrisa de la amargura. La historia argentina a través de tres novelas de Osvaldo Soriano* - Adriana Spahr
- *Literatura, peronismo y liberación nacional* - Alberto Julián Pérez
- *Los dilemas políticos de la cultura letrada. Argentina. Siglo XIX* - Alberto Julián Pérez
- *Los sentidos de la distorsión. Fantasías epistemológicas del neo-barroco latinoamericano* - Pablo Baler
- *Macedonio Fernández filósofo. El sujeto, la experiencia y el amor* - Marisa Alejandra Muñoz
- *Manuel Puig: Mito personal, historia y ficción* - Jorgelina Corbatta
- *Narrativas de la Guerra Sucia en la Argentina. Piglia. Saer. Valenzuela. Puig* - Jorgelina Corbatta
- *Nuevas tierras con viejos ojos. Viajeros españoles y latinoamericanos en Sudamérica, Siglos XVIII y XIX* - Ángel Tuninetti
- *Onetti/La fundación imaginada. La parodia del autor en la saga de Santa María* - Roberto Ferro
- *Para una intelectualidad sin episteme (1974-1989). El devenir de la literatura argentina* - Silvia Kurlat Ares
- *Parodias al canon en la literatura hispánica contemporánea (1975-2000)* - Natalia Crespo